Doing Business in North Korea

북한의 상법과 세법

김대훈 지음

SAMIL | 삼일인포마인

추천의 글

知彼知己 百戰百勝

6.25 전쟁이 발발한지도 벌써 70년이 지났습니다. 전쟁 이후에 대한민국은 잿더미에서 세계 10대 무역강국으로 눈부신 성장을 하였으나, 북한은 UN에서 인권을 걱정하는 세계 최빈 국가가 되었습니다.

북한이 가지고 있는 천연자원 혹은 풍부한 노동력 때문에 통일을 해야 한다는 경제적 목적에서의 통일에 대한 주장도 괜찮습니다. 그러나 이런 주장보다는 헌법상 대한민국으로 규정된 북한 땅에서 살아가는 북한 동포들의 인간다운 삶을 위하여 통일을 해야 한다는 인권적 목적에서의 통일에 대한 주장이 더 그 당위성을 가질 것입니다.

통일을 위하여 우리 대한민국은 많은 준비를 하여야 합니다. 대한민국은 통일의 당사자로서 북한에 대한 전문적이고도 심도 깊은 이해를 갖추어야 합니다. 우리 대한민국은 언어적인 측면에서 북한 정보의 접근성에 있어서 우위를 바탕으로 한반도 주변의 일본과 중국, 그리고 더 나아가서 미국과 유럽보다도 더 조직적이고 체계적인 준비가 필요합니다. 그렇지만 북한 사회의 특수성과 제한된 접근성으로 인하여 북한의 사회 및 경제에 대한 정보와 지식은 그 양과 질에 있어서 크게 미흡한 것이 또한 현실입니다.

이러한 상황에서 출간되는 본 서적은 북한과 관련된 일반분야에서 탈피해 상법 및 회계 등의 전문분야를 다루고 있으며, 그 주제와 내용도 구체성을 띄고 실무에 활용 가능한 내용으로 구성되었다는 점에 커다란 의미를 지니고 있다고 하겠습니다. 특히, 본 서적은 개성공단에 국한되지 아니하고 북한 전역에 대한 회사법 체계와 세법 전체를 대상으로 하고 있습니다. 나름대로, 나무의 개별 가지가 아닌 숲 전체를 관망할 수 있는 기회를 제공한다는 점에서 본 서적은 향후 북한 사회와 경제에 대한 이해를 촉진하는 데 기여하게 될 것이라고 생각합니다.

지리적으로 서울과 평양은 200km 밖에 되지 않는 근접한 지역입니다. 그러나 북한에 대한 이해는 아직도 가야 할 길이 먼 것이 현실입니다. 우리가 북한을 알아갈수록 통일에 대한 기초가 더욱 단단해 지리라 믿습니다.

교단에서 가르쳤던 사랑하는 제자가 집필한 귀한 서적에 추천의 글을 쓰게 되어 매우 기쁘게 생각합니다. 아무쪼록 본 서적이 북한의 사회와 경제를 이해하고 통일을 준비하는데 조그마한 디딤돌이 되기를 간절히 바랍니다.

2021년 2월

서강대학교 부총장 김순기

머리말

이 책은 북한의 상법(회사법), 회계 및 세법에 대한 이해의 기초를 제공하기 위한 목적으로, 대북 투자 실무를 주관하는 기업체 관계자와 북한 연구를 처음 시작하는 연구자에게 기초자료를 제공하기 위하여 준비한 책입니다.

1998년 금강산 관광사업의 개시, 2000년 시작된 개성공업지구 개발 이후로 현재까지 북한 투자부문의 자료가 양적 · 질적으로 발전하여 이미 여러 종류의 훌륭한 서적이 출간되어 있습니다. 그러나, 대북투자를 기획하거나 북한 상법, 회계 및 세법 관련 연구를 처음으로 시작함에 있어 많은 혼란과 어려움이 있는데, 이는 북한 체제의 특성인 불확실성과 규정의 부정형성 등으로 인하여 개별 법규의 이해와 파악에 초점이 맞추어져, 전체적인 숲의 모습을 파악하기가 힘들기 때문입니다.

따라서, 단편적 법규의 소개에 머무르는 것이 아니라 북한의 상법, 회계 및 세법 등의 경제 관련 전반에 대한 포괄적인 이해를 위한 구성을 목표로 자료를 정리하였습니다.

북한의 상법, 회계 및 세법 등은 정치 특성과 환경의 영향을 벗어날 수 없어, 중국의 그것을 상당 부분 많이 차용하였습니다. 부족한 저자가 중국에서 2006년도부터 상법, 회계 및 세법 관련 학업을 통하여서 배운 지식과 중국에서의 회계사 현업을 통하여 체험한 실무 경험은 북한의 규정을 이해하고 정리하는 데 절대적인 도움이 되었으며, 외국인으로서 해외사업을 계획하고 투자함에 있어 챙겨야 할 사항 등을 최대한 놓치지 않고 반영하고자 노력하였습니다.

이 책을 준비하기로 기도하고 탈고까지 약 2년 동안의 시간이 걸렸습니다. 책이라고 출판을 한다고 하니 시원한 마음보다는, 부족한 저자가 세상에 쓰잘데 없는 먼지만 더 증가시키는 것이 아닌가 하는 두려운 마음이 듭니다.

이 졸저가 나오기까지 많은 분들의 도움을 받았습니다. 2008년부터 이미 10년이 넘게 같은 길을 걸어온 KCBC 가족들의 배려와 이해가 이 책의 뼈를 이루었으며, 매 주말과 휴일마다 출장과 자료 정리 등으로 소홀했던 아내와 아이들, 부모님들에 대한 미안한 마음이 이 책의 살을 이루었습니다.

같은 길을 걷는 동료에 대한 감사함과 소중한 가족들에 대한 미안한 마음을 이 책의 출간이 조금이라도 대신할 수 있으면 좋겠습니다. 또한, 이 책이 대한민국의 자유민주주의를 견고하게 꽃피워 나가는데 겨자씨 만한 도움이라도 되기를 바랍니다.

2021년 2월 첫날, 중국 KCBC 사무실에서

차례

I 북한의 외국인 투자기업 관련 법적환경

II 북한 일반지역

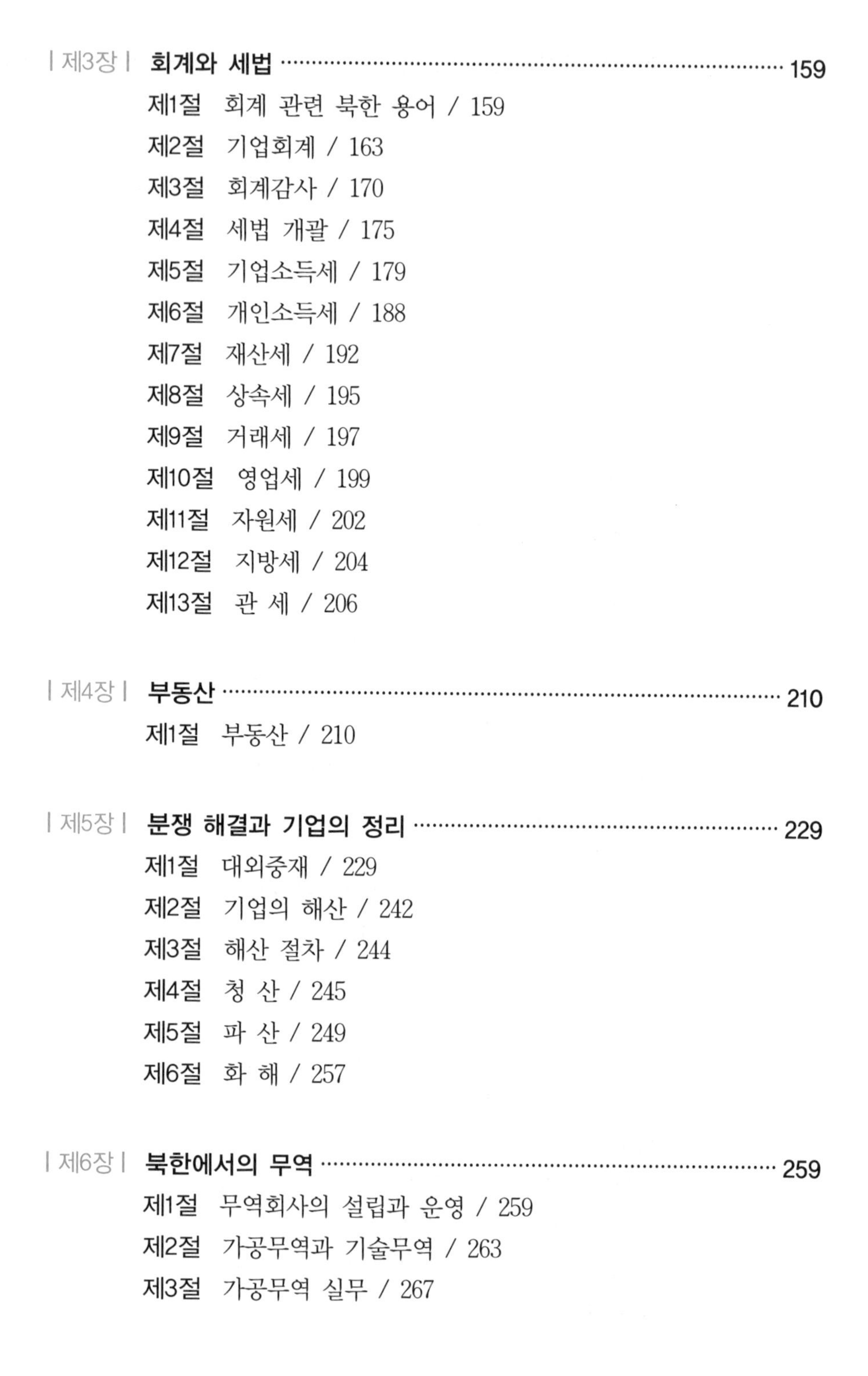

III 북한 특수지역

Ⅳ 대북거래 관련 한국 규정

Ⅰ

북한의 외국인 투자기업 관련 법적환경

제1절 북한의 정치제도와 기관체계

1. 정치제도

북한은 사회주의헌법 제4조 제1항에서 조선민주주의인민공화국의 주권은 노동자, 농민, 사무직 노동자(북 : 근로 인테리)와 모든 인민(북 : 근로인민)에게 있다라고 규정하고 있으며, 북한(조선민주주의인민공화국)의 정치제도는 사회주의적 민주공화제라고 주장하고 있다.

또한, 북한은 인민 주권실현의 기본 기관은 '인민회의'라고 규정하며, 인민회의는 최고 인민회의와 지방 각급 인민회의로 구성되어 있다.

2. 기관체계

북한 기관체계는 주권 기관체계, 행정 기관체계, 검찰·재판 기관체계로 구성되어 있다.

1) 주권 기관체계

북한의 주권 기관체계에는 최고인민회의와 최고인민회의 상임위원회, 지방인민회의와 지방인민위원회가 있다.

최고인민회의는 북한의 최고 주권기관이다. 최고인민회의는 일반적, 평등적, 직접적 선거원칙에 의하여 비밀투표의 방법으로 선거된 대의원들로 구성된다. 최고인민회의 임기는 5년이다. 최고인민회의는 입법권과 국가지도기관(국방위원회, 최고인민회의 상임위원회, 내각 등) 조직권을 행사하며 국가의 대·내외 정책의 기본원칙을 세우고 북한의 인민경제 발전계획과 그 실행방안, 국가예산과 그 집행내용을 심의 및 승인하고 기타 중요하고도 원칙적인 국가 정치문제들을 토의 결정한다.

국방위원회는 북한의 최고 군사지도기관이며 전반적 국방관리기관으로서 국가의 전반적 무력, 국방 건설과 관련한 사업을 지도하며 자기 사업에 대하여 최고인민회의 앞에 책임진다.

최고인민회의 상임위원회는 최고인민회의 휴회 중의 최고 주권기관으로서 그 휴회 중에 제기되는 새로운 부문법안과 규정안을 심의 채택하고 중요부문법에 대하여 다음 기 최고인민회의 승인을 받으며 기타 기관들의 법 준수집행을 감독하고 대책을 세우는 것을 비롯하여 주권실현을 위한 중요한 문제들을 토의하고 결정한다. 최고인민회의 상임위원회 위원장은 북한을 대표한다. 최고인민회의 상임위원회는 자기 사업에 대하여 최고인민회의 앞에 책임진다.

북한에서 도(직할시), 시(구역), 군 인민회의는 지방주권기관이다. 지방인민회의는 일반적, 평등적, 직접적 선거원칙에 의하여 비밀투표로 선거된 대의원들로 구성하며 임기는 4년이다. 지방인민회의는 인민 대표기관으로서 지방의 인민 경제발전 계획과 그 실행방안, 지방예산과 그 집행내용을 심의 및 승인하고 해당 지역에서 국가의 법을 집행하기 위한 대책을 세우며 해당 인민위원회 성원들과 재판소의 판사, 인민참심원을 선거 또는 소환하는 것을 비롯하여 해당 지역에서 주권을 행사한다.

지방인민회의 휴회 중의 지방주권기관은 도(직할시), 시(구역), 군 인민위원회이다. 지방인민위원회는 해당 지방주권의 행정적집행기관이다. 지방인민위원회는 위원장, 부위원장, 사무장, 위원들로 구정되며 그 임기는 해당 인민회의 임기와 같다. 지방인민위원회는 해당 인민회의 소집과 대의원선거사업, 대의원들과의 사업 등 주권적 활동을 하며 해당 인민회의와 상급 인민회의, 인민위원회의 지도를 받으며 자기 사업에 대하여 그 앞에 책임진다.

2) 행정 기관체제

북한의 행정 기관체계에는 내각과 지방 인민위원회들이 있다.

내각은 북한 최고주권의 행정적 집행기관이며 전반적 국가 관리기관으로서 총리, 부총리, 위원장, 상들과 그 밖의 필요한 성원들로 구성되며 그 임기는 최고인민회의 임기와 같다. 내각은 북한의 정책과 법집행을 위한 대책을 세우고 헌법과 부문법에 기초하여 필요한 규정을 제정하며 북한의 인민경제 발전계획, 북한예산을 작성하고 그 집행 대책을 세우며 공업, 농업, 교육, 과학, 문화, 보건, 대외사업 등 여러 부문의 사업을 조직 집행하는 것을 비롯하여 북한의 모든 행정 경제사업을 조직하고 집행한다. 내각은 자기 사업에 대하여 최고인민회의와 그 휴회 중에 최고인민회의 상임위원회 앞에 책임진다.

도(직할시), 시(구역), 군 인민위원회는 지방주권기관인 동시에 행정적 집행기관이다. 행정적 집행기관으로서의 지방인민위원회는 해당 지역안의 모든 행정 경제사업을 조직하고 집행하며 자기 사업에 대하여 해당 인민회의 앞에 책임지고 상급 인민위원회와 내각에 복종한다.

3) 검찰재판 기관체제

북한의 검찰재판 기관체계에는 검찰소와 재판소들이 있다.

검찰 기관체계는 중앙검찰소 도(직할시), 시(구역), 군 검찰소와 특별검찰소로 이루어져 있다.

중앙검찰소 소장은 최고인민회의에서 임명하며 각급 검찰소 검사는 중앙검찰소가 임명한다. 검찰기관은 준법 감시임무를 수행한다. 검찰사업은 중앙검찰소가 통일적으로 지도하며 모든 검찰소는 상급검찰소와 중앙검찰소에 복종한다. 중앙검찰소는 자기 사업에 대하여 최고인민회의와 그 휴회 중에 최고인민회의 상임위원회 앞에 책임진다.

재판 기관체계는 중앙재판소, 도(직할시)재판소, 인민재판소, 특별재판소로 구성된다. 재판소들은 각급 주권기관에서 선출된 판사와 인민참심원으로 구성된다. 중앙재판소 소장은 최고인민회의에서, 중앙재판소 판사와 인민참심원들은 최고인민회의 상임위원회에서 선출된다. 각급 지방재판소 판사, 인민참심원은 각급 지방인민회의에서 선출된다. 특별재판소의 판사는 중앙재판소가 임명하며 인민참심원은 해당 군무자회의 또는 종업원회의에서 선출된다. 중앙재판소는 북한의 최고재판기관으로서 자기 사업에 대하여 최고인민회의와 그 휴회 중에 최고인민회의 상임위원회 앞에 책임진다.

제2절 기업의 설립과 운영 관련 개요

북한헌법(사회주의헌법) 제37조에서 북한은 북한의 기관, 기업소, 단체와 다른 나라 법인 또는 개인들과의 기업 합영과 합작, 특수 경제지대에서의 여러가지 기업창설 운영을 장려한다고 규정하고 있다. 그리고, 북한은 외국인 투자의 기본법에 해당하는 조선민주주의인민공화국 외국인투자법과 그 부속법에 해당하는 합작법, 합영법 및 외국인기업법을 비롯하여 관계되는 법들을 제정하여 발표하였다.

외국인투자법을 비롯하여 여러 투자관계법은 북한에 투자할 수 있는 투자당사자에 대하여 제한을 두지 않는다. 여러 외국 투자관계법규에는 외국의 법인과 개인, 해외조선동포를 해당법규에 따라 투자할 수 있는 당사자로 규정하고 있다.

여기에서 특히 주의하여야 할 점은 대한민국 기업가들의 투자관계는 북한의 외국투자관계법에서 규제하지 않고 남북 경제협력 관련 법규에서 각각 따로 규제하고 있다는 점이다.

외국인투자법에서는 외국투자의 기본원칙, 외국투자가와 외국투자기업의 개념, 외국투자기업의 창설 및 장려, 금지, 제한부문, 우대 및 특혜조건, 외국투자재산의 형태, 토지 임대, 노동력 채용, 세금 같은 외국투자의 일반원칙과 기본 질서만을 규정하고 있다. 외국투자분야가 넓고 그 내용이 너무나 방대하여 하나의 법으로 다 규제할 수 없기 때문에 환경, 노동, 회계, 통관, 외환 세무 등은 별도의 법으로 규정하고 있다.

북한에서 장려 및 우대하는 외국투자대상 항목은 외국투자의 기본법인 외국인투자법을 비롯한 합작법, 합영법, 외국인기업법들에 구체적으로 규정되고 있다.

합작법, 합영법, 외국인기업법을 비롯하여 외국투자와 관련한 일련의 법들은 외국인투자법을 부문별로 더 전개하고 구체화한 개별적인 부문법이다. 외국투자는 주로 합작, 합영, 단독투자의 형식으로 진행된다. 이 세가지 형식에 의한 투자의 방법을 직접적으로 규정하는 법적수단은 합작법, 합영법, 외국인기업법, 외국투자은행법, 라선경제무역지대법, 개성공업지구법, 외국투자기업 및 외국인세금법 등이 있으며 그 시행규정을 통하여 부족한 부분과 미비한 점을 보완하고 있다.

외국투자는 과학기술부문과 전자, 자동화, 기계제작, 금속, 채취, 동력, 건재, 제약, 화학공업, 농업, 건설, 운수, 체신, 유통, 금융을 비롯한 여러 부문에 할 수 있다. 첨단기술을 비롯한 현대적 기술과 국제시장에서 경쟁력이 높은 제품을 생산하는 부문, 자원개발 및 하부구조 건설부문, 과학연구 및 기술개발부문에 대한 투자와 기업운영을 특별히 장려한다.

해외조선동포들과 하는 합작기업, 합영기업, 특수경제지대에서 창설 및 운영되는 합작기업, 합영기업, 외국인기업에는 세금의 감면을 비롯하여 유리한 토지이용 조건의 제공과 같은 우대를 제공하도록 한다.

외국 투자관계법과 관련한 구성은 아래의 도표와 같다.

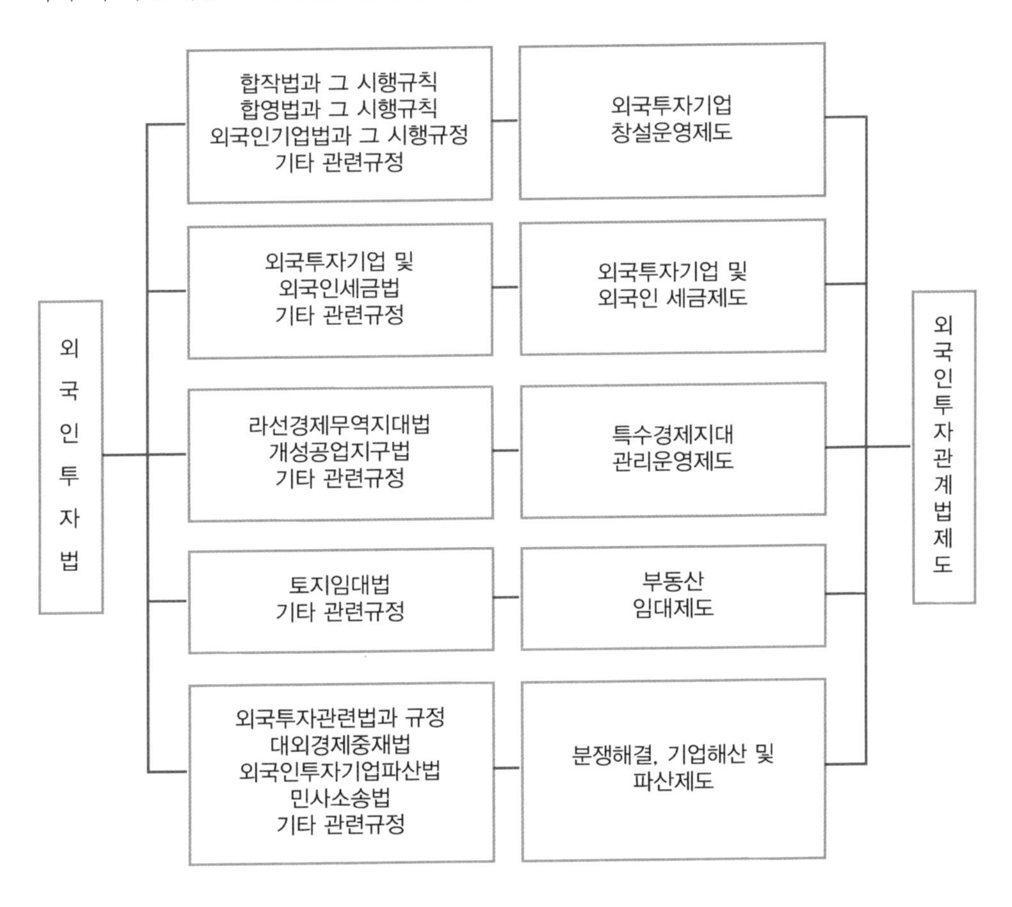

기업창설, 노동의 고용, 물자의 반출입 및 세금 등과 관련한 아주 간략한 내용은 아래와 같다.

1. 기업창설

기업창설의 주체는 외국법인, 개인과 기타 경제조직, 해외조선동포이다.

합작, 합영투자에 의한 합작기업, 합영기업의 창설은 어느 지역이나 가능하며 100% 단독투자에 의한 외국인기업은 필요하다고 인정되는 해당 지역에 창설이 가능하다. 유한책임회사 형태로 조직한다.

북한에서의 기업의 창설은 먼저 심의 및 승인을 득한 후 등록을 하여야 완성되는 2단계 절차[1]를 취하여야 한다.

1 단계, 심의 승인기관 및 기간 : 기업창설 신청의 심의 및 승인은 15일 안에 중앙경제협조관리기관이 하며 은행창설 신청의 심의 및 승인은 50일 안에 중앙은행기관이 한다.

2 단계, 등록 : 창설승인을 받은 기업은 기업이 거주하는 도(직할시)인민위원회에 주소등록을, 거주지 재정기관에 세무등록을, 해당 세관에 세관등록을 한다.

2. 노 동

노동일수 : 주 6일제 근무제로, 하루 8시간[2]으로 근무하며 주간 48시간으로 규정되어있다.

노임 : 중앙노동행정지도기관이 정한 노임기준에 따라 직종, 직제별 노임 등을 기업자체에서 설정할 수 있다.

노동보호 : 16살 이하 소년 노동금지[3], 문화・위생적인 노동환경 보장, 1~2주간의

---

1) 이러한 선 심사 및 승인, 후 등록이라는 법인설립 제도는 중국의 구(舊) 외자법인 설립제도에서 기인한 것으로 판단된다. 중국의 경우, 이전에 상무국(商務局)에서의 법인설립 승인을 받아 비준증서(批准証書)를 취득한 후, 공상국(工商局)에서의 법인 등록 신청에 따라 법인설립이 완성되어 영업집조(營業執照)를 취득하는 제도를 운영한 바 있다.

2) 사회주의 노동법 제16조 근로자들의 하루 노동시간은 8시간이다. 북한은 노동의 힘든 정도와 특수한 조건에 따라 하루 노동시간을 7시간 또는 6시간으로 한다. 3명 이상의 어린이를 가진 여성 노동자들의 하루 노동시간은 6시간으로 한다.

3) 사회주의 노동법 제15조 북한에서 노동하는 나이는 16살부터이다. 북한은 노동하는 나이에 이르지 못한

노동안전 기술교육 실시, 여성 노동자들을 위한 노동·위생시설 구비, 필요한 노동보호물자공급을 보장한다.

휴가 : 일년에 14일의 정기휴가, 특별휴가, 산전 60일, 산후 90일[4]의 휴가를 준다.

사회보험료 : 기업은 종업원 한 사람당 사회보험료를 납부한다.

3. 외화, 물자 반출입

1) 외화 반출입

기업의 합법적인 소득은 세금없이 국외로 가지고 나가거나 송금할 수 있다.

개인의 합법적 소득은 60%까지를 송금하거나 가지고 나갈 수 있다. 60%를 넘은 금액을 송금하거나 가지고 나가려는 경우에는 국가외화관리기관의 승인을 받아야 한다.

2) 물자 반출입

수출입은 기본적으로 신고제로 운영되고 있으며, 물자반출입 승인 내용에 따라 필요한 설비, 원료, 자재, 경영용 물자를 수입할 수 있으며 자체 생산제품을 수출할 수 있다.

4. 세 금

북한에서는 인민적 시책에 의하여 1974년 4월 1일부터 세금제도가 법적으로 완전히 폐지되었다. 그러나 북한에 외국인 투자기업(합작기업, 합영기업, 외국인기업)과 외국기업, 외국인이 경영활동을 하는 조건에서 그들의 수입에는 세금을 부과하고 있다.

외국인(외국인 투자기업, 외국기업 및 개인)에게 부과되는 세금에 대한 개략적인 내용은 아래와 같다.

외국인 투자기업(합작, 합영, 외국인기업)에는 기업소득세, 거래세, 영업세와 지방세인 도시경영세, 자동차이용세를 부과한다.

외국인에게는 개인소득세, 재산세, 상속세와 지방세인 도시경영세, 자동차이용세를 부과한다.

소년들의 노동을 금지한다.

4) 사회주의 노동법 제66조 여성근로자들은 정기 및 보충휴가 외에 근속연한에 관계없이 산전 60일, 산후 180일간의 산전·산후 휴가를 받는다.

기업소득세는 일반지역에서 결산이윤에 25%의 세율을 적용하고, 특수경제지대에서는 14%의 세율을 적용한다. 장려부문은 세율을 10%로 한다.

노동보수에 의한 개인소득세는 월소득액 7만 5,000원까지 100% 면제하고, 세율은 소득액의 5%~30%를 적용한다.

증여에 대한 개인소득세는 소득액 75만원까지 100% 면제하고 그 이상일 경우에는 2%~12%로 한다.

이 외에 세금부과에는 투자에 유리한 여러가지 면제 및 감면조건이 있다.

제 3 절 북한에서의 회사의 종류와 특성[5)]

일반적으로 회사설립 형태는 해당 나라의 회사법 제도에 따라 다르다. 대륙법 계통의 법제도인가, 영미법 계통의 법제도인가에 따라 회사설립 형태가 다르게 규정된다.

회사조직 형태를 구분하는 기준은 여러가지가 있지만 대체로 다음과 같다.

1. 연합대상이 무엇인가에 따라 인적결합과 자본의 연합으로 구분된다.

인적결합 형태의 회사는 그 성원들이 회사의 운영에 직접 참가하는 회사이다. 이러한 형태의 회사는 대륙법계 나라의 합명회사와 영미법계 나라의 회사이다. 자본을 연합하는 형태의 회사는 자본의 연합에 기초한 회사이다. 이런 형태의 회사는 주식회사, 유한회사들과 영국의 회사, 미국의 조합(회사)들이다.

2. 설립의 기초, 즉 근거에 따라 계약회사와 규약회사로 구분된다.

계약회사는 회사 성원들 사이의 상호관계를 규정하는 계약에 기초하여 설립되는 회사이다. 규약회사는 권한 있는 국가기관에 등록하며 회사성원들의 상호관계 및 업무관리 절차를 규정하는 규약(정관)에 기초하여 설립되는 회사이다. 규약회사로 전형적인 것은 주식회사이다.

3. 회사의 부채에 대한 책임의 구분에 따라 무한책임과 유한책임으로 구분한다.

회사가입자(사원 또는 출자자)가 회사의 채무에 대하여 전적으로 책임지는가 혹은 투자한 회사재산으로 책임이 국한되는가 하는 것은 회사의 형태에 따라 결정된다.

영미법 계통의 합명회사에서는 회사의 채무에 대하여 자기의 모든 재산으로써 책임진다. 합자회사에서는 일부 가입자(출자자)들만이 부담책임을 지며 나머지 가입자들은 자기 출자액의 범위에서 책임진다.

---

5) 조선투자법 안내, 법률출판사 2007, p.73~77

상기 여러가지 기준에 따라 일반적으로 구체화된 회사 유형에 따른 구체적인 내용은 아래와 같다.

1) 합명회사

인적결합 형태인 합명회사는 회사의 업무에 직접 참가하는 기업가들의 연합이다. 이 회사에서 특징은 회사성원들이 회사채무에 대하여 무한책임을 지는 것이다. 즉 자신의 힘과 자본을 들여놓고 가입한 자는 기업활동 과정에 생기는 위험도 모두 부담하여야 한다. 이러한 특징으로부터 합명회사는 중소기업을 조직하는데 그치고 널리 보급되지 않고 있다. 또한 가입자들 상호간에 특별히 신뢰를 요구하는 경우에 이용된다. 합명회사의 재산은 그 성원들의 공동소유이다. 합명회사는 법률제도에 따라 법인으로 인정하는 나라도 있고 인정하지 않는 나라도 있다.

합명회사의 업무는 그 성원들 모두가 수행하는 것이 원칙이다. 그러나 회사규약에서 업무를 어느 한 사람 또는 몇 사람에게 맡기도록 결정할 수 있다.

2) 합자회사

합자회사는 회사채무에 대하여 어떤 가입자(출자자)는 자기의 출자액의 범위 안에서만 책임지고 다른 가입자(출자자)는 자기의 모든 재산으로써 책임지는 회사를 말한다. 합자회사는 인적결합 회사와 자본연합 회사의 특성을 가진다. 가입자들은 자기의 자본을 합할 뿐 아니라 회사관리 운영에도 힘을 합친다. 그들은 회사업무를 수행하며 회사채무에 대하여 연대책임의 원칙에서 전체 재산으로써 책임진다. 인적연합의 가입자들 사이의 상호관계는 합명회사 가입자들 사이의 상호관계와 차이가 없다. 이런 의미에서 합자회사는 합명회사의 계속적이며 발전된 형태이다. 합자회사가 합명회사와 구별되는 것은 익명 가입자[6]가 있다는 것이다. 익명 가입자는 회사에 출자금만 내는 출자자이다. 익명 출자자는 자기의 자본을 회사에 출자하고 그 자본에서 이윤을 얻으며 그에 맞는 몫의 손해를 부담한다. 익명 출자자의 책임은 출자액의 범위에 한정한다. 익명 출자자는 회사업무에 관여하지 않는다. 회사의 관리운영은 무한책임사원이 맡아하고 출자자(유한책임사원)는 다만 회사 경영활동에 대한 감시만 한다. 이러한 의미에

---

6) 유한책임사원에 해당한다.

서 합자회사를 무한책임사원과 유한책임사원으로 조직된 회사라고도 한다. 합자회사는 주식회사로 넘어가는 과도적인 형태의 회사라고 할 수 있다.

3) 주식회사

주식을 수단으로 자본을 형성하고 그것을 밑천으로 기업을 경영하며 그 과정에 얻는 이윤을 주주들의 주식수에 비례하여 분배하는 회사이다. 주식회사는 회사의 계획자본을 일정한 크기로 균등하게 세분화한 단위인 주식을 발행하는 대신 각자의 주식에 해당한 주식금액을 거두어들여 회사자본을 구성하여 분배한다.

이런 점에서는 출자 몫을 수단으로 회사의 자본을 조성하고 사원들이 가지고 있는 출자 몫에 비례하여 이익을 배당하는 유한책임회사와 같다. 주식회사에서는 주주들이 자기의 주식수에 해당한 주식금액을 출자할 의무만을 질뿐이며, 회사채무에 대한 책임을 지지 않는다. 이런 의미에서 주식회사 역시 유한책임회사의 일종이라고 할 수 있다.

주식회사와 유한책임회사는 다음의 차이점들이 있다.

① 주식회사에서는 유한책임회사와는 달리 주주의 인원수에 제한이 없다.

② 주식회사는 발기설립의 방법뿐만 아니라 모집설립의 방법으로도 설립된다.

③ 주식회사에서는 자본이 공개되며 대차대조표를 비롯한 문건들이 공시된다.

④ 주식은 증권화되며 자유롭게 양도된다.

⑤ 주식회사는 여러가지 사채를 발행할 수 있다.

이 밖에도 주식회사인 경우에는 회사의 설립, 경영, 이익배당, 해산(파산) 및 청산 등과 관련한 구체적인 문제들이 회사법에 의해 세밀하게 규정되는 것을 비롯하여 유한책임회사와 다른 일련의 특징들이 있다. 주식회사는 주주, 주주총회, 이사(이사회), 감사역 같은 기관을 가지고 있다.

주식회사 설립방법으로는 발기설립과 모집설립 방법이 있다. 발기설립은 발행주식의 전부를 회사발기인들이 인수하는 방법으로 주식회사를 설립하는 것이다.

주식회사 설립은 발기인들에 의해 추진된다. 발기인이란 회사규약의 발기인란에 이름이 있고 거기에 서명한 사람을 말한다. 발기인을 몇명으로 구성하는가 하는 것은 나라에 따라 다르다. 발기인들은 회사설립을 위한 발기계약을 맺고 그에 따라 회사를 설립한다.

발기인은 다음과 같은 사업을 한다.

① 회사규약(정관)을 작성하고 그것을 공증인의 인증을 받는다.

② 주식을 인수한다.

③ 주식의 인수가격 전액을 해당 은행의 돈자리에 입금시킨다.

④ 이사와 감사역을 선거한다.

⑤ 선거된 이사는 발기설립방안을 검사해줄 것을 재판소에 신청한다.

⑥ 재판소의 검사에서 이상이 없으면 회사의 설립을 등록한다.

모집설립은 회사발기인들이 회사설립 당시 발행주식가운데서 일부만을 인수하고 나머지 주식은 주주(주식의 소유자)를 모집하는 방법으로 주식회사를 설립하는 것이다. 발기설립과 같이 모집설립도 발기인들에 의해 진행된다. 모집설립과 발기설립이 다른 점은 발기설립에서는 발기인들이 발행주식 전체를 인수하는 것에 비해, 모집설립에서는 발기인들이 발행주식의 일부만을 인수하고 나머지 주식을 신청자들에게 할당하는 것이다. 주주의 모집은 발기인들이 주식신청서를 작성하여 신청자들에게 교부하고 신청자들이 신청서에 해당 사항을 기재하여 제출하는 청약의 방법으로 진행된다. 신청자의 청약에 대하여 발기인이 주식을 할당하면 할당된 주식에 대한 신청자의 주식인수는 확정되며 주식을 청약한 자는 주식인수인으로 된다.

주식회사 설립과 관련한 발기인들의 합의, 회사 창립총회, 회사등록, 회사설립 보고회, 발기인들의 책임, 회사설립의 무효 등 관련절차와 방법은 유한회사의 그것과 같다.

북한은 주식회사와 유한책임회사를 서로 다른 형태로 구분하고 있다. 유한회사와 관련한 구체적인 내용은 아래와 같다.

4) 유한책임회사

출자자가 자기 출자금의 범위 안에서만 회사의 채무에 대하여 책임지는 회사이다. 유한회사라고도 한다. 유한책임회사에서 사원(주주)은 출자금으로 회사의 채무를 이행할 의무를 지닌다. 이런 의미에서 유한책임회사를 사원(주주)이 자기 몫(주식)에 해당한 출자금을 낼 의무를 지닐 뿐, 회사의 순 채무에 대해서는 그 어떤 책임도 지지 않는 회사라고 하는 경우도 있다. 유한책임회사에서 전형적인 것은 주식회사이다.

유한책임회사는 주식회사와 구별되는 다음의 특성을 가지고 있다.

① 유한책임회사의 자본은 출자 몫으로 나누어지지만 주식이 아니다. 즉 지분이 유가증권으로 구체화되지 아니하였다.

② 출자 몫은 오직 회사의 승인 하에서만 양도할 수 있다.

③ 회사의 자본이나 그 밖에의 재산상태를 나타내는 문건을 공개하지 않는다.

④ 회사설립은 발기설립 방법으로 하며 모집설립 방법은 허용되지 않는다.

중소규모의 회사에 적합한 회사형태이다. 사원의 책임면에서는 주식회사와 같으며 사원이 소수이고 그들의 개성이 무시되지 않는다는 점에서는 합명회사와 비슷하다.

제4절 외국투자 관계법의 기초개념

외국인투자법[7] 제1조와 제2조는 다음과 같이 규정하고 있다.

외국인투자법(2011)

제1조 (외국인투자법의 사명과 지위)

조선민주주의인민공화국 외국인투자법은 우리 나라에 대한 외국투자가들의 투자를 장려하며 그들의 합법적권리와 이익을 보호하는데 이바지한다.

이 법은 외국투자관계의 기본법이다.

제2조 (용어의 정의)

1. 외국인투자란 외국투자가가 경제활동을 목적으로 우리 나라에 재산이나 재산권, 기술비결을 들여오는 것이다.
2. 외국투자가란 우리 나라에 투자하는 다른 나라의 법인, 개인이다.
3. 외국투자기업이란 외국인 투자기업과 외국기업이다.
4. 외국인 투자기업이란 우리 나라에 창설한 합작기업, 합영기업, 외국인기업이다.
5. 합작기업이란 우리측 투자가와 외국측 투자가가 공동으로 투자하고 우리측이 운영하며 계약에 따라 상대측의 출자 몫을 상환하거나 이윤을 분배하는 기업이다.
6. 합영기업이란 우리측 투자가와 외국측 투자가가 공동으로 투자하고 공동으로 운영하며 투자 몫에 따라 이윤을 분배하는 기업이다.
7. 외국인기업이란 외국투자가가 단독으로 투자하고 운영하는 기업이다.
8. 외국기업이란 투자관리기관에 등록하고 경제활동을 하는 다른 나라 기업이다.
9. 외국투자은행이란 우리 나라에 설립한 합영은행, 외국인 은행, 외국은행 지점이다.
10. 특수경제지대란 국가가 특별히 정한 법규에 따라 투자, 생산, 무역, 봉사와 같은 경제활동에 특혜가 보장되는 지역이다.

7) 2011년 11월 29일

상기 규정 외국인투자법 제2조 제8항에서의 '외국기업'의 의미는 외국법인으로서 북한 밖에 있으면서 북한 내에서 소득원천이 있는 다른 나라 기관, 기업(회사), 개인, 기타 경제조직과 북한 내에 있는 외국기업의 지사, 대리점, 사무소, 출장소 등이 속한다.

외국인투자법 제2조 제8항에서의 '외국투자은행'에는 합영은행, 외국인 은행, 외국은행 지점을 의미한다.

합작기업과 합영기업의 주요한 차이점을 요약하면 아래와 같다.

구분	합작기업	합영기업
책임형태와 등록자본비율	유한책임회사 외국측 투자자는 등록자본의 30% 이상 투자[8]	유한책임회사 등록자본은 총투자액의 30%~50% 이상 투자
창설의 법적 근거	외국인투자법, 합작법과 그 시행규정	외국인투자법, 합영법, 외국투자은행법과 그 시행규정
법인자격	북한 법인	북한 법인
관리기구	기업자체기구 또는 비상설 협의기구	최고결의기관 이사회, 경영기구
경영방식, 관리성원 임명	북한측 운영, 경영책임자 및 기타 관리성원 임원	쌍방이 공동경영, 이사회가 기업책임자, 부책임자를 비롯한 관리성원 임명
분배	계약조건에 따라 상대측 투자 몫 상환 또는 이윤분배	출자 몫에 따르는 이윤분배
기간완료시의 잔여재산분배	잔여재산의 처리는 합작계약서 상의 규정에 따라 처리	등록자본의 비율에 따라 재산의 순자산을 배분

상기 표를 이해하기 위하여는 등록자본, 실납자본[9]과 총투자액(또는 투자총액[10])에 대한 이해가 필요하다. 등록자본은 회사가 사전에 투자하기로 설정한 회사의 자본금을 의미하며, 실납자본은 실제로 자본금을 납부한 금액을 의미한다. 예를 들어 회사가 공장을 건설하여 운영하는데 필요한 자본금을 US$1,000만불이라고 가정하여 등록자본

8) 합작법 시행규정 제37조

9) 혹은 회사의 입장에서 실수자본(實收資本 : 실제 수령한 자본금)이라고도 표현한다.

10) 총투자액의 어원은 중국의 회사법에서 규정된 투자총액(投資總額)을 북한에서 수정하여 사용한 것으로 보인다. 이러한 이유로, 일부 규정(합영법 시행규정 제15조 및 제17조 등)에서는 투자총액이라는 단어가 관찰되기도 한다.

금을 US$1,000만불로 설정하여 신청을 하고, 공장 건설 단계에 맞추어 두 번에 나누어 50%씩 각각 납부하는 경우에 1차 자본금 납부 후에는 실납자본 금액은 US$ 500만불이 된다.

총투자액은 자본금과 차입금의 합계액으로 모회사에서 투자하는 방식(주식투자 및 대부투자)의 비율을 조정하여 과소자본을 방지하고자 하는 정책 도구라고 이해할 수 있다. 예를 들어 등록자본이 총투자액의 40% 이상이어야 한다는 의미는 자본조달의 방법으로 자본금의 형태로 40% 이상이 이루어져야 하며, 차입금은 60% 미만으로 이루어져야 한다는 의미이다.

합영기업 등록자본 비율의 경우, 등록자본은 총투자액의 30~50% 이상이어야 한다는 규정은 합영법(2014) 제15조에 규정되어 있다. 동 규정은 북한 측 투자자와 외국인 투자자의 지분율을 의미하는 것이 아니다. 참고로, 합영법 시행규정(2005) 제45조에 따르면, 등록자본은 투자총액의 20% 이상으로 규정되어 있다. 이유는 합영법 시행규정(2005)이 합영법 수정내용(2014)이 반영되지 아니하였거나, 본 저자가 최근의 합영법 시행규정을 입수하지 못한 이유일 것으로 판단된다.

합작기업 청산의 경우, 잔여재산의 처리는 구(舊)합작법 시행규정(1995) 제111조에 따르면, 북한측 사업자에게 무상으로 귀속되는 것으로 규정되어 있었다. 그러나, 신(新)합작법 시행규정(2004) 제121조 규정의 변경에 따라, 북한측 사업자에게 무상 이전 규정이 합작계약서의 내용에 따른 분배로 내용이 변경되었다. 구(舊)합작법 시행규정의 내용은 중국의 폐기된 합작기업법의 규정과 동일한 내용으로 합작계약 기간 만료 시, 회사의 순자산은 무상으로 중방에게 이전된다는 규정을 그대로 차용한 것으로 보인다.

Ⅱ

북한 일반지역

제 1 장

회사법 이론

제 1 절 합작기업 개요

북한에 투자하여 창설되는 기업은 외국인투자법과 합작법에 따라 합작기업의 형식으로 설립할 수 있다.

1. 합작에 대한 기본 이론

외국의 자금과 기술을 이용하는 과정에 당사자들은 '출자식 합영' 방식뿐 아니라 '계약식 합영' 방식도 적지 않게 이용하고 있다. '계약식 합영'은 계약에 기초하여 설립되는 것으로서 당사자들은 출자 몫이 아니라 계약에 따르는 권리와 의무를 지니게 된다. 외국투자실무에서는 이와 같은 방식을 합작이라고 한다.

외국투자 무대에 출현한 각양각색의 합작을 합작경영과 합작기업으로 구분한다.

합작경영이란 서로 다른 나라에 있는 당사자들이 계약을 맺고 일정한 제품에 대한 연구, 생산 및 판매활동을 공동으로 진행하는 것을 말한다. 합작경영인 경우 당사자들은 그 어떤 새로운 실체를 조직하지 않는다. 당사자들은 다만 규약에 따라 자금이나 기술 또는 노동력을 투자하여 이윤을 분배하고 위험과 손실에 대한 책임을 진다. 이런 의미에서 합작경영을 '계약식 합영'이라고 한다. 합작경영의 구체적 방식은 단일한 형식으로 규정될 수 없으며 다양한 유형으로 나타날 수 있다.

합작기업이란 외국투자가가 자금과 기술, 설비를 투자하고 투자를 받아들이는 측에서 원료, 건물, 토지 같은 것을 투자하는 형태를 의미한다. 그에 기초하여 합작 당사자들은 특정한 항목에 대한 경영활동을 진행하는 것과 함께 동시에 계약에 따라 이윤을 분배하고 손실과 위험을 부담한다. 이것은 합작기업이 구체적 내용에서 차이가 있지만 합영기업과 같이 기업자체가 독자적으로 운영되는 실체가 있다는 점이 특징이다. 즉, 스스로 통제할 수 있는 자산과 경영관리기구를 가지고 있을 뿐 아니라 합작당사자들이 기업을 통제하고 이윤을 분배하거나 소유할 수 있는 권리를 가지고 있다는 것을 의미한다.

합작기업의 법적 성격에 대한 견해는 나라마다 상이하게 나타나 수 있다.

합작을 법인자격이 없는 합동 즉 '계약식 합영'으로서 경제적, 법률적 실체가 따로 조직되지 않는 것이라고 보는 견해가 있고, 다른 한편으로는 합작을 '법인식 합작'과 '비법인식 합작'으로 보는 견해도 있다.

이에 북한에서의 합작은 계약에 따른 법인식 합작을 의미한다고 보는 것이 타당하다. 아래 설명에서 보이는 바와 같이 비법인식 합작방법이 이론적으로는 설명은 되어 있으나, 외국인투자법 제2조 제5항에서 보이는 바와 같이 '기업'이라고 규정하고 있으며, 조선투자법 안내(2007, 북한 법률출판사) 71페이지에서 확인되는 바와 같이 '합작기업은 유한책임회사 형식으로만 조직할 수 있다.'라고 명문화하고 있는 점을 보면, 북한에서의 합작은 계약에 따른 법인형태의 합작 만을 규정하고 있다고 볼 수 있다.

북한에서의 합작기업의 이론상의 특징은 다음과 같다.

첫째로, 출자 또는 합작조건이 폭이 넓고 경영권을 지분율에 따라 결정하지 않는다. 합작기업을 창설하기 위하여 대체로 외국측 투자가는 자금이나 기술, 설비를 합작조건으로 제공하며 투자를 받아들이는 북한측의 투자가는 기업창설에 필요한 기초적인 조건 등을 제공한다.

둘째로, 합작기업의 성격에 따라 상이한 관리방식을 취하고 있다. 법인형태의 기업에서는 이사회를 두며 비법인형태의 기업에서는 이사회 또한 연합위원회를 둔다.

셋째로, 계약에 따라 이윤을 분배하거나 출자 몫을 회수한다.

넷째로, 합작기업의 성격에 따라 위험부담 방식이 서로 다르다.

2. 북한 합작기업에 대한 구체적 규정

북한 외국인투자법과 합작법에 따라 창설되는 합작기업은 북한측 투자가와 외국측 투자가가 공동으로 투자하고 북한측이 운영하며 계약조건에 따라 외국측의 투자 몫을 상환하거나 이윤을 분배하는 기업이다.

합작기업을 간단히 공동투자, 북한측 단독운영, 공동의 이윤분배 및 외국측의 투자액 상환형의 기업이라고도 한다.

합작기업도 합영기업과 마찬가지로 북한측 투자가와 외국측 투자가가 공동으로 투자하여 창설한 북한의 법인으로서 북한 법의 관할과 보호를 받으며 유한책임회사 형식으로만 조직할 수 있다.

이와 같이 합작기업과 합영기업은 법적성격과 조직형식에서 공통점도 있지만 구별되는 차이점도 있다. 그 차이점은 아래와 같다.

첫째로, 외국측 투자가의 최저투자 비율을 30%[11] 이상으로 규정하고 있다.

둘째로, 기업의 운영을 북한 측이 전담한다.

셋째로, 공동협의기구가 결의권을 가지지 않는다.

넷째로, 외국측 투자가가 출자 몫을 상환받을 수 있다.

11) 합작법 시행규정 제37조

제2절 합영기업 개요

북한에 투자하여 창설되는 기업은 외국인투자법과 합영법에 따라 합영기업의 형식으로 설립할 수 있다.

1. 합영에 대한 기본 이론

합영기업이란 서로 다른 나라에 있는 당사자들이 공동으로 투자하여 창설한 기업을 의미한다. 다시 말하면 서로 다른 나라에 있는 당사자들이 일정한 상업적 목적을 실현하기 위하여 공동으로 투자하고 공동으로 운영하며 출자 몫에 따라 이윤을 분배하고 위험을 부담하는 기업을 합영기업이라고 한다.

투자가로서는 일정한 대상에 자본을 투자하는 당사자로서 여기에는 외국측 투자가와 투자를 받아들이는 측의 투자가로 나누어 생각할 수 있다. 북한에서는 다른 나라의 법인이나 자연인을 외국측 투자가로 인정하고 있다.

이하 투자와 운영, 이윤의 분배와 성립의 방법에 대한 개념에 대하여 상술한다.

1) 합영기업은 합영당사자들이 기업에 필요한 자본을 공동으로 투자하여 설립한 기업이다.

합영당사자들이 투자한 자본은 기업의 채무를 담보하는 재정적 기초가 된다. 그러므로 투자를 받는 국가에서는 합영당사자들의 출자방식과 출자비율에 대하여 엄격히 규제하고 있다. 출자방식은 합영당사자들이 기업창설을 위하여 자본을 투자한 구체적인 투자방식이며 출자비율은 기업의 등록자본 중에서 당사자들이 차지하는 출자 몫을 의미한다.

공동투자에서 출자비율은 중요한 문제로 제기된다. 그것은 출자비율에 따라 이윤분배 몫과 경영권(기업통제권)이 결정되기 때문이다. 합영에서는 자본을 받아들이는 측이 최저 51%까지, 외국투자가는 최고 49%까지 투자하고 경영하는 것이 보통 관례처럼 확인된다. 이는 합영을 한다는 명목으로 기업의 경영권(기업통제권)을 다른 나라의 투자자에게 넘겨주지 않게 하는데 그 의의가 있다.

2) 합영기업은 합영당사자들이 공동으로 운영하는 기업이다.

합영기구의 관리기구에 대한 법적 규제내용은 각 나라마다 상이하다. 관리기구 체계를 주주총회, 이사회, 경영관리기구로 정하는 나라도 있고 이사회와 경영관리기구로 정하는 나라들도 있다. 공통적인 것은 당사자들이 기업의 경영활동에 참가한다는 점이며, 기업의 관리운영에서 제기되는 문제를 토의하고 결정할 수 있는 권리를 가진다는 것이다.

이에 한가지 주의할 점이 있다. 북한의 각종 법률 서적을 보면, 대부분의 국가에서 이사회가 합영기업의 최고 의결기관에 해당하는 것으로 설명하고 있는데, 이는 북한이 중국의 법규를 상당부분 차용(借用)한 결과라고 판단된다. 중국에서 2019년 3월 15일에 공표하고 2020년 1월 1일부터 실시하고 있는 외상투자법[12]에 따르면 회사에서 정관의 변경, 증자 및 감사, 합병 및 분할, 해산 및 청산과 같은 중요한 의사결정은 기존의 이사회 의결사항에서 주주총회 의결사항으로 변경되었다. 즉, 북한에서 중국의 법률을 상당부분 차용하였으나, 그 변화를 좇아가지 못하고 있는 현실이다.

하여튼 현재 법규상으로는 북한에서의 합영기업을 운영함에 있어 회사의 최고 의사결정기관은 주주총회가 아닌 이사회임에 주목할 필요가 있다.

3) 합영기업은 합영당사자들의 출자 몫에 따라 이윤을 분배하고 위험을 부담하는 기업이다.

합영기업은 영문으로 JV(Joint Venture)라고 한다. 중세 돛배로 해상무역을 할 때 생겨난 이 말은 합영당사자들이 공동으로 위험을 부담하고 이윤을 분배한다는 의미를 내포하고 있다. 여러 나라 투자실무에서는 합영당사자들이 출자비율에 따라 이윤을 분배하고 손실을 부담한다. 즉, 합영기업의 채무에 대해서는 당사자들이 출자액이나 주권수를 한도로 유한책임을 진다.

---

12) 동 외상투자법의 실시로 인하여 기존 중외 합작경영기업법, 중외 합자경영기업법, 외자기업법이 폐지되었음. 폐지된 중국의 구(舊)회사법은 북한의 합작법, 합영법, 외국인기업법과 유사하게 대응되며, 합영법에서 회사의 최고 의사결정기구는 주주총회가 아닌 동사회(董事會, 이사회)라고 규정하고 있음.

4) 합영기업의 법적성격과 조직형태는 나라마다 다르다.

합영기업의 법적성격에 대한 국제적 기준은 대체로 '출자식 합영'과 '계약식 합영'으로 구분한다.

출자식 합영기업이란 합영당사자들의 권리와 의무가 출자 몫에 따라 주어지는 기업을 말한다. 출자식 합영기업은 공동경영을 목적으로 당사자들이 조직한 법적 실체이다. 이 기업들은 독자적인 법인격을 가지고 있으며 당사자들은 자기의 출자 몫에 따르는 권리와 의무를 지닌다.

계약식 합영이란 합영당사자들의 권리와 의무가 계약에 따라 주어지는 기업을 말한다. 계약식 합영기업은 법인자격을 가지지 않으며 당사자들은 출자 몫이 아니라 계약에 따라 이윤을 분배하고 위험을 부담하다. 따라서, 합영기업은 회사형식이나 계약형식으로 조직한다.

회사형식의 합영기업은 주로 주식회사나 유한책임회사 형식으로 조직된다. 계약형식의 합영기업은 합영계약에 의하여 성립되며 합영당사자들은 발생한 채무에 대하여 무한 연대책임을 진다.

2. 북한 합영기업에 대한 구체적 규정

북한 외국인투자법과 합영법에 따라 창설되는 합영기업은 합영당사자들이 공동으로 투자하고 공동으로 운영하며 투자 몫에 따라 이윤을 분배하는 출자식 합영기업이라고 할 수 있다. 즉, 공동투자, 공동운영, 공동 이윤 분배형의 기업이라고 한다.

북한의 합영기업이 출자식 합영기업에 해당하는 이유는, 이 기업이 합영당사자들이 출자 몫에 따라 투자한 자본으로 설립되며 계약당사자들의 권리와 의무가 출자 몫에 따라 주어지는 기업이기 때문이다.

북한의 합영기업이 출자식 합영기업에 해당한다는 근거는 당사자들이 투자하는 자본을 주식으로 구체화하지 않았지만 일정한 비율(지분율)로 구분한다는 점, 합영당사자들이 출자비율에 따르는 권리와 의무를 부담한다는 점, 경제적 · 법적으로 독립적인 실체로서 관리기구를 가지고 있으며 그가 법인을 대표한다는 점 등에서 찾아볼 수 있다.

북한의 합영기업은 북한법의 관할과 보호를 받으며 유한책임회사의 형식으로만 설립할수 있다.

제3절 외국인기업 개요

북한에 투자하여 창설되는 기업은 외국인투자법과 외국인기업법에 따라 외국인기업의 형식으로 설립할 수 있다.

일반적으로 외국인기업은 외국투자가가 기업창설에 필요한 자본의 전부를 투자하여 독자적으로 경영활동을 하는 기업이다. 북한의 외국인기업은 외국투자가가 단독으로 또는 2명 이상의 투자가들이 자본의 전부(100%)를 연합투자하여 조직된 독자적인 기업이다.

1. 외국인기업은 북한의 법인격과 국적을 가진다.

외국인기업은 북한 거주자로서 법인격을 가진다. 북한의 법인격을 갖는 것으로 하여 외국기업과 구별된다. 외국기업은 외국의 법률에 따라 설립된 외국의 거주자로 등록된 기업으로 해당 국가에서 경영활동을 하게 된다.

외국인기업은 북한 국적을 가지게 된다. 이것은 북한이 외국인기업에 대하여 속인관할권과 속지관할권을 가진다는 것을 의미한다. 하지만 외국기업은 외국의 국적을 가지고 있다. 그러므로 외국기업에 대한 속인관할권은 본국이 가지게 되며 속지관할권은 북한이 가지게 된다.

2. 외국인기업은 자본의 전부를 외국투자가가 소유한다.

외국인기업 설립에 필요한 자본의 전부를 투자한 외국투자가는 외국의 법인이거나 자연인(개인)이다. 따라서 외국투자가가 외국의 법인인 경우 외국기업과 외국인기업 간의 상호관계 문제가 제기된다. 이 경우, 이 두 기업 사이의 관계는 어미회사(모회사)와 새끼회사(자회사)의 관계가 형성된다. 결국 새끼회사 설립을 위하여 투자한 자본은 외국인기업의 자산이 되며, 이로 인하여 외국인기업은 자기 자산에 대한 독자적인 처분권을 가지게 된다.

3. 외국인기업은 외국투자가가 독자적으로 투자한 기업이다.

외국투자가는 기업의 경영활동을 독자적으로 진행하며, 경영활동으로 인한 이윤과 손실도 자신 스스로 부담한다. 이런 의미에서 외국인기업을 경제적 실체와 법률적 실체를 다 갖춘 독자적인 실체라고 한다. 바로 여기에 외국인기업이 외국기업의 지사(支社)[13]와 구별되는 특징이 있다.

외국기업의 지사는 북한의 승인을 받고 북한 영역 안에 설치된 외국기업의 사무기관이다. 외국기업의 지사도 외국인기업과 마찬가지로 북한의 법에 따라 설치되고 북한 관할의 영역 안에서 영업활동을 한다. 하지만 외국기업 지사는 경제적으로나 법률적으로 독립성이 없다. 외국기업 지사의 모든 영업활동은 본사의 이름으로 진행되며 독자적인 결산을 하지 못한다. 이것은 외국기업 지사가 수행한 사업의 이윤과 손실에 대한 책임을 본사가 진다는 것을 의미한다.

---

13) 북한의 법률 서적에 지사(支社)로 표현되어 있지만, 지사는 본사와 상대되는 표현일 뿐이며, 이 표현이 자회사인지 지점인지 법규상의 정의가 불분명하다. 다만, 조선투자법 안내(법률출판사 2007, p.158)에서 '지사는 본사의 이름으로 행위를 하며 따라서 행위의 결과는 본사에 돌아간다. 즉, 지사의 행위는 본사가 한 것으로 되며 본사는 지사행위를 책임진다.'라고 설명하고 있는 것을 미루어 볼 때, 북한 서적에서 지사로 표시하는 개념은 문맥상 파악할 때, 지점으로 이해하는 것이 합리적이다.

제4절 합작기업, 합영기업 및 외국인기업에 있어서 투자방식 및 기업운영 방식의 차이점

합작기업, 합영기업, 외국인기업에 있어서 투자방식과 기업운영은 해당 기업형태에 따라 차이가 있다. 구체적인 내용은 아래와 같다.

1. 투자방식과 손익 부담 측면에서의 차이점

1) 합작기업

계약조건에 따라 공동으로 투자를 하며, 발생한 경영손실의 부담에 있어서 투자액 상환형의 기업인 경우 기업이 부담하며 이윤분배형의 기업인 경우에는 합작계약의 규정에 따라 부담한다. 또한, 투자액 상환 및 이윤의 배분에 있어서 결제 방법은 합작기업이 생산한 상품으로 상환을 하는 것이 기본 원칙이다. 관련 법률 근거는 아래와 같다.

합작법(2014)

제14조 (투자의 상환과 이윤분배)

합작기업에서 외국측 투자가에 대한 투자상환은 기업의 생산품으로 하는 것을 기본으로 한다. 이윤분배는 합작당사자들이 계약에서 정한 방법으로 한다.

제15조 (기업소득의 우선적 이용)

합작기업에서 생산된 제품과 얻은 수입은 합작계약에 따라 상환 또는 분배의무를 이행하는데 먼저 쓸 수 있다.

합작법 시행규정(2004)

제98조

외국측 투자가의 출자 몫 상환과 이윤분배는 합작제품으로 하는 것을 기본으로 하며 합작계약에 따라 다른 것으로 할 수도 있다.

제99조

합작기업은 외국측 투자가의 출자 몫을 상환하기로 한 경우 합작계약에 따라 상환하여야 한다.

제100조

출자 몫의 상환이나 이윤분배를 제품으로 하는 경우 그 가격은 국제시장가격에 준하여 당사자들이 합의하여 정한다.

외국인 투자기업재정관리법(2011)

제58조 (출자 몫 상환과 이윤분배)

합작기업은 외국투자가의 출자 몫 상환과 이윤분배는 기업의 생산품으로 하는 것을 기본으로 한다. 이 경우 생산품의 가격은 국제시장가격에 준하여 당사자들이 합의하여 정한다.

2) 합영기업

합영당사자들이 유한책임형태로 투자 몫에 따라 기업에 공동으로 투자를 하고 기업의 채무에 대하여 본인 투자액의 범위 안에서 책임진다.

3) 외국인기업

단독 투자이므로 북한측 투자자와의 투자비율 문제가 발생하지 않으며, 경영손실을 기업 스스로 부담한다.

상기 내용을 간단히 요약하여 표로 표시하면 아래와 같다.

구분 기업형태	투자방법	운영방법	분배방법	
			이익	손실
합작기업	공동	단독 (북한 측)	공동 또는 상환 (계약)	기업단독
합영기업	공동	공동	공동 (투자 몫)	공동 (투자 몫)
외국인기업	단독 (외국 측)	단독 (외국 측)	단독 (외국 측)	단독 (외국 측)

2. 기업운영 방법에서의 차이점

1) 합작기업

북한 측에서 단독으로 기업을 운영, 관리한다. 필요한 경우에만 비상설 공동협의기구를 개최하여, 신기술 도입과 제품의 품질제고, 재투자를 비롯하여 경영에서 제기되는 문제를 협의한다. 협의 토의된 문제는 합작당사자들이 계약을 맺고 계약으로써 이행한다.

여기에서 주의할 점은 합작기업의 비상설 공동협의기구에서 협의된 내용은 아무런 구속력을 갖지 못한다는 점이다. 협의된 내용이 계약으로 반영이 되어야, 비로소 실질적인 구속력을 갖게 된다.

2) 합영기업

북한 측과 외국투자가 측이 공동으로 기업을 운영, 관리한다. 최고결의기관인 이사회를 두고 여기서 쌍방이 관심사로 되는 중요한 문제를 토의한다. 이사회에서 토의 및 결정된 사항에 따라 생산 및 경영활동을 한다.

3) 외국인기업

전적으로 기업측의 결심에 따라 독자적으로 기업을 경영하며, 제기되는 문제는 이사회의에서 토의하고 협의한다.

3. 세금납부와 이윤분배 방법에서의 차이점

1) 합작기업

이윤분배형의 기업에서는 합영의 경우와 같다. 이윤분배는 계약조건에 따라 한다.

상환형의 기업에서는 계약조건에 따라 상대측 투자 몫을 정한기간(존속기간) 안에 상환한다. 상환은 매해 상환원금에 일정한 이자를 가산하여 상환한다.

2) 합영기업

세금은 기업의 이윤의 분배가 이루어지기 전에 납부한다. 이윤분배는 당사자들의 투자 몫에 따라 한다.

3) 외국인기업

단독으로 세금을 납부하고, 세후 이윤을 주주에게 분배한다. 북한측 투자자가 개입되지 않으므로 이익의 분배 문제는 원칙적으로 발생하지 않는다.

제5절 외국인 투자기업에 있어서 주주의 책임

북한에서는 회사 설립문제를 외국인투자법과 합작법, 합영법, 외국인기업법에서 규정하고 있다. 이 법 규정에 따라 외국투자가들은 북한에 합작기업, 합영기업, 외국인기업을 창설하고 운영할 수 있다. 이 형태의 기업들은 출자자가 회사를 관리 및 운영하는 과정에서 발생하는 순채무에 대하여 자신의 출자액 범위 안에서만 책임지는 유한책임회사의 형태로 기업을 관리 및 운영하게 규정되어 있다.

이와 관련된 법규는 다음과 같다.

합작법 시행규정(2004)

제9조

합작기업은 자기 소유재산의 범위 안에서 기업의 채무에 대하여 책임을 진다.

합영법 시행규정(2005)

제3조

합영회사는 합영당사자들이 계약에서 정한 대상에 공동으로 출자하고 공동으로 경영하며 경영활동결과에서 얻은 순소득을 출자비율에 따라 나누어 가지는 기업형태이다. 합영기업은 투자당사자들의 출자재산에 소유권을 가질수 있으며, 독자적으로 운영할 수 있고, 소유한 재산범위 내에서 기업채무에 대하여 책임을 진다.

외국인기업법 시행규정(2004)

제81조

파산으로 인해 해산하는 외국인 기업은 외국인 투자기업파산에 관련된 공화국의 법규를 준수해야 한다.

외국인 투자기업 파산법(2011)

제40조 (담보채권의 이자, 부족되는 파산재산의 분배액 계산)

청산위원회는 파산재산분배표의 담보채권 분배액에 파산선고가 있은 날부터 재산분배날까지의 기간에 해당되는 이자를 포함시켜야 한다.
이 법 제36조에 규정한 순위에 따라 분배액을 정하다가 재산이 부족되어 더 할당할 수 없을 경우 나머지 분배순위의 채권에 대한 분배액은 같은 비률로 정한다.

위에서 확인되는 바와 같이, 합작기업과 합영기업에 있어서 주주의 유한책임을 명문화하여 규정하고 있다. 그러나, 외국인기업의 경우에는 외국인기업법과 외국인기업법 시행규정에 유한책임이 명문화된 내용을 찾을 수 없다. 그러나, 파산에 관한 규정을 검토하면 순자산이 마이너스(음수)인 경우, 회사 부채에 대하여 주주의 추가 출자 규정이 없이 파산채권의 배당에 관한 규정을 유추하여 볼 때, 유한책임을 적용하고 있다는 것을 간접적으로 파악할 수 있다.

제6절 외국인 투자기업 설립이 허가된 지역

과거 지난시기에는 외국인투자법과 외국인기업법에 따라 합작투자와 합영투자는 북한의 전지역에 할 수 있었으나, 외국인 단독투자(외국인기업)는 라선경제무역지대와 개성공업지구 등의 특수 경제지대에만 설립할 수 있었다.

그러나 2004년 11월 30일 수정보충 한 외국인투자법과 관계법률에 따라 외국투자가는 라선경제무역지대와 개성공업지구 등의 특수경제지대에 합작기업, 합영기업과 외국인기업을 창설 운영하는 것을 기본으로 하면서 지대 밖의 정해진 지역에도 외국인기업을 창설 운영할 수 있다.[14)]

이 법적규제에 따라 실무에서는 라선경제무역지대와 개성공업지구 등의 특수경제지대에만 국한시켰던 외국인기업의 창설을 합작기업과 합영기업의 창설 운영과 마찬가지로 원료, 자재보장 조건, 투자가의 요구에 따라 라선경제무역지대와 개성공업지구 등의 특수경제지대에 뿐만 아니라 필요한 다른 지역에도 창설 운영하도록 허용하고 있다.

다만, 관련 법규에서 확인할 수 있는 바와 같이, 라선경제무역지대와 개성공업지구 등의 특수경제지대 이외의 지역에서 외국인기업을 설립하는 것은 일반적이 아니라 예외적인 경우에 한(限)하는 경우라고 판단된다. 따라서, 라선경제무역지대와 개성공업지구 등의 특수경제지대 이외의 지역에서 외국인기업을 설립하기 위하여는 그 필요성을 설명하고 입증할 필요가 투자자에게 있다고 판단된다.

이와 관련된 법규는 다음과 같다.

---

14) 조선투자법 안내, 법률출판사 2007, p.77

외국인투자법(2011)

제3조 (외국인 투자기업과 외국투자은행의 창설)

외국투자가는 우리 나라에서 외국인 투자기업과 외국투자은행을 창설운영할 수 있다. 이 경우 투자관리기관의 승인을 받는다.

합작법 시행규정(2004)

제2조

공화국의 기관, 기업소, 단체(이 아래부터는 공화국측 투자가라 한다)는 다른 나라의 법인과 개인, 해외조선동포(이 아래부터는 외국측 투자가라 한다)와 기업을 합작 할 수 있다.

합작기업은 라선경제무역지대(이 아래부터는 지대라 한다)에 창설하는 것을 기본으로 한다. 필요한 경우에는 지대밖의 공화국 영역 안에 합작기업을 창설할 수도 있다.

합영법 시행규정(2005)

제2조

공화국의 기관, 기업소, 단체(이 아래부터 공화국투자가라 한다)는 다른 나라의 법인과 개인 및 공화국령역 밖에 거주하고 있는 조선동포와 합영기업을 공동으로 설립할 수 있다.

원칙상 나선경제무역지대(이 아래부터 지대라 한다)에서 합영기업을 설립할 수 있다. 필요한 경우, 경제무역지대 이외의 공화국 영토 내에서 합영기업을 설립할 수 있다.

제7절 외국인 투자기업이 투자 가능한 투자대상 산업과 투자장려 산업

외국인투자법을 비롯하여 투자관련 법규에서는 외국인 투자기업의 투자대상 산업과 투자 장려부문을 구체적으로 규정하고 있다.

투자의 기본법인 외국인투자법 제6조에서 외국투자가는 공업, 농업, 건설, 운수, 통신, 과학기술, 관광, 유통, 금융 같은 여러 부문에 여러가지 방식으로 투자할 수 있다고 규정하고 있으며 제7조에서 북한은 첨단기술을 비롯한 현대적 기술과 국제시장에서 경쟁력이 높은 제품을 생산하는 부문, 하부구조 건설부문, 과학연구 및 기술개발부문에 대한 투자를 특별히 장려한다고 규정하고 있다.

이러한 법적 규정에 따라 외국인투자법을 전개하고 구체화한 합작법, 합영법, 외국인기업법과 그 시행규정에서는 투자대상, 투자 장려부문을 보다 구체적으로 규정하고 있다.

1. 합작기업과 합영기업의 투자대상

합작법 시행규정 제4조에 따르면, 수출제품을 생산하는 부문, 선진기술이 도입된 제품을 생산하는 부문을 합작기업이 투자할 수 있는 산업으로 규정하고 있다.

합영기업 시행규정 제8조에 따르면, 과학기술, 전자 및 자동화공업, 기계제작공업, 금속공업, 채취공업, 동력, 건재공업, 제약, 화학공업, 운수, 금융업을 합영기업이 투자할 수 있는 산업으로 규정하고 있다.

2. 외국인 단독 투자대상(외국인기업법 시행규정 제10조)

외국인기업은 아래와 같은 산업부문에 투자가 가능하다(외국인기업법 시행규정 제9조).

① 전자공업, 자동화공업, 기계제작공업, 동력공업부문

② 식료가공공업, 피복가공공업, 일용품공업부문

③ 건재공업, 제약공업, 화학공업부문

④ 건설, 운수 및 봉사부문

뿐만 아니라 외국인기업이 상기 산업에 종하사는 기업으로서, 아래와 같은 조건 중 하나라도 만족하여야 외국인기업의 설립이 가능하다(외국인기업법 시행규정 제10조).

① 첨단기술을 비롯한 현대적인 기술과 최신설비를 갖추어야 한다.

② 국제시장에서 경쟁력이 강한 수출품을 생산할 수 있어야 한다.

③ 생산제품의 품질을 세계적 수준으로 높일 수 있어야 한다.

3. 투자장려대상

외국인투자법 제7조에 따르면 북한은 첨단기술을 비롯한 현대적 기술과 국제시장에서 경쟁력이 높은 제품을 생산하는 부문, 하부구조(SOC) 건설부문, 과학연구 및 기술개발부문에 대한 투자를 특별히 장려한다고 규정하고 있다.

합작기업의 경우, 합작법 제3조 (합작의 장려부문)에서 북한은 첨단기술이나 현대적인 설비를 도입하는 대상, 국제시장에서 경쟁력이 높은 제품을 생산하는 부문의 합작을 장려한다고 규정하고 있으며, 합작법 시행규정 제5조에서는 첨단기술과 같은 현대적 기술을 받아들이는 대상, 국제 시장에서 경쟁력이 높은 제품을 생산하는 대상, 과학연구 및 기술개발대상, 지하자원개발 및 하부구조건설대상에는 합작기업을 창설하고 운영하는 것을 장려한다고 규정하고 있다.

합영기업의 경우, 합영법 제3조 (합영부문과 장려대상)에서 북한은 첨단기술의 도입, 과학연구 및 기술개발, 국제시장에서 경쟁력이 높은 제품생산, 하부구조건설 같은 대상의 합영을 장려한다고 규정하고 있으며, 합영법 시행규정 제9조에서 북한은 첨단기술 같은 현대적인 설비를 도입하는 대상, 국제시장에서 경쟁력이 높은 제품을 생산하는 부문, 과학연구와 기술개발 부문, 지하자원 채취와 기초설비건설 부문의 합영 활동을 장려한다고 규정하고 있다.

제8절 투자 장려부문에 종사하는 기업의 우대 및 특혜 내용

외국인투자법 제8조 (장려부문 투자의 우대)에서 장려하는 부문에 투자하여 창설한 외국인 투자기업은 소득세를 비롯한 여러가지 세금의 감면, 유리한 토지이용 조건의 보장, 은행대부의 우선적 제공 같은 우대를 받는다고 규정하고 있다.

우대와 특혜에는 여러가지가 규정되어 있지만 여기에서는 기업소득세를 대상으로 아래와 같이 검토하였다.

1. 우대 내용

1) 외국투자기업의 기업소득세율은 결산이윤의 25%[15]로 규정되어 있다. 그러나, 북한 국적을 가진 해외 조선동포와 합작 및 합영하는 외국인 투자기업은 결산이윤에 대하여 20%[16]의 세율을 적용한다.
2) 라선경제무역지대와 개성공업지구 외국인 투자기업의 기업소득세율은 결산이윤의 14%로 규정되어 있다. 그러나, 북한국적을 가진 해외 조선동포와 합작 및 합영하는 외국인 투자기업은 결산이윤에 대하여 10%[17]의 세율을 적용한다.
3) 북한이 장려하는 첨단기술부문, 지하자원개발과 하부구조 건설부문, 과학연구 및 기술개발부문의 기업소득세율은 결산이윤에 대하여 10%[18]의 세율을 적용한다.
4) 외국기업이 북한 안에서 배당소득, 이자소득, 임대소득, 특허권사용료를 비롯한 기타 소득을 얻은 경우 그에 대한 기업소득세 세율은 소득액의 20%이지만 라선경제무역지대와 개성공업지구에서는 기업소득세율 10%[19]를 적용한다.

15) 외국투자기업 및 외국인세금법 제10조
16) 외국투자기업 및 외국인세금법 시행규정 제20조 제1항
17) 외국투자기업 및 외국인세금법 시행규정 제20조 제2항
18) 외국투자기업 및 외국인세금법 시행규정 제20조 제3항
19) 외국투자기업 및 외국인세금법 시행규정 제20조 제4항

2. 특혜 내용[20)]

1) 외국인 투자기업이 북한 안에서 기업활동을 하여 얻은 배당소득에는 세금을 부과하지 않을 수 있다.
2) 다른 나라 정부 또는 국제금융기구가 북한 또는 북한의 은행에 차관을 주었거나 외국투자은행이 북한의 은행 또는 기관, 기업소에 낮은 이자율(Libor보다 낮은 이자율)과 유예기간을 포함하여 10년 이상의 상환기간과 같은 유리한 조건으로 대부를 주었을 경우에는 그 이자소득의 기업소득세를 감면받을 수 있다.
3) 장려부문의 외국투자기업과 라선경제무역지대 생산부문의 외국투자기업이 10년 이상 기업을 운영할 경우에는 기업소득세를 이윤이 나는 해부터 3년간 면제하며 그 다음 2년간은 50% 범위에서 감면할 수 있다.
   개성공업지구의 장려부문과 생산부문에 투자하여 15년 이상 운영하는 기업에 대하여서는 이윤이 발생하는 해부터 5년간 면제하고 그 다음 3년간 50% 감면한다(개성공업지구 세금규정 제29조).
4) 라선경제무역지대 봉사부문의 외국투자기업이 10년 이상 기업을 운영할 경우에는 기업소득세를 이윤이 나는 해부터 1년간 면제하며 그 다음 2년간은 50% 범위에서 감면할 수 있다.
   개성공업지구의 봉사부문에 투자하여 10년 이상 운영하는 기업에 대하여서는 이윤이 발생하는 해부터 2년간 면제하고 그 다음 1년간 50% 감면한다(개성공업지구 세금규정 제29조).
5) 금융기업이 비거주자들 사이의 거래업무를 하여 얻은 소득은 기업소득세를 면제하거나 감면할 수 있다.
6) 총 투자액이 조선원 45억원 이상 되는 라선경제무역지대 철도, 도로, 통신, 비행장, 항만, 하부구조건설부문 외국투자기업의 기업소득세는 이윤이 나는 해부터 4년간 면제하며 그 후 3년간은 50% 범위에서 감면할 수 있다.

---

20) 외국투자기업 및 외국인세금법 시행규정 제29조

제9절 투자 금지부문과 투자 제한 항목

외국인투자법 제11조 (투자의 금지 및 제한대상)는 투자를 금지하거나 제한하는 대상은 아래와 같다고 규정하고 있으며, 그 내용은 아래와 같다.

① 북한의 안전과 주민들의 건강, 건전한 사회도덕 생활에 저해를 주는 대상
② 자원수출을 목적으로 하는 대상
③ 환경보호 기준에 맞지 않는 대상
④ 기술적으로 뒤떨어진 대상
⑤ 경제적 효과성이 적은 대상

투자금지와 투자제한 대상은 투자형식에 따라 다르며 개별 법규에 규정된 내용은 다음과 같다.

1. 합작기업과 합영기업의 투자 금지 및 제한 항목

합작기업과 합영기업의 투자금지 및 제한은 개별법과 시행규정에 규정되어 있으며 내용은 아래와 같다.

합작법

제4조 (합작의 금지, 제한대상)

환경보호 기준을 초과하는 대상, 자연부원을 수출하는 대상, 경제기술적으로 뒤떨어진 대상, 경제적 실리가 적은 대상, 식당, 상점 같은 봉사업대상의 합작은 금지 또는 제한한다.

합작법 시행규정

제7조

나라의 안전과 국가 및 사회의 이익에 지장을 주는 대상, 국가가 따로 정한 대상의 합작은 금지하며 환경보호 기준을 초과하는 대상, 설비와 생산공정이 경제기술적으

로 심히 뒤떨어진 대상, 공화국의 자원을 가공하지 않고도 그대로 수출하는 대상, 경제적 효과성이 적은 대상의 합작은 제한한다.

합영법

제4조 (합영의 금지, 제한대상)

환경보호 기준을 초과하는 대상, 자연부원을 수출하는 대상, 경제기술적으로 뒤떨어진 대상, 경제적 실리가 적은 대상, 식당, 상점 같은 봉사업대상의 합영은 금지 또는 제한한다.

합영법 시행규정

제11조

국가가 지정한 규정 외에 부분, 북한의 안전과 사회 공공이익을 위험하게 하는 부문의 합작은 금지한다.

제12조

환경보호 기준을 초과하는 대상, 설비와 생산공정이 경제 기술적으로 뒤떨어진 대상, 자원부원을 수출하는 대상, 경제적 실리가 적은 대상의 합영은 제한한다.

2. 외국인기업의 투자금지 및 제한 항목

외국인기업의 투자금지 및 제한과 관련하여 외국인기업법 제3조 (외국인기업의 창설부문과 창설금지대상기업)에서 북한의 안전에 지장을 주거나 기술적으로 뒤떨어진 기업은 창설할 수 없다고 규정하고 있으며, 구체적인 내용은 외국인기업법 시행규정에서 아래와 같이 열거하고 있다.

외국인기업법 시행규정 제11조 다음과 같은 경우에는 외국인기업의 창설을 승인하지 않는다.

① 북한의 안전에 위험을 주거나 지장을 줄 수 있는 경우

② 북한 인민들의 건강보호와 국토 및 자원에 피해를 줄 수 있는 경우

③ 설비와 생산공정이 경제기술적으로 뒤떨어진 경우

④ 생산제품이 국내외에서 수요가 없거나 적을 경우

⑤ 업종과 경영방법이 북한 인민들의 건전한 사상감정과 생활기풍에 맞지 않거나 부정적 영향을 줄 수 있는 경우

외국인기업법 시행규정 제12조 다음과 같은 부문에는 외국인기업을 창설할 수 없다.

① 출판, 보도, 방송 부문

② 교육, 문화, 위생 부문

③ 체신부문

④ 이 밖에 북한이 외국인기업의 창설을 금지한 부문

제10절 외국투자가의 투자대상 자산과 그 요건

외국인투자법 제12조 (투자재산과 재산권)에서 외국투자가는 화폐재산, 현물재산, 공업소유권 같은 재산과 재산권으로 투자할 수 있다. 이 경우 투자하는 재산과 재산권의 가치는 해당 시기의 국제시장가격에 기초하여 당사자들 사이의 합의에 따라 평가한다고 규정하고 있다.

1. 현물출자의 대상

북한에서는 화폐성 자산 뿐만 아니라 실물자산 및 무형자산 역시 출자의 대상으로 규정하고 있으며, 아래의 합작법, 합영법 및 외국인기업법 등의 규정에서 확인되는 바와 같이 거의 유사한 내용으로 규정되어 있다.

합작법 시행규정

제38조

합작당사자는 화폐재산, 현물재산, 공업소유권, 기술비결(이 아래부터는 공업소유권, 기술비결을 기술이라 한다), 저작소유권 같은 것으로 출자할 수 있다.

제44조

현물재산과 기술, 저작소유권의 가격은 국제시장가격에 준하여 합작당사자들이 합의하여 평가하여야 한다.

합영법

제11조 (출자 몫, 출자재산과 재산권)

합영기업에 출자하는 몫은 합영당사자들이 합의하여 정한다.
합영당사자들은 화폐재산, 현물재산과 공업소유권, 토지이용권, 자원개발권 같은 재산권으로 출자할 수 있다. 이 경우 출자한 재산 또는 재산권의 값은 해당 시기 국제시장가격에 준하여 당사자들이 합의하여 정한다.

합영법 시행규정

제30조

화폐, 현물재산, 소유권, 기술비결과 같은 것을 출자할 수 있다. 소유권은 공업소유권, 저작권, 토지사용권과 같은 것을 포함한다.

외국인기업법 시행규정

제32조

투자는 화폐재산, 현물재산, 공업소유권, 기술비결 같은 것으로 할 수 있다.

제33조

투자하는 현물재산, 공업소유권, 기술비결의 가격은 국제시장가격에 준하여 정한다.

2. 현물출자의 대상물의 경제적 요건과 제한

외국인 투자가가 상기의 화폐성 자산 이외의 기타 실물자산 및 무형자산을 출자하는 경우, 일정한 경제적 요건을 설정하여 동 요건에 부합하는 경우에만 현물출자가 가능하도록 규정하고 있다.

합작법 시행규정, 합영법 시행규정 및 외국인기업법 시행규정에 규정된 관련 규정은 아래와 같으며, 그 개념은 거의 유사하다.

합작법 시행규정

제39조

외국측 투자가가 출자하는 현물재산은 투자가의 소유이면서 합작기업에 반드시 필요한 것이여야 하며 북한에 없거나, 있다 하더라도 수요를 충족시키지 못하고 있는 것이어야 한다.

제40조

기술, 저작소유권으로 출자는 다음과 같은 조건을 만족시켜야 할 수 있다.

1. 새로운 제품 또는 수출품을 생산할 수 있거나 현존 생산설비와 기계의 성능을 개조하고 제품의 질과 생산성을 높일 수 있어야 한다.
2. 원료, 자재, 노동력, 연료, 동력을 대폭 절약하고 공화국의 자원을 합리적으로 이용할 수 있어야 한다.
3. 노동안전을 보장하고 환경을 보호할 수 있는 것이어야 한다.

합영법

제14조 (출자기간, 지적재산권의 출자)

합영당사자는 기업창설승인서에 지적된 기간 안에 출자하여야 한다.
부득이한 사정이 있을 경우에는 투자관리기관의 승인을 받아 출자기간을 연장할 수 있다.
특허권, 상표권, 공업도안권 같은 지적재산권의 출자는 등록자본의 20%를 초과할 수 없다.

합영법 시행규정

제31조

외국투자가가 출자한 현물재산은 투자가의 소유여야 하며 합영기업 생산에 필요한 것이며, 북한에 없는 것이여야 한다. 공화국내에서 생산할지라도 질량과 수요량을 만족하지 않는 것이여야 한다.

제32조

공업소유권, 기술비결(양자, 이 아래부터 기술이라 한다)저작권의 출자는 아래와 같은 조건에 부합하여야 한다.
1. 새로운 제품이나 수출품을 생산할 수 있어야 한다.
2. 생산제품의 질과 생산율을 높일 수 있어야 한다.
3. 대량의 인력, 원자재와 동력을 아끼고 공화국의 자원을 충분히 이용할 수 있어야 한다.
4. 노동력의 안전과 자연보호를 보장할 수 있어야 한다.
5. 경제와 경영관리를 개선할 수 있어야 한다.

외국인기업법 시행규정

제34조

투자하는 현물재산, 공업소유권, 기술비결 같은 것은 다음의 조건에 부합되어야 한다.

1. 투자가의 소유권이나 사용권 범위에 속한 것이어야 한다.
2. 경쟁력이 강한 수출제품을 생산할 수 있는 것이어야 한다.
3. 공업소유권과 기술비결의 평가액이 등록자본의 20%를 초과하지 말아야 한다.

화폐성 자산 이외의 자산 중, 무형자산을 출자함에 있어 주의할 점은 합영기업과 외국인 기업의 경우에는 무형자산의 출자에 금액적 제한이 있다는 점이다. 합영법 제14조와 외국인기업법 시행규정 제34조에서 확인되는 바와 같이 무형자산의 출자액은 자본금 총액의 20%를 초과할 수 없다는 규정이 있음에 주의해야 한다.

다만, 합작기업의 경우에는 그 제한이 없다.

3. 현물출자 관련 구비 서류

화폐성 자산 이외의 기계장치 및 재고자산 등의 실물자산을 출자하는 경우, 준비해야 할 문건 및 서류 등의 규정은 합작법 시행규정 제41조, 합영법 시행규정 제33조, 외국인기업법 시행규정 제17조 등에서 관련 현물재산명, 규격, 단위, 수량, 용도, 단가, 금액, 생산공장 및 회사명, 현물재산을 수입해오는 국가 명, 이 밖에 필요한 내용을 밝힌 명세서와 계산서, 대외 상품검사 문건 등을 준비하여야 한다고 규정하고 있다.

화폐성 자산 이외의 부동산을 출자의 대상으로 하는 경우, 준비해야 할 문건 및 서류 등의 규정은 합영법 시행규정 제34조에서 부동산의 용도, 가격, 부동산권의 유효기간 등을 밝힌 설명서와 도면, 기술자료, 평가가격의 계산자료, 해당 소유권 또는 이용권증서가 있어야 한다고 규정하고 있다.

마지막으로 화폐성 자산 이외의 무형자산(기술과 저작권 등)을 출자의 대상으로 하는 경우, 준비해야 할 문건 및 서류 등의 규정은 합작법 시행규정 제42조, 합영법 시행규정 제35조, 외국인기업법 시행규정 제18조에서 기술, 저작권의 명칭, 소유자명, 실용가치, 유효기간(기술비결의 유효기간은 제외) 같은 것을 밝힌 설명서와 기술문헌, 도면, 조작지도서 같은 기술자료, 평가가격의 계산근거 등이 있어야 한다고 규정하고 있다.

4. 현물출자 관련 가치평가

화폐성 자산 이외의 각종 실물자산과 무형자산을 현물출자 하는 경우 동 현물출자에 대한 가치평가가 중요한 이슈가 된다.

가치평가와 관련한 내용은 합작법 시행규정, 합영법 시행규정 및 외국인기업법 시행규정에 각각 규정되어 있으며, 관련 내용은 아래와 같다.

합작법 시행규정

제44조

현물재산과 기술, 저작소유권의 가격은 국제시장가격에 준하여 합작당사자들이 합의하여 평가하여야 한다.

합영법 시행규정

제37조

출자한 현물재산, 재산권과 기술비결의 가격은 국제시장가격에 따라 합영당사자 간의 합의로 결정한다. 출자한 재산가격은 조선원으로 계산한다. 외환출자는 공화국의 거래 은행기관이 발표한 환율에 따라 조선원으로 환산한다.

외국인기업법 시행규정

제35조

외국인기업은 투자 몫으로 들여오는 현물재산은 대외상품검사기관(기술, 과학기관에 대해)에 의뢰하여 검사를 받아야 한다. 대외상품검사기관은 검사의뢰서에 따라 현물재산이나 기술을 검사하고 검사증을 발급해주어야 한다. 투자자나 외국인기업은 대외상품검사기관이 현물재산이나 기술을 검사하는데 필요한 조건을 보장해 주어야 한다.

상기 법규에서 확인되는 바와 같이, 합작기업과 합영기업에 있어서 현물출자 자산의 평가는 국제시장 가격에 근거하여 합작과 합영의 당사자들이 협의하여 평가하는 것으로 규정되어 있다. 그러나, 외국인기업의 경우에는 당사자가 1인이거나, 다수라 하더라도 이미 특수관계에 있는 당사자들로 구성되어 있을 것이므로, 북한의 대외상품 검사기관에 의한 검사를 규정하고 있는 것으로 판단된다.

5. 출자의 완성

화폐성 자산을 비롯하여 각종 실물자산과 무형자산을 현물출자하는 경우, 출자의 완성시점을 언제로 볼 것인지에 대한 문제는 회사의 설립(창설)의 완성 및 관련 비용 처리 등과 관련한 여러가지 관련된 제반 문제들이 정리되는 중요한 기준이다. 이와 관련하여 합작법 시행규정 제43조와 합영법 시행규정 제36조에서 출자 대상에 따른 출자의 완성 시점을 아래와 같이 유사한 내용으로 규정하고 있다.

① 화폐재산은 해당한 금액을 거래은행의 돈자리에 넣었을 경우
② 부동산은 그 소유권 또는 이용권을 기업에 이전하는 수속을 끝낸 다음 재산등록기관에 등록하였을 경우
③ 부동산 밖의 현물재산은 소유권 또는 이용권 이전수속을 끝낸 다음 기업의 구내에 옮겨 놓았을 경우
④ 공업소유권, 저작소유권은 해당 소유권증서를 기업에 이전하는 수속을 끝냈을 경우
⑤ 기술비결은 계약에 정한 기술이전 조건이 실현되었을 경우

6. 출자 관련 기타 내용

투자당사자들은 출자를 기업창설승인문건에 지적된 기간 안에 하여야 하며 정한 기간 안에 출자를 하지 않아 상대편 당사자에게 손해를 주었을 경우에는 그 손해를 보상하여야 한다(합작법 시행규정 제50조). 이때, 그 손실에는 이자손실, 예정 이윤손실 같은 것도 포함된다.

기업은 출자가 단계별로 완성되었을 경우 해당 검증기관으로부터 투자검증을 받고 출자확인문건을 중앙경제협조관리기관에 제출해야 한다. 중앙경제협조관리기관은 출자자 명칭, 출자 몫, 출자금액, 기업의 존속기간, 기업등록 날짜와 등록번호 등이 기재된 출자증서를 발급한다(합작법 시행규정 제51조, 합영법 시행규정 제43조).

제11절 지적재산권(발명권 및 특허권)의 개념과 보호

1. 지적재산권의 기본 개념

북한은 사회주의 헌법 제74조에서 공민은 과학과 문학예술활동의 자유를 가진다. 국가는 발명가와 창의 고안자에게 배려를 돌린다. 저작권과 발명권, 특허권은 법적으로 보호한다고 규정하고 있다.

북한은 1974년 8월 '세계지적소유권기구'[21]에, 1980년 6월 '공업소유권보호 동맹 조약'[22](파리동맹)에, 1980년 7월 '특허협조동맹'에, 1992년 5월 '공업도안동맹'에, 2002년 2월 '부다페스트조약'과 '국제특허분류에 관한 스트라스부르 협정[23]'에 가입하였다.

따라서 특허, 상표, 공업도안 등 공업소유권보호에 대한 국제신청을 할 수 있다. 다른 나라의 기관, 기업소, 회사, 기타 경제조직체와 개인에게도 북한의 기관, 기업소, 단체, 공민과 같은 권리가 보장된다.

따라서, 북한의 공민과 다른 나라 사람이 함께 창조한 발명에 대하여서도 특허권을 받을 수 있다. 이 경우에는 특허권신청을 공동명의로 하거나 그들이 소속된 기관, 기업소, 단체의 이름으로 하여야 한다.[24]

2014년에 수정 보충된 북한의 발명법 규정에는 발명권과 특허권을 유사한 것으로 규정하고 있으나, 조선투자법안내[25]에 기재된 '특허권은 계약을 맺고 양도하거나 그 과학기술의 이용을 승인하여 줄 수 있으며 소유자의 요구에 따라 발명권으로 바뀌준다. 그러나 발명권은 특허권으로 바꿀 수 없다.'는 내용을 고려하면, 특허권이 발명권보다 상위의 권리라고 판단된다.

또한, 발명법 제9조(발명권, 특허권등록신청문건의 제출)의 규정 '발명권이나 특허권을 받으려는 기관, 기업소, 단체와 공민(이 아래부터 '신청자'라고 한다)은 발명권 또는 특허권등록신청문건을 발명행정기관에 내야 한다. 이 경우 하나의 발명에 대하여

21) World Intellectual Property Organization: WIPO는 세계지적재산권을 관장하는 UN전문기구이다.
22) Paris Convention for the Protection of Industrial Property
23) Strasbourg Agreement Concerning the International Patent Classification
24) 조선투자법 안내, 법률출판사 2007, p.97
25) 조선투자법 안내, 법률출판사 2007, p.101

발명권, 특허권, 실용기술발명권, 실용기술 특허권가운데서 어느 하나로 신청하여야 한다. 이 법에서 따로 정하지 않은 한 발명권에는 실용기술발명권이, 특허권에는 실용기술특허권이 포함된다.'에 따르면 발명권과 특허권을 구분하고는 있지만, 양자의 차이에 대한 개념설명이 이루어지지 않고 있다.

2. 지적재산권의 등록 및 행정 절차

새로운 과학기술적 성과에 대하여 발명권, 특허권을 받으려는 기관, 기업소, 단체와 공민은 발명등록의 신청을 제때에 정확히 하여야 한다.

발명법 제26조 (신청의 위탁)에 따르면, 북한의 신청자가 다른 나라에 특허권등록을 신청하거나 다른 나라의 신청자가 북한에 특허권 등록을 신청하려 할 경우에는 발명대리기관에 위탁하여 하여야 한다. 이 경우 북한의 신청자는 사전에 다른 나라에 신청하려는 특허권등록 신청문건을 발명행정기관에 내어 심의를 받아야 한다고 규정되어 있다. 따라서, 외국인 투자기업 또는 외국인 개인이 북한에서 특허권을 등록을 하고자 하는 경우에는 특허권을 직접 등록할 수 없고, 발명대리 기관에 위탁하여 처리하여야 한다.

발명의 우선권은 발명등록기관이 발명등록 신청문건을 처음 접수한 날을 기준으로 정한다. 신청문건을 우편으로 제출하는 경우에는 우편물에 찍힌 발송 날짜로 한다. 만약 국제협약에 따라 우선권을 주장하는 경우에는 그에 따른다.

우선권의 부여에 있어서 크게 두가지 예외규정을 두고 있다.

그 중 첫번째 규정이 발명법 제22조 (예외적인 신규성 인정조건)으로서 발명내용이 국가가 인정하는 학술토론회나 전시회에 처음으로 발표 또는 전시되었거나 신청자의 승인없이 제3자에 의하여 공개되었다 하더라도 신청자가 그 날짜로부터 6개월 안에 발명권이나 특허권등록신청을 하면서 그것을 확인하는 문건을 제출하였을 경우에는 신규성이 있는 것으로 본다고 규정함으로써 그 우선권을 인정하고 있다.

두번째 규정으로 발명법 제23조 (우선권 주장)에 따르면, 다른 나라의 신청자가 자기 나라 또는 다른 나라에 첫 특허권 등록신청을 한 날짜로부터 12개월 안에 북한에 같은 발명에 대하여 특허권 등록신청을 하는 경우 그 발명에 대한 우선권을 주장할 수 있다. 이 경우 신청한 날짜로부터 3개월 안에 첫 특허권 등록신청 문건 사본과 우선권을 주장하는 문건을 제출하여야 한다고 규정하여 해외에 우선 등록된 특허권에 대해서 북한 내 제3자의 신청일보다 우선하는 우선권을 인정하고 있다.

발명에 대한 정확한 심의보장을 위하여 중앙과학기술행정기관에 비상설로 국가발명심의위원회를 둔다.

발명등록기관은 발명의 등록 또는 부결통지서를 해당 신청자에게 보내주며 등록이 결정된 발명에 대해서는 발명등록기관에 등록한다. 발명권, 특허권을 소유한 자에게는 해당한 증서와 발명메달, 상금을 준다.

발명법 제12조 (기관, 기업소, 단체의 명의로 할 수 있는 특허권등록신청)에 따르면, 직무상 임무수행과정에 창조하였거나 기관, 기업소, 단체의 물질 기술적 수단을 이용하여 창조한 발명에 대한 특허권등록신청은 해당 기관, 기업소, 단체의 이름으로 한다고 규정되어 있으므로, 근로자 개인이 아이디어를 내고, 실질적인 발명을 하였더라도, 회사의 자산을 이용하여 구체화된 발명에 대한 발명권 및 특허권은 회사로 귀속된다. 이러한 경우, 회사는 동 실질적 발명가에게 상당한 보상을 지급하도록 발명법 제44조 (기관, 기업소, 단체의 명의로 특허권을 받은 경우의 보상)에서 규정하고 있다.

그러나, 발명법 제13조 (발명가의 명의로 할 수 있는 특허권등록신청)의 규정에 따르면, 발명가가 직무와는 관계없이 노동시간 외에 자체의 물질 기술적 수단을 이용하여 창조하였거나 연로보장자, 노동할 나이에 이르지 않은 자가 창조한 발명에 대한 특허권등록신청은 그 발명가가 한다고 규정하고 있으므로 발명가가 직무와는 전혀 관계가 없는 발명 내용을 업무시간이 아닌 여유시간에 회사의 자산을 이용하지 아니한 사실을 증명하는 경우에는 해당 개인의 명의로 발명을 등록할 수 있다. 발명가의 입장에서는 업무 무관성과 근로시간 이외에 이루어진 창조행위, 그리고 회사의 자산을 이용하지 않았다는 것을 증명하여야 하므로, 상당히 불리한 법 규정이라고 할 수 있다.

3. 지적재산권의 법적 보호

북한은 심의 등록된 발명에 대하여 발명권 또는 특허권을 부여한다. 그리고, 발명법 제41조 (특허권자의 권리)에서 규정하고 있는 바와 같이 특허권을 받은 기술의 이용은 그 소유자가 하며, 특허권자의 승인없이 누구도 특허권을 받은 기술을 이용하는 행위를 할 수 없다.

그러나, 특이한 점은 발명법 제40조 (발명권을 받은 기술의 이용)의 규정이다. 발명권을 받은 기술의 이용은 기관, 기업소, 단체가 한다고 규정되어 있다. 이는 개인이 발명권을 신청하고 등록하였을 때, 해당 개인이 발명권 상의 기술을 이용할 수 없다는 의미로 해석될 수 있다.

이는 북한 사회주의헌법 제20조 규정, 즉 북한에서의 생산수단은 국가와 사회협동단체가 소유한다는 규정에 따라 생산수단의 개인소유가 인정되지 않으므로, 발명권의 개인사용은 제한되고 있는 것으로 판단된다.

특허권의 법정 보호기간은 발명법 제42조 (특허권의 보호기간)에서 규정하고 있는 바와 같이 특허권 등록신청 날짜로부터 15년이다. 특허권자의 요구에 따라 그 기간을 5년간 연장하여 줄 수 있다.

특허권의 법적보호를 위하여 특허권자는 특허권을 받은 해부터 발명행정기관에 정해진 보호요금을 내야 하며, 동 보호요금은 특허권 등록신청 날짜부터 계산한다고 발명법 제43조 (특허권 보호요금의 지불)에서 규정하고 있다.

특허권이 침해를 받았을 때, 특허권자는 손해보상을 요구할 수 있다. 발명법 제56조 (특허권침해행위에 대한 손해배상)의 규정에 따르면, 특허권을 침해하였을 경우에는 해당한 손해를 보상하여야 하며, 특허권을 침해한 당사자가 손해보상을 하지 않을 경우 특허권자는 발명행정기관에 제기하여 해결 받을 수 있다.

그러나, 공공이익을 위하여 아래와 같은 경우에는 특허권이 침해를 받더라도, 이를 특허권의 침해로 보지 않는 경우가 있으며, 이는 발명법 제58조 (특허권침해로 되지 않는 경우)에 아래와 같이 열거되어 있다.

① 특허권을 받은 제품 또는 특허기술로 얻은 제품을 특허권자 또는 특허기술 이용 허가를 받은 자가 판매한 후 제3자가 그 제품을 이용, 판매, 수입하는 경우
② 특허권등록을 신청하기 전에 그 기술을 이용하고 있었거나 이용하려고 필요한 준비를 갖춘 제3자가 그 범위에서만 해당 기술을 이용하는 경우
③ 특허기술을 북한에 일시적으로 머무르고 있는 다른 나라 운수수단의 수리정비에 이용하는 경우
④ 특허기술을 과학연구와 실험에 이용하는 경우
⑤ 특허기술을 의사의 처방에 따라 개별적인 환자치료에 필요한 의약품 제조에만 이

용하는 경우

뿐만 아니라, 발명법 제48조 (특허기술의 강제 이용허가)에서는 발명행정기관은 특허권자가 특허권을 받은 날짜로부터 3년이 지나도록 정당한 이유없이 자기의 특허기술을 이용하지 않거나 사회적 이익을 위하여 긴급히 필요한 경우 해당 기관, 기업소, 단체에 특허권자의 승인없이 그 특허기술의 이용을 강제 허가해 줄 수 있다. 이 경우 특허권자에게 그에 대하여 통지하며 공개하여야 한다. 강제 이용허가는 그 이유가 없어졌다고 인정될 경우 해제한다고 규정하여 특허권자의 권리를 정부의 필요 및 사회공익 상의 목적으로 일시적으로 침해하는 것에 대한 법률적 근거를 구비하고 있다.

발명법 제49조 (강제 이용허가를 받은 경우 요금지불)에 따르면 발명행정기관으로부터 특허권자의 승인없이 특허기술의 이용허가를 받은 기관, 기업소, 단체는 특허권자에게 해당한 요금을 물어야 한다. 요금은 당사자들이 합의하여 정한다. 합의하지 못할 경우에는 발명행정기관이 정해줄 수 있다고 규정하여, 강제 이용허가를 당한 발명가의 기회손실을 보상하고 있다.

4. 지적재산권의 양도와 소멸

발명법 제14조 (공동으로 또는 위탁과정에 창조한 발명에 대한 신청) 규정에 따르면, 둘 이상의 기관, 기업소, 단체 또는 공민이 공동으로 창조한 발명에 대한 발명권, 특허권등록의 신청은 따로 합의된 것이 없는 한 그 것을 창조한 기관, 기업소, 단체나 공민들이 공동으로 하며 다른 기관, 기업소, 단체의 위탁을 실행하는 과정에 창조한 발명에 대한 발명권, 특허권등록의 신청은 그것을 창조한 기관, 기업소, 단체 또는 공민이 한다는 규정이 있으며, 공동으로 취득한 발명권 및 특허권에 대한 이용 및 행사에 대하여는 발명법 제47조 (공동으로 받은 특허권의 행사방법)에서 공동으로 특허권을 받은 기술은 그 특허권의 공동소유자들이 이용한다. 공동으로 받은 특허권을 제3자에게 양도하거나 이용허가를 하려 할 경우에는 서로 합의하여야 한다고 규정하고 있다.

따라서, 공동으로 취득한 발명권 및 특허권에 대하여 별도의 협의가 없는 경우, 발명법에서는 소유권에 대한 비율(지분)의 개념이 없이 기본적으로 공동으로 취득한 것으로 판단된다. 즉, 지분 규정이 없으므로, 북한에서의 발명권과 특허권의 소유권은 공유의 특성상 균등한 지분을 가지고 있는 것으로 추정된다. 또한 발명법 제47조에서 규정하고 있는 바와 같이 제3자에게 동 권리를 양도하거나 사용권을 부여하는 경우, 상대의 동의를 득하여야 하는 바, 북한에서 한국기업(또는 한국 본사)이 합작기업, 합영기업 또는 여타의 형식으로 공동 개발한 기술에 대하여 양도를 포함한 그 활용에 많은 제약이 있을 것이므로, 사전에 충분히 인지하고 주의하여야 한다.

한국에서도 공유 특허의 활용에 제약이 너무 많아서 2016년 2월 29일 특허법 제99조의 2항을 개정하여 공유특허 지분 전체의 양도와 질권 설정 시 공유자의 동의를 받지 않더라도, 자신이 가지고 있는 지분전체를 이전할 수 있게 되었다.

발명법 제45조 (특허권의 이전)에서 특허권자는 소유자와 계약을 맺고 자기의 특허기술에 대한 이용을 허가하거나 권리를 양도할 수 있다. 이 경우 해당 계약은 발명행정기관에 등록하여야 효력을 가진다. 특허기술의 이용허가를 받은 기관, 기업소, 단체는 특허권자의 승인없이 제3자에게 그 기술의 이용을 허가할 수 없다고 규정하고 있다.

뿐만 아니라, 발명법 제15조 (특허권등록신청권리의 양도)에서 특허권 등록신청권리는 기관, 기업소, 단체에 양도할 수 있다. 특허권 등록신청권리를 양도받은 기관, 기업소, 단체는 특허권등록을 신청할 경우 양도확인서를 첨부하여야 한다고 명시함으로써 특허권을 미취득한 상태인 특허권 등록신청상태에 있는 권리 역시 양도의 대상이 된다고 설명하고 있다.

일반적인 경우에는 발명법 제42조 (특허권의 보호기간)에서 규정하고 있는 최대 20년의 법정 보호기간의 만료로 특허권이 소멸한다. 그러나, 예외적인 경우의 소멸을 발명법 제51조 (특허권의 소멸)에서 규정하고 있으며, 그 경우는 아래와 같다.

다음의 경우 특허권의 효력은 보호기간에 관계없이 소멸된다.

① 특허권소유자가 서면으로 특허권을 포기한다고 선언하였을 경우

② 특허권 보호요금을 정해진대로 물지 않았을 경우

③ 특허권의 효력을 취소하는 것에 대한 국가발명심의위원회의 결정 또는 재판소의 판결이 있었을 경우

④ 특허권을 넘겨받을 권한 있는 기관, 기업소, 단체나 상속자가 없을 경우

제12절 기타 지적재산권 개념과 보호

1. 공업도안권

1) 공업도안권의 개념

공업도안은 공업적 방법으로 생산하려는 제품의 형태와 색깔, 장식 같은 것을 그림이나 사진으로 새롭게 미학적으로 구성 묘사한 것을 말한다. 공업도안에는 기계설비와 운수수단, 방직제품, 생산 및 문화용품, 의상품, 가구류, 건구류, 포장용기 같은 제품도안과 장식도안이 속한다.

공업도안을 인정받으려면 우선 등록하여야 한다.

공업도안등록기관은 공업도안등록 신청문건을 접수한 날부터 6개월 안에 심의하여야 한다. 등록이 결정된 공업도안은 국가공업도안등록부에 등록하며 해당 기관, 기업소, 단체, 공민에게는 공업도안등록증을 발급하여 준다.

공업도안으로 등록할 수 없는 도안은 다음과 같다.

① 이미 등록된 공업도안과 본질적으로 같거나 유사한 도안

② 이미 공개되어 사용하고 있는 제품과 같거나 유사한 도안

③ 북한의 법과 공중도덕, 미풍양속에 맞지 않는 도안

④ 설비 및 기술 공정도면이나 미술작품, 건축물 및 기념비 같은 것의 도안

⑤ 등록된 상표와 같거나 유사한 도안

⑥ 경제적 효과성과 실용예술성, 생산도입 가능성이 없는 도안

2) 공업도안권의 보호

공업도안권의 보호기간은 공업도안등록을 신청한 날부터 5년이다. 그 기간을 연장하려 할 경우에는 신청문건을 제출하여 5년씩 두 번 연장할 수 있다.

공업도안등록은 해당 취소문건을 공업도안등록기관에 제출하여 취소할 수 있다. 등록된 공업도안이 취소되었거나 또는 그 보호기간이 종료된 경우, 그리고 공업도안을 등록한 날부터 2년간 사용하지 않았을 경우에는 공업도안권의 효력은 없어진다.

2. 상표권

1) 상표권의 개념

상표란 해당 상품의 기술적, 경제적 내용을 알려주기 위하여 제품 또는 포장에 밝히는 사회적으로 공인된 일정한 규격의 표식을 말한다.

상표의 기능에서 가장 본질적인 것은 상품을 구별하는 작용을 하는 것이다. 상표는 상품 또는 봉사를 구별하는 표기수단으로서 생산자나 경영자의 합법적인 권리와 이익을 유지 보호한다. 상표는 상품생산자나 경영자가 일정한 지역에서 독점적으로 이용할 수 있는 표기로서 배타성을 가지고 다른 사람이 상표권소유자의 허가없이 사용하는 것을 허용하지 않는다.

상표는 공업도안과 함께 공업소유권에 속하며 상표등록기관에 신청하여 심의등록공정을 거쳐야 해당 상표법에 따라 법적보호를 받을 수 있게 된다.

상표로 등록할 수 없는 표식, 표기는 다음과 같다.

① 이미 등록된 상표와 같거나 유사한 표식
② 국호나 그 약자로 만들었거나 국장, 국기, 훈장, 메달과 같거나 유사한 모양으로 만든 표식
③ 북한의 법과 공중도덕, 미풍양속에 맞지 않는 표식
④ 상품 또는 봉사에 대한 허위적 내용을 담은 표식
⑤ 상품이름, 조성, 특성 같은 것만 있는 표시
⑥ 검사표식이나 단순한 수자, 기하학적 표식
⑦ 전람회, 전시회에 출품되었던 상표와 같거나 유사한 표식
⑧ 북한이 가입한 국제기구의 표식으로 되었거나 국제법과 국제관례에 어긋나는 표식
⑨ 널리 알려진 상품, 유명한 상표와 같거나 유사한 표식

전람회, 전시회에 상표를 출품하였을 경우에는 그 등록신청에서 우선권을 가진다. 그러므로 상표가 출품된 날부터 3개월 안에 우선권을 요구하는 신청을 상표등록기관에 하여야 한다.

다른 나라의 법인, 공민이 자기 나라에서 받은 상표의 등록신청에 대한 우선권은 그것을 받은 날부터 6개월 안에 북한 상표등록기관에 해당 문건을 내야 효력을 가진다.

상표등록이 취소되었거나 보호기간이 지난 상표의 등록신청은 그 등록이 취소되었거나 보호기간이 끝난 날부터 1년이 지나야 효력을 가진다.

2) 상표권의 보호

상표권은 양도할 수 있다. 상표권의 보호기간은 상표등록을 신청한 날부터 10년으로 하며 그 기간을 연장할 수 있다. 상표등록이 취소되었거나 상표를 등록한 날부터 5년 동안 사용하지 않았을 경우에는 상표권의 효력은 없어진다.

3. 저작권

1) 저작권의 개념

과학, 문학, 예술의 작품에 대하여 창작자가 가지는 권리를 저작권이라고 하며, 북한의 저작권법에 따라 보호되는 저작물은 다음과 같다.

① 과학논문, 소설, 시 같은 창작품
② 음악저작물
③ 가극, 연극, 교예, 무용 같은 무대예술 저작물
④ 영화, 텔레비전 편집물 같은 영상저작물
⑤ 회화, 조각, 공예, 서예, 도안 같은 미술 저작물
⑥ 사진 저작물
⑦ 지도, 도표, 도면, 약도, 모형 같은 도형저작물
⑧ 컴퓨터 프로그램 저작물

이밖에 저작인접권의 대상으로 되는 원작물을 편집, 편곡, 각색, 윤색, 번안, 번역 같은 방법으로 개작하여 만든 저작물, 민족 고전작품을 현대말로 고쳐 만든 저작물과 편집저작물의 대상으로 되는 사진이나 선집 같은 편집저작물도 저작권의 대상으로 된다.

그러나 국가관리 문건과 시사보도물, 통보자료 같은 것은 상업적 목적이 없는 한 저작권의 대상으로 되지 않는다.

저작권자는 일반적으로 작품을 직접 창작한 자 또는 그의 권리를 넘겨받은 자로서 저작물에 대한 인격적 권리와 재산적 권리를 가진다.

저작권자의 인격적 권리는 아래와 같다.

① 저작물의 발표를 결정할 권리

② 저작물에 이름을 밝힐 권리

③ 저작물의 제목, 내용, 형식을 고치지 못하도록 할 권리

저작권자의 인격적 권리는 저작물을 창작한 자만이 가지며 양도, 상속할 수 없으며 저작권자의 생존기간 동안 무기한(종신) 보호된다.

저작권자의 재산적 권리는 아래와 같다.

① 저작물을 복제, 공연, 방송할 권리

② 저작물의 원작이나 복제물을 전시 또는 배포할 권리

③ 저작물을 편작, 편곡, 각색, 윤색, 번안, 번역 같은 방법으로 개작하여 새로운 저작물을 만들 권리

④ 저작물을 편집할 권리

⑤ 작품의 이용에 대하여 보수를 받을 수 있는 권리

저작권자의 재산적 권리는 전부 또는 일부의 양도가 가능하며, 저작권자가 사망하면 일정한 기간을 한도로 그 상속인에게 상속된다.

2) 저작권의 재산권 보호

창작가가 사망한 후 50년까지 보호하며 법인저작물에 대한 재산적 권리의 보호기간은 저작물이 발표된 때부터 50년으로 한다. 보호기간의 계산은 저작물이 발표되었거나 창작가가 사망한 다음해 1월 1일부터 한다.

4. 원산지명권

1) 원산지명 개념

원산지명은 특산품에 그 생산지를 밝힌 것이다. 원산지명으로는 독특한 자연적 지리적 환경이나 기술적 기능적 조건으로 자기의 고유한 질적특성을 가지는 특산품이 생산된 나라와 지역, 지방의 지리적 명칭이 된다.

원산지명을 인정받으려면 우선 등록하여야 한다.

국제적으로 인정되고 있는 일반적인 원산지 인정기준은 크게 완전 생산기준과 실질적 변형기준으로 구분된다.

① **완전 생산기준**(Wholly Obtained Criterion)

한 나라에서 생산이 완성되는 특성을 가진 물품에 적용되는 기준으로서 어떤 물품이 전적으로 1개국에서 생산되는 경우에만 생산국을 원산지로 한다는 기준이다. 보통 농산물 또는 광물 같은 1차 생산품에 적용된다.

② **실질적 변형기준**(Substantial Transformation Criterion)

어떤 물품의 생산이 2개국 이상에서 이루어지는 경우, 그 물품의 생산, 제조가공 과정을 통해 당초 원료의 성질을 본질적이고 실질적인 형태로 변형시켜 새로운 명칭, 새로운 특성 또는 새로운 용도의 물품으로 변화시키는 활동이 일어난 해당 국가(지역)를 원산지로 하는 기준이다. 실무적으로는 HS Code의 변경이 발생한 국가를 의미한다.

특산품에 원산지명을 표기하고자 하는 기관, 기업소, 단체는 원산지명 등록신청서를 만들어 원산지명등록기관에 내야 한다. 북한에 원산지명을 등록하려는 다른 나라 법인과 공민은 조선말로 된 원산지명등록신청서와 해당 나라가 발급한 원산지명등록을 증명하는 문건과 위임장을 대리기관을 통하여 원산지명등록기관에 내야 한다. 원산지명 등록의 신청 날짜는 원산지명등록기관이 원산지명등록신청서를 접수한 날로 하며 신청자에게 원산지명 등록신청접수증을 발급해준다.

등록한 원산지명은 원산지명등록기관의 승인을 받아 해당 국제기구 또는 대리기관을 통하여 다른 나라에 등록할 수 있다.

원산지명으로 등록할 수 없는 지리적 명칭은 다음과 같다.

ⓐ 독특한 자연적 지리적 환경이나 기술적 기능적 조건으로 만들어지지 않았거나 일정한 기간 널리 알려지지 않은 특산품이 생산된 곳의 지리적 명칭

ⓑ 국가적으로 승인되지 않았거나 허위적인 지리적 명칭

ⓒ 북한의 법과 공중도덕, 미풍양속에 맞지 않는 지리적 명칭

ⓓ 상표로 등록되었거나 상표권을 침해할 수 있는 지리적 명칭

ⓔ 이미 등록된 원산지명과 같거나 유사한 지리적 명칭

2) 원산지명권의 보호

북한에서 원산지명권은 원산지명법에 따라 국가적으로 보호된다. 원산지명권은 원산지명을 등록 받은 기관, 기업소, 단체가 소유한다. 소유자는 등록된 원산지명을 사용할 권리 또는 사용을 허가할 권리, 원산지명권 침해행위의 중지를 요구할 권리와 손해보상을 청구할 권리, 등록된 원산지명을 취소할 권리를 가진다.

원산지명의 보호기간은 원산지명등록을 신청한 날부터 원산지명의 사용을 중지한 날까지로 한다.

원산지명을 이용하려는 기관, 기업소, 단체는 원산지명권 소유자와 계약을 맺고 사용할 수 있으며 사용자는 특산품의 질에 대하여 책임진다.

원산지명권은 다른 기관, 기업소, 단체에 양도할 수 없으며 등록된 원산지명은 변경시켜 이용할 수 없다. 원산지명 등록이 취소되었거나 원산지명을 등록한 날부터 5년간 사용하지 않았을 경우에는 원산지명권의 효력은 없어진다.

제 13절 외국인 투자자산의 보호

북한은 원칙적으로 외국인 투자기업과 외국투자가의 재산을 국유화하거나 거두어들이지 않는다.[26]

외국인투자법 제19조에서 북한은 외국인 투자기업과 외국투자가가 투자한 재산을 국유화하거나 거두어들이지 않는다. 불가피한 사정으로 국유화하거나 거두어들일 경우에는 해당한 보상을 한다고 규정하고 있다.

북한은 외국투자가의 재산소유권을 법으로 승인하였으므로 그의 재산소유권을 보호한다. 그러나 불가피한 사정, 예를 들면 자연재해, 국토건설계획의 변경 같은 사정이 제기된 경우에는 그에게 미리 통보하고 국유화하거나 수용할 수 있다. 이 경우 이미 투자된 외국투자가의 재산에 대하여서는 해당한 보상을 통하여 외국투자가의 재산상의 권리를 보장한다.

여기서 해당한 보상에 대한 개념[27]은 아래와 같다.

첫째로, 민사법상 등가보상의 원칙에서 투자된 재산가치를 국제시장가격에 기초하여 서로 합의한 가격으로 보상한다.

둘째로, 북한이 투자가에게 주는 해당한 보상을 외화로 지불하거나 본인의 요구에 따라 다른 토지나 대치물자로 보상할 수 있다.

셋째로, 보상은 반드시 일정하게 정해진 기간 안에 한다.

26) 조선투자법 안내, 법률출판사 2007, p.87
27) 조선투자법 안내, 법률출판사 2007, p.88

제14절 총투자액과 등록자본

1. 총투자액의 의미

총투자액(투자총액)은 해당 기업에 필요한 자본 구성의 총 합계 금액이다. 총투자액은 회사의 정관(규약)에 기재되어야 한다.

> 총투자액 = 등록자본(자기자본) + 차입자본
>
> 등록자본 = 총투자액 − 차입자본[28)]

등록자본은 해당 기업의 총투자액 중에서 출자자들이 자본금으로 출자하여야 할 금액이다. 이는 기업등록기관(중앙경제협조관리기관)에 자본금으로 등록하여야 한다.

북한에서 1984년 9월 합영법이 처음으로 채택된 후 총투자액과 등록자본의 비율이 여러 번 수정되어 현재의 규정으로 확정되었다.

현행 외국인투자 관계법에서는 총투자액과 등록자본의 비율을 아래와 같이 규정하고 있다.

(단위: 조선원, %)

총투자액	등록자본금의 비율
4억 5천만원 미만	65% 이상
4억 5천만원 이상 15억원 미만	45% 이상
4억 5천만원 이상 45억원 미만	35% 이상
45억원 이상	30% 이상

상기 도표를 예를 들어 해석하면, 첫번째 구간의 경우, 등록자본금의 최저 비율이 65%로 규정되어 있으므로 대략 66.66%(2/3)로 가정하고, 등록자본금을 3억원으로 설정한다면, 차입금을 최대로 1억 5천만원을 조달할 수 있다는 의미이다. 즉, 자본금의 50% 미만 수준으로 차입을 할 수 있다. 두번째 구간의 경우 등록자본금의 최저 비율이

28) 합영법 시행규정 제45조 제3항 투자총액과 등록자본의 차액은 차입금으로 메꿀 수 있다.

45%로 규정되어 있으므로 50%로 가정하고, 등록자본금을 7억원으로 설정한다면, 차입금을 최대로 7억원(자본금의 100%)을 조달할 수 있으며, 마지막 구간의 경우 등록자본금의 최저 비율이 30%로 규정되어 있으므로 33.33%(1/3)로 가정하고, 등록자본금을 15억원으로 설정한다면, 차입금을 최대로 30억원(자본금의 200%)까지 조달할 수 있다는 의미이다.

즉, 자본금의 증가에 따라 회사가 차입할 수 있는 차입금의 한도는 더욱 더 증가(체증)하는 것을 확인할 수 있다.

총투자액과 등록자본을 이와 같이 설정한 이유는 외국인 투자기업의 과다한 부채를 방지하여 건전한 자본구조를 유지하고, 회사 채권자들의 채권에 대한 충분한 담보를 제공하게 하기 위함이라고 판단된다.

마지막으로 고려할 점은 투자자가 설정한 투자총액(=등록자본금+차입금)에 해당하는 금액을 자본금과 대부투자(대여금)으로 의무로써 전부 투자하여야 하는지를 확인할 필요가 있다. 이에 대한 답변은 자본금을 완납하는 것은 기본적 의무이며, 차입금에 해당하는 대부투자는 한국 본사가 북한에 투자한 회사의 추가적인 자금수요가 있을 때, 증자의 방법대신 차입금(대부투자)의 형식으로 투자할 수 있는 한도액을 규정한 것으로 이해함이 타당하다. 그 근거는 합영법 시행규정 제45조 제3항에 '투자총액과 등록자본의 차액은 차입금으로 메꿀 수 있다.'에서 찾아볼 수 있다. 즉, 등록자본(자본금)으로 우선 투자를 하고, 북한에 설립된 자회사가 자금 수요가 있을 때, 대부투자의 형식으로 자금지원을 할 수 있다는 내용으로 이해된다.

2. 출자관련 기타 등록자본금 규정

외국인기업의 총투자액 및 등록자본금 관련 기타규정은 아래와 같다.

합작기업 시행규정 제37조에 따르면 합작기업은 당사자들이 협의하여 출자 몫(출자비율)을 정할 수 있지만 외국측 투자자는 등록자본의 30% 이상을 출자하여야 한다.

합영법(2014) 제15조에 따르면 합영기업의 등록자본은 총투자액의 30~50% 이상이여야 하며 합영기업은 등록자본을 늘인 경우 해당 기관의 변경등록을 하여야 한다. 등록자본은 줄일 수 없다.

합영법상의 비율 규정은 북한 측 투자자와 외국인 투자자의 지분율을 의미하는 것이 아님에 주의할 필요가 있다.

참고로, 합영법 시행규정(2005) 제45조에 따르면, 등록자본은 투자총액의 20% 이상으로 규정되어 있다. 합영법에서 강화된 비율(30%~50% 이상)을 규정하고 있는데, 시행규정에서 더 약화된 비율(20%)을 규정하는 것은 합리적인 법 구조가 아니라고 판단된다. 이유는 합영법 시행규정(2005)이 합영법 수정내용(2014)이 반영되지 아니하였거나, 본 저자가 최근의 합영법 시행규정을 입수하지 못한 이유일 것으로 판단된다.

3. 외국인 투자기업의 증자(增資)와 감자(減資)

외국인 투자기업은 어떤 경우에도 등록자본을 줄일 수 없다. 즉, 감자(減資)는 불가능하다. 그러나, 추가적인 자본조달의 방안으로 증자(增資)는 가능하다. 이와 관련된 합작법, 합영법 및 외국인기업법의 규정은 아래와 같다.

외국인 투자기업 재정관리법

제12조 (출자기간과 등록자본의 구성, 규모)

투자가는 기업창설승인문건에 정한 기간 안에 출자하여야 한다.
등록자본의 구성과 규모는 해당 법규에 따른다.
등록자본은 기업의 존속기간에 늘일 수 있으나 줄일 수는 없다.

합작법 시행규정

제54조

등록자본은 늘일 수 있으나 줄일 수는 없다. 등록자본을 늘이려고 할 경우에는 공동협의기구에서 토의결정한 다음 중앙경제협조관리기관의 승인을 받아야 한다.

합영법 시행규정

제46조

등록자본은 늘일 수 있으나 줄일 수 없다. 등록자본을 늘이려고 하는 경우 이사회의 토론을 거쳐 결정하며 중앙경제협력관리기관의 승인을 받아야 한다. 등록자본을 늘이려고 하는 경우 관련기관에 변경등록 수속을 해야 한다.

외국인기업법

제25조 (등록자본)

외국인기업은 등록자본을 늘일 수 있다. 등록자본은 존속기간 안에 줄일 수 없다.

외국인기업법 시행규정

제30조

외국인기업은 등록자본을 늘일 수 있지만 줄일 수 없다. 단, 등록자본을 늘일 경우에는 관련기관에 변경등록을 하여야 한다.

4. 출자의 연기(延期)

출자자의 상황으로 출자시기가 지연될 수 있다. 이와 관련된 합작법, 합영법 및 외국인기업법의 규정은 아래와 같다.

합작법 시행규정

제48조

불가피한 사정으로 출자를 정한 기간 안에 할 수 없는 경우에는 정한 출자기간이 지나기 1개월 전에 중앙경제협조관리기관에 출자기간연장신청문건을 내어 승인을 받아야 한다.

출자기간연장신청문건에는 합작당사자명, 소재지, 출자금액, 출자기간, 연장기간, 연장근거를 밝혀야 한다.

출자기간은 여러 번 연장할 수 있으나 총 연장기간은 12개월을 넘을 수 없다.

합영법 시행규정

제40조

합영당사자는 불가피한 상황으로 출자기간을 연장할 경우 출자기간이 끝내기 1개월 전에 중앙경제협력관리기관에 신청해야 한다.

신청서에는 합영당사자의 이름, 주소, 출자액, 연장기간, 연장근거와 같은 내용을 밝혀야 한다.

출자기간은 여러 번 연장 가능하지만 총 연장기간은 20개월을 초과할 수 없다.

외국인기업법 시행규정

제29조

등록자본은 규정의 기한 내에 출자해야 한다.

위에서 언급한 기한 내에 출자하지 않으면 반드시 대외경제기관에 출자기한 연장승인신청을 해야 한다.

5. 외국투자은행의 자본금

외국투자은행(합영은행, 외국인 은행, 외국은행 지점)의 등록자본의 규모는 일반 외국인 투자기업의 등록자본과 다르게 규정되어 있다. 이와 관련한 내용은 외국투자은행법 시행규정 제37조에 규정되어 있으며, 구체적인 내용은 아래와 같다.

1) 합영은행과 외국인 은행

합영은행과 외국인 은행은 등록자본금을 조선원 22억 5천만원 이상에 해당한 전환성외화로, 1차 불입자본금은 등록자본금의 50% 이상을 불입하여야 한다.

등록자본금은 한 번에 불입하거나 여러 차례 나누어 불입할 수 있다. 등록자본금을 여러 차례 나누어 불입하려는 경우 1차 불입자본금은 은행설립을 승인받은 날부터 30일 안에 등록자본금의 50% 이상(허용하는 업무가운데서 일부를 하거나 특별한 사정으로 중앙은행의 승인을 받은 경우는 제외) 불입하여야 한다.

2) 외국은행 지점

외국은행 지점은 운영자금을 조선원 6억원 이상에 해당한 전환성외화로 보유하여야 한다.

외국은행의 지점운영자금은 은행 지점 설립을 승인받은 날부터 30일 안에 불입하여야 한다.

제 2 장

외국인 투자기업 운영 실무

제 1 절 기업설립 절차 개요

일반적인 경우에 기업설립(창설) 수속은 합작기업, 합영기업인 경우에는 북한측 당사자가 진행하며 100% 단독투자인 경우에는 해당 외국투자가가 직접 수행하거나 혹은 그가 선택한 북한 측 대리인에게 위탁하여 진행할 수 있다(외국인기업법 시행규정 제13조).

아래 도표는 개략적인 기업설립 절차를 도식화한 것이다.

다만, 주의할 점은 외국투자기업등록법 제8조(특수경제지대에서의 기업등록)에서 설명하고 있는 바와 같이 개성공업지구와 같은 특수경제지대에서 외국투자기업의 등록질서는 아래의 일반적인 기업설립 절차와 다르게 진행된다. 그러나, 기업설립에 대하여 승인하는 정부기관과 등록하는 정부기관의 명칭과 소요시간 정도가 다를 뿐이지, 기본적인 개념은 동일한 것이므로 일반적인 기업설립절차를 이해하는 것 또한, 북한에서의 기업설립과 관련한 전반적이고 체계적인 이해에 도움이 될 것이다.

|기업설립 절차 흐름|

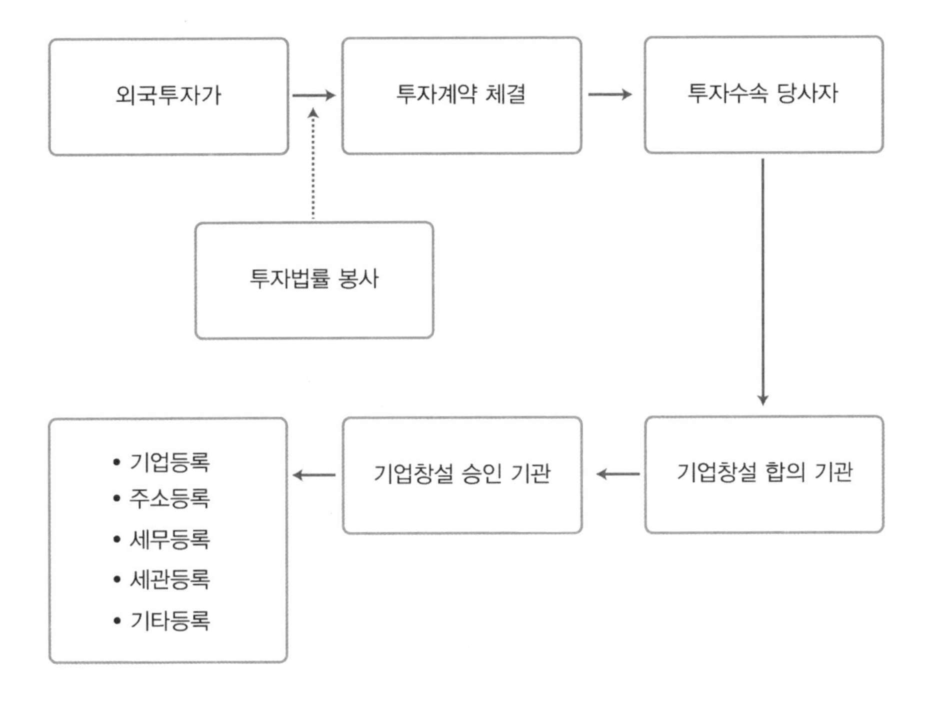

상기 흐름을 간략히 설명하면 아래와 같다.

1. 투자형식에 따른 계약체결

설립하고자 하는 회사의 형식(합작투자, 합영투자)에 따라 북한 측 투자자와 합작 계약을 체결한다. 단독 투자인 외국인기업의 경우에는 기업창설승인 신청서를 작성한다.

2. 기업창설 합의기관의 합의

투자계약서(합작투자, 합영투자), 기업창설신청서 및 제반 문건을 국가계획기관, 중앙재정지도기관, 중앙과학기관, 기타 관계기관에 발송하고, 이들 기관은 기업의 창설에 대하여 15일 안에 합의한다.

3. 기업창설 승인기관의 승인

기업창설신청서를 작성하고 투자계약서, 정관, 경제기술타산서[29], 외국 투자자 측의 은행신용확인서를 첨부하여 중앙경제협조관리기관에 제출하여 승인을 요청한다. 중앙경제협조관리기관은 15일 안에 투자신청대상을 심의하고 승인 또는 부결의 결정을 내린다.

4. 인감(공인) 제작 및 돈자리 개설

1) 승인문건을 받은 후 회사 도장(공인)을 조각하고 등록한다.
2) 승인문건을 받은 후 북한 내 은행에 돈자리를 개설한다.

5. 기업 등록업무

1) 승인문건을 받은 후 30일 내에 관할 주소등록기관에 등록신청문건을 내고 등록증을 수령한다.
2) 주소를 등록 한 날부터 20일 내에 세무등록을 하며 세무등록증을 받는다.
3) 주소를 등록 한 날부터 20일 내에 세관등록을 한다.

6. 자본의 투자(출자)

투자계약서에 명시한 출자 기간 내에 자본금을 납부하고, 현물자산(설비와 자재 등)과 무형자산 등의 출자를 진행한다.

현물자산 및 무형자산의 소유권 이전수속과, 가치평가 업무를 진행한다.

출자확인 신청문건을 중앙경제협조관리기관에 제출하고 출자확인서를 수령하여 출자업무를 완성한다.

---

29) 사업 타당성보고서를 지칭하며, 수행하고자 하는 사업에 대한 사업성 분석 보고서를 뜻한다. 영문으로는 Feasibility Study Report라고 하며, 가행성보고서(可行性報告書) 혹은 타산서(打算書)라고도 한다.

7. 영업허가

기업창설승인문건에 밝힌 기간 안에 영업허가를 받는다.

영업허가 취득을 위한 조건은 건물준공 검사, 생산공정 검사, 위생 검사, 환경보호 검사 등이 이루어져야 하고 시운전, 시제품검사에 합격하고, 기타 필요한 검사에 합격하여야 영업허가를 취득할 수 있다.

8. 영업개시

영업허가를 받았다는 것을 세무기관에 통지함으로써 영업(조업)을 개시할 수 있다.

제2절 기업설립 관련 필요 서류와 내용

기업창설 신청을 위하여 필요한 서류로는 투자 당사자들의 계약서, 기업의 정관(규약), 경제기술타산서, 관계기관과의 합의문건 등이 있다. 이러한 문건들을 갖추어 기업창설 심의승인기관인 중앙경제협조관리기관에 해당 문건을 제출하고, 이를 기반으로 중앙경제협조관리기관은 15일 안에 심의 처리한다.

이하 기업설립 관련 진행 단계별로 필요한 서류와 내용을 설명한다.

1. 합작계약 및 합영계약의 계약서상 기재사항

합작계약 및 합영계약은 외국인 투자가와 북한 측 투자가가 기업을 창설하기 위하여 맺은 계약으로, 계약서 중에는 아래와 같은 내용이 포함되어야 한다(합작법 시행규정 제16조, 합영법 시행규정 제14조).

참고로, 외국인기업인 경우에는 단독 투자이므로 계약절차와 계약서가 있을 수 없다.

① 기업의 명칭, 소재지
② 계약당사자명, 소재지
③ 기업의 목적과 업종, 존속기간
④ 총투자액, 등록자본, 지분(출자 몫)과 출자액, 지분(출자 몫)의 양도
⑤ 계약당사자의 권리와 의무
⑥ 경영관리기구와 노동력관리
⑦ 기술이전
⑧ 기금의 조성 및 이용, 결산과 이윤의 분배
⑨ 계약위반에 대한 책임과 면제조건, 분쟁해결
⑩ 계약내용의 수정, 보충 및 취소
⑪ 해산 및 청산, 분쟁해결 방법
⑫ 생산규모, 생산제품의 판매 및 처리 방법
⑬ 계약의 효력

⑭ 지분(출자 몫)의 상환(합작기업에 한함)

⑮ 이 밖의 필요한 내용

당사자들이 맺은 계약은 아래와 같은 기본 전제조건을 만족하여야 유효하다.

첫째로, 투자자격을 갖춘 당사자 사이에 체결한 것이어야 한다.

둘째로, 평등과 호혜의 원칙이 구현된 것이어야 한다.

셋째로, 계약내용이 반드시 해당 법의 요구에 부합하는 것이어야 한다.

넷째로, 북한의 관련 정부기관에서 심사승인한 것이어야 한다.

2. 회사 정관(규약)의 기재사항

정관(규약)이란 회사의 설립, 조직, 업무 활동 등에 관한 기본규칙을 주주 간에 합의로 정한 문서로 법률을 보충하거나 변경하여 회사의 단체적 법률관계들을 규정한 총체를 말하는 것으로 아래와 같은 내용이 포함되어야 한다.

1) 합작기업 및 합영기업의 정관에 기재할 내용은 아래와 같다(합작법 시행규정 제17조, 합영법 시행규정 제15조).

① 기업의 명칭, 소재지

② 출자자명, 소재지

③ 기업의 창설목적, 업종, 경영범위, 규모, 존속기간

④ 총투자액(투자총액), 투자단계와 기간, 등록자본, 출자 몫, 출자명세, 출자기간, 출자 몫의 양도

⑤ (합작기업의) 공동협의기구(공동협의회)의 구성과 임무, 운영방식
(합영기업의) 이사회의 구성과 임무, 운영방식, 통지방법, 최고 결의기관 및 그 대표자

⑥ (합작기업의) 기업의 기구 및 관리성원과 임무, 기업의 책임자, 종업원 수와 구성
(합영기업의) 관리기구 및 관리성원과 임무, 기업의 책임자, 종업원 수(그 중 외국인 수)

⑦ 계획 및 생산(운영포함)조직, 생산물처리, 설비, 원료, 자재의 구입

⑧ 재정관리, 회계관리 및 노동력관리

⑨ 결산과 분배, 기금의 조성 및 이용

⑩ 기업해산과 청산

⑪ 기업정관(규약)의 수정 및 보충절차

⑫ 직업동맹조직의 활동조건(합영기업에 한함)

⑩ 지분(출자 몫)의 상환(합작기업에 한함)

⑬ 기타 필요한 내용

2) 외국인기업(단독 투자)의 정관에 기재할 내용은 아래와 같다(외국인기업법 시행규정 제15조).

① 기업의 명칭, 소재지

② 기업의 창설목적, 경영범위, 생산규모

③ 총투자액, 등록자본, 투자방식과 기간

④ 기업의 기구 및 직능(이사장, 사장, 부기장, 재정검열원의 임무와 권한)

⑤ 경영기간

⑥ 기업의 해산 및 청산

⑦ 기관의 수정 및 보충절차

⑧ 기타의 필요한 내용

3. 경제기술타산서 기재사항

경제기술타산서는 사업 타당성보고서(Feasibility Study Report)를 지칭하며, 이는 수행하고자 하는 사업에 대한 사업성 분석 검토보고서를 의미한다.

1) 합작기업 및 합영기업의 경제기술타산서에 기재할 내용은 아래와 같다(합작법 시행규정 제18조, 합영법 시행규정 제16조).

① 투자관계

② 건설과 관련한 자료

③ 생산 및 생산물의 판매 및 처리와 관련한 자료

④ 노동력, 원료, 자재, 자금, 동력, 용수의 소요량과 보장대책

⑤ 단계별 수익성 타산자료
⑥ 기술적 분석자료
⑦ 환경보호, 노동안전 및 위생과 관련한 자료
⑧ 기타 필요한 자료

2) 외국인기업(단독 투자)의 경제기술타산서에 기재할 내용은 아래와 같다 (외국인기업법 시행규정 제16조).

① 기업의 명칭
② 총투자액과 등록자본
③ 투자계획, 생산계획
④ 주요 생산공정 설비의 기술 및 유리성 분석자료
⑤ 건축공사 관련자료
⑥ 주요 원자재의 품종과 소요량
⑦ 생산제품 판매 관련 자료
⑧ 종업원의 채용 및 기술인원 양성계획
⑨ 단계별 수익성 타산자료
⑩ 기타 필요한 자료

4. 기업창설 합의기관에 제출하는 자료의 기재사항

합작기업, 합영기업 및 외국인기업을 설립(창설)하고자 할 때, 투자자는 국가계획기관, 중앙재정지도기관, 중앙과학기관 등의 기타 관계기관에 필요한 자료를 제출하고, 기업설립에 대한 합의를 하여야 한다.

1) 합작기업 및 합영기업의 창설과 관련하여 관계기관과 합의할 때 각각의 기관에 제출하여야 할 자료는 아래와 같다(합작법 시행규정 제19조, 합영법 시행규정 제17조).

① 국가계획기관

합작기업 : 총투자액과 현물투자, 생산 및 생산물처리, 노동력, 자금, 자재, 원료, 연

료, 동력, 용수, 가스, 증기의 소요량과 보장대책, 단계별 수익성 타산자료

합영기업 : 투자총액, 출자할 현물재산명, 노동력, 자재, 원료, 동력, 용수의 보장조건, 생산 및 생산물처리, 단계별 수익성 타산자료

② 중앙재정지도기관

합작기업 : 총투자액, 출자액, 출자내용과 그 보장대책, 출자 몫의 상환 및 이윤 분배 방법

합영기업 : 투자총액, 현물 및 현금출자액, 자금원천, 단계별 수익성 타산자료

③ 중앙과학기관

현물 및 기술투자의 기술분석, 기술이전과 관련한 자료(봉사부문 제외)

2) 외국인기업(단독 투자)의 창설과 관련하여 관계기관[30]과 합의할 때 각각의 기관에 제출하여야 할 자료는 아래와 같다(외국인기업법 시행규정 제14조).

라선경제무역지대 : 라선시인민위원회(지대관리기관, 약칭 '지대당국')에 계획, 재정, 과학기술, 국토환경보호, 건설 등의 자료를 제출하고 창설과 관련한 문제에 대하여 합의

라선경제무역지대 이외의 지역 : 합작투자 및 합영투자의 합의의 경우와 같음.

지대당국은 대외경제기관이 심사승인하는 대상에 외국인기업창설신청서를 접수한 날부터 10일 안으로 신청서에 의견을 첨부하여 대외경제기관에 내야 한다(외국인기업법 시행규정 제20조).

5. 기업창설승인기관에 제출하는 자료의 기재사항

합작기업, 합영기업 및 외국인기업을 설립(창설)하고자 할 때, 투자자는 관련 정부기관과 기업설립에 대한 합의를 하여야 하며, 합의가 이루어진 후 규정된 자료와 기업

---

30) 외국인기업법 시행규정 제7조 외국인기업과 관련한 업무는 대외경제기관이 라선시인민위원회(이하 '지대관리기관'이라 한다)를 통해 일치된 통제와 지도를 한다.

창설승인신청서를 작성하여 중앙경제협조관리기관(지대에 합작기업을 창설하려는 경우에는 라선시인민위원회, 이하 '지대관리기관')에 제출하여 기업창설 승인을 득한다(합작법 시행규정 제22조, 합영법 시행규정 제20조).

1) 합작기업 및 합영기업의 기업창설승인신청서에 기재할 내용은 아래와 같다(합작법 시행규정 제23조, 합영법 시행규정 제21조).

① 기업의 명칭, 소재지

② 합작 및 합영의 당사자 명칭, 소재지

③ 설립(창설)목적과 유익성

④ 총투자액(투자총액), 투자단계 및 기간, 등록자본, 출자 몫 및 출자액, 출자기간

⑤ 계약일자, 계약기간(기업의 존속기간), 조업예정 개시일

⑥ 업종, 경영범위

⑦ 돈자리개설은행

⑧ 부지면적과 위치

⑨ 생산능력과 생산물의 수출입비율

⑩ 연간 이윤분배 예정금액(합작기업인 경우 출자 몫의 상환 포함)

⑪ 관리기구와 종업원 수(합영기업인 경우 외국인 수)

⑫ 기타 필요한 내용

상기 기업창설승인신청서와 더불어 합작(또는 합영)계약서과 기업의 정관(규약), 경제기술타산서, 해당 기관의 합의문건 그리고, 합작(또는 합영)당사자의 거래은행 신용확인자료 등을 첨부하여야 한다.

2) 외국인기업(단독 투자)의 기업창설승인신청서에 기재할 내용은 아래와 같다(외국인기업법 시행규정 제14조).

① 투자가의 이름

② 창설하려는 외국인기업의 명칭, 책임자의 이름(국적, 민족별, 직무)

③ 투자업종, 생산품종 및 규모

④ 투자총액과 등록자본

⑤ 돈자리 개설은행

⑥ 투자방식과 기간, 주요 생산 및 기술공정자료

⑦ 생산제품 실현시장과 방식

⑧ 기업의 기구, 종업원수, 노동력 채용자료

⑨ 건물의 부지면적과 위치

⑩ 용수, 동력, 원자재 소요량

⑪ 연도별 생산계획

⑫ 경영기간, 조업예정 개시일

⑬ 기타 필요한 내용

외국인기업을 창설하려는 투자가는 외국인기업 창설신청서를 지대관리기관에 내야 한다. 계획, 재무, 과학기술, 국토 환경보호, 건설공사와 함께 관련 내용이 확정된 후, 지대당국을 통해 대외경제기관에 제출하여야 한다(외국인기업법 시행규정 제14조).

외국인기업창설은 대외경제기관의 승인을 받아야 효력을 가진다(외국인기업법 시행규정 제19조).

지대당국은 대외경제기관이 심사 승인하는 대상에 외국인기업창설신청서를 접수한 날부터 10일 안으로 신청서에 의견을 첨부하여 대외경제기관에 제출한다.

이를 접수한 대외경제기관은 외국인기업창설신청서를 접수한 날부터 15일 안으로 지대당국과 협의하고 심의한 다음 외국인기업 창설승인 또는 부결을 신청자에게 통지해야 한다. 기업을 등록한 날이 외국인기업창설일로 되며 이날부터 외국인기업은 북한의 법인으로 된다(외국인기업법 시행규정 제21조).

제3절 기업의 지점(지사), 대리점, 출장소 등의 설립

외국인투자법 제13조 (지사, 사무소, 대리점의 설립)에서는 '외국인 투자기업과 합영은행, 외국인 은행은 북한 또는 다른 나라에 지사, 사무소, 대리점 등을 내오거나 새끼회사를 내올 수 있으며 다른 나라 회사들과 연합할 수 있다.'고 규정하고 있다.

외국인 투자기업을 설립(창설)운영하는 과정에 지사, 대리점, 출장소를 내오려고 할 경우에는 해당 설립신청문건을 중앙경제협조관리기관(합영은행, 외국인 은행인 경우에는 중앙은행)에 내어 심사승인을 받아야 한다. 해당 설립신청문건에는 설립근거, 활동내용, 기구, 장소 등의 내용을 기재하고, 기업창설승인문건의 사본을 첨부하여야 한다.

상기 규정에서 대리점에 대한 의미를 파악할 필요가 있다. 조선투자법 안내[31]에 따르면, '대리점은 본사(본인)로 되는 회사로부터 수수료를 받고 독립적으로 대리계약을 맺으며 본사의 이익을 위하여 활동하는 단위이다. 지사와는 달리 본사와의 관계에서 종속관계가 이루어지지 않으며 본사나 대리인은 동등한 법적지위에 있다. 대리점은 계약체결을 중개하거나 자기의 이름으로 계약을 맺으며 본사와 정상적으로 연계를 가지면서 계약상 의무를 수행하며 대리를 기본업무로 한다는데 그 특징이 있다.'라고 설명되어 있다.

즉, 대리점은 외국인 투자기업과 별개의 법적실체를 가지고 있는 동등한 법적지위에서, 계약에 의하여 대리업무를 수행하는 조직이라고 할 수 있다. 따라서, 외국인 투자기업은 이미 존재하고 있는 또 다른 외국인 투자기업, 기관, 기업소와 대리계약을 체결하는 것으로 외국인 투자기업의 대리점이 된다. 외국인 투자기업이 영업의 필요에 의하여 지사, 사무소를 설립하는 것과는 다른 개념이라고 판단된다. 그런데, 이러한 대리점을 만들기 위하여 설립신청문건을 중앙경제협조관리기관에 제출하여야 한다는 점은, 기존 조직 설립(창설)시에 설립 절차를 취하여야 하고, 대리계약을 체결함으로 다시 설립(창설)된다는 것은 법의 기본 이념에 부합하지 않는 입법상 미비점이라고 판단된다.

31) 조선투자법 안내, 법률출판사 2007, p.158

또한, 북한 민법 제13조 (기관, 기업소, 단체의 민사권리능력)는 '기관, 기업소, 단체는 자기의 본신 임무에 맞는 범위 안에서 민사권리능력을 가진다. 자기의 본신 임무를 해당 기관에 등록된 기관, 기업소, 단체는 그것을 마음대로 변경할 수 없다.'고 규정하고 있다.

이는 기업의 영업 범위에 대한 내용으로 북한에서는 기업의 설립 시에 허가받은 영업 항목에 대하여만 사업을 수행할 수 있으며, 허가받지 않은 항목을 영위하는 것은 불법 행위로 간주된다.

제 4 절 외국투자은행의 설립

1. 외국투자은행의 개념과 종류

북한은 1993년 11월 24일 외국투자은행법을 채택하였으며 1994년 12월 18일 외국투자은행법 시행규정을 채택하였다. 이 법에 의하여 외국투자은행의 설립과 합법적 권리, 운영 및 이익의 송금, 그리고 해산 등의 문제들이 법적으로 입법되었다.

외국투자가들은 북한 영토 내에 외국투자은행(합영은행, 외국인 은행, 외국은행 지점)을 설립할 수 있다. 외국인 은행과 외국은행 지점은 라선경제무역지대와 개성공업지구 등의 자유경제무역지대에만 설립할 수 있도록 그 지역을 한정하였다(외국투자은행법 제2조, 외국투자은행법 시행규정 제3조).

외국투자은행에 대한 감독통제는 중앙은행기관과 국가외화관리기관이 한다.

중앙은행기관은 외국투자 은행의 설립과 해산, 업종을 심의 승인하며 필요한 업무규범을 만들고 그 집행을 감독 통제한다. 외화관리기관은 외국투자은행의 외국환자업무를 승인하며 그 집행을 장악 통제한다(외국투자은행법 제6조, 외국투자은행법 시행규정 제9조).

합영은행은 북한의 금융기관과 외국투자가가 공동으로 출자하여 북한 영토 내에 설립하고 공동으로 운영하며 출자 몫에 따라 이익금을 분배하는 은행이다.

외국인 은행은 외국투자가가 북한의 자유경제무역지대에 단독으로 투자하여 설립 운영하는 은행이다.

외국은행 지점은 외국에 있는 은행 본점이 북한의 자유경제무역지대에 설립 운영하는 은행 지점이다(외국투자은행법 시행규정 제3조).

2. 외국투자은행의 설립

외국투자은행을 설립하려는 투자가는 은행명칭, 책임자의 이름과 경력, 등록자본금, 불입자본금, 운영자금, 출자비율, 업무내용 등을 기재한 은행설립신청서를 중앙은행에 제출해야 한다(외국투자은행법 제8조).

합영은행의 설립신청은 합영당사자들이 한다. 합영은행 설립신청서에는 기업의 명칭, 국적, 소재지, 등록자본금, 기업등록 날짜와 등록기간, 기업책임자의 직무와 이름, 합영은행의 명칭과 소재지, 등록자본금과 임의적립금, 기간, 출자비율과 금액, 예견하는 이사장과 부이사장의 이름과 약력, 합영기간, 합영은행의 정관(규약), 경제타산서, 합영계약서, 외국환자업무승인서 사본, 투자가의 영업허가증 사본, 최근 3년간의 재정상태표 업무내용 같은 것을 밝혀야 한다(외국투자은행법 제9조, 외국투자은행법 시행규정 제11조 및 제14조).

외국인 은행의 설립신청은 외국투자가(대리인 포함)가 한다. 은행설립 신청서에는 외국인 은행의 기본 정관(규약), 은행관리성원의 이름과 약력, 경제타산서, 본국의 은행감독기관 동의서, 투자가의 재정상태표, 영업허가증 사본, 외국환자업무 승인문건 사본, 최근 3년간의 재정상태표, 설립하고자 하는 외국인 은행의 명칭, 국적, 소재지, 등록자본금, 기업등록 날짜와 등록기간, 기업책임자의 직무와 이름, 경영기간, 업무내용 같은 것을 밝혀야 한다(외국투자은행법 제10조, 외국투자은행법 시행규정 제12조 및 제15조).

외국은행 지점의 설립신청은 외국은행 본점이 한다. 은행 지점설립신청서에는 본점의 규약, 최근 3년간의 재정상태표, 손익계산서와 본점의 영업허가증 사본, 지점의 세무 및 채무에 대하여 책임진다는 보증서, 설립하고자 하는 은행 지점의 경제타산서, 지점관리성원의 이름과 약력, 본점 책임자의 직무와 이름 본국의 은행감독기관 동의서, 외국환자업무 승인서 사본, 지점 책임자에 대한 본건의 전권위임장, 본점의 명칭, 국적, 소재지, 등록자본금, 본점 등록날짜와 등록기간, 외국은행 지점의 명칭과 소재지, 운영자금, 경영기간, 업무내용 같은 것을 밝혀야 한다(외국투자은행법 제11조, 외국투자은행법 시행규정 제13조 및 제16조).

중앙은행은 해당 은행설립신청서를 접수한 날부터 50일 안에 은행설립을 승인하거나 부결하는 결정을 하고 그 결과를 신청자에게 알려주어야 한다. 외국투자은행설립을 승인하였을 경우에는 영업허가증을, 부결하였을 경우에는 그 이유를 밝힌 통지서를 발급한다(외국투자은행법 제12조, 외국투자은행법 시행규정 제22조).

설립승인이 된 경우 신청자는 30일 안에 도(직할시)인민위원회(도행정 경제 위원회) 또는 자유경제무역지대에서는 지대당국에 은행설립승인서 사본을 첨부한 외국투자은행설립등록신청서를 제출하여 은행설립등록을 하고 은행등록증과 영업허가증을 발급받으며, 영업허가를 받은 날부터 20일 안으로 소재지 재정기관에 세무등록을 하여야 한다(외국투자은행법 제13조, 외국투자은행법 시행규정 제23조).

외국투자은행설립등록신청서에는 은행의 명칭과 소재지, 등록자본금, 운영자금, 승인받은 업무내용, 은행 책임자, 책임자의 이름과 국적, 민족별, 은행직원 수(그 중 외국인 수)와 같은 내용을 밝혀야 한다.

제5절 외국인 투자기업의 법인격 취득기준

북한에서 외국인 투자기업은 유한책임회사 형태로 기업을 설립(창설) 운영할 수 있다.

외국인 투자기업의 설립일과 관련하여 합영법 제6조 (합영기업의 법인자격)에서 합영기업은 투자관리기관에 등록한 날부터 북한의 법인으로 된다고 규정되어 있다.

또한 외국인기업법 제8조 (외국인기업창설신청의 심의, 기업의 창설일)에서 투자관리기관은 외국인기업창설신청문건을 접수한 날부터 30일 안에 심의하고 기업창설을 승인하거나 부결하여야 한다. 기업창설을 승인하였을 경우에는 외국인기업창설승인서를 발급하며 부결하였을 경우에는 그 이유를 밝힌 부결통지서를 신청자에게 보낸다고 되어 있으며 외국인기업법 시행규정 제21조에서는 기업을 등록한 날이 외국인기업창설일로 되며 이날부터 외국인기업은 북한의 법인으로 된다고 규정하고 있다.

상기 규정에서 확인되는 바와 같이 합영법과 외국인기업법에서는 명문적인 규정이 확인되지만, 합작법과 관련 규정에서는 구체적인 내용이 확인되지 않는다. 그렇다고 해서 합작기업만이 독특한 기준을 가진다고 판단되지는 않으므로, 합작기업 역시 합영법과 외국인기업의 법률규정을 준용하는 것이 합리적이라고 판단된다.

또한 개성공업지구 기업창설 운영규정 제14조에서 공업지구관리기관은 기업등록신청서를 접수한 날부터 7일 안으로 검토하고 승인하였을 경우에는 기업등록증을 발급하여 주며 부결하였을 경우에는 부결이유를 선청자에게 알려 주어야 한다. 기업등록증을 발급한 날을 기업의 창설일로 한다고 규정하고 있다. 즉, 개성공업지구의 경우 기업을 등록하고, 이에 대한 등록증을 발급받은 날을 기업이 설립된 날로 규정하고 있다.

결과적으로 외국인 투자기업(합작기업, 합영기업 및 외국인기업)은 기업창설 합의가 끝나고, 중앙경제협조관리기관(또는 지대관리기관)이 기업창설신청승인서를 검토하고 창설허가에 대한 승인을 득한 후, 기업등록을 마치고 외국인 투자기업 등록 관련 확인증서를 수령한 그 날이 바로 외국인 투자기업의 법인격 취득일(기업의 창설일)이라고 할 수 있다.

외국인 투자기업이 법인격을 취득하면 경제거래의 주체가 될 수 있으며, 경영활동을 할 수 있는 조직기구와 독자적인 재산과 장부 및 은행 돈자리를 가지고 북한의 보호와 통제를 받으면서 활동할 수 있다.

구체적인 경영활동 수행을 위하여는 외국인 투자기업은 기업창설승인과 함께 주소등록, 세무등록, 세관등록을 마치고, 계약에 기초한 투자를 완료한 후, 영업허가를 받은 날부터 민사법률관계의 당사자로서 독자적으로 경제거래를 할 수 있다.

외국인 투자기업은 북한 법인의 자격을 가지지만 북한의 국가적 법인인 사회주의 국영기업소와 협동단체법인, 사회단체법인과는 성격적으로나 사업내용에서 일련의 차이와 제한이 있다.

제6절 기업의 명칭

외국인 투자기업의 명칭의 승인은 기업창설을 심의 승인하는 중앙경제협조관리기관이 한다.

기업은 원칙적으로 하나의 명칭을 가져야 한다. 그러나, 필요에 따라 두 가지 이상의 서로 다른 경영활동을 하는 경우에는 중앙경제협조관리기관의 승인을 받아 두 개의 명칭을 가질 수 있다. 그러나 두 개의 명칭이 있다고 하여 두 개의 기업이 되는 것은 아니다.[32)]

상기 내용은 북한의 일부 법률서적에서 설명하고 있는 내용이다. 그러나, 이는 기업의 명칭(상호)과 상표에 대한 오해에서 비롯한 설명이라고 판단된다.

1. 기업 명칭의 구성방법

기업의 명칭에는 다음의 내용이 반영되도록 구성하여야 한다.

① 투자가의 이름이나 지명 같은 것으로 된 상호

② 기업의 중심내용

③ 기업의 법률형태

④ 채무에 대한 기업의 책임한계

예를 들면, '평양백산연초유한책임회사', '조선조양방직합영회사', '평양피아노합영회사', '평양전기기구합영회사' 같은 기업의 명칭을 설정하여야 한다.

기업의 명칭은 조선어로 표기하며 외국어로 표기하는 경우에는 조선어로 된 명칭과 같아야 한다. 상주대표사무소의 명칭은 상주대표사무소를 설치하는 기업의 명칭을 앞에 붙이고 그 뒤에 자기 상호를 붙여 정한다.

---

32) 조선투자법 안내, 법률출판사 2007, p.146

2. 기업 명칭의 제한

기업은 다음의 내용이 들어있는 명칭을 사용할 수 없다.

① 북한 및 사회의 건전한 생활기풍을 흐리게 할 수 있는 명칭

② 다른 기업의 명칭과 같거나 혼돈을 야기할 수 있는 명칭

③ 숫자로 된 명칭

④ 대중을 기만하거나 대중이 오해할 수 있는 명칭

⑤ 다른 나라 이름이나 다른 나라 지역의 이름으로 된 명칭

⑥ 정치 및 군사기관이나 국제기구의 이름으로 된 명칭

⑦ 취소등록을 한 지 1년이 안되는 기업의 명칭

제7절 기업 인감(공인 : 公印) 제작

외국인 투자기업은 기업을 상징하는 징표이며 공식적인 의사를 인증하는 기본수단인 인감(공인)을 조각(彫刻)하여야 한다.

인감(공인)의 크기는 기업의 급수에 따라 정하며 외경이 38mm를 초과하지 말아야 한다. 기업의 명칭은 조선어로 공인의 둘레에 조각하며 기업을 상징하는 표식은 공인의 중심에 '합영', '합작', '단독'이라는 문자를 새긴다.

공인을 조각하려면 신청내용과 공인도안, 도안설명서를 첨부한 공인조각신청서를 중앙경제협조관기기관에 내야 하며 기업창설승인과 공인조각합의를 받은 조건에서 공인을 조각할 수 있다.

외국인 투자기업은 공인을 조각한 날부터 7일 안에 해당 인민보안기관에 공인등록을 하여야 한다.

공인은 책임자의 승인이 있을 경우에 공적문건에만 찍으며 다른 기관이나 개인에게 대여할 수 없다.

제8절 기업 주소등록

외국투자기업의 등록이란 외국인 투자기업(합작기업, 합영기업 및 외국인기업)과 그 지점(지사), 대리점, 출장소와 외국기업의 지점(지사), 사무소, 대리점을 해당 기관에 등록하는 것을 의미한다.

기업등록에는 창설등록, 주소등록, 세무등록, 세관등록이 있다(외국투자기업 등록법 제2조). 기업등록을 하여야 기업은 노동력, 물, 전기, 통신 같은 조건들을 보장받을 수 있으며 필요한 물자를 조달할 수 있다(외국투자기업 등록법 제18조).

외국투자기업의 주소등록은 도(직할시)인민위원회에, 세무등록은 도(직할시)재정기관에, 세관등록은 해당 세관기관에 한다(외국투자기업 등록법 제3조).

다만, 주의할 점으로, 개성공업지구와 같은 특수경제지대에서의 기업등록의 방법과 절차는 외국투자기업 등록법 제8조에서 규정한 바와 같이 특수경제지대에서 외국투자기업의 등록질서는 일반지역의 외국인 투자기업의 기업등록의 방법과 절차와 달리 따로 정한다고 규정되어 있다.

1. 주소등록 기관

외국투자기업(합작기업, 합영기업 및 외국인기업)의 주소등록은 기업주소지의 도(직할시)인민위원회에 한다. 이 경우 기업창설승인서에 지적된 기업명칭을 등록하며 기업은 주소등록을 하려는 도(직할시) 관할구역 안에 있어야 한다(외국투자기업 등록법 제14조).

2. 주소등록 신청서 제출과 등록증의 발급

외국인 투자기업(합작기업, 합영기업 및 외국인기업)과 해당 지사, 대리점, 출장소는 외국투자기업 등록법 제16조의 사항을 기재한 주소등록신청서를 정한 기간(30일) 내에 해당 등록기관에 내야 한다(외국투자기업 등록법 제15조).

외국투자기업 등록법 제16조 (주소등록신청서의 내용)에서 외국인 투자기업의 주소

등록신청서에는 기업의 명칭과 등록하려는 주소, 업종, 존속기간, 종업원수 같은 것을 밝히고 기업등록증의 사본을 첨부한다. 지사, 사무소, 대리점의 주소등록신청서에는 명칭, 주소, 책임자의 이름, 존속기간, 종업원 수 등을 밝히고 설립허가증의 사본을 첨부한다고 규정하고 있다.

주소등록신청서를 접수한 도(직할시)인민위원회는 그것을 즉시 검토하고 승인 또는 부결하여야 한다. 주소등록신청을 승인하였을 경우에는 주소등록증을 발급하며 부결하였을 경우에는 이유를 밝힌 부결통지서를 신청자와 투자관리기관에 보내야 한다.

북한 측 투자가는 합작기업 창설승인문건을 받은 날부터 30일 안으로 해당 도인민위원회(지대에서는 지대관리기관)에 합작기업 등록신청문건을 내여 기업을 등록한 다음 기업등록증을 발급받아야 한다(합작법 시행규정 제27조).

합영기업은 허가증을 받은 날부터 30일 안으로 도인민위원회(경제무역지대안의 기업은 관련 관리기관에)에 신청을 하고 등록수속을 하여 기업등록허가증을 받아야 한다(합영법 시행규정 제25조).

외국인기업 투자가는 외국인기업 창설승인서를 받은 날부터 30일 안으로 지대당국에 기업을 등록하고 기업등록증을 발급받아야 한다(외국인기업법 시행규정 제23조).

3. 주소 변경등록

기업창설승인기관의 승인을 받아 해당 기업의 명칭과 주소, 존속기간을 변경한 외국투자기업은 15일 안으로 기업소재지의 도(직할시)인민위원회에 주소등록을 변경하여야 한다(외국투자기업 등록법 제20조).

기업소재지를 다른 도(직할시)인민위원회의 관할구역으로 옮기려 할 경우에는 이미 한 등록을 삭제하고 새 기업소재지의 도(직할시)인민위원회에 주소등록을 하여야 한다.

4. 주소등록증의 유효기간 및 연장

주소등록증의 유효기간은 3년이다. 유효기간을 연장하려는 경우에는 유효기간이 끝나기 15일 전에 주소등록을 한 도(직할시)인민위원회에 신청하여 연장등록을 하여야 한다(외국투자기업 등록법 제21조).

5. 기업해산통지, 주소등록증의 취소

기업창설승인기관은 기업 존속기간이 만료되었거나 그 밖의 사유로 외국투자기업의 해산을 승인하였을 경우 해당 도(직할시)인민위원회에 통지하여야 한다.

해산통지를 받은 도(직할시)인민위원회는 외국투자기업이 해산 또는 파산되었을 경우 주소등록을 삭제하고 주소등록증을 회수하여야 한다. 주소등록이 취소된 기업은 운영할 수 없다(외국투자기업 등록법 제22조).

제9절 기업 세무등록

1. 세무등록증신청서의 제출, 심의 및 등록증 발급

외국투자기업은 주소등록을 한 날부터 20일 안으로 도(직할시) 재정기관에 세무등록신청서를 내고 세무등록을 하여야 한다.

세무등록신청서에는 기업의 명칭과 주소, 총투자액과 등록자본, 기업의 형태와 업종, 거래은행 및 돈자리번호, 존속기간, 종원업 수 같은 것을 밝히고 기업창설승인서 사본, 주소등록증 사본을 첨부하여야 한다(외국투자기업 등록법 제23조).

지사, 사무소, 대리점은 세무등록신청서에 명칭과 주소, 종업원수 같은 것을 밝히고 설립허가증과 주소등록증의 사본을 첨부하여야 한다.

세무등록신청서는 10일 안으로 검토하고 승인하거나 부결하며 승인하였을 경우에는 기업의 명칭과 주소, 책임자의 이름, 존속기간, 업종, 거래은행 및 돈자리번호, 세무등록날짜와 번호 등을 기재한 세무등록증을 발급하며 부결하였을 경우에는 이유를 밝힌 부결통지서를 신청자에게 보내야 한다(외국투자기업 등록법 제24조, 제25조).

합작기업은 기업을 등록한 날부터 20일 안으로 해당 세무기관에 세관등록신청문건을 내어 세무등록을 한 다음 세무등록증을 발급받아야 한다(합작법 시행규정 제28조).

합영기업은 기업등록날부터 20일 안으로 세무기관에 등록신청을 한다. 세무기관은 세무등록하고 세무등록허가증을 내주어야 한다(합영법 시행규정 제26조).

외국인기업은 기업등록한 날부터 20일 안에 기업소재지 재정기관에 세무등록을 하여야 한다(외국인기업법 시행규정 제24조).

개성공업지구에서 세무등록은 세무소에 한다. 이 경우 세무등록신청서와 기업등록증 사본을 낸다. 세무등록은 기업등록증을 발급받은 날부터 20일 안으로 한다(개성공업지구 세금규정 제4조).

2. 세무등록의 변경, 등록증의 재발급 및 취소 등

외국투자기업은 세무등록을 변경하려 할 경우 세무등록을 한 재정기관에 세무등록

변경신청서를 내야 한다. 세무등록변경신청서에는 외국투자기업의 명칭과 주소, 변경 이유를 밝히고 해당 기관이 발급한 변경승인문건을 첨부하여야 한다(외국인 투자기업 등록법 제26조).

세무등록변경신청서를 접수한 재정기관은 그것을 7일 안으로 검토하고 세무등록증을 다시 발급하여 주어야 한다(외국인 투자기업 등록법 제27조).

해당 재정기관은 외국투자기업이 해산 또는 파산되었을 경우 세무등록을 삭제하고 세무등록증을 회수하여야 한다(외국인 투자기업 등록법 제28조).

개성공업지구에서 기업의 세무변경 등록은 합병 및 분할되었거나 등록자본 업종같은 것을 변경 등록한 날부터 20일 안으로 한다. 해산되는 기업의 세무등록 취소는 해산 20일 전까지 한다(개성공업지구 세금규정 제5조).

제10절 기업 세관등록

외국투자기업은 주소등록을 한 날부터 20일 안으로 해당 세관에 세관등록신청서를 내야 한다. 세관등록신청서에는 외국투자기업의 명칭과 주소, 존속기간, 업종, 거래은행, 돈자리번호 등을 기재하여야 하며, 창설등록증 또는 설립허가증, 주소등록증의 사본, 은행의 재정담보서 이외에 기타 세관이 요구하는 문건을 첨부한다(외국투자기업 등록법 제29조).

세관등록신청서를 받은 세관은 5일 안으로 검토하고 승인하였을 경우에는 세관등록대장에 등록하며 부결하였을 경우에는 이유를 밝힌 부결통지서를 신청자에게 보내야 한다(외국투자기업 등록법 제30조).

합작기업은 기업을 등록한 날부터 20일 안으로 해당 세관에 세관등록신청문건을 내어 세관등록을 하여야 한다(합작법 시행규정 제29조).

합영기업은 기업이 등록한 날부터 20일 안으로 세관에 등록신청을 해야 한다(합영법 시행규정 제27조).

세관등록 내용이 변경된 외국투자기업은 10일 안으로 해당 세관기관에 변경등록신청서를 제출하고 세관등록을 변경하여야 한다(외국투자기업 등록법 제31조).

기업창설승인기관은 기업 존속기간이 만료되었거나 그 밖의 사유로 외국투자기업의 해산을 승인하였을 경우에는 해당 세관기관에 통지하여야 한다. 해산통지를 받은 세관기관은 해당 외국투자기업을 세관등록대장에서 삭제하여야 한다(외국투자기업 등록법 제32조).

라선경제무역지대에서는 세관등록신청문건을 접수한 날부터 15일 안으로 세관등록, 세관신고원 등록을 한 다음 세관등록증과 세관신고원증을 발급해주어야 한다.

개성공업지구의 기업, 지사는 기업창설 또는 지사설립승인을 받은 날부터 20일 안으로 세관에 등록하여야 하고, 세관은 세관등록신청서를 접수한 날부터 7일 안으로 해당 기업 또는 지사에 세관등록증을 발급하여 주어야 한다(개성공업지구 세관규정 제11조, 제13조).

제11절 기업 설립시 환경 영향평가

투자가들이 기업을 창설하려는 경우에는 기업창설승인을 받은 후 해당 국토환경보호기관에 환경영향평가에 대한 신청서를 제출하여야 한다.

환경영향평가신청서에는 기업명칭과 위치, 부지면적, 생산업종, 업종별 배기가스와 폐수의 배출농도와 배출량, 굴뚝높이, 폐수를 배출하려는 수역 등 필요한 사항을 기입하고 법인인감(공인)을 찍은 다음 기업책임자가 서명하여야 한다.

이미 존재하고 있는 기업과 합작 및 합영하는 경우와 새로 기업을 조업하려는 경우 모두 해당 국토환경보호기관에 오염물질 배출허가 승인신청서를 제출하여 승인을 득하여야 한다.

오염물질 배출허가 승인신청서에 기재해야 하는 내용은 환경영향평가신청서 내용과 같다.

투자가는 기업운영에서 북한의 환경보호법규를 지켜야 하며 승인없이 자연환경을 변경시키거나 배출기준을 위반하여 환경을 오손, 파괴, 오염시키는 행위를 하지 말아야 한다.

제12절 영업허가

외국인 투자기업은 영업허가를 받아야 경영활동(영업활동)을 할 수 있다. 영업허가를 인정하는 법적문건은 영업허가증서이다(합작법 제8조, 합작법 시행규정 제56조, 합영법 제22조, 합영법 시행규정 제63조, 외국인기업법 시행규정 제38조).

1. 영업허가기관

영업허가는 중앙경제협조관리기관 또는 지대관리기관(라선경제무역지대에서는 라선시 인민위원회, 개성공업지구에서는 공업지구 관리기관)이 한다(합작법 시행규정 제57조, 합영법 시행규정 제63조, 외국인기업법 시행규정 제38조, 개성공업지구법 제25조).

영업허가는 기업창설승인문건에 밝힌 조업 예정일 이내에 받아야 한다. 불가피한 사정으로 영업허가를 조업 예정일 이내에 받을 수 없을 경우에는 중앙경제협조관리기관(외국인기업의 경우 대외경제기관)에 조업기일연장신청서를 제출하여 승인을 받아야 한다(합작법 시행규정 제58조, 합영법 시행규정 제65조, 외국인기업법 시행규정 제39조).

하나 주의할 점은, 합영기업과 외국인기업의 경우, 조업개시의 연장 기한에 대하여 별도의 규정이 없으나, '합작기업의 조업기일은 여러 번 연장할 수 있으나 총 연장기간은 12개월을 넘을 수 없다.'고 합작법 시행규정 제58조에 규정되어 있다.

2. 영업허가 조건

영업허가는 다음의 조건이 충족되었을 때 받을 수 있다(합작법 시행규정 제59조, 합영법 시행규정 제66조).

① 건물을 신설 또는 확장하는 경우에는 준공검사에 합격되어야 한다.

② 생산기업인 경우에는 시운전을 한 다음 시제품을 생산하여야 한다.

③ 봉사부문에서는 해당한 설비 및 시설을 비치하고 물자를 구입하여 영업준비를 끝내야 한다.

④ 기업창설승인문건에 기재된 투자를 하여야 한다.

⑤ 기타 영업활동에 필요한 준비를 끝내야 한다.

영업준비를 끝낸 기업은 준공검사기관, 생산공정 및 시설물의 안정성을 확인하는 기관, 이 밖의 해당 기관에 검사 또는 확인과 관련한 의뢰문건을 내야 한다. 해당 의뢰문건을 받은 기관은 정한 기일안으로 의뢰받은 대상을 검사, 확인한 다음 해당한 검사하고 확인문건을 발급해주거나 결함을 고치도록 지시하여야 한다(합작법 시행규정 제60조, 합영법 시행규정 제67조 및 제68조).

외국인기업법과 외국인기업법 시행규정에는 별도의 명문화된 영업허가에 필요한 제반관련 기관의 조사 및 검토에 대한 규정이 없다. 그러나, 합작법과 합영법을 준용하여 처리함이 타당할 것이라고 판단된다.

3. 영업허가 신청서의 제출, 심의기간

영업허가를 받으려 할 경우에는 필요한 사항을 밝힌 영업허가 신청문건을 영업허가기관(외국인기업의 경우 지대관리기관)에 내야 한다. 신청문건에는 기업의 명칭, 소재지, 조업 예정날짜, 총투자액, 등록자본, 출자실적, 업종을 밝혀야 한다. 또한 기업등록증, 투자확인문건, 준공검사문건, 생산공정 및 시설물의 안정성을 확인하는 문건, 환경영향평가문건, 시제품 견본 등을 신청문건에 첨부하여야 한다(합작법 시행규정 제61조, 합영법 시행규정 제69조, 외국인기업법 시행규정 제40조).

영업허가기관은 영업허가신청서를 받은 날부터 15일 안으로 검토한 다음 영업허가증서를 발급해주거나 부결하여야 한다. 영업허가증서를 발급받은 날을 해당 기업의 조업일로 하며 영업허가증서를 발급받아야 정상적인 생산 및 판매활동을 할 수 있다. 영업허가증서를 발급받았을 때, 기업은 해당 세무기관에 그 사실을 통지하여야 한다(합작법 시행규정 제62조, 합영법 시행규정 제70조, 외국인기업법 시행규정 제40조).

외국인기업의 경우, 영업허가 관할기관이 지대관리기관이므로, 지대당국은 영업허가신청서를 접수한 날부터 15일 안으로 검토하고 영업허가증을 발급해 주거나 부결하여야 하며 그 결과를 대외경제기관에 통지하여야 한다(외국인기업법 시행규정 제41조).

제13절 기업의 기관

자연인과는 달리 기업(회사)은 법인으로서 스스로 의사를 결정하여 집행할 수 없으므로 자연인처럼 의사 결정과 그 행위를 할 수 있는 회사의 조직을 구성하여야 한다. 주식회사의 경우에 주주 총회, 이사회, 대표이사 등이 이에 해당한다.

북한 외국인 투자기업 관계법률에서는 기업의 기구를 회사의 유형(합작기업, 합영기업, 외국인기업)에 따라 각기 다르게 규정하고 있다.

합작기업의 의사결정은 북한 측에서 진행하며, 외국인 투자자는 단순한 토의와 협의 정도만 가능한 것임을 알 수 있으며, 합영기업의 최고 의사결정기관은 주주총회가 아닌 이사회로 규정되어있다. 합영기업에서의 지분율은 이익 발생시 이익을 배분하는 기준이 되는 배부비율에 불과하다. 상세한 내용은 아래와 같다.

1. 합작기업

1) 비상설 공동협의기구

합작기업의 운영은 북한 측이 전담한다.

합작기업에서는 비상설 공동협의기구를 조직 운영할 수 있다. 공동협의기구는 의장과 부의장 1명, 필요한 수의 성원들로 구성하며 그 수는 합작당사자들이 합의하여 정한다. 공동협의기구의 성원에는 합작당사자와 기업책임자가 포함되어야 한다. 의장과 부의장은 합작당사자 일방이 다 맡아 할 수 없다(합작법 제32조).

공공협의기구는 합작당사자들의 합의에 따라 필요할 때마다 소집한다. 회의날짜와 장소, 토의 안건은 기업책임자가 회의소집 30일 전에 공동협의기구에 참가할 성원에게 알려주어야 한다(합작법 제33조).

비상설 기구이기 때문에, 필요시에만 개최되며, 이는 회사의 기본적인 의사결정 및 경영(운영)과는 관계가 없는 조직기구에 해당된다.

공동협의기구에서는 등록자본의 증가, 업종변경, 존속기간의 연장, 기업의 발전대책, 연간 경영활동 계획, 새기술도입과 제품의 품질제고, 투자 및 재투자, 출자 몫의 양도와 같은 합작기업의 운영에서 발생하는 중요한 문제들을 토의 결정한다(합작법 제34조).

합작당사자는 공동협의기구에서 토의하고 결정한 문제를 계약에 포함시켜 성실히 이행하여야 한다(합작법 제35조).

2) 재정검열원(감사)

합작기업에는 재정검열원을 둘 수 있다. 재정검열원은 합작기업의 회계문건을 검열하고 검열보고문건을 만들어 기업책임자에게 제출하여야 한다(합작법 시행규정 제31조).

합작기업의 분기 및 연간 결산문건은 재정검열원의 검열을 받아야 한다(합작법 시행규정 제101조).

2. 합영기업

합영기업의 관리기구는 이사회와 경영관리기구, 재정검열원[33]으로 구성된다.

1) 이사회

이사회는 합영기업의 최고 결의기관이다(합영법 제16조, 합영법 시행규정 제47조).

이사회에는 이사장, 부이사장 1~2명, 그 밖의 필요한 이사를 둔다. 부이사장과 이사들의 수는 합영 당사자들이 기업정관(규약)에서 정한다. 이사장과 부이사장은 이사회의에서 선발하며 그 임기는 3년으로 하는 것을 원칙으로 한다. 필요한 경우에는 합영 당사자들이 합의하여 그 임기를 달리 정할 수도 있다. 이사장은 합영기업 최고결의 기관의 대표자이다. 부이사장은 이사장을 사수하며 이사장의 자리가 비었을 경우 부이사장이 대리할 수 있다(합영법 제16조, 합영법 시행규정 제48조).

이사회의는 정기회의와 임시회의로 구성된다. 정기회의는 1년에 1회 이상, 임시회의는 필요할 때마다 소집한다. 이사회 성원의 3분의 1 이상의 찬성으로 임시회의를 소집할 수 있다(합영법 시행규정 제49조).

이사회를 소집할 때(정기회의는 30일 전에, 임시회의는 15일 전에) 회의날짜와 장소, 일정을 미리 이사회 성원들에게 알려주어야 한다(합영법 시행규정 제50조).

---

33) 한국의 감사(監事)에 해당한다.

이사회는 이사성원 전원의 3분의 2 이상이 출석해야 한다. 이사회의에서는 기업의 규약을 수정 보충하거나 기업의 발전대책, 경영활동 계획, 결산과 분배, 기업의 책임자와 부책임자, 재정검열원, 재정책임자의 임명 및 해임, 등록자본의 증가, 출자 몫의 양도, 업종의 변경, 존속기간의 연장, 해산, 청산위원회조직 같은 중요한 문제를 토의 결정한다(합영법 제17조, 합영법 시행규정 제51조).

위에서 확인되는 바와 같이 합영기업의 최고 결의기관은 주주총회가 아닌 이사회로 규정되어 있다. 그러므로 합영기업을 운영함에 있어서 한국 측의 이사회 구성원의 비율이 3분의 2 이상을 차지하지 못할 경우, 사실상 어떠한 의사결정 및 진행도 불가능하다고 할 수 있다. 즉, 이사회의 3분의 2 이상의 장악이 절대적이라고 할 수 있다.

기업의 정관(규약)에 대한 수정보충, 출자 몫의 양도, 업종 및 등록자본의 변동, 존속기간의 연장, 기업해산에 대한 이사회의 결정은 이사회의에 참가한 이사들의 전원찬성으로, 이 밖의 문제는 반수 이상의 찬성으로 채택된다(합영법 시행규정 제52조).

일반적으로 이사들은 이사회의에서 결의권을 행사하지만 기업의 일상적인 경영활동에는 참가하지 않는다. 때문에 이사장, 부이사장, 이사들에게는 노임을 지불하지 않는다. 만약 이사회 성원이 기업의 책임자, 부책임자 같은 관리직무를 겸임할 경우에는 그에게 노임을 지불할 수 있다.

2) 경영관리기구

경영관리기구는 합영기업의 현행업무집행기관이다.

합영기업은 필요한 관리부서(기구)를 두고 일상적인 업무를 수행한다. 합영기업의 관리부서에는 책임자, 부책임자, 재정회계원 및 기타 필요한 성원을 둔다. 규모가 비교적 큰 합영기업은 기업의 정・부 책임자, 재정회계원과 같은 성원이 협의기구를 조직한다. 합영기업의 정・부 책임자는 합영 당사자 양 측이 각각 맡아야 한다(합영법 시행규정 제56조).

기업책임자(지배인)는 대외적으로 이사회에서 위임받은 범위 안에서 합영기업을 대표하며 기업 안에서는 이사회로부터 받은 직권을 행사하여 이사회의 결정을 실행한다. 그는 자기 사업에 대하여 이사회 앞에 책임진다. 부책임자는 책임자의 사업을 돕는다. 합영회사의 책임자는 이사회 성원이 아닌 사람으로 한다(합영법 시행규정 제57조).

북한 합영기업에 있어서, 이사회(대표는 이사장)와 경영관리기구(대표는 기업책임자)를 분리한 회사 구조의 설계는 중국의 동사회(대표 동사장)와 부서별 경리(대표를 총경리로 칭함) 구조를 차용한 것으로 판단된다. 중국의 동사회는 의사결정만을 위한 조직이며, 일상 업무를 수행하는 것은 각 부문장인 경리이며, 이 경리들 중에서 대표격인 사람을 총경리로 칭하는 제도와 상당히 유사한 구조를 가지고 있다.

기업의 책임자, 부책임자를 비롯한 관리성원은 다른 기관이나 기업의 직무를 겸임할 수 없다. 다만, 필요한 경우에는 중앙경제협조관리기관의 승인을 받아 다른 기관, 기업소의 성원도 합영기업의 관리성원으로 될 수 있다(합영법 시행규정 제58조). 동 규정은 한국 상법 제397조 이사의 경업금지 규정과 유사한 내용이라고 할 수 있다.

합영회사의 운영관리 성원은 자신의 실수로 회사에 손실을 주는 경우 손실을 보상해야 한다(합영법 시행규정 제59조). 동 규정은 한국 상법 제401조 이사의 손해배상 책임 규정과 유사한 내용이라고 할 수 있다.

3) 재정검열원

운영규모가 작은 합영회사는 재정검열원을 둔다. 합영기업에는 기업의 관리부서에 속하지 않는 재정검열원을 둔다. 재정검열원 인원의 구성은 이사회가 결정한다. 규모가 큰 합영기업에는 재정검열위원회를 둘 수 있다. 재정검열위원회는 재정감독을 하는 기관이다(합영법 시행규정 제60조).

재정검열원의 임기는 2년으로 한다. 재정검열원은 연임할 수 있으나 회사의 다른 직무와 겸임할 수 없다. 재정검열원의 업무는 이사회에 대해 책임을 지는 것이다(합영법 시행규정 제61조).

재정검열원은 이사회의 결정에 따라 기업의 재정상태를 정상적으로 검열하며 자기 사업에 대하여 이사회 앞에 책임진다. 재정검열위원회나 재정검열원은 합영회사의 운영상황과 재무보고서에 대해 검사를 진행하고 보고서를 써서 이사회에 내야 한다. 재정검열원은 이사회의에 참석하여 의견을 낼 수 있다. 재정검열원 본인의 실수로 회사에 손실을 줄 경우 손실을 보상해야 한다(합영법 제19조, 합영법 시행규정 제62조).

한국과 비교하면 재정검열원을 감사(監事), 재정검열 위원회를 감사위원회와 비교할 수 있다. 상기 규정에서 '관리부서에 속하지 않는다' 함은 '경영관리기구와 독립적이다'라는 의미로 해석하여야 할 것이다.

3. 외국인기업

외국인기업의 기관에 대하여는 특별한 법적 규정이 없다.

외국인기업에서는 자체의 실정에 맞게 필요한 기구를 두고 경영을 독자적으로 한다. 필요한 경우에는 이사회도 조직 운영할 수 있다.[34)]

이에 대한 근거로 외국인기업법 시행규정 제15조에는 '외국인기업의 기본규약에는 기업의 명칭, 주소, 기업의 창설목적, 경영범위, 생산규모, 총투자액, 등록자본, 투자방식과 기간, 기업의 기구 및 그 직능(이사장, 기업책임자[35)], 부기장, 재정검열원의 임무와 권한), 경영기간, 해산 및 청산, 기본규약의 수정절차 이 밖에 필요한 내용을 포함시켜야 한다.'라고 규정되어 있는 것을 볼 수 있다. 즉, 외국인기업의 기관 구성에 있어서, 기업책임자와 재정검열원을 포함시켜야 한다는 것은 경영관리기구와 감사의 기능을 갖는 재정검열원을 회사의 기관으로 두어야 한다는 것을 의미하는 것으로 보인다.

상기 규정 이외에 외국인기업의 기관에 대하여 특별한 법적 규정이 없는 것은 일단, 북한측 당사자가 개입되지 않으므로, 이를 법적으로 보호할 필요가 없다고 판단한 것으로 판단되며, 두번째로는 외국인기업의 다수 외국인 주주들이 서로 법적 분쟁을 할 만큼 많은 사례가 발생하지 않았음을 알 수 있다.

34) 조선투자법 안내, 법률출판사 2007, p.157
35) 중국어로 된 외국인기업법 시행규칙에는 기업책임자를 총경리(總經理)로 표시하고 있다.

제14절 기업 경영활동 범위(영업범위)

기업은 기업창설을 승인받을 때 해당 기업창설승인기관이 승인한 정관(규약)상의 업종과 영업범위 안에서 경영활동을 하여야 한다(합작법 제9조, 합영법 제25조, 외국인기업법 제14조).

해당 기관이 승인한 업종은 임의로 변경하지 못한다.

이미 승인된 업종에 추가로 증가시키거나 변경하고자 하는 경우에는 투자관리기관(중앙경제협조관리기관, 자유경제무역지대에서는 대외경제기관)에 업종변경신청서를 제출하여야 한다.

업종변경신청서에는 기업의 명칭, 소재지, 업종변경 내용과 이유를 밝히고 경제기술타산서, 합작당사자들의 합의문건(합영기업 및 외국인기업은 이사회결의서) 등을 첨부하여야 한다(합작법 시행규정 제63조, 합영법 시행규정 제71조, 외국인기업법 시행규정 제42조).

한가지 주의할 점은 외국인기업은 기존에 허가 받은 투자를 제대로 이행한 뒤 운영허가를 취득한 이후에 비로소 업무범위를 변경할 수 있다(외국인기업법 시행규정 제42조).

중앙경제협조관리기관은 해당 신청문건을 받은 날부터 20일 안으로 심의한 다음 승인하거나 부결하는 통지서를 신청자와 관계기관에 보내주어야 한다. 해당기업은 업종변경승인통지문건을 받은 날부터 5일 안으로 영업허가증을 다시 발급받아야 한다(합작법 시행규정 제64조 및 제65조, 합영법 시행규정 제72조 및 제73조).

합영법 시행규정에서는 중앙경제협조관리기관의 심의기간을 30일로 규정하고 있다(합영법 시행규정 제72조).

그리고, 외국인기업법에서는 중앙경제협조관리기관의 심의기간 규정과 5일 이내의 영업허가증 재발급 규정이 확인되지 않는다. 그렇지만, 합작법과 합영법을 준용하여 처리함이 타당하다고 판단된다.

제15절 기업의 생산 및 판매계획

외국인 투자기업은 생산 및 수출입 계획이나 국내판매 및 구매계획을 이사회나 업무집행기구에서 토의 결정하고 중앙경제협조관리기관(지대에서는 지대관리기관)에 제출해야 한다(합작법 시행규정 제66조, 합영법 시행규정 제74조, 외국인기업법 제15조).

외국인기업법 제15조에서는 투자관리기관에 분기별 생산 및 수출 계획을 제출할 것을 요구하고 있으며, 외국인기업법 시행규정 제43조에서는 지대당국에 기업 계획을 등록한 후에 실행하여야 한다고 규정하고 있다.

기업창설을 승인한 기관이 생산 및 수출입계획, 국내판매 및 구매계획을 요청하는 이유는 제품생산에 필요한 물자 및 노동력 등을 알선해주거나 국내의 제품판매를 실현시켜주며 세관수속의 편의를 보장하기 위함이라고 판단되다. 따라서 외국인 투자기업의 생산 및 판매계획은 합작계약 및 합영계약 그리고 정관(규약)에서 정한 경영범위와 생산규모, 생산조건, 판매조건에 기초하여 작성하여야 한다.

북한은 해당 기업이 제출한 계획의 실행여부에 대하여 간섭하지 않는다. 그러나 그 상황을 이해할 수 있다.[36]

36) 조선투자법 안내, 법률출판사 2007, p.162

제16절 기업의 원재료 조달과 생산 제품의 판매

기업은 생산과 경영에 필요한 물자와 기술, 저작권을 북한 내의 해당 기관, 기업소 또는 다른 나라에서 구입하여 사용할 수 있으며 기술 또는 저작권, 생산한 제품을 북한 내에서 판매하거나 다른 나라로 수출할 수 있다(합작법 시행규정 제67조 및 제69조, 합영법 시행규정 제75조 및 제77조, 외국인기업법 시행규정 제44조).

또한 북한 사회주의헌법 제36조에서 대외무역은 국가기관, 기업소, 사회협동단체가 한다. 북한은 완전한 평등과 호혜의 원칙에서 대외무역을 발전시킨다고 규정하고 있다. 따라서, 북한에서 외국인 투자기업이 해외의 거래처와 단독으로 직접적인 무역거래를 하는 것은 불가능하다고 판단된다.

재화와 용역의 북한 내 매입과 매출의 거래와 해외 수출입, 그리고 이와 관련한 관세 등의 내용을 정리하면 아래와 같다.

1. 합작기업

구분	국내거래		해외거래	
	구매	판매	수입	수출
가능여부	가능	가능	가능	가능
방법	직접	직접	무역기관 이용에 대한 명문 규정 없음	무역기관 이용에 대한 명문 규정 없음
조항	시행규정 제67조 중앙경제협조관리기관(또는 지대관리기관)이 정한 절차에 따라 구매 또는 판매		시행규정 제69조 중앙경제협조관리기관(지대관리기관)의 승인을 득한 후, 수입·수출 가능	
기타	시행규정 제73조 합작기업은 경영용 물자를 북한의 상업기관에서 직접 사쓸 수 있다.	-	시행규정 제71조 합작기업의 투자물자, 생산과 경영활동에 필요한 물자의 수입과 생산한 제품의 수출에 대하여 무관세 적용	

2. 합영기업

구분	국내거래		해외거래	
	구매	판매	수입	수출
가능여부	가능	가능	가능	가능
방법	직접	직접	시행규정 제79조 북한무역기관 위탁을 통한 수입 및 수출 가능	
조항	시행규정 제76조 중앙경제협조관리기관(또는 지대관리기관)이 정한 절차에 따라 구매 또는 판매		시행규정 제77조 중앙경제협조관리기관(지대관리기관)의 승인을 득한 후, 수입수출 가능	
기타	시행규정 제80조 합영기업은 경영용 물품을 북한의 상업기관에서 직접 사 쓸 수 있다.	-	시행규정 제82조 합영기업의 투자물자, 생산과 경영활동에 필요한 물자의 수입과 생산한 제품의 수출에 대하여 무관세 적용	

3. 외국인기업

구분	국내거래		해외거래	
	구매	판매	수입	수출
가능여부	가능	가능	가능	가능
방법	간접	간접	무역기관 이용에 대한 명문 규정 없음	시행규정 제46조 수출은 북한의 해당무역기관에 위탁할 수 있다.
조항	법 제16조, 시행규정 제44조 북한 내 자유경제무역지대 이외의 조직과 매입매출을 하기 위하여는 해당 무역기관을 통하여 하여야 한다(외국인투자기업 간의 교역은 경우는 제외).		시행규정 제44조 외국과의 수입 수출을 위하여, 수출입승인신청서에 대외경제기관의 승인을 받아야 한다.	
기타	-	-	시행규정 제45조 외국인기업의 수출입물자의 관세는 북한의 관련 법과 규정에 적용한다.	

상기 표에서 '무역기관 이용에 대한 명문 규정 없음'으로 표시한 내용은 북한헌법과 무역법 및 가공무역법의 법규를 근거로 판단해 볼 때, 외국인 투자기업이 자유롭게 무역을 수행할 수 있다는 의미로 해석하기 보다는 북한의 승인을 득한 무역업체가 독점권을 갖고 해외무역업무를 수행한다고 보는 것이 타당하다.

제17절 기업 회계 기초 및 이익의 분배

1. 회계연도

북한에서는 외국투자기업의 회계연도(Fiscal Year)를 1월 1일부터 그 해 12월 31일까지로 한다.

기업을 설립(창설)한 해의 회계연도는 기업 설립일부터 12월 31일로 하며 기업을 종결하는 해의 회계연도는 1월 1일부터 청산이 완료된 날까지 1개 회계연도로 한다(합작법 시행규정 제93조, 합영법 시행규정 제111조, 외국인기업법 시행규정 제52조).

외국인 투자기업은 분기결산서를 매분기가 끝난 다음달 15일까지, 연간 결산서를 회계연도 종료 후 2개월 안으로 중앙경제협조관리기관(지대에서는 지대관리기관)과 중앙재정기관에 제출해야 한다. 결산서에는 회계검증기관의 검증문건을 첨부하여야 한다(합작법 시행규정 제102조, 합영법 시행규정 제120조, 외국인기업법 시행규정 제55조).

분기 및 연간 결산서에는 재무상태표(재정상태표), 손익계산서, 생산 및 판매소득 계산표, 원가계산표, 자본변동표(이익 및 분배 계산표), 관리비계산표, 고정재산 감가상각금계산표 등이 포함된다(외국인기업법 시행규정 제55조).

2. 이익(이윤)확정방법

결산은 총수입금에서 원료 및 자재비, 연료 및 동력비, 노동력비, 감가상각금, 물자구입경비, 직장 및 회사관리비, 보험료, 판매비 같은 것을 포함한 원가를 차감하여 이익을 확정하며 그 이익에서 거래세 또는 영업세와 기타 지출을 공제하고 결산이익을 확정한다(외국인 투자기업 및 외국인 세금법 제12조, 합작법 시행규정 제94조, 합영법 제34조, 합영법 시행규정 제112조).

합작기업, 합영기업 및 외국인기업은 외국투자기업에게 적용하는 세금과 관련한 법과 규정에 따라 세금을 물어야 한다(합작법 시행규정 제53조, 합영법 시행규정 제115조, 외국인기업법 시행규정 제53조).

3. 이익준비금(기금) 등의 적립

1) 예비기금의 적립

외국인 투자기업은 결산이익에서 기업소득세를 납부한 다음 예비기금을 적립해야 한다. 예비기금은 그 금액이 등록자본의 25%가 될 때까지 해마다 결산이익의 5%씩 적립한다. 적립된 예비기금은 등록자본으로 전입하거나, 손실 보전에 사용할 수 있다(합작법 시행규정 제95조, 합영법 제35조, 합영법 시행규정 제113조, 외국인기업법 시행규정 제54조).

2) 기타기금의 적립

합작기업과 합영기업은 결산이익의 10%까지의 자금을 확대재생산 및 기술발전기금, 종업원들을 위한 상금기금, 문화후생기금, 양성기금으로 적립하고 자체 계획에 따라 사용한다(합작법 시행규정 제96조, 합영법 시행규정 제114조).

외국인기업에서 예비기금 이외의 기타기금의 적립한도는 자체로 정한다(외국인기업법 시행규정 제54조).

상기 내용에서 확인되는 바와 같이 '결산이익'에 대한 개념이 상당히 모호하다. 즉, 세전이익인지 아니면 세후이익인지에 대하여 명확하지 않고 혼용하여 사용하고 있음을 알 수 있다. 이러한 현상은 개성공업지구 관련 법규가 정립되기 이전 시기의 북한의 전반적인 법규정(합작법 시행규정, 합영법 시행규정, 외국인기업법 시행규정, 외국인 투자기업재정관리법, 외국인 투자기업 및 외국인 세금법)에서 공통적으로 확인되는 내용으로 '결산이익'을 기업소득세 차감전 세전이익으로도 규정하고 있기도 하고 기업소득세 차감후 세후이익으로 규정하고 있기도 하다.

그 이유는 북한은 1974년 4월 1일부터 세금제도가 법적으로 폐지됨에 따라, 세전이익과 세후이익의 구분이 무의미하게 된 것이라고 판단된다.

이하 본 서적에서도 결산이익을 문맥상 세전이익과 세후이익으로 구분하여 표시하였다. 법규 등의 원문을 수정하지 않고, 직접 인용한 경우에 문맥에 따라 세전이익과 세후이익으로 구분하여 판단할 것을 요청드린다.

4. 이익 배분(배당)

외국투자가가 기업운영에서 얻은 합법적 이익과 기타 소득, 기업을 청산하고 남은 잔여재산은 제한없이 북한 밖으로 송금할 수 있다(외국인투자법 제20조 리윤과 기타 소득의 국외송금).

1) 합작기업

합작기업은 외국투자가의 출자 몫의 상환과 이윤분배를 계약에 따라 처리한다. 상환과 이익분배를 합작회사의 제품으로 하는 것을 원칙으로 하며, 이 경우에 그 가격을 국제시장가격에 준하여 당사자들이 합의하여 가격을 정한다(합작법 시행규정 제98조, 제99조 및 제100조).

합작기업에서 생산된 제품과 얻은 수입은 합작계약에 따라 상환 또는 분배의무를 이행하는데 먼저 사용할 수 있다(합작법 제15조 기업소득의 우선적 이용).

외국측 합작당사자는 출자 몫의 상환 또는 이익배분으로 받은 물자, 자금과 기타 합법적으로 얻은 소득은 세금없이 북한 밖으로 반출할 수 있다(합작법 시행규정 제104조).

2) 합영기업

합영기업은 결산문건을 재정검열원의 검열을 받고 이사회에서 비준한 다음 이익을 배분한다. 이익분배는 순소득 중에서 소득세를 납부하고 이익준비금 등의 필요한 기금을 적립한 후, 남은 이익을 출자 몫에 따라 배분한다(합영법 시행규정 제118조, 제119조).

합영회사의 외국인 투자자는 회사 운영 중 얻은 이윤과 그 밖의 수입 그리고 회사를 청산한 뒤 수령한 잔여재산을 세금없이 면세로 다른 나라로 송금할 수 있다(합영법 시행규정 제122조).

3) 외국인기업

외국투자가는 기업운영에서 얻은 합법적 이익과 기타소득, 그리고 기업을 청산하고 남은 잔여재산을 국외로 송금할 수 있다(외국인기업법 시행규정 제56조).

외국인 투자자 100% 단독으로 투자하는 외국인기업의 이익 배당 및 청산으로 인한 잔여재산의 송금은 제한없이 해외로 송금이 가능한 것으로 확인된다. 그러나, 면세로 처리한다는 규정은 확인되지 않고 있다. 제한없이 해외로 송금이 가능하다는 것과 세금이 과세되지 않고 면세 처리된다는 것이 같은 의미로 쓰인 것인지에 대한 확인이 필요하다.

북한의 세법이 중국의 세법의 영향을 많이 받았다는 것으로 고려하면, 중국에서 해외로 배당을 송금함에 있어 기업소득세(법인세) 원천징수가 5%~10%의 세율로 이루어지는 점을 고려한다면, 외국인기업의 본국 배당에 대하여 면세여부를 확인할 필요가 있다.

5. 이익의 재투자

외국투자가는 이익의 일부 또는 전부를 북한에 재투자할 수 있다. 이 경우 재투자분에 대하여 이미 납부한 소득세의 일부 또는 전부를 환급 받을 수 있다(외국인투자법 제18조 이윤의 재투자).

합작당사자들은 합작기업과 합영기업의 투자 당사자는 분배 받은 이익을 재투자 할 수 있다(합작법 시행규정 제103조, 합영법 시행규정 제121조).

제18절 기업의 존속기간

1. 존속기간과 기산일

기업의 존속기간은 기업창설승인서에 정한 기간으로 한다. 존속기간의 계산은 기업을 등록한 날부터 한다(합작법 시행규정 제105조, 합영법 시행규정 제123조).

북한의 일부 법률 자료에서 '기업 존속기간의 계산은 기업창설승인문건을 받은 날부터 한다'라고 되어 있으나, 이는 법규에 배치되는 설명일 뿐만 아니라, 논리에 부합하지도 않는다. 왜냐하면, 기업창설승인은 법인(기업)의 설립에 대한 승인[37)]이지 그 자제로는 법인(기업)이 설립된 것이 아니기 때문이다.

이러한 차원에서 아래의 법규는 많은 문제점을 가지고 있는 규정이다.

외국인기업법

제8조 (기업창설신청의 심의, 기업의 창설일)

투자관리기관은 외국인기업창설신청문건을 접수한 날부터 30일 안에 심의하고 기업창설을 승인하거나 부결하여야 한다.
기업창설을 승인하였을 경우에는 외국인기업창설승인서를 발급하며 부결하였을 경우에는 그 이유를 밝힌 부결통지서를 신청자에게 보낸다.

상기 규정에 따르면, 기업의 창설일이 투자관리기관에서 기업창설을 승인한 날로 규정되어 있다. 이는 논리적 모순이며, 다른 법률과의 일관성에도 문제점이 있다. 추후 법규의 보완이 필요하다고 판단된다.

37) 중국의 이전 법인설립 이중 절차(상무국의 비준증서 취득 후, 공상국의 영업집조 취득)제도에 따르더라도, 상무국의 비준은 법인설립에 대한 비준으로, 회사의 영업기간에 대한 비준을 한 것이었으며, 영업기간의 구체적인 날짜에 대한 지정은 영업집조(營業執照) 상에 발급일로부터 언제까지라는 만기일이 규정되었다. 즉, 영업집조 취득일에 법인이 설립된 것이며, 이 날로부터 경영기간의 기산이 개시되는 것으로 되어있다.

2. 존속기간의 연장

경영기간이 만기가 되어 기업의 존속기간을 연장하려 할 경우에는 기간이 끝나기 6개월 전에 이사회 또는 공동협의기구에서 토의 결정하거나 당사자들 사이에 합의한 후, 중앙경제협조관리기관에 존속기간연장신청서를 제출하여 승인을 받아야 한다(합작법 시행규정 제106조, 합영법 시행규정 제124조).

중앙경제협조관리기관은 기업의 존속기간연장신청서를 받은 날부터 30일 안에 심사하고 승인하거나 부결하는 결정 후, 신청자에게 결정을 통지한다(합작법 시행규정 제107조, 합영법 시행규정 제125조).

기업은 존속기간연장승인서를 받은 날부터 20일 안으로 해당 주소등록기관, 영업허가기관, 세무기관, 세관에 존속기간변경등록신청서를 내야 한다. 신청문건에는 기업의 명칭과 소재지, 연장기간 등의 내용과 존속기간연장승인서 사본을 첨부하여야 한다(합작법 시행규정 제108조, 합영법 시행규정 제126조).

주소등록기관, 영업허가기관, 세무기관은 기업의 존속기간변경등록신청서에 따라 해당한 변경등록을 한 다음 주소등록증, 영업허가증, 세무등록증을 다시 발급한다(합작법 시행규정 제109조, 합영법 시행규정 제127조).

제19절 신 소[38]

외국투자가는 외국인 투자기업을 창설하고 관리 및 운영상의 문제 뿐만 아니라, 경제거래에서 의견이 있을 경우 해당 기관에 신소를 할 수 있고 중재나 소송도 제기할 수 있다.

신소는 행정기관의 지시나 관리일꾼의 행위에 대하여 의견이 있을 경우 그가 속한 기관의 상위기관에 제기하여 해결한다. 해당 신소를 받은 기관은 그것을 받은 날부터 30일 안에 처리하며 그 결과를 신소한 당사자에게 통지하여야 한다(합작법 시행규정 제127조, 합영법 시행규정 제145조, 외국인기업법 시행규정 제85조).

38) 신소(申訴) : 사회적으로 정당한 요구나 시정할 조건, 또는 개인이 억울한 사정 같은 것을 해결할 수 있는 해당 기관에 서면으로 제출하거나 구두로 말함. 조선말사전, 북한 과학원출판사, 1961

제20절 인력(노동력 : 로력)의 채용과 해고

1. 노동력의 채용

외국인 투자기업은 북한의 노동력을 기본으로 채용한다. 그러나 필요한 경우에는 투자관리기관과 합의하고 일부 관리인원이나 특수한 직종의 기술자, 기능공을 다른 나라 노동력으로 채용할 수 있다(외국인 투자기업 노동법 제2조, 외국인투자법 제16조, 합작법 제11조, 합작법 시행규정 제78조 및 제79조, 합영법 제26조, 합영법 시행규정 제86조, 외국인기업법 제19조, 외국인기업법 시행규정 제60조).

노동력을 보장받으려는 외국인 투자기업은 노동력보장신청서를 기업소재지의 노동행정기관에 제출해야 한다. 노동력보장신청서에는 채용할 노동자 수와 성별, 연령, 업종, 기술기능 급수, 채용기간, 보수관계 같은 것을 구체적으로 밝힌다(외국인 투자기업 노동법 제10조).

외국인 노동자 채용을 위하여 투자관리기관(중앙경제협조관리기관 또는 지대관리기관)에 제출하는 외국인노동력채용신청서에는 채용할 기술자, 기능공의 이름, 성별, 생년월일, 국적, 민족별, 경력, 채용근거, 채용기간, 거주지, 기술이전내용과 기간, 급여기준 및 생활보장과 같은 내용을 밝혀야 한다(합작법 시행규정 제79조).

외국인 투자기업에 필요한 노동력을 보장하는 사업은 기업소재지의 노동행정기관이 한다. 기업소재지의 노동행정기관이 아닌 다른 기관, 기업소, 단체는 외국인 투자기업의 노동력보장 사업을 할 수 없다. 노동력보장신청을 받은 노동행정기관은 30일 안으로 기업이 요구하는 노동력을 보장하여야 한다. 기업의 노동력을 다른 지역에서 보장하려 할 경우에는 해당 지역의 노동행정기관과 합의한다(외국인 투자기업 노동법 제9조 및 제11조).

외국인 투자기업은 해당 노동행정기관이 보장한 노동력을 종업원으로 채용하여야 한다. 그러나, 채용기준에 맞지 않는 대상은 채용하지 않을 수 있다(외국인 투자기업 노동법 제12조).

외국인 투자기업은 기업의 직업동맹조직과 노동계약을 맺고 이행하여야 한다. 노동계약에는 노동시간, 휴식, 노동조건, 생활조건, 노동보호, 노동보수, 상벌문제 등을 밝힌다(외국인 투자기업 노동법 제14조).

외국인 투자기업은 직업동맹조직과 맺은 노동계약문건을 기업소재지의 노동행정기관에 제출해야 한다. 노동계약은 체결한 날부터 효력을 가진다(외국인 투자기업 노동법 제15조).

중요한 차이점으로, 합자법인, 합영법인과 달리 외국인기업이 북한의 노동력을 채용하려고 할 경우 반드시 기업소재지의 노동력 알선기관과 노동력채용계약을 맺어야 하며 다른 나라 사람을 채용하려고 할 경우에는 노동력 알선기관을 통해 대외경제기관의 승인을 받아야 한다(외국인기업법 시행규정 제61조).

노동계약은 당사자들이 합의하여 변경할 수 있다. 이 경우 기업소재지의 노동행정기관에 변경사항을 알려주어야 한다(외국인 투자기업 노동법 제16조).

2. 해고가 가능한 경우

외국인 투자기업은 노동계약 기간이 끝나기 전이나 일할 나이가 지나기 전에는 정당한 이유없이 종업원을 해고할 수 없다. 노동계약이 종료되기 전에 종업원을 해고할 경우, 직업동맹조직 및 인력 알선기관(외국인기업의 경우)과 합의하여야 한다(외국인 투자기업 노동법 제44조, 외국인기업법 시행규정 제62조).

그러나, 종업원을 해고할 수 있는 경우는 다음과 같다(외국인 투자기업 노동법 제45조).

① 질병, 부상으로 자기의 현 직종이나 다른 직종에서 일할 수 없게 되었을 경우
② 기업의 경영이나 기술조건의 변동으로 노동력이 남을 경우
③ 노동규율을 위반하여 엄중한 사고를 일으켰을 경우
④ 기술 기능수준의 부족으로 자기 직종에서 일할 수 없을 경우
⑤ 기업의 재산에 막대한 손실을 주었을 경우

3. 해고가 불가능한 경우(외국인 투자기업 노동법 제47조)

종업원을 해고할 수 없는 경우는 다음과 같다.

① 병, 부상으로 치료받고 있는 기간이 1년이 되지 못하였을 경우
② 산전, 산후휴가, 어린이에게 젖먹이는 기간일 경우

4. 종업원의 사직 제기(외국인 투자기업 노동법 제48조)

종업원이 사직을 제기할 수 있는 경우는 다음과 같다.

① 병이 생겼거나 가정적인 사정으로 일할 수 없게 되었을 경우

② 기술기능이 부족하여 맡은 일을 수행할 수 없게 되었을 경우

③ 대학, 전문학교, 기능공학교에 입학하였을 경우

5. 종업원 해고 및 사직 시의 보조금 지급

외국인 투자기업은 종업원을 해고하려고 할 경우 직업동맹조직과 합의한 다음 사전에 당사자와 기업소재지의 노동행정기관에 알려주어야 한다(외국인 투자기업 노동법 제46조).

기업은 종업원을 본인의 잘못이 아닌 사유로 기업에서 내보내는 경우 그에게 근무년 수에 따라 보조금을 주어야 한다.

근무 연수가 1년이 못되는 경우에는 최근 1개월분의 노임에 해당한 보조금을 주며 1년 이상인 경우에는 최근 3개월 평균 월 급여액에 근무 연수를 적용하여 계산한 보조금을 지급하여야 한다.

제21절 노동력 알선기관

북한에는 노동력 시장이 없다. 근로가 가능한 인력은 해당 노동행정기관이 장악하고 노동자를 계획에 따라 기관, 기업소, 단체에 배치한다. 이러한 환경에서 외국투자기업의 스스로 자기 기업에 적합한 노동력을 채용하는 것은 불가능하다.

이에 노동력 알선기관은 노동력을 요구하는 외국투자기업과 노동력 알선계약을 체결하고 그에 따라 노동력을 보장하게 된다. 노동력은 기업 소재지 안에 있는 노동력으로 우선 보장하며 기업소재지에서 보장할 수 없는 노동력은 다른 지역에 있는 노동력으로 보장한다. 이 경우 다른 지역에 있는 노동력 알선기관은 해당 기능공을 보장해줄 의무를 지닌다.

외국인 투자기업은 해당 노동력 알선기관(노동 행정기관)이 보장한 인력을 종업원으로 채용하여야 한다. 그러나, 채용기준에 맞지 않는 대상은 채용하지 않을 수 있다(외국인 투자기업 노동법 제12조).

제22절 노동 환경

1. 근로시간 및 휴가

종업원의 노동시간은 주 48시간, 하루 8시간으로 한다. 외국인 투자기업은 힘들고 어려운 노동의 정도와 특수한 조건에 따라 노동시간을 이보다 짧게 정할 수 있다. 계절적 영향을 받는 부문의 외국인 투자기업은 연간 노동시간 범위 내에서 실정에 맞게 노동시간을 달리 정할 수 있다(외국인 투자기업 노동법 제17조).

기업은 종업원에게 시간외 노동을 시키지 말아야 한다. 부득이한 사정으로 노동시간을 연장할 경우에는 직업동맹조직과 합의하고 시간외 노동을 시킬 수 있다(외국인 투자기업 노동법 제18조).

외국인 투자기업은 종업원에게 명절과 일요일의 휴식을 보장하여야 한다. 부득이한 사정으로 명절과 일요일에 노동을 시켰을 경우에는 1주일 안으로 대체휴가를 주어야 한다(외국인 투자기업 노동법 제19조).

외국인 투자기업은 종업원에게 해마다 14일의 연가(정기휴가)를 주며 중노동, 유해노동을 하는 종업원에게는 직종에 따라 7일~21일 간의 보충휴가를 주어야 한다(외국인 투자기업 노동법 제20조, 사회주의 노동법 제65조).

외국인 투자기업은 임신한 여성 종업원에게 정기 및 보충휴가 이외에 산전 60일, 산후 180일의 산전 및 산후 휴가를 주어야 한다(외국인 투자기업 노동법 제21조).

기업은 해당한 종업원에게 신청에 따라 관혼상제를 위한 1일~5일의 특별휴가를 주어야 한다. 특별휴가기간에는 왕복 여행일수가 포함되지 않는다.[39]

39) 조선투자법 안내, 법률출판사 2007, p.175

| 북한의 기념일 및 명절 |

날 짜	북한의 기념일 및 명절
1월 1일(양력)	설(양력)
1월 1일(음력)	설(음력)
2월 16일	김정일의 생일(북한에서의 민족 최대 명절)
4월 15일	김일성의 생일(태양절)
4월 25일	조선인민군 창건일
5월 1일	국제 노동절
7월 27일	북한에서의 조국해방전쟁 승리의 날(정전협정일)
8월 15일(양력)	북한에서의 조국 해방의 날(독립기념일)
8월 15일(음력)	추석(한가위)
9월 9일	북한 창건일
10월 10일	조선노동당 창건일
12월 27일	사회주의 헌법절

2. 근로 환경

외국인 투자기업은 노동안전 시설과 고열, 가스, 먼지 등을 방지하고 채광, 조명, 통풍 등을 잘 보장하는 산업 위생조건을 갖추며 그것을 끊임없이 보완하여 노동 재해와 직업성질환을 방지함으로써 종업원이 안전하고 문화 위생적인 일터에서 일할 수 있도록 하여야 한다(외국인 투자기업 노동법 제31조).

외국인 투자기업은 종업원에게 노동안전 기술교육 후, 업무를 지시하여야 한다. 노동안전 기술교육기관과 내용은 업종과 직종에 맞게 자체로 정한다(외국인 투자기업 노동법 제32조).

외국인 투자기업은 여성종업원을 위한 노동보호 시설을 충분히 갖추어야 한다. 임신하였거나 젖먹이 어린이를 키우는 여성종업원에게는 연장작업, 밤작업을 시킬 수 없다(외국인 투자기업 노동법 제35조).

외국인 투자기업은 실정에 맞게 종업원의 자녀를 위한 탁아소, 유치원을 설치하고 운영할 수 있다(외국인 투자기업 노동법 제36조).

외국인 투자기업은 종업원에게 노동보호 장비와 작업필수품, 영양 식료품, 보호약제,

해독제약, 피부보호제, 세척제 같은 노동보호 물자를 북한의 노동법 규범에서 설정한 기준보다 낮지 않게 적시에 충분히 공급하여야 한다(합작법 시행규정 제80조, 합영법 시행규정 제88조, 외국인 투자기업 노동법 제37조).

외국인 투자기업은 작업과정에 종업원이 사망하였거나 부상, 중독 같은 사고가 발생하였을 경우 제때에 해당한 치료대책을 세우며 기업소재지의 노동행정기관에 알려야 한다(외국인 투자기업 노동법 제38조).

제23절 노동 보수

노동과 관련한 보수는 노임[40](급여), 가급금(加給金), 장려금[41], 상금이 있으며, 이외에 복리후생비 성격으로 지출되는 휴가비와 보조금 등의 인건비성 비용이 있다(외국투자기업 노동법 제22조, 개성공업지구 노동규정 제24조).

노임은 노동의 질과 량, 작업실적에 따라 지불할 수 있으며 보조금과 상금은 기업경영상태와 종업원의 노동결과에 따라 늘어나거나 줄어든다. 기업의 종업원 월노임기준은 종업원들이 노동과정에 소모된 육체적 및 정신적 노동에 대한 보상이며, 그들의 생활을 보장하는 원칙에서 정하여야 한다.[42]

1. 노 임

외국인 투자기업은 종업원의 노동보수를 정한 기준에 따라 정확히 지불하여야 한다. 외국인 투자기업은 기업의 생산수준과 종업원의 기술기능 숙련정도와 노동생산성이 높아짐에 따라 노임기준을 점차 높여야 한다(외국투자기업 노동법 제22조 및 제24조).

기업은 정한 노임기준에 따라 직종, 직제별 노임기준, 노임 지불형태와 방법, 가급금, 장려금, 상금기준을 자체로 정한다.

외국인 투자기업의 종업원 월노임 최저기준은 중앙로동행정지도기관 또는 투자 관리기관이 정한다(외국투자기업 노동법 제23조).

종업원의 월노임은 종업원 월 최저 노임보다 낮게 정할 수 없다. 그러나 조업준비기간에 있는 기업의 종업원과 견습공, 무기능공의 노임은 종업원 월 최저 노임의 70% 범위에서 정할 수 있다(개성공업지구 노동규정 제24조).

조업준비 기간의 종업원과 견습공 등의 임금을 최저임금보다 낮게 지급할 수 있다는 규정은 외국투자기업 노동법, 합작법, 합영법 및 외국인 기업법에서 확인되지 않고 있

40) 노동임금
41) 장려금은 법규상 사용되고 있는 단어이나, 그 성격과 계산방법 및 지급의 방법에 대한 규정은 확인되지 않고 있다. 아마도 중국의 성과상여(奬金)를 번역한 것으로 판단되며, 북한에서 성과상여에 대한 지급이 빈번히 이루어지지 않은 사유로 구체적인 규정이 없는 것으로 판단된다.
42) 조선투자법 안내, 법률출판사 2007, p.176

으며, 개성공업지구 노동규정에서만 명문화되어 있는 규정임에 주의하여야 한다.

2. 가급금(加給金)

외국인 투자기업은 부득이한 사정으로 명절일과 일요일에 종업원에게 노동을 시키고 대체휴가를 주지 못하였을 경우 일한 날 또는 시간에 한하여 일당 또는 시간당 노임액의 100%에 해당한 가급금을 주어야 한다(외국투자기업 노동법 제27조).

외국인 투자기업은 종업원에게 노동시간을 초과하는 낮 연장작업을 시켰거나 노동시간 범위 내의 밤작업[43]을 시켰을 경우 일한 날 또는 시간에 한하여 일당 또는 시간당 노임액의 50%에 해당한 가급금을 주어야 한다.

노동시간을 초과하는 밤연장작업을 시켰을 경우에는 일당 또는 시간당 노임액의 100%에 해당한 가급금을 주어야 한다(외국투자기업 노동법 제28조).

3. 상 금

외국인 투자기업은 결산이윤[44]의 일부로 상금기금을 조성하고 일을 잘한 종업원에게 상금을 줄 수 있다(외국투자기업 노동법 제29조).

일부 북한관련 자료[45]에서 '기업은 세전이익(결산이익)에서 세금(기업소득세)을 납부한 후 남은 이익의 일부를 상금기금을 적립하고 직업동맹조직과 협의하여 생산 목표를 초과 달성한 모범적인 종업원에게 상금을 줄 수 있다.'라고 설명하고 있는 부분이 발견된다.

이는 법인세(기업소득세) 차감 후의 이익배분에 의한 방식으로 상금을 지급하라는 규정으로, 중국의 아주 오래전 이익잉여금의 임의적립금과 관련한 내용을 차용한 규정으로 보이며, 인건비를 외국투자기업 및 외국인세금법 노동법 제18조에서 규정한 인건비(노동력비용)를 손금으로 계상한다는 규정과 부합하지 않는다.

---

43) 야간근무의 기준은 22시부터 다음달 6시까지 사이에 진행한 노동을 의미한다(개성공업지구 노동규정 제30조).

44) 기업소득세의 세율은 결산이윤의 25%로 한다. 외국인 투자기업 및 외국인 세금법 제10조의 내용을 보면, 결산이윤은 세전이익을 의미하는 것을 알 수 있다.

45) 조선투자법 안내, 법률출판사 2007, p.177

상기 규정에서도 재차 확인되는 바와 같이 결산이익에 대한 개념의 정의가 충분하지 않아서 발생한 법규상 미비한 항목이라고 할 수 있다. 추후, 남북경제협력 및 개성공업지구 업무의 재개시 이전에 명확히 확인할 부분이다.

4. 휴가비

외국인 투자기업은 정기휴가, 보충휴가, 산전 및 산후휴가를 받은 종업원에게 휴가일수에 따르는 휴가비를 지불하여야 한다.

정기 및 보충휴가비는 휴가 전 3개월간의 노임을 실 근무일수에 따라 평균한 하루 노임액에 휴가일수를 적용하여 계산한다(외국투자기업 노동법 제25조).

산전 및 산후휴가비의 지불규모와 방법은 중앙노동행정지도기관이 내각의 승인을 받아 정한다. 개성공단의 경우 산전 및 산후 휴가를 받은 여성 종업원에게는 60일에 해당하는 휴가비를 지불하여야 한다(개성공업지구 노동규정 제27조).

상기 규정을 이해함에 있어, 휴가 전 3개월간의 노임의 산정범위에 대하여 기본급에 그 이외의 추가 보수를 포함할 것인지에 대한 이견이 있을 수 있다. 외국투자기업 노동법 제22조에서 '종업원에 지급하는 노동보수에는 노임, 가급금, 장려금, 상금이 속한다.'라고 규정하고 있다. 따라서, 휴가비 산정의 기준이 되는 노임에는 기본노임, 가급금, 상금 및 장려금이 포함된다고 보는 것이 타당할 것이다.

또한, 일부 북한관련 자료에서 '휴가 및 보충휴가기간에 해당한 노동보수는 휴가에 들어가기 전에 종업원에게 주어야 한다.' 라는 설명을 하고 있으나, 동 설명은 유관 법규에서 확인되지 않는 내용이며, 외국투자기업 노동법 제30조에서 '노동보수를 주는 날이 되기 전에 사직하였거나 기업에서 나가는 종업원에게는 해당 수속이 끝난 다음 노동보수를 주어야 한다.'라는 내용을 참조하면, 휴가 이전에 지급하라는 내용은 그 설득력이 많이 부족하다.

뿐만 아니라 월급여로 노임을 지급하는 종업원에게 휴가비를 지급함에 있어 휴가기간에 급여 계산을 중지하고 휴가비를 지급하는 것인지 아니면, 월 노임을 계속 지급하고 추가로 휴가비를 지급하여야 하는 것인지 명확한 지침이 확인되지 않는다.

5. 보조금

기업은 종업원의 잘못이 아닌 기업의 책임으로 일하지 못하였거나 양성기간(교육기간)에 일하지 못한 종업원에게 일하지 못한 날 또는 시간에 따라 일당 또는 시간당 노임액의 60% 이상에 해당하는 보조금을 주어야 한다(외국투자기업 노동법 제26조).

6. 기 타

외국인 투자기업은 종업원에게 노동보수를 정해진 날짜에 전액 화폐로 주어야 한다. 노동보수를 주는 날이 되기 전에 사직하였거나 기업에서 나가는 종업원에게는 해당 수속이 끝난 다음 노동보수를 주어야 한다(외국투자기업 노동법 제30조).

제 24 절 사회보험과 사회보장

외국인 투자기업에서 일하는 북한 종업원이 병, 부상 같은 원인으로 노동능력을 잃었거나 일할 나이가 지나 일하지 못하게 되였을 경우에는 북한의 사회보험 및 사회보장에 의한 혜택을 받는다. 사회보험 및 사회보장에 의한 혜택에는 보조금, 연금의 지불과 정양, 휴양, 견학 같은 것이 속한다(외국투자기업 노동법 제39조).

사회보험 및 사회보장에 의한 혜택은 사회보험기금에 의하여 보장한다. 사회보험기금은 외국인 투자기업과 종업원으로부터 받는 사회보험료로 조성한다(외국투자기업 노동법 제41조).

사회보험 및 사회보장에 의한 보조금, 연금은 해당 법규에 따라 계산한다. 외국인 투자기업과 종업원은 달마다 해당 재정기관에 사회보험료를 납부하여야 한다. 사회보험료의 납부비율은 중앙재정지도기관이 정한다(외국투자기업 노동법 제40조 및 제42조).

개성공업지구의 예를 들면, 개성공업지구의 기업은 종업원에게 지불하는 월 노임 총액의 15%를 사회보험료로 달마다 계산하여 다음 달 10일 안으로 중앙공업지구지도기관이 지정하는 은행에 납부하여야 한다(개성공업지구 노동규정 제42조).

개성공업지구의 종업원은 월노임액의 일정한 몫을 사회문화시책금으로 계산하여 다음 달 10일 안으로 중앙공업지구 지도기관이 지정하는 은행에 납부하여야 한다(개성공업지구 노동규정 제43조).

상기 규정에서 확인되는 바와 같이, 외국인 투자기업에서 근무하는 북한 근로자를 위하여 한국의 사회보험과 유사하게 기업과 종업원이 각각 사회보험료 납부해야 하는 의무가 규정되어있다.

외국인 투자기업은 결산이윤의 일부를 종업원을 위한 문화후생기금을 조성하고 사용할 수 있다. 문화후생기금은 종업원의 기술문화수준의 향상과 군중문화체육사업, 후생시설운영 같은데 쓴다(외국투자기업 노동법 제43조).

제25절 기업동맹조직(노동조합)

1. 기업동맹조직의 개념

합영기업과 외국인기업의 종업원들은 직업동맹조직을 설립할 수 있다(합영법 제32조, 외국인기업법 제20조).

합작기업과 관련된 직업동맹 규정은 확인되지 아니한다. 합작기업의 경영권이 북한 측에 있으므로, 노동조합에 해당하는 기업동맹조직 설립을 법제화하지 않은 것으로 판단된다. 또한, 합영기업과 외국인기업의 종업원들이 의무적으로 직업동맹을 설립하여야 하는 것은 아니고, 직업동맹을 설립할 수 있다고 규정되어 있다.

또한, 주목해야 할 점으로 노동계약의 체결에 있어서 노동자 측의 계약 주체가 기업동맹조직으로 되어 있는 법규정(외국인 투자기업 노동법 제14조, 합영법 시행규정 제90조)이 확인되기도 하지만, 개성공업지구 노동규정 제10조에서 기업은 선발된 노력자와 월 노임액, 채용기간 노동시간 같은 것을 확정하고 노력채용 계약을 맺어야 한다고 규정하고 있으며, 노력채용 계약을 맺은 노력자는 기업의 종업원으로 된다고 설명하고 있음을 보면 노동계약 체결에 있어서 노동자의 주체가 기업동맹조직인지 아니면 노동자 개인인지가 명확치 않아 혼란스러운 상태이다.

따라서, 기업(회사)와 노동자 간의 노동계약에 있어서 기업동맹조직이 노동자를 대신하여 체결하는 것인지 확인해야 할 것이며, 뿐만 아니라 기업동맹조직이 설립되어 있지 않은 경우에 노동자가 직접 노동계약을 체결하는 것인지 아니면, 노동력 알선기관(노동 행정기관)이 체결의 주체가 되는지 불명확하다.

북한의 현실을 고려할 때 노동력 알선기관(노동 행정기관)이 일괄해서 노동계약을 체결하는 것으로 이해함이 타당할 것이며, 기업동맹조직이 노동계약을 체결한다 함은 노동시간, 휴식, 노동조건, 생활조건, 노동보호, 노동보수지불, 상벌문제(외국인 투자기업 노동법 제14조) 같은 단체협약을 의미하는 것으로 이해함이 타당할 것으로 보인다.

합영기업과 외국인기업은 직업동맹조직의 활동자금과 활동조건을 보장하여야 한다(합영법 제32조, 합영법 시행규정 제92조, 외국인기업법 제20조, 외국인기업법 시행규정 제68조).

2. 기업동맹조직 경비

외국인기업은 월마다 직업동맹조직에 다음과 같은 활동자금을 보장해주어야 한다(합영법 시행규정 제92조, 외국인기업법 시행규정 제69조).

① 종업원 500명까지는 전체 종업원 월 노임의 2%에 해당하는 금액
② 종업원 500명 이상부터 1,000명까지는 전체 종업원 월 노임의 1.5%에 해당하는 금액
③ 종업원 1,000명 이상은 전체 종업원 월 노임의 1%에 해당하는 금액

상기 규정은 합리적이지 않다고 판단된다. 왜냐하면 인원수(數)에 따라 단계별 차등 적용을 하는 경우, 저소득 근로자와 고소득 근로자의 배열 순서에 따라, 직업동맹에 지원되는 활동자금이 변화가 있을 수 있기 때문이다. 입법적 보완이 필요하다.

3. 기업동맹조직의 업무내용

직업동맹조직은 업무 내용은 아래와 같다.

1) 종업원을 위한 각종 지원 및 교육 등

종업원들이 노동규정을 준수하고 경제과업을 잘 수행하도록 그들을 교육한다. 종업원들에 대한 사상 교양사업과 과학기술 지식보급사업을 하며 체육 및 문예활동과 관련한 사업을 한다(합영법 시행규정 제90조 제1항 및 제2항, 외국인기업법 시행규정 제66조 제1항 및 제2항).

2) 종업원의 이익을 위하여 기업측과 노동계약을 체결하고 그 집행을 감독

노동계약에서는 종업원들의 임무, 생산량과 품질기준, 노동시간과 휴식, 보험후생, 노동보호와 노동조건, 노동규정, 상벌, 사직조건 등 노동조직과 노동보호 같은 문제들을 규정한다. 직업동맹은 계약문건을 기업소재지 노동행정기관에 내야 한다(합영법 시행규정 제90조 제3항, 외국인기업법 시행규정 제66조 제3항).

3) 기업과 종업원 사이의 노동분쟁 조정

노동자 측과 기업 측 사이에 노동관계에 대한 의사가 일치되도록 노력하며 분쟁이 생겼을 경우에는 그것을 공정하게 조정하며 쟁의를 방지한다.

노동분쟁에 대한 조정은 기업측을 대표하는 조정위원, 직업동맹을 대표하는 조정위원, 공익을 대표하는 조정위원으로 구성되는 조정위원회에서 한다. 쌍방의 분쟁이 끝나지 않을 경우에는 중재를 제기할 수 있으며 해결이 불가능할 경우에는 재판소에 소송을 제기할 수 있다.[46] (외국인기업법 시행규정 제66조 제4항)

4) 종업원의 권리, 이익과 관계되는 협의에 참가하여 조언을 하거나 권고안을 제기함

기업은 기업관리 특히 종업원들의 권리와 이익에 관계되는 문제토의에 직업동맹대표들을 참여시켜야 하며, 그들과 협의하여 문제를 토의 결정하도록 한다(합영법 시행규정 제91조, 외국인기업법 시행규정 제66조 제5항 및 제67조).

46) 조선투자법 안내, 법률출판사 2007, p.180

제26절 자본의 조성 및 양도

기업의 자본은 투자자의 출자금, 차입자금, 그리고 기업운영 과정에서 조성되는 자금으로 구성된다.

기업창설 및 영업에 필요한 고정자산, 유동자산은 기업의 등록자본으로 계획하고 부족한 자금은 자본대출의 방식으로 마련한다.[47]

상기 규정은 조선민주주의인민공화국 투자지남(2016, 중국어 서적)과 조선투자법 안내(2007)에 있는 내용이지만, 다른 법률에서는 확인되지 않는 내용으로 합리적이지 않은 규정이다. 차입금이 회사에 입금되면, 유동자산이 증가하게 되는 바, 고정자산과 유동자산을 자본금으로 구성하라는 것은 기본적인 회계이론에 부합하지 않는 규정이라고 판단된다.

출자와 관련한 재정관리는 투자자별로 하며 출자확인문건은 회계검증기관의 검증을 받아야 한다(외국인 투자기업재정관리법 제16조).

상기 규정은 투자자로부터 출자를 받은 경우, 이에 따른 자본금과 지분율을 관리하여야 한다는 의미로 파악되며, 출자 및 증자가 이루어진 경우 자본금의 증자에 대한 별도의 감사보고서를 작성하여야 한다는 규정이다. 중국에서 역시 자본금의 출자 및 증자가 이루어진 경우, 험자보고서[48](驗資報告)라는 자본금의 증가에 대한 별도의 특수목적 감사보고서를 작성하도록 규정되어 있다.

출자하는 현물재산과 재산권, 기술비결의 가격은 국제시장가격에 준하여 계약당사자들이 합의하여 정한다(외국인 투자기업재정관리법 제15조 및 제33조).

투자일방 당사자는 투자상대방 당사자와 공동협의기구와 이사회에서 서면으로 합의하여 출자 몫의 일부 또는 전부를 제3자에게 양도하거나 상속(증여)할 수 있다(외국인 투자기업재정관리법 제17조, 합작법 시행규정 제52조, 합영법 시행규정 제44조).

상기 규정에서 한가지 주목해야 할 항목은 합작법 시행규정 제52조에서 양도할 수 있다는 규정에서 양도를 판매와 증여로 제한하고 있다는 점이다. 따라서, 외국인 투자

---

47) 朝鮮民主主義人民共和國 投資指南(2016) p.81

48) 중국에서 험자보고서의 작성은 2014년 3월 말까지 증자가 이루어지면 무조건 실시하여야 하는 법적 필수 감사였으나, 그 이후부터는 필요한 경우에 선택적으로 필요에 따라 진행하는 감사로 변경되었다.

자가 합작법인의 지분을 현물출자 형식으로 출자의 목적물로 하는 경우와 합작법인의 지분을 보유한 회사가 합병 및 분할의 대상이 되는 경우, 현물출자가 가능한 것인지 합병 및 분할로 인한 주주의 변경을 어떻게 볼 것인지에 대한 확인이 필요할 것이다.

합자기업과 합영기업의 투자자 일방이 출자지분을 매각하려는 경우, 같은 매각조건 하에서 상대방 투자자 측에 우선적으로 구매할 권리가 있다(합작법 시행규정 제52조, 합영법 시행규정 제44조).

외국인기업에 있어서 지분양도가 가능하다는 규정이 있으며(외국인기업법 시행규정 제31조) 기타 투자자의 우선구매권에 대한 규정은 확인되지 않고 있다.

제 27 절 재정관리

1. 재정관리 기본 개념

재정관리란 외국인 투자기업의 경영활동에 필요한 화폐자금을 조성하고 배분하여 투자하고, 이용하는 기업관리의 한 부분이다(외국인 투자기업재정관리법 제2조 제1항).

북한에서 재정관리라 함은, 자금을 조달하고, 이를 투자하고 이용하여 이익을 생성하고, 배분하는 일련의 과정상의 관리를 의미한다. 즉, 한국에서의 자금관리 혹은 재무관리 정도의 개념으로 이해할 수 있다. 중국어 서적(조선민주주의인민공화국 투자지남: 朝鮮民主主義人民共和國 投資指南, 2016) 제9장 외국인 투자기업 재무, 회계검증제도(p.80)에서는 중국어로 재무관리(財務管理)라는 명확한 표현을 하고 있다.

외국인 투자기업의 재정관리 대상에는 해당 기업의 이사회 또는 공동협의기구에서 토의결정한 재정계획과 각종 투자, 경영활동 과정에 늘어난 자산의 관리, 이익분배, 투자의 상환이 속한다(외국인 투자기업재정관리법 제3조).

외국인 투자기업에서 재정관리의 제1책임자는 기업 책임자이며 제2책임자는 재정회계책임자이다(외국인 투자기업재정관리법 제4조).

외국인 투자기업은 회계를 북한의 외국투자기업 회계법규에 따라 하여야 한다(외국인 투자기업재정관리법 제6조).

외국인 투자기업은 돈자리를 외국환자 업무를 하는 북한에 있는 은행에 두어야 한다. 다른 나라에 있는 은행에 돈자리를 두려고 할 경우에는 중앙재정지도기관의 합의를 받는다(외국인 투자기업재정관리법 제5조).

기업은 재정계획을 자체로 세우고 그것을 이사회 또는 공동협의회의에서 토의 결정하여야 한다. 재정계획은 경영활동내용에 따라 부문별, 연간, 분기별로 기업이 작성하며 재정계획의 항목(판매 및 봉사수익 계획, 비용계획, 고정자산 감가상각계획, 이익 및 분배계획, 납부금계획)은 중앙재정지도기관이 정한다. 영업허가를 받지 못하였을 경우에는 영업허가를 받을 때까지 지출되는 자금의 재정계획을 조업준비비로 세워야 한다. 외국인 투자기업은 다음해 재정계획을 12월 25일까지 중앙재정지도기관에 등록하여야 한다(외국인 투자기업재정관리법 제18조, 제19조, 제21조, 제22조, 제24조).

한가지 중요한 점은 개성공업지구와 같은 특수경제지대 외국인 투자기업의 재정관리는 별도로 정한 규정에 따르는 것으로 되어있다.

2. 매출 재정관리

외국인 투자기업은 생산과 경영활동과정에 이루어진 생산물 판매수익, 상품 판매수익, 건설공사 인도수익, 봉사수익, 운임수익, 요금수익, 임가공수익, 기타 수익을 부문별로 구분하여 수익이 발생할 때마다 정확히 계산하여야 한다. 재정결산 기말에는 모든 수입을 종합하여 계산한다(외국인 투자기업재정관리법 제47조).

외국인 투자기업은 임가공과 관련한 재정수입은 주문자로부터 받은 가공료로 계산하여야 한다(외국인 투자기업재정관리법 제48조). 동 규정은 수익의 인식 문제에 있어서 무상으로 입고된 원재료 및 반제품을 원가와 매출액에 반영하지 않고, 순수한 임가공비 순액으로 수익을 인식할 것을 규정하고 있다.

합작기업은 외국측 투자가의 투자 몫을 생산제품으로 상환하는 경우 정해진 단가(비율)로 계산한 수입금을 재정수입으로 계산하여야 한다.

상기 규정은 북한투자 관련 서적에서 확인되는 내용이지만 유관 법규에서는 확인되지 않는 내용이다. 합작기업에서 생산한 제품을 이용하여 외국측 투자액을 상환하는 경우, 서로 합의된 단가를 이용하여 수익으로 인식하고, 그 수익에 해당하는 동액을 자본에서 감액처리(감자)하는 것으로 이해된다.

외국인 투자기업은 생산물을 북한의 기관, 기업소, 단체에 판매하고 그 값으로 대치물자를 받아 수출하는 경우 판매한 값을 재정수입으로, 대치물자의 값을 구입지출로 계산하여야 하며 생산비는 대치물자판매수입금으로 보상한다(외국인 투자기업재정관리법 제49조).

기업은 북한의 기관, 기업소, 단체와의 경제거래에 따르는 자금결제를 직접 할 수 없으며 외국인 투자기업을 맡아보는 자재관리 기관을 통해서만 할 수 있다.[49)]

동 규정은 관련 법규정에서 확인되지 않는 내용이지만 북한의 정치와 경제상황을 고려하면 충분히 이해가 가능한 내용이다.

유사한 내용으로, 합작기업의 경우 합작법 시행규정 제67조, 합영기업의 경우 합영

---

49) 조선투자법 안내, 법률출판사 2007, p.185

기업법 시행규정 제76조에 중앙경제협조관리기관(또는 지대관리기관)이 정한 절차에 따라 구매 또는 판매하도록 법규정이 되어 있으며, 세부 실무절차에서 대금결제 방법을 별도로 구매하고 있을 것으로 추정된다. 외국인기업의 경우 외국인기업법 제16조와 외국인기업법 시행규정 제44조의 규정에 따라 북한 내 거래와 수출입의 해외거래 모두 대행업체를 이용하여야 할 것으로 파악된다.

다른 나라와의 경제거래와 관련한 자금은 외화로 지출하거나 받아들여야 한다(외화관리법 제8조)

3. 비용 재정관리

외국인 투자기업은 비용을 원가와 기타 지출로 구분하여 공정별, 항목별로 정확히 계산하여야 한다. 재정계획의 항목을 정하는 사업은 중앙재정지도기관이 한다(외국인 투자기업재정관리법 제22조).

원가에는 원료 및 자재비, 연료비, 동력비, 노동력비, 감가상각금, 물자구입경비, 기업관리비, 유통비 등이 포함된다.

기타 지출에는 정상적인 기업활동과 관련이 없이 지출되는 비용을 포함시킨다(외국인 투자기업재정관리법 제37조).

외국인 투자기업은 무현금결제 수수료와 채권손실금, 환자시세편차손실금 등을 기타 지출에 포함시켜 계산하여야 한다. 해당 수수료와 채권손실금은 경상계산[50]하며 환자시세편차손실금은 년마다 계산한다(외국인 투자기업재정관리법 제44조).

또한, 기업이 파산당하여 받지 못한 채권, 고정자산 매각 및 폐기로 인한 손실 등은 생산과 관련이 없는 기타비용으로 처리하여야 한다.[51]

재고자산(물자자산)의 실사부족, 감모 같은 손실은 이사회의 또는 공동협의회의에서 토의결정한 다음 원가에 넣어 보상할 수 있다.

상기 실사(實査)는 유동자산의 실사와 고정자산의 실사를 구분하여 규정하고 있다. 유동자산의 실사는 외국인 투자기업재정관리법 제34조에서 매월 진행할 것을 규정하고 있으며, 고정자산의 실사는 외국인 투자기업재정관리법 제29조에서 매년 1회 이상

50) 경상(經常)이란 임시적인 변동없이 정상적으로 늘 계속하는 것(1960), 조선말사전, 과학원출판사
51) 조선투자법 안내, 법률출판사 2007, p.184

진행할 것을 규정하고 있다. 실사결과 재산이 남거나 모자라는 경우에는 그 원인을 밝히고 해당한 대책을 세워야 한다.

기업은 중앙재정지도기관이 정한 기준에 따라 생산제품의 판매 및 시장확대와 관련한 접대비(대외사업비)를 지출할 수 있으며 기업의 부담으로 하는 사회보험료를 납부하여야 한다.

외국인 투자기업 노동법 제36조 및 개성공업지구 노동규정 제35조 등의 여러가지 규정에서 탁아소, 유치원 등의 설치와 운영을 규정하고 있으므로, 이는 당연히 회계 및 세무상 비용으로 인정되어야 할 것이고, 북한에서 자체 발간한 법률서적에서도 '탁아소, 유치원, 기능공학교, 정양소의 운영과 관련하여 기업관리비에 넣고 쓸 수 있다.'[52] 설명되고 있다.

그러나, 복리 후생비로 구분되는 탁아소, 유치원, 기능공학교, 정양소의 운영비의 처리에 관하여 주목할 만한 특이한 규정이 있다.

외국인 투자기업 재정관리법 제55조 규정에서 외국인 투자기업은 결산이윤[53]의 10%까지 범위 안에서 생산확대 및 기술발전기금, 상금기금, 문화후생기금, 양성기금 같은 기금을 조성하고 이사회 또는 공동협의기구의 결정에 따라 쓸 수 있다고 규정되어 있으며, 외국인 투자기업 재정관리법 제56조 제3항 규정에서는 외국인 투자기업의 문화후생기금은 합숙, 탁아소, 유치원, 식당 같은 문화후생시설의 건설과 보수 및 갱신, 문화오락기재의 마련, 후방물자의 구입, 사회적 지원에 이용한다고 규정하고 있다.

여기서 다시 한번 결산이윤의 개념정의가 필요하다. 외국인 투자기업 재정관리법 제52조의 내용을 검토하면, 결산이윤은 세전이익의 개념이라고 확인된다.

즉, 탁아소, 유치원, 기술학교, 정양소 및 휴양소의 건설, 보수 및 갱신 등에 대하여 기금(준비금, 충당금)을 적립하고, 차년도에 이를 사용할 것을 규정하고 있다.

그러나, 바로 뒤에 이어지는 외국인 투자기업 재정관리법 제53조[54]의 내용을 검토하

---

52) 조선투자법 안내, 법률출판사 2007, p.184

53) 외국인 투자기업 재정관리법 제52조 (소득의 계산, 확정)
외국인 투자기업은 소득을 결산이윤과 분배할 이윤으로 갈라 다음과 같이 계산, 확정하여야 한다.
1. 결산이윤은 판매 및 봉사수입금에서 거래세, 영업세, 자원세를 공제하고 원가 및 유통비와 기타 지출을 덜어 확정한다.
2. 분배할 이윤은 결산이윤에서 기업소득세와 예비기금, 기업기금 같은 금액을 공제한 다음 확정한다.

54) 외국인 투자기업재정관리법 제53조 (예비기금의 적립)
외국인 투자기업은 등록자본의 25%에 해당한 금액이 조성될 때까지 해마다 결산이윤의 5%에 해당한 금액을 예비기금으로 적립하여야 한다. 예비기금은 기업손실을 메꾸거나 등록자본을 늘이는데 쓴다.

면, 결산이윤은 세후이익의 개념이라고 확인된다.

결산이윤의 개념이 세전이익과 세후이익 두가지 모두 다 혼재되어 사용되고 있음을 알 수 있다.

따라서, 결산이윤을 세전이익 개념으로 해석한다면 외국인 투자기업재정관리법 제55조 규정에서 세전이익의 10%를 한도로 기금(준비금, 충당금)으로 적립하라는 의미가 결산이윤의 10%를 한도로 당해 연도에 결산에 있어서 세무상 준비금으로 인정해준다는 의미로 해석할 수 있으며, 다른 각도에서는, 기술발전기금, 상금기금, 문화후생기금, 양성기금의 사용에 대하여 한국의 기부금 한도와 마찬가지 방식으로 결산이윤의 10%를 한도로 인정한다는 것으로 볼 수도 있다. 그것도 아니면 무조건 세전이익의 10%를 준비금으로 적립하여 비용을 지출하여야 한다는 강제적 집행을 규정한 것인지 확인할 필요가 있다.

만약 결산이윤을 세후이익 개념으로 해석한다면, 마땅히 손금으로 처리하여야 할 상금과 복리후생비의 지출을 주주의 배당의 원천이 되는 이익잉여금으로 부담하라는 내용으로 해석될 수 있다. 즉, 상금과 복리후생비의 지출을 위하여 이익잉여금의 처분으로 법적적립금 적립 이외에 당기순이익의 10%를 추가로 임의적립금으로 적립하여 사용을 강제하고 있는 것으로 볼 수 있다.

결산이윤의 개념은 추후, 남북경제협력 및 개성공업지구 업무의 재개시 이전에 명확히 확인이 필요한 내용이다.

참고로 개성공업지구 노동규정 제31조와 제45조에서 기업은 세금을 납부하기 전의 세전이익의 일부를 상금기금으로 조성하고 일을 잘한 종업원에게 상금 또는 상품을 줄 수 있다고 규정하고 있으며, 기업은 세금을 납부하기 전의 세전이익의 일부를 종업원을 위한 문화후생 기금으로 조성하고 쓸 수 있다. 문화후생 기금은 종업원의 기술문화수준의 향상과 체육사업, 후생시설 운영 같은데 쓴다고 규정하고 있다. 즉, 개성공업지구에서는 세전이익의 10%로 특정 비율을 정하지 않고 세전이익의 일부를 기금(준비금, 충당금)으로 적립하라고 규정되어 있는 것을 볼 때 개성공업지구에서는 기업의 부담을 줄이기 위하여 비율을 특정하지 않았다는 것을 알 수 있다.

뿐만 아니라, 더 중요한 점으로는 개성공업지구에서는 상금 및 복리후생비 지출액을 세후 이익잉여금으로 지출할 것이 아닌 세전비용으로 인정하고 있음을 명확히 확인할 수 있다. 그러나, 회사가 상금 및 복리후생비 지출을 위하여 기금(준비금, 충당금)을 계상하였을 때 동 기금을 개성공업지구 세금규정 및 세금규정시행세칙에서 비용(손금)으로 인정하는 지에 대해서는 확인되지 않고 있다.

제28절 조업 준비기간의 재정관리

조업 준비기간이라 함은 기업이 설립(창설)되고 영업이 개시되기 전(영업허가를 받을 때)까지의 기간을 의미한다. 따라서, 조업 준비기간의 지출이라 함은 창업비와 개업비를 의미한다고 볼 수 있다.

조업준비와 관련한 지출에는 행정관리비, 설비조립비, 건물의 건설 및 관리비, 건물임대료, 시제품생산비, 기능공양성비의 지출 같은 것이 속한다. 조업 준비기간에는 지방세와 기업이 부담하는 사회보험료만 납부한다(외국인 투자기업재정관리법 제20조).

상기 규정에서 자산의 취득과 관련한 지출 즉, 설비조립비와 건물의 건설비용 및 시제품생산비 등의 지출을 조업 준비기간의 지출이라고 설명하고 있지만, 설비조립비와 건물의 건설은 창업비, 개업비 성격이 아닌 유형자산으로 구분하여야 하며, 시제품생산비는 재고자산 등으로 계상함이 타당하다. 따라서, 일부 북한의 법률 교재에는 건물의 건설은 배제하고, 건물의 관리비만 조업준비와 관련된 지출로 설명하고 있기도 하다.

외국인 투자기업의 조업 준비기간에 시제품의 판매수익이나 기타 수익이 발생했을 경우 그 수입금으로 조업 준비기간에 발생한 비용을 상계하며, 그리고 남은 수익금은 미처분이익으로 적립하였다가 기업이 조업한 다음 결산이익에 포함시켜 계산하여야 한다(외국인 투자기업재정관리법 제46조).

그리고, 조업 준비기간의 비용(순 지출)이 발생한 경우, 조업준비비를 조업 개시한 이후, 연도 별로 나누어 원가에 넣어 보상하여야 한다(외국인 투자기업재정관리법 제38조).

상기 규정은 조업 준비기간에 발생한 수익은 비용과 상계하고, 상계 후 금액이 순수익 상태일 경우에는 일단, 이연수익으로 처리하였다가 조업개시 후의 결산에 이익으로 처리하고, 상계 후 금액이 순 비용 상태일 경우 이연자산으로 처리하여 향후 몇 년간에 걸쳐 상각의 절차를 통하여 비용으로 처리하라는 내용으로 요약된다.

제29절 유형자산(고정자산)의 관리

고정자산에는 투자가가 출자한 고정자산과 기업의 자금으로 마련한 고정자산, 양도받은 고정자산이 속한다(외국인 투자기업재정관리법 제26조).

외국인 투자기업은 고정자산 등록대장을 갖추고 고정재산을 장소별, 형태별로 등록하여야 한다. 고정자산 등록대장에는 등록날짜, 등록번호, 고정자산명, 규격, 시초가치, 내용연수, 설치장소, 생산 일자, 생산지, 취득 일자 등을 기재한다(외국인 투자기업재정관리법 제27조).

외국인 투자기업은 고정자산을 취득하였을 경우 30일 안에 해당 재정기관(중앙경제협조관리기관 또는 지대관리기관)에 등록하여야 한다. 고정자산의 등록가격은 취득가격에 운임, 상하차비, 보험료, 설치비, 보관비 같은 비용을 합한 금액으로 계산한 시초가치[55)]로 한다(외국인 투자기업재정관리법 제28조, 합작법 시행규정 제83조, 합영법 시행규정 제97조).

상기 규정은 합작기업과 합영기업에 대하여 직접 규정한 법규는 있으나, 외국인기업과 관련하여 직접 적용되는 규정이 없다. 그러나, 외국인 투자기업재정관리법에 포괄적으로 규정되어 있으므로 외국인기업에도 적용되는 규정이라고 볼 수 있다.

외국인 투자기업은 해마다 한번 이상 고정자산을 실사하여야 한다. 실사결과 고정자산이 남거나 모자라는 경우에는 그 원인을 밝히고 해당한 대책을 세운다(외국인 투자기업재정관리법 제29조, 합작법 시행규정 제86조, 합영법 시행규정 제100조).

외국인 투자기업은 고정자산 감가상각금을 계산 적립하여야 한다. 고정자산의 감가상각 형식은 중앙재정지도기관의 승인을 받아야 한다. 이 경우 승인된 감가상각 형식은 해당 재산의 내용연수가 끝날 때까지 변경할 수 없다(외국인 투자기업재정관리법 제39조).

한가지 재미있는 것은 합작법 시행규정 제85조와 합영법 시행규정 제99조에 '고정자산 감가상각금을 적립하여 이를 고정자산의 갱신이나 보수에 사용해야 한다. 고정자산 감가상각금은 유동자금으로 쓸 수 있다. 이 때 다음 분기에 고정자산 감가상각비를 보충해야 한다.'라고 규정된 내용을 확인할 수 있다. 동 규정은 대손준비금(충당금), 감가

---

55) 시초가치(始初價值)란 회계상 장부에 최초로 인식하는 금액을 의미한다.

상각준비금(충당금), 퇴직보조금 지불충당금 등의 명칭으로 충당금을 계상하였던 상황에서 북한측 입법자들이 각종 준비금 및 충당금 등의 회계와 세무에 대한 이해가 부족한 상황에서 오해로 규정을 잘못 설정한 것으로 판단된다. 왜냐하면, 비교적 최근에 설정된 개성공업지구 기업회계기준에 따르면, 우리가 알고 있는 감가상각과 동일한 논리와 방법의 감가상각이 규정되어 있음을 확인할 수 있기 때문이다.

외국인 투자기업은 이사회 또는 공동협의기구의 결정으로 등록된 고정재산을 폐기하거나 양도, 저당할 수 있다. 이 경우 해당 재정기관(중앙경제협조관리기관 또는 지대관리기관)과 합의 또는 허가를 얻어야 한다(합작법 시행규정 제84조, 합영법 시행규정 제98조). 합작기업과 합영기업 뿐만 아니라 단독으로 투자 및 운영되는 외국인기업의 유형자산(고정자산)의 폐기, 양도, 저당까지 해당 재정기관(중앙경제협조 관리기관 또는 지대 관리기관)의 합의 또는 허가를 요구하는 것은 심각한 사유재산의 침해와 재산권 행사의 제한과 규제라고 판단된다.

또한 주목할 점은 유형자산의 재평가와 관련한 내용이다. 합작법 시행규정과 합영법 시행규정은 재평가에 대한 내용이 규정이 없다. 그러나, 외국인 투자기업재정관리법 제30조에서는 아래와 같이 재평가 규정이 있다.

외국인 투자기업은 이사회 또는 공동협의기구의 결정으로 등록된 고정재산을 폐기하거나 양도, 저당, 재평가할 수 있다. 이 경우 해당 재정기관의 합의를 받아야 한다(외국인 투자기업재정관리법 제30조).

외국인 투자기업재정관리법에서 표현하고 있는 재평가가 자산재평가를 하여 장부에 반영하고 동 차액을 자본항목 또는 이익항목으로 계상하는 것을 의미하는 것인지 아니면, 자산의 감액평가를 규정한 것인지, 또는 재산세의 과세표준을 정하기 위한 목적의 평가를 의미하는지 불명확하다.

북한 세법 중 외국인 투자기업 및 외국인세금법 중 기업소득세 규정에 자산 재평가 차액에 대한 과세문제가 언급이 되지 않고 있다. 다만, 재산세 규정 중에서 재산세[56] 과세대상 자산(건물과 선박, 비행기)의 재평가와 신고 규정만이 존재하고 있다.

참고로, 개성공업지구 세금규정 및 세금규정 시행세칙에서는 상기 재산세 관련 과세대상 자산(건물과 선박, 비행기)의 재평가와 신고 규정과 더불어 아주 기본적인 유형

---

56) 외국인 투자기업 및 외국인세금법 시행규정 제47조 등록된 재산은 해마다 1월 1일 현재로 재평가한 다음 30일 안에 공증기관의 공증을 받은 가격으로 해당기관에 재등록 하여야 한다.

자산의 감액평가규정[57] 관련 내용이 일부 있다.

마지막으로, 북한 관련 일부 자료에 '고정자산, 유동자산을 계약에 맞지 않게 투자하여 기업의 생산 및 경영활동에 쓸 수 없을 경우에는 투자자산으로 계상할 수 없다.'라는 문구가 확인되나, 이는 어느 법규(회계기준 등)에도 규정된 공식적인 내용은 아닌 것으로 확인된다. 유동자산과 고정자산을 사업에 사용할 수 없는 경우에는 자산성이 없으므로, 감액조정을 하여야 한다는 내용을 북한의 저자가 개인적인 의견으로 집필한 내용으로 판단된다.

57) 개성공업지구 세금규정 시행세칙 제51조(자산, 채무의 평가)
  2. 다음 조항에 해당하는 재산은 제1항에 관계없이 그 장부상 가격을 감소할 수 있다.
    1) 재고재산으로서 파손, 부패 등의 이유로 인하여 정상가격으로 판매할 수 없는 것
    2) 고정재산으로서 폭우, 지진과 같은 불가항력적 요인이나 화재 등의 이유로 인하여 파손 또는 멸실된 것
    3) 주식 등으로서 그 발행기업이 부도가 발생한 경우의 당해 주식 등
    4) 주식 등을 발행한 기업이 파산한 경우의 당해 주식 등

제30절 외화 관리

외국투자기업은 외화의 관리와 이용을 북한의 외화관리와 관련한 법규범에 따라 하여야 한다(합작법 시행규정 제87조, 합영법 시행규정 제101조, 외국인기업법 시행규정 제51조).

동 외화관리법은 북한에서 외화수입이 있거나 외화를 이용하는 다른 나라 또는 국제기구의 대표부, 외국투자기업, 외국인과 조선동포에게도 이 법을 적용하는 것이므로(외화관리법 제10조), 합작기업, 합영기업 및 외국인기업에 공통으로 적용되는 법률이다. 다만, 특수경제지대에서의 외화관리는 따로 별도의 규정에 따른다(외화관리법 시행규정 제14조).

동 규정에서 적용하고 있는 외화의 범위는 아래와 같다.

외화에는 전환성 있는 외국화폐와 국가채권, 회사채권 같은 외화유가증권이 속한다. 수표(행표, 行票), 어음(수형, 手形), 양도성예금증서, 지불지시서, 각종 신용카드 같은 외화 지불수단과 장식품이 아닌 금, 은, 백금, 국제금융 시장에서 거래되는 금화, 은화와 귀금속도 외화에 속한다.

참고로, 비전환성 외화는 임의의 시간과 장소에서 다른 나라 화폐로 전환할 수 없는 외국은행권, 보조주화가 속한다(외화관리법 제2조, 외화관리법 시행규정 제2조).

1. 외화관련 정부기관 및 역할

북한의 외화관리사업에 대한 통일적 지도는 재정성(국가외화관리기관)이 한다(외화관리법 제3조, 외화관리법 시행규정 제3조).

북한에서 외국환자업무는 조선무역은행이 한다. 무역은행은 외화거래에 따르는 결제절차와 방법, 결제업무수수료, 외화예금, 저금, 대부이자율 등을 국가외화관리기관의 합의를 받아 제정한다. 다른 은행도 국가외화관리기관의 승인을 받아 외국환자업무를 할 수 있다(외화관리법 제4조, 외화관리법 시행규정 제5조).

저금, 예금, 저당은 외국환자업무를 맡은 은행(대외결제은행)을 통해서만 할 수 있다. 외국환자업무를 맡은 은행은 국가외화관리기관이 승인한 범위에서 외화업무를 한다(외화관리법 제6조, 외화관리법 시행규정 제7조 및 제8조).

조선원에 대한 외국환자시세의 종류와 적용범위, 고정 환자시세를 정하는 사업은 국가외화관리기관(중앙재정지도기관)이 한다. 조선원에 대한 결제환자시세, 현금환자시세 등의 시장 환자시세를 정하는 사업은 조선무역은행이 한다(외화관리법 제7조, 외화관리법 시행규정 제9조).

대외결제는 국가외화관리기관(중앙재정지도기관)이 정한 외화로 한다. 정해진 외화 밖의 다른 외화로 대외결제를 하려 할 경우에는 국가외화관리기관의 승인을 받아야 한다. 그러나 북한 정부와 다른 나라 정부사이에 결제와 관련한 협정을 맺었을 경우에는 그에 따른다(외화관리법 제8조, 외화관리법 시행규정 제10조).

외국투자기업은 분기마다 외화의 수입, 지출과 관련한 결산을 하여 회계검증기관의 검증을 받아 정해진 기간까지 해당 기관을 통하여 국가외화관리기관에 내야 한다. 다른 나라에 있는 은행에 돈자리를 둔 외국투자기업은 분기마다 그 돈자리에서 외화수입, 지출과 관련한 문건을 다음분기 첫 달 30일 안에 국가외화관리기관에 내야 한다(외화관리법 시행규정 제72조 및 제73조).

2. 은행 계좌 개설

북한에 은행 계좌의 개설과 관련하여 '재정의 유일관리제 원칙'이라는 규정이 있다. 구체적인 내용은 아래와 같다(외화관리법 시행규정 제18조).

① 기관, 기업소, 외국투자기업, 다른 나라 또는 국제기구대표부는 한 개의 은행에만 은행계좌(돈자리)를 개설하여야 한다.

② 북한의 기관, 기업소는 다른 나라의 은행에 돈자리를 둘 수 없다.

③ 기관, 기업소의 내부경영단위가 여러 개인 경우에도 돈자리는 한 개만 개설할 수 있으며 한 개 이상 더 개설하려는 경우에는 국가외화관리기관의 승인을 받아야 한다.

외국투자기업의 계좌(돈자리) 개설과 관련하여 북한 내 계좌개설과 북한 이외의 해외지역에 계좌개설을 구분하여 정리하면 아래와 같다.

합작기업 : 합작기업은 생산과 경영활동에 필요한 조선원 돈자리와 외화 돈자리를 북한의 외국환자은행에 개설하고 이용하여야 한다(합작법 시행규정 제90조).

합영기업 : 합영기업은 북한 외국환자은행에 조선원 돈자리와 외환 돈자리를 개설할

수 있다. 다른 나라에 있는 은행에 돈자리를 개설하고자 할 경우에는 외화관리기관의 승인을 받는다(합영법 제28조, 합영법 시행규정 제102조).

외국인기업 : 외국인기업은 북한의 조선무역은행에 조선원 돈자리와 외화 돈자리를 개설하여야 한다. 외화관리기관과의 합의 하에 북한의 다른 은행이나 다른 나라에 있는 은행에도 돈자리를 개설할 수 있다(외국인기업법 제17조, 외국인기업법 시행규정 제51조).

상기 회사의 유형에 따른 계좌 개설관련 규정에 따르면, 합영기업과 외국인기업의 경우, 북한 이외의 지역인 해외에 외화관리기관의 승인을 득한 경우, 해외 은행에 구좌 개설이 가능한 것으로 확인된다. 그러나, 합작기업은 북한 이외의 지역인 해외에 은행 구좌개설이 가능하다는 문구가 확인되지는 않는다.

그러나, 외화관리법 제13조와 외국인 투자기업 재정관리법 제5조에서는 '외국투자기업은 다른 나라에 있는 은행에 돈자리를 개설하려고 할 경우에는 중앙재정지도기관의 합의하여야 한다.'라고 규정하고 있다. 따라서, 비록 합작법 및 합작법 시행규정에서 합작법인의 해외 계좌 개설에 대하여 구체적으로 언급하고 있지는 않지만, 이와는 별개로 외화관리와 재정관리를 규정하고 법규에서 포괄적으로 외화관리기관의 승인을 조건으로 해외은행 계좌 개설이 가능한 것으로 규정하고 있으므로 합작법인 역시 해외은행에 계좌개설이 가능하다고 판단된다.

'조선투자법 안내'의 내용에 따르면, 외국투자기업은 다른 나라에 있는 은행에 돈자리를 개설할 수 있다. 이 경우 돈자리를 개설할 다른 나라 은행명칭과 개설근거를 밝힌 신청문건, 기업창설승인서 사본을 국가외화관리기관에 제출하여 합의하여야 한다[58]고 규정되어 있으며, '조선민주주의인민공화국 투자지남'의 설명에서 외국인 투자기업은 (대외결산업무를 진행하는) 북한에서 계좌를 개설하고 재무관리를 진행해야 한다. 외국인 투자기업이 북한 밖의 다른 나라의 은행에 계좌를 개설하려는 경우, 중앙재정지도기관과 협의해야 한다. 외국인 투자기업의 자산은 북한 외국인 투자기업 재무관리 법규의 보호를 받는다.'[59]고 규정된 내용을 종합하여 고려할 때 모든 외국투자기업이 북한 이외의 해외에서 은행계좌를 개설하는 것은 이론상 가능하다.

북한 밖의 다른 나라의 은행에 계좌를 개설한 외국투자기업의 관리는 아래와 같다.

---

58) 조선투자법 안내, 법률출판사 2007, p.186

59) 朝鮮民主主義人民共和國 投資指南(2016) p.80

북한 밖에 있는 은행에 계좌를 개설한 합영기업과 외국인기업은 매분기 종료 30일 이내에 중앙경제협조관리기 통관 및 외환관리기관에 해당 계좌의 입금과 출금관련 자료와 잔고명세 등의 자료를 제출해야 한다(합영법 시행규정 제106조, 외국인기업법 시행규정 제51조).

외국투자기업은 분기마다 외화의 수입, 지출과 관련한 결산을 하여 부기 검증기관의 검증을 받아 정해진 기간까지 해당 기관을 통하여 국가외화관리기관에 내야 한다. 다른 나라에 있는 은행에 돈자리를 둔 외국투자기업은 분기마다 그 돈자리에서의 외화수입, 지출과 관련한 문건을 다음 분기 첫 달 30일 안에 국가외화관리기관에 내야 한다(외화관리법 시행규정 제72조, 제73조).

3. 은행 차입

대부는 단기대부를 기본으로 하며 경우에 따라 장기대부도 한다.[60) 외국투자기업의 은행차입과 관련하여 북한 내 차입과 북한 이외의 해외로부터의 차입을 구분하여 정리하면 아래와 같다.

합작기업 : 북한은 장려대상의 합작기업, 해외동포와 하는 합작기업에 대하여 세금의 감면, 유리한 토지 이용조건의 보장, 은행대부의 우선적 제공과 같은 우대를 하도록 한다(합작법 제5조).

합영기업 : 합영기업은 경영활동에 필요한 자금을 북한 또는 다른 나라에 있는 은행에서 대부 받을 수 있다. 대부 받은 조선원과 외화로 교환한 조선원은 정해진 은행에 예금하고 써야 한다(합영법 제29조). 합영회사는 경영활동에 필요한 자금을 북한 내 은행 또는 북한 밖의 은행에서 대부 받을 수 있다. 북한 밖의 은행에서 대부 받을 경우 외환관리기관에 알려야 한다(합영법 시행규정 제103조).

외국인기업 : 외국인기업은 북한의 은행 또는 다른 나라의 금융기관으로부터 경영활동에 필요한 자금을 대부 받을 수 있다(외국인기업법 시행규정 제57조).

기관, 기업소, 외국투자기업이 외화채권, 주식 같은 외화유가증권을 발행하려는 경우

60) 조선투자법 안내, 법률출판사 2007, p.191

해당 기관의 승인이나 합의를 받아야 한다(외화관리법 시행규정 제51조).

상기 회사의 유형에 따른 해외차입 관련 규정에 따르면, 합영기업과 외국인기업의 경우, 외화관리기관의 승인을 득한 경우 북한 이외의 해외로부터 차입이 가능한 것으로 확인된다. 합작기업은 북한 이외의 지역인 해외로부터 차입이 가능하다는 문구가 확인되지는 않지만, 외화관리법 시행규정 제51조에서 확인되는 바와 같이 외국투자기업이 외화채권을 발행할 수 있다는 규정을 확인할 수 있으며, 이로 미루어 보아 합작기업 역시 해외로부터 차입이 가능할 것으로 보인다.

또한, 유관 규정에서는 '북한의 외국환자업무를 취급하는 은행은 기관, 기업소, 단체와 외국투자기업에 외화를 대부하여 줄 수 있다. 이 경우 외화대부 계획을 세워 중앙재정지도기관(국가외화관리기관)과 합의하고 내각의 비준을 받아야 한다.' (외화관리법 제22조, 제23조 및 외화관리법 시행규정 제48조, 제49조)라고 규정하여 외국투자기업에 외화의 대출이 가능한 것으로 규정하고 있다. 따라서, 합작기업, 합영기업과 외국인기업 모두 북한내 금융기관의 조선원 대출과 외화대출이 가능한 것으로 확인된다.

그러나, 외화관리법 제23조와 외화관리법 시행규정 제50조에서 '기관, 기업소, 단체는 관리운영에 필요한 외화를 다른 나라 또는 국제기구로부터 대부 받을 수 있다. 이 경우 중앙재정지도기관(국가외화관리기관)과 합의하고 내각의 비준을 받아야 한다.' 라고 명시하여 외국투자기업이 누락되어 있는 것을 볼 수 있다.

합영법 제29조와 외국인기업법 시행규정 제57조에서 다른 나라의 금융기관으로부터 경영활동에 필요한 자금을 대부 받을 수 있다고 규정한 내용을 볼 때, 외화관리법 제23조와 외화관리법 시행규정 제50조의 규정에서 외국투자기업이 단순 누락된 것이라고 판단된다. 입법상 보완이 필요하다.

결론으로 외국투자기업(합작기업, 합영기업 및 외국인기업)은 북한내 금융기관으로부터의 조선원 대출, 외화대출 및 해외로부터의 대출 모두 이론상으로는 가능하다고 판단된다.

4. 외화의 이용, 유통과 관리

1) 외화의 이용

기관, 기업소, 단체 및 외국인 투자기업은 외화를 무역거래, 비무역거래, 자본거래, 금융거래 같은 거래에 이용하여야 한다(외화관리법 시행규정 제32조).

① 무역거래에는 상품의 수출입과 그와 직접 관련되는 경제거래가 포함된다.

② 비무역거래에는 대표부 유지비, 대표단 여비, 이자, 이익의 배당금과 같은 지불거래, 관광, 체신, 항만, 봉사제공과 관련한 거래, 상속, 보증과 관련한 지불거래가 포함된다.

③ 자본거래에는 직접투자, 민간투자, 정부투자, 신탁, 채무보증, 외화지불수단 또는 채권의 매매, 증권의 발행과 취득, 부동산취득 같은 거래가 포함된다.

④ 금융거래에는 상업은행의 채권, 채무, 중앙은행의 채권, 채무와 관련된 거래가 포함된다.

외국투자기업은 생산용원료, 자재 및 설비 등을 수입하기 위한 자금, 경영용 물자를 수입하는데 필요한 자금, 다른 나라에 조직한 지사, 대표부, 대리점, 출장소의 경비자금, 다른 나라의 유가증권이나 부동산을 취득하는데 필요한 자금을 국외로 내갈 수 있다(외화관리법 시행규정 제58조).

2) 외화의 반입과 반출

기관, 기업소와 외국투자기업 외국인, 조선동포 및 공민은 세관에 신고하고 외화현금과 외화유가증권, 귀금속을 제한없이 북한으로 반입할 수 있다. 이 경우 수수료 또는 관세를 적용하지 않는다(외화관리법 제25조, 외화관리법 시행규정 제54조).

외화현금, 외화유가증권, 귀금속의 반출과 관련한 내용은 다음과 같다.

외화현금은 대외결제은행이 발행한 외화교환증명문건, 외화현금지불문건이나 입국할 때 세관신고문건에 밝힌 금액 범위 안에서만 북한 밖으로 반출할 수 있다(외화관리법 제26조, 외화관리법 시행규정 제55조).

외화유가증권은 국가외화관리기관의 승인을 받아야 북한 밖으로 반출할 수 있다. 입국할 때 세관에 신고한 외화유가증권은 승인받지 않고도 북한 밖으로 반출할 수 있다

(외화관리법 제27조, 외화관리법 시행규정 제56조).

입국하면서 반입한 귀금속은 세관에 신고한 범위에서 북한 밖으로 반출할 수 있다. 입국할 때 세관에 신고한 귀금속을 제외한 귀금속과 수출하는 귀금속은 중앙은행의 승인을 받아야 북한 밖으로 반출할 수 있다. 북한 내에서 구입한 기념주화, 장식품을 제외한 귀금속제품은 판매자가 발급한 증빙문건에 따라 북한 밖으로 반출할 수 있다(외화관리법 제28조, 외화관리법 시행규정 제57조).

3) 출자와 이익 배당 등의 외화 해외송금

북한 내에서는 외화현금을 유통시킬 수 없다. 외화현금은 은행계좌(돈자리)에 넣고 써야 하며 현금으로 쓰려 할 때에는 은행 또는 외화 교환소에서 조선원과 바꾸어 써야 한다(외화관리법 제5조, 외화관리법 시행규정 제4조).

북한 밖으로 외화를 송금하려고 할 경우에는 송금신청서를 해당 은행에 제출해야 하며 반드시 외환관리기관의 승인을 받아야 한다(합작법 시행규정 제104조, 합영법 시행규정 제105조).

기관, 기업소는 수입되는 외화를 해당한 대외결제은행에 있는 자기 돈자리에 입금시켜야 한다. 국가외화관리기관의 승인없이 외화를 다른 나라에 있는 은행에 입금시키거나 기관, 기업소와 개인에게 맡겨 둘 수 없다(외화관리법 시행규정 제26조).

상기 규정에서 해당 은행이라 함은 외국인 투자기업이 외화 계좌를 개설한 은행을 의미한다.

기업은 북한 안에서 기관, 기업소, 단체, 개인과 외화현금거래를 할 수 없다. 외화현금은 지정된 장소에서 조선원과 바꾸어 써야 한다(합영법 시행규정 제107조, 외화관리법 제5조, 외화관리법 시행규정 제4조).

외국투자가는 기업을 하여 얻은 이윤과 소득금, 기업을 청산하고 남은 자금을 회계검증기관의 확인을 받은 조건 하에 국외로 세금없이 송금하거나 자본을 제한없이 이전할 수 있다(외화관리법 제29조, 외화관리법 시행규정 제60조).

기업에 출자 몫으로 출자된 조선원이나, 외국인 투자기업이 생산한 제품을 중앙경제협조관리기관이 정한 절차에 따라 북한의 기관, 기업소, 단체에 판매하여 획득한 조선원은 북한 내의 원료 및 자재구입비로 사용하거나 노동력비, 대외사업비, 사용료 등의 지출에 사용할 수 있다(합작법 시행규정 제88조, 합영법 시행규정 제108조).

상기 규정은 단순한 이해로 그칠 내용이 아니고, 상당히 중요한 의미를 갖는 규정이라고 할 수 있다. 주목할 내용 두 가지는 아래와 같다.

첫째는 합작기업과 합영기업에 있어서 북한측 투자자가 출자한 조선원에 대하여 북한 내에서 사용을 규정하고 있다. 어찌 보면 당연한 내용일 수 있다. 반대로 해석하면, 북한측 투자자가 출자한 조선원은 외화로 환전하여, 매입채무의 결제 목적이라도 해외로 송금할 수 없다는 의미이다. 이는 북한 내의 외화(富, Wealth)를 해외로 유출시키지 않고자 하는 북한 측의 강한 의지의 표현이다.

둘째는 합작기업과 합영기업이 수출을 통해서 획득한 이익은 해외로 배당(송금)이 가능하지만, 북한 내 판매를 통해 얻은 조선원 이익은 해외로 송금이 불가능하다는 의미로 해석된다. 이러한 경우, 북한 내 판매를 통해 얻은 조선원 이익부분에 대하여는 대치물자로 해외로 수출하여야 하며, 당기순이익을 해외수출을 통한 이익부분과 북한 내 Local 판매로 인한 매출액으로 구분경리 하여야 하고, 이에 따라 판매비 및 관리비 등의 안분계산 문제가 발생한다. 또한, 더 중요한 문제는 상기 규정이 합작법과 합영법의 법규로 규정되어 있으므로, 외국인 투자자가 100% 투자한 외국인기업은 적용을 배제할 것이냐는 문제는 꼭 다시 확인이 필요한 문제다. 북한 내 판매로 인한 이익의 해외송금이 합작기업과 합영기업은 불가능하지만 100% 외국인 투자법인인 외국인기업은 가능하다는 것도 형평성에서 문제가 있으므로, 외국인기업 역시 북한 내 판매로 인한 이익의 해외송금은 불가능하다고 판정될 가능성이 충분히 있다.

합작기업 및 합영기업은(특수경제지대에서 합작기업 및 합영기업은 제외)은 부산물을 처리하여 얻은 조선원을 거래은행의 돈자리에 따라 적립하여 넣고 지정된 항목에만 써야 한다(합작법 시행규정 제89조, 합영법 시행규정 제109조).

동 규정 역시 앞의 내용과 동일한 규정으로, 부산물의 판매는 북한 내에서 이루어진 거래로 조선원을 취득한 것이므로, 손익의 발생여부와 무관하게 해당 조선원은 북한내에서 사용이 이루어져야 하며, 해외로 송금할 수 없다는 의미로 해석된다.

외국인 개인은 노임과 기타 합법적으로 얻은 외화의 60%까지를 국외로 송금하거나 가지고 나갈 수 있다. 60%를 넘은 금액을 송금하거나 가지고 나가려는 경우에는 국가외화관리기관의 승인을 받아야 한다(외화관리법 제30조, 외화관리법 시행규정 제61조).

5. 기 타

회사는 예비기금으로 전년도의 손실을 보전할 수 있다. 예비기금으로 전년도의 손실을 전부 보전할 수 없을 경우 다음해 순소득 중 기업의 소득세를 공제한 다음 나머지로 보전할 수 있다. 단, 그 기간은 연속 4년을 초과할 수 없다(합영법 시행규정 제116조, 외국인 투자기업 재정관리법 제54조).

동 규정은 합작법과 외국인기업법에는 규정되어 있지 않지만, 외국인 투자기업 재정관리법에 규정된 법규이므로, 모든 외국투자기업에 적용된다 할 것이다.

그러나, 상기 규정은 회사법(상법)과 세법을 적절히 이해하지 못한 상태에서 법제정이 이루어진 것으로 보인다. 예비기금(이익준비금)으로 이월결손금을 보전하는 것은 회사법(상법)상의 규정이고, 북한 세법에서 기업소득세 과세표준에서 세무상 이월결손금을 공제하는 것이 가능하지만, 4년 이내의 이월결손금이 공제가능 한 것으로 규정되어 있다. 그런데, 두 규정이 섞여서 입법화된 것으로 파악된다.

외국인 투자기업 및 외국인세금법 시행규정 제32조에 외국투자기업이 경영손실을 내였을 경우에는 다음 해의 결산이윤에서 보전할 수 있으며 다음해에도 경영손실을 보전하지 못하였을 경우에는 연속하여 해마다 보전할 수 있으나 4년을 초과할 수 없다는 이월결손금의 공제가능 기간이 규정되어 있다.

참고로 개성공업지구의 경우 개성공업지구 세금규정 제24조에서 경영 손실을 낸 기업은 다음해에 결산이윤으로 메꿀 수 있고, 경영손실을 메꾸는 기간은 5년을 넘을 수 없다고 규정하고 있다.

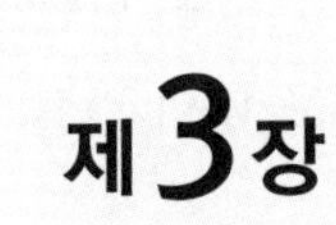

제3장

회계와 세법

제1절 회계 관련 북한 용어

재산(자산) : 경제적 이익을 얻기 위하여 기업이 소유하고 있거나 통제하고 있는 경제적 자원

유동자산 : 1년 안에 현금으로 전환되거나 소비될 것으로 예상되는 자산

시좌자산 : 현금과 쉽게 현금으로 전환되는 판매거래채권, 미수금, 미수수입 등의 유동자산

저장품(재고자산) : 기업이 판매나 제품생산을 위하여 보유하고 있는 유동자산

받을수형(받을어음) : 액면금액의 화폐를 일정한 기일 내에 받을 수 있는 권한이 밝혀져 있는 수형

미수금 : 기업의 주요 영업활동 이외의 거래가운데서 자금융통을 제외한 거래로 하여 발생하는 채권. 실례로 고정재산을 처분하고 받지 못한 금액, 종업원에게 빌려주고 받지 못한 금액 등이 속한다.

미수수익 : 기업이 봉사를 제공한 것과 관련하여 발생하는 채권

전불금 : 기업이 상품이나 기계설비, 자재 등을 구입하기 위하여 먼저 지불한 자금

전불비용 : 기업이 봉사를 제공받기 전에 먼저 지불한 자금. 실례로 사용료나 보험료 등을 앞당겨 지불한 금액

고정자산 : 1년 이상의 장기간에 걸쳐 현금으로 전환되거나 소비될 것으로 예상되는 자산

유형고정자산 : 물리적 형태를 가지는 고정자산

무형고정자산 : 물리적 형태를 가지지 않는 고정자산

투자고정자산 : 기업이 장래의 이익획득을 위하여 북한 내에 있는 다른 기업 등에 투자한 재산. 여기에는 북한 내의 은행에 예금한 장기예금, 북한 내의 다른 기업에 출자한 자산 등이 속한다.

취득원가 : 자산을 취득하는데 들인 지출의 총계. 구입한 자산의 취득원가는 구입가격에 부차적 비용을 합한 것(구입원가)과 같으며 제조한 재산의 취득원가는 제조비용에 부차적 비용을 합한 것(제조원가)과 같게 된다.

채무 : 기업이 외부에 화폐자금을 지불하거나 상품이나 봉사를 제공하여야 할 의무

유동채무 : 1년 이내에 이행하여야 할 채무

고정채무 : 1년 이후에 이행하여야 할 채무

차입금 : 기업이 외부로부터 빌려온 돈. 1년 이내에 상환하게 되어있는 부채를 단기차입금이라고 하고 1년 이후의 기간에 상환하게 되어있는 부채를 장기차입금이라고 한다.

미불수형(지급어음) : 액면금액의 화폐를 일정한 기일 내에 지불하겠다는 것을 밝힌 수형

외상구입금 : 기업이 상품이나 자재를 외상으로 구입한 금액

전수금(선수금) : 기업이 상품이나 제품을 판매하기 전에 먼저 받은 자금

미불금 : 기업의 주요영업활동 이외의 거래가운데 자금융통을 제외한 거래로 하여 발생하는 채무. 실례로 기계나 건물을 구입하고 지불하지 못한 금액

장기미불금 : 기업의 자금융통을 제외한 거래로 하여 발생한 고정채무. 실례로 기업이 기계, 설비들을 구입하고 1년 이후에 대금을 지불하기로 한 돈

준비금 : 미래의 일정한 손실이나 비용에 대처하여 적립해두는 준비금

단기준비금 : 1년 이내의 기한 내에 지출될 것으로 예상되는 준비금

장기준비금 : 1년 이후에 지출될 것으로 예상되는 준비금

퇴직보조준비금 : 기업의 성원들이 퇴직하게 될 때 발생하는 퇴직보조금 지출에 대처하여 적립하는 준비금

불량채권준비금 : 회수가 불가능한 채권이 발생함으로써 입게 되는 손실에 대처하여 적립하는 준비금

외화채권 : 기업이 보유하고 있는 외화로 표시되는 일체의 채권

외화채무 : 외화로 지불하게 되어있는 채무

자본 : 외국투자기업의 자산총액에서 채무총액을 덜어낸 순자산

등록자본 : 법률에 의하여 규정된 불입자본

자본초과금 : 기업의 자본거래과정에 형성된 등록자본을 초과하는 부분

이윤적립금 : 기업의 영업활동에 발생한 이윤이 축적된 것

자본조정금 : 기업의 자본거래과정에 발생한 손익으로 결산순손익에 포함시킬 수 없는 기타 손익의 총체

수입(수익) : 상품 또는 제품의 판매나 봉사의 제공 등으로 하여 발생하는 기업재산의 증가나 채무의 감소

비용 : 수입을 얻기 위한 경영활동 과정에 발생하는 기업재산의 감소 또는 채무의 증가

우연이익(손실) : 기업의 영업활동과는 연관이 없이 우연적으로 발생한 이익(손실). 실례로 외부로부터 재산을 기증받았을 때의 이익, 재산실사 과정에 원인 모르게 남는 이익, 손실일 경우에는 재해손실 등

지난년도 손익수정이익(손실) : 잘못 기록 계산된 지난년도 손익을 수정함으로 하여 생기는 이익(손실)

전년도 조월이윤적립금 : 전년도에 조성한 다음연도 조월이윤적립금[61]

이윤배당금 : 기업이 영업활동을 통하여 조성한 이윤을 자본 출자자들에게 분배하는 금액

예비기금 : 기업이 영업활동을 통하여 조성한 이윤을 법이 정한 규정에 따라 적립하는 기금(법정준비금 개념으로, 예비기금은 그 금액이 등록자본의 25%가 될 때까지 해마다 결산이익의 5%씩 적립한다)

기업기금 : 기업이 영업활동을 통하여 조성한 이윤을 사업개선 등을 목적으로 적립하는 기금(임의적립금에 해당한다)

결산순이윤(손실) : 결산기간 기업이 영업활동을 통하여 조성한 순이윤(손실)액(당기순이익, 세후순손익).

다음년도 조월손실액 : 다음년도로 조월되는 손실액

전년도 조월손실액 : 전년도에 조성되어 당년도로 조월되는 손실액

회계조정 : 기업의 회계정책, 회계예측의 변경 같은 원인으로 하여 회계정보를 조정

---

61) 조월(繰越): (일정한 단위 기간에 끝나거나 끝맺지 아니하고) 다음기간에 순차적으로 넘어가거나 넘김. 조선말사전, 북한 과학원출판사, 1962

하는 것

미확정거래 : 아직 일어나지 않은 거래이지만 발생할 가능성이 높다고 보아지는 미래의 거래

현금유동표 : 결산기간동안 현금보유잔고의 증감정형[62]에 관한 내용을 밝힌 기업의 회계결산서

재정상태표 : 결산기말 기업의 재산총액과 채무 및 자본총액을 대비하여 밝힌 회계결산서

손익계산서 : 결산기간 기업의 경영성과와 그 내용을 밝힌 회계결산서

이윤분배계산서 : 기업이 조성한 이윤의 할당내용을 밝힌 회계계산서

유동성배열법 : 현금으로 전환되거나 빨리 소비 또는 처리될 수 있는 가능성이 높은 순서로 배열하는 방법

긍정의견 : 회계검증 결과 회계결산서가 회계법규의 요구대로 정확히 작성되었다고 볼 때 주는 검증의견

조건적 긍정의견 : 회계검증결과 회계결산서가 일정한 조건하에서는 회계법규의 요구대로 작성되었다고 볼 때 주는 검증의견

부정의견 : 회계검증결과 회계결산서가 회계법규의 요구대로 작성되지 않았다고 볼 때 주는 검증의견

검증거절 : 회계검증을 위한 기초적인 조건들이 보장되지 않아 회계검증을 할 수 없다고 볼 때 주는 회계검증을 거절하는 의견

62) 정형(情形) : 사물의 정세와 형편, 정황. 조선말사전, 북한 과학원출판사, 1962

제2절 기업회계

1. 기본 규정

북한의 외국투자기업회계법(이하 '회계법')은 외국인 투자기업과 외국투자은행, 북한에서 3개월 이상 지속적인 수입이 있는 외국기업의 지사, 사무소, 대리점 같은 외국투자기업에 적용한다. 다만, 특수경제지대에 창설한 외국투자기업의 회계절차는 따로 정한다(회계법 제2조).

외국투자기업의 회계연도는 1월 1일부터 12월 31일까지이다. 창설되는 외국투자기업의 회계연도는 조업을 시작한 날부터 12월 31일까지이며 해산 또는 파산되는 외국투자기업의 회계연도는 1월 1일부터 해산, 파산일까지로 한다. 즉, 북한에서의 회계연도회 회사가 임의로 설정할 수 없고, 무조건 12월말로 규정되어 있다(회계법 제3조).

외국투자기업의 회계 화폐는 조선원(KPW)으로 한다. 주요 경제거래를 전환성외화로 하는 외국투자기업은 중앙재정지도기관의 승인을 받아 회계 화폐를 유로(€)로 할 수 있다. 이 경우 회계결산서는 조선원으로 환산하여 작성한다(회계법 제4조).

참고로 개성공단에서는 회계화폐를 US$로 한다(개성공업지구 회계규정 제4조).

회계문건은 조선어로 작성하며 필요에 따라 외국어로 작성한 경우에는 조선어로 된 번역문을 첨부한다(회계법 제5조).

회계서류에는 전표, 분개장(분기표), 계정별원장(집계표) 등이 있다(회계법 제13조). 회계장부는 분개장(분기일기장), 총계정원장(종합계시원장), 세분계산장부로 구분한다(회계법 제17조).

기업은 회계장부의 내용과 현물을 정기적으로 실사(대조확인)하여야 한다. 회계장부의 내용과 현물이 맞지 않을 경우에는 원인을 찾고 맞추어야 한다(회계법 제19조).

잘못 기록한 내용은 삭제하고 다시 기록하거나 수정분개(수정분기)를 한다. 이 경우 삭제하고 다시 기록한 부분에는 수정한 자의 도장을 찍어야 한다(회계법 제20조).

기업은 발생한 경제거래를 해당 장부에 사실대로 기록, 계산하여야 하며 2중 장부는 이용할 수 없다(회계법 제21조).

회계장부를 시작부터 마감까지 같은 방법으로 작성하여야 한다. 회계장부 작성방법의 변경은 회계법규에 따른다. 이 경우 변경사유를 재정상태설명서에 밝혀야 한다(회계법 제22조).

기업은 정해진 회계 계정과목(회계계시)를 이용하여야 한다. 필요에 따라 중앙재정지도기관의 승인을 받아 중요 경제거래는 새로운 회계로 표시하며 일반 경제거래는 유사한 회계 계정과목(회계계시)를 이용하여 표시할 수 있다(회계법 제23조).

기업의 회계사업은 해당한 자격을 가진 자만이 하며 회계검증과 고정자산의 감정평가는 북한에 있는 외국투자기업 회계검증사무소가 한다(회계법 제6조 및 제7조).

2. 회계처리

1) 자 산

① 외국투자기업의 자산은 유동자산과 고정자산으로 구분하여 기록계산하여야 한다. 유동자산에는 당좌자산(시좌자산[63])과 재고자산(저장품)이, 고정자산에는 유형고정자산과 무형고정자산, 투자고정자산이 속한다.

② 유동자산은 판매거래채권, 미수금, 미수수입 같은 시좌자산으로 구성되며, 실지 받기로 된 금액으로 평가한다. 전불금, 전불비용 같은 시좌자산은 실지 지불한 금액으로 평가하며 완제품, 반제품, 미성품 같은 재고자산(저장품)은 생산원가로 평가한다.

③ 유형고정자산은 생산원가 또는 구입가격에 부대비용을 합한 금액으로 평가하며 무형고정자산은 자산취득을 위하여 실지 지출하는 금액으로 평가하며 투자고정자산은 실지 투자된 금액에 부대비용을 합한 금액으로 평가한다.

④ 기업은 결산기간이 끝나는 시점에서 취득원가보다 현저히 떨어지는 자산의 가격을 국제시장가격에 준하여 재평가할 수 있다.

2) 부 채

채무는 유동채무와 고정채무로 구분한다. 유동채무에는 단기차입금, 구입거래채무, 전수금, 미불금, 미불비용, 단기준비금 등이 속하며 고정채무에는 장기차입금, 장기미불금, 장기준비금 등이 속한다.

---

63) 시좌(時座) : 예금자의 요구에 따라 아무 때나 찾을 수 있는 은행예금, 조선말사전(1960), 과학원출판사

채무의 평가는 기업이 실지 부담해야 할 금액으로 한다. 퇴직보조준비금, 불량채권 준비금 같은 준비금의 평가는 발생할 것으로 예견되는 금액으로 평가한다.

3) 외화자산 및 외화부채의 평가

외화채권과 외화채무의 평가는 조성 또는 발생당시 외화시세에 기초하여 한다.

결산기간이 끝나는 시점에서 외화채권과 외화채무를 재평가하였을 경우에 발생한 시세편차손익은 외화시세편차금으로 계산 평가하며 외화채권과 외화채무의 처분 또는 청산과 관련하여 발생한 시세편차손익은 외화시세편차손익으로 계산 평가한다.

4) 자 본

자본은 등록자본과 자본초과금, 이윤적립금, 자본조정금으로 구분하며 다음과 같이 계산한다.

① 등록자본은 북한의 은행에 예금된 금액 또는 회계검증사무소가 인정한 금액으로 계산한다.

② 자본초과금은 자본거래과정에 실지 발생한 편차이익으로 계산한다.

③ 이윤적립금은 외국투자기업 재정관리규정에 따라 실지 적립되는 금액으로 계산한다.

④ 자본조정금은 기업의 자본거래과정에 발생한 손익으로 결산순손익에 포함시킬 수 없는 기타 손익의 총체이다.

5) 원가 및 비용의 계산

① 자재비는 소비된 자재의 수량과 단가를 고려하여 산정한다. 소비된 자재의 수량계산은 계속기록법과 정기실사법에 따라 한다. 소비된 자재의 단가계산은 개별법, 선입선출법, 후입선출법, 이동평균법, 총평균법 같은 방법으로 한다.

② 노동비의 계산은 중앙노동행정지도기관이 정한 종업원 월최저노임에 기초하여 실지 지불하는 금액으로 한다. 이 경우 관리일군에게 지불하는 로임은 관리비에 포함시킨다.

③ 제품 생산과정에 발생하는 자재비, 노동비 이외의 감가상각비, 연료비, 동력비 같

은 비용을 간접비로 계산한다. 간접비의 계산은 제품생산에 소요되는 시간 또는 수량에 단가를 곱하는 방법으로 한다.

④ 생산원가의 계산은 제품 생산과정에 실지 발생한 자재비, 노동비와 간접비를 합하는 방법으로 한다. 판매원가의 계산은 전체 생산원가 또는 취득원가에서 판매수입과 관계되는 것 만을 합하는 방법으로 한다.

6) 손익의 측정과 계산

① 수입은 기본업무수익[64], 기타 업무수익, 우연이익으로 구분하며 다음과 같이 계산한다.

- 기본업무수익은 판매수익, 공사인도수익, 봉사수입 같은 기본업무 활동과정에 이루어진 수입을 합하는 방법으로 계산한다.
- 기타 업무수입은 이자수익, 배당금수익, 재산처분이익, 외화시세편차이익 같은 기본업무활동과 직접 연관이 없는 수입을 합하는 방법으로 계산한다.
- 우연이익은 일시이익, 지난연도 손익 수정이익 등을 합하는 방법으로 계산한다.

② 비용은 기본업무비용, 기타 업무비용, 우연손실로 구분하며 다음과 같이 계산한다.

- 기본업무비용은 판매원가와 실지 발생한 판매 및 관리비를 합하는 방법으로 계산한다.
- 기타 업무비용은 이자비용, 재산처분손실, 외화시세편차손실 등을 합하는 방법으로 계산한다.
- 우연손실은 재해손실, 일시손실, 지난연도 손익 수정손실 등을 합하는 방법으로 한다.

③ 손익은 기본업무손익, 기타 업무손익, 경상손익, 우연손익, 결산손익, 결산순손익으로 구분하며 다음과 같이 계산한다.

- 기본업무손익은 기본업무수입에서 기본업무비용을 더는 방법으로 한다.
- 기타 업무손익은 기타 업무수입에서 기타 업무비용을 더는 방법으로 한다.
- 경상손익은 기본업무손익에 기타 업무수입을 더하고 기타 업무비용을 더는 방법으로 한다.

---

64) 북한의 서적에서는 수익을 수입으로 표시하고 있으나, 이해를 위하여 수익으로 표기하였다.

- 우연손익은 우연이익에서 우연손실을 더는 방법으로 한다.
- 결산손익은 경상손익에 우연이익을 합하고 우연손실을 더는 방법으로 한다.
- 결산순손익은 결산손익에서 기업소득세를 더는 방법으로 한다.

7) 재정상태표와 손익계산서 및 손익처분계산서, 현금유동표의 작성

① 재정상태표의 작성은 다음과 같이 한다(회계법 제27조).

- 유동성 배열방법으로 항목으로 배열한다.
- 자산의 합계를 채무, 자본의 합계와 대비하여 표시한다.
- 자산, 채무, 자본상태를 구성하는 매 계정과목(계시)을 총액으로 표시한다.
- 양식을 계시식으로 한다.

② 손익계산서의 작성은 다음과 같이 한다(회계법 제28조).

- 항목을 발생원천에 따라 구분하여 배열한다.
- 수익의 합계에서 비용의 합계를 덜어 결산이윤을 확정하는 방법으로 표시한다.
- 수익과 비용상태를 구성하는 매 계정과목(계시)을 총액으로 표시한다.
- 양식을 보고식으로 한다.

③ 손익처분계산서의 작성은 다음과 같이 한다(회계법 제29조).

- 이윤분배계산서는 전년도 조월이윤적립금, 결산순이윤, 예비기금할당액, 기업기금할당액, 이윤배당금, 다음연도 조월이윤적립금으로 구분하여 표시한다.
- 손실처리계산서는 전년도 조월손실액, 결산순손실액, 손실처리에 돌려지는 예비기금, 다음연도 조월손실액으로 구분하여 표시한다.
- 이윤처분액과 손실처리액을 총액으로 표시한다.

④ 현금유동표의 작성은 다음과 같이 한다(회계법 제30조).

- 항목을 영업활동, 투자활동, 재정활동에 따라 구분하여 표시한다.
- 현금의 기초잔고와 기간 증감액을 합계하여 기말잔고로 표시한다.
- 항목의 기간 증가액과 기간 감소액을 총액으로 표시한다.
- 간접방법으로 작성한다.

3. 결산관련 사항

1) 회계결산은 다음과 같이 한다(회계법 제32조).

① 재정상태표, 손익계산서, 손익처분계산서(이윤분배계산서), 현금유동표를 검토하고 종합 편찬한다.

② 결산연도와 전년도의 회계자료를 비교하여 표시한다.

③ 재정상태표, 손익계산서에 따르는 보조명세표를 만든다.

④ 잘못 이해할 수 있는 회계내용을 주석(재정상태설명서)에 반영한다.

2) 회계결산서의 작성주기는 분기, 반년, 연간으로 한다(회계법 제33조).

① 분기결산서는 분기가 지난 다음달 10일까지 작성한다.

② 반기결산서는 반년이 지난 다음달 15일까지 작성한다.

③ 연간 회계결산서는 회계연도가 지난 다음 1개월 안으로 작성한다.

상기 규정과 유사한 내용으로 회계결산서의 정부기관 제출과 관련하여 아래와 같은 규정이 있다. 외국인 투자기업은 회계결산서, 재정총화[65]보고서, 검증보고서를 첨부한 재정결산문건을 중앙재정지도기관에 내야 한다. 이 경우 분기재정결산문건은 분기가 끝난 다음달 15일 안으로, 연간 재정결산문건은 다음해 2월 안으로 내야 한다(외국인 투자기업 재정관리법 제50조).

3) 회계결산서는 회계검증을 받아야 효력을 가진다.

기업은 회계검증을 받은 결산서를 중앙재정지도기관과 기업창설승인기관에 내야 한다. 라선경제무역지대 등의 특수경제지대의 외국투자기업은 회계검증을 받은 결산서를 지대관리기관(지대당국)에 제출한다.

4) 회계계산에서 다음의 행위를 할 수 없다(회계법 제35조).

① 자산, 채무, 자본을 허위기록 또는 기록하지 않거나 평가기준과 계산방법을 승인 없이 변경하는 행위

65) 총화(總和) : 어떤 사물의 총체적 진행상황 또는 진행결과를 종결하는 일, 조선말사전(1960), 과학원출판사

② 수입을 숨기거나 지연 또는 앞당겨 계산하는 행위

③ 비용, 원가를 허위기록 또는 기록하지 않거나 계산시점과 계산방법을 승인없이 변경하는 행위

④ 이익계산, 이윤분배 방법을 승인없이 변경하여 허위이익을 조성하거나 이익을 숨기는 행위

5) 컴퓨터로 하는 회계계산에서 지켜야 할 내용은 다음과 같다(회계법 제36조).

① 경영활동을 통일적인 연관속에서 반영할 수 있는 회계프로그램을 이용하여야 한다.

② 회계법규에서 정한 계산방법과 회계의 원리에 맞아야 한다.

③ 회계결산지표의 유일성을 보장하여야 한다.

④ 화면양식, 인쇄양식은 회계문건양식과 같아야 한다.

⑤ 회계정보자료에 대한 2중 보관체계를 확립하여야 한다.

⑥ 회계장부를 외부기억매체에 보관하는 경우에도 한 부를 인쇄하여 보관하여야 한다.

⑦ 자체로 개발한 회계프로그램은 해당 기관의 승인을 받고 이용하여야 한다.

제3절 회계감사

회계감사(회계검증)와 관련된 이 규정은 외국투자기업 회계검증기관과 외국인 투자기업, 외국투자은행, 북한 내에서 3개월 이상 지속적인 수입이 있는 외국기업의 지사, 사무소, 대리점에 적용한다. 외국인 투자기업과 외국투자은행이 다른 나라에 설립한 기업 또는 지사, 사무소에도 이 법을 적용한다(외국투자기업 회계검증법 제6조).

회계검증이란 외국투자기업의 경제활동에 대한 회계계산자료의 정확성과 합법성을 객관적으로 검토하고 확증하는 업무(사업)이다(외국투자기업 회계검증법 제2조 제1항).

1. 회계검증사무소의 구성, 자격

1) 회계검증사무소의 구성[66]

회계검증기관이란 중앙회계검증지도기관의 승인을 받고 설립한 회계검증기관 또는 회계검증사무소를 말한다(외국투자기업 회계검증법 제2조 제10항).

회계법인(회계검증사무소)은 회계검증원들로 구성하며 외국투자기업이 있는 지역에서 지구별로 조직할 수 있다. 이 경우 해당 기관에 신청문건을 내고 승인을 받으며 승인받은 날부터 정해진 기간 안으로 해당 주소등록기관에 등록을 하여야 한다.

회계검증과 관련하여 받은 검증요금의 일정한 몫은 회계검증사무소의 경비예산으로 사용할 수 있다.

2) 회계검증원의 자격과 업무

중앙회계검증자격심의위원회는 회계검증원자격시험에서 합격된 자에게 회계검증원 자격증을 발급하고, 북한 내 외국투자기업의 회계검증은 회계검증원자격을 받은 회계검증원이 한다. 회계검증원에게는 자격증을 주며 그 유효기간은 3년이며 연장할 수 있다(외국투자기업 회계검증법 제17조).

66) 지구별로 설립할 수 있다는 내용과 검증수수료의 일부만 회계검증사무소의 비용으로 사용할 수 있다는 내용은 관련 법규에서는 확인되지 않고 있다. 다만 조선투자법 안내(2007, 북한 법률출판사) p.205에서 언급되고 있다.

또한, 중앙회계검증지도기관의 승인을 받은 경우에는 국제적으로 공인된 다른 나라 회계검증사무소나 공인회계사도 외국투자기업에 대한 회계검증을 할 수 있다(외국투자기업 회계검증법 제3조).

북한에서 회계검증업무를 하려는 외국회계검증사무소의 검증원 또는 공인회계사는 영업허가를 받기 전에 중앙회계검증원자격심의위원회에 등록하여야 한다(외국투자기업 회계검증법 제18조).

회계검증원은 다음과 같은 업무를 수행한다.

① 기업의 투자검증, 결산검증을 한다.

② 기업의 해산, 파산과 관련한 청산사업에 참가하며 청산검증을 한다.

③ 기업의 경영과 관련한 분쟁조정, 증거감정, 회계감시에 참가한다.

④ 회계와 관련한 법규, 기업의 규약, 계약, 경영과 관련한 상담에 참가하며 회계고문으로 활동한다.

⑤ 기타 회계검증과 관련한 사업에 참가한다.

회계검증원은 회계검증과 관련하여 현지를 확인하거나 계산자료를 요구할 수 있으며 검증관련보고문건을 작성하여야 한다. 회계검증원은 회계검증결과에 대하여 책임진다.

2. 회계검증사무소의 업무

회계검증은 외국투자기업회계의 정확성을 객관적으로 확인하는 중요한 사업이다. 외국투자기업은 투자검증, 결산검증, 청산검증을 내용으로 하는 회계검증을 받아야 한다(회계법 제40조).

1) 투자검증

투자검증이란 투자가가 출자한 재산실적의 정확성과 합법성, 효과성을 검토, 확인하는 사업이다(외국투자기업 회계검증법 제2조 제2항).

새로 창설되거나 통합, 분할(분리)되는 외국투자기업은 투자검증을 받아야 한다. 조선원 100만원 이상의 재산을 재투자하는 경우에는 투자검증을 받아야 한다(회계법 제41조).

기업창설에 대한 투자검증은 조업 전에 받으며 통합, 분할(분리)에 대한 투자검증은 기업변경등록을 한 날부터 2개월 안으로 받으며 재투자에 대한 투자검증은 해당 투자가 끝난 날부터 1개월 안에 받는다(회계법 제42조).

투자검증은 외국투자기업이 제출한 투자검증신청서를 검토하는 방법으로 한다. 기업은 투자검증신청서에 투자상태표와 화폐재산 출자명세표, 현물자산 출자명세표, 지적소유권 출자명세표 등을 첨부하여야 한다(회계법 제43조).

회계검증기관은 투자검증신청서를 접수한 날부터 30일 안으로 검증을 끝내고 투자검증보고서를 작성하여 의뢰자와 해당 기관에 보내야 한다(외국투자기업 회계검증법 제25조).

2) 결산검증

결산검증이란 외국투자기업이 결산기간마다 제출하는 회계결산서의 정확성과 합법성을 검토, 확인하는 사업이다(외국투자기업 회계검증법 제2조 제3항).

외국투자기업은 연간 회계결산서에 대한 검증을 의무적으로 받아야 한다. 필요에 따라 분기, 반년 회계결산서에 대한 검증을 받을 수도 있다(회계법 제44조).

결산검증은 분기, 반년, 연간 회계결산서를 검토하는 방법으로 한다. 이 경우 회계검증사무소는 외국투자기업의 재정상태표, 손익계산서, 손익처분계산서(이윤분배계산서), 현금유동표, 보조명세표 등을 정확히 검토하여야 한다(회계법 제45조).

기업은 회계연도가 끝난 날부터 2개월 안으로 연간 회계결산서를 회계검증사무소에 제출하여야 한다. 필요에 따라 회계검증사무소의 승인을 받고 연간 회계결산서의 제출기간을 20일간 연장할 수 있다(회계법 제46조).

상기규정 회계법 제46조에서는 회계연도(1년) 종료 후, 2개월 안으로 회계검증 신청을 해야 한다고 규정되어 있지만, 외국투자기업 회계검증법 제26조에서는 '결산검증신청은 검증주기에 따라 회계연도가 끝난 다음해 1월 안으로, 반년이 지난 다음달 15일 안으로 하여야 한다.'라고 규정하고 있다. 서로 상충이 되는 규정이다. 입법상 보완 및 수정이 필요하다.

새로 조업하려는 기업은 영업허가증을 받은 날부터 30일 안으로 조업 전 결산검증을 받아야 한다(외국투자기업 회계검증법 제26조).

동 규정은 조업 전 발생한 비용(조업준비비[67]: 창업비 및 개업비의 개념)을 확정하고 이후 상각을 통한 비용을 확정하기 위한 절차로 판단된다.

3) 청산검증

청산검증이란 기업의 해산 또는 파산과 관련하여 청산위원회가 작성한 청산보고서의 정확성을 검토, 확인하는 사업이다(외국투자기업 회계검증법 제2조 제5항).

해산되는 외국투자기업은 청산검증을 받아야 한다. 재판소의 판정으로 파산되는 외국투자기업의 청산검증은 재판소의 의뢰가 있을 경우에 한다(회계법 제47조).

청산검증은 해산되는 외국투자기업의 청산보고서를 검토하는 방법으로 한다. 청산보고서에는 청산위원회의 사업자료, 청산재정상태표, 채권채무명세표, 자산실사표, 청산자산분배표, 세금납부표 등이 속한다(회계법 제48조).

4) 고정자산 변경검증

고정자산 변경검증이란 등록된 고정자산을 폐기, 양도, 저당하는 경우 해당 고정자산 변경의 정확성과 합법성을 검토, 확인하는 사업이다(외국투자기업 회계검증법 제2조 제9항).

기업은 고정자산을 폐기, 양도, 저당하려는 경우 회계검증기관에 고정자산 변경검증을 의뢰하여야 한다. 이 경우 고정자산 변경검증의뢰서와 회계처리설명서, 해당 증빙문건을 제출한다(외국투자기업 회계검증법 제35조).

3. 회계검증사무소의 검증업무 관련 규정

외국투자기업은 결산검증을 신청한 다음 발생한 중요한 경제거래에 대하여 회계검증사무소에 알려야 한다. 검증과정에 알게 되었거나 통지받은 중요한 경제거래 사항을 회계검증보고서에 정확히 반영하여야 한다(회계법 제50조).

회계검증사무소는 검증사업과 관련하여 기업의 회계장부, 서류 등을 열람하거나 복사할 수 있다(회계법 제49조).

회계검증을 객관적으로 공정하게 하며 알게 된 기업비밀을 공개하지 말아야 한다(회계법 제51조).

회계검증기관은 결산검증신청서를 접수한 날부터 30일 안으로 검증을 끝내고 보고서를 작성하여 의뢰자와 해당 기관에 보내야 한다(외국투자기업 회계검증법 제28조).

---

67) 외국인 투자기업재정관리법 제38조

회계검증이 끝나면 회계검증보고서를 작성하여 해당 재정기관에 제출해야 한다(회계법 제52조).

회계결산서를 검증한 회계검증사무소는 해당 외국투자기업에 검증결과에 대한 의견을 주어야 한다. 검증결과에 대하여 긍정의견, 조건적 긍정의견, 부정의견, 검증거절로 구분하여 의견을 주어야 한다(회계법 제53조).

회계검증기관은 부득이한 사유로 회계검증을 정해진 기간 안에 끝낼 수 없을 경우 그 이유를 밝힌 회계검증기간 연장서를 의뢰자와 해당 기관에 제출해야 한다(외국투자기업 회계검증법 제37조).

제 4 절 세법 개괄

북한에서는 인민적 시책에 의하여 1974년 4월 1일부터 세금제도가 법적으로 완전히 폐지되었다. 그러나 외국인 투자기업(합작기업, 합영기업, 외국인기업)과 외국기업, 외국인이 경영활동과 관련한 그들의 수입에는 여전히 세금을 부과하고 있다.

북한에서의 세금은 크게 세 측면 즉, 과세당사자(세금을 부과하는 당사자), 세금납부방법, 세금원천에 따라 구분된다.[68)]

① 세금부과 당사자에 따라 국세(중앙세)와 지방세로 나눈다.
② 조세부담의 전가(납부자, 실지부담자 차이)에 따라 직접세와 간접세로 나눈다.
③ 세금의 과세대상에 따라 수입, 자본, 지출에 부과하는 세금으로 구분한다.

북한의 세금과 관련한 법규로는 외국투자기업 및 외국인세금법(2015)과 외국투자기업 및 외국인세금법 시행규정(2002)이 있으며, 세금의 종류와 세금납부대상, 세금등록절차와 납부방법, 세율 등이 규정되어 있다.

북한에서 경제거래를 하거나 소득을 얻는 외국투자기업과 외국인, 해외 조선동포들에게 세금을 부과한다.

이하, 북한에서의 납세의무자와 과세되는 세금 등에 대하여 약술한다.

1. 납세의무자(외국투자기업 및 외국인세금법 제1조, 외국투자기업 및 외국인세금법 시행규정 제3조)

북한에서 경제거래를 하거나 소득을 얻는 외국투자기업과 외국인은 이 규정에 따라 세금을 납부하여야 한다.

외국투자기업에는 외국인 투자기업과 외국기업이 포함된다.

외국인 투자기업에는 북한에 창설 운영되는 합작기업, 합영기업, 외국인기업이 속한다.

외국기업에는 북한에 상주기구를 두고 경영활동을 하거나 상주기구를 두지 않고 북한에서 소득을 얻는 외국회사, 상사 같은 경제조직이 속한다.

외국인에는 북한에서 경제거래를 하거나 소득을 얻는 외국인이 속한다. 해외 조선동

68) 조선투자법 안내, 법률출판사 2007, p.210

포에는 남조선동포를 제외한 다른 나라에서 살고 있는 조선동포가 해당된다.

상기 규정에서 확인되는 바와 같이 한국 국민에 대하여는 외국인의 지위를 부여하지 아니하고 있으며, 내국인에 해당하지도 않으며, 별도의 규정으로 따로 규정하고 처리하고 있음을 알 수 있다.

또한 수익(또는 소득)을 지급하는 자에 대한 원천징수 의무가 납세의무자의 규정에서 확인이 되지 않는다. 그러나, 외국투자기업 및 외국인세금법 등에서 공제납부(원천징수)라는 단어를 사용하여 지급자에 대한 원천징수 의무를 규정하고 있는 것을 보면, 납세의무자 규정에서 누락된 것으로 판단된다.

2. 세금의 종류

북한에서 부과하는 세금은 기업소득세, 개인소득세, 재산세, 상속세, 거래세, 영업세, 지방세(도시경영세, 자동차이용세)로 총 8가지가 있다.

기업에 부과하는 세금은 기업소득세, 거래세, 영업세, 지방세(도시경영세, 자동차이용세)이며 외국인(해외 조선동포 포함)에게 부과하는 세금은 개인소득세, 재산세, 상속세, 지방세(도시경영세, 자동차이용세)이다.

조세부담의 전가(세금 납부자와 부담자)에 따라 세금을 구분하면 다음과 같다.

| 납부하는 세금종류와 구분 |

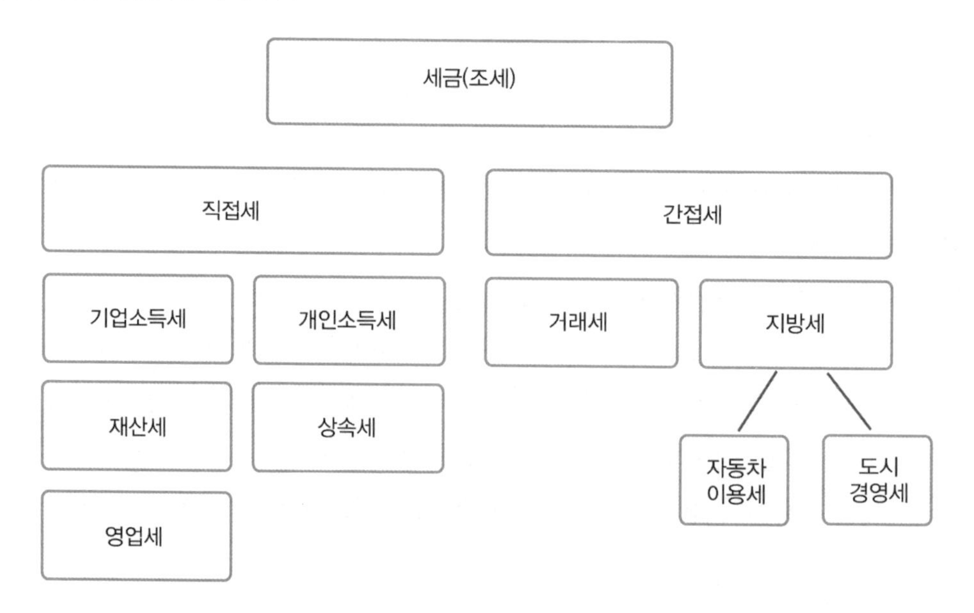

3. 세무등록

세무등록은 외국투자기업과 북한에 거주하였거나 180일 이상 체류하는 외국인이 한다.

1) 세무등록절차(외국투자기업 및 외국인세금법 시행규정 제4조)

외국투자기업은 기업을 등록한 날부터 20일(라선경제무역지대에서는 15일, 개성공업지구에서는 20일) 안으로 해당 세무기관(재정기관)에 세무등록을 하여야 한다. 기업의 소재지가 변경되었거나 기업이 통합, 분할되었을 경우와 등록자본, 경영범위, 업종 같은 세무등록 대상 내용이 변경되었을 경우에는 변경등록을 한 날부터 20일(라선경제무역지대에서는 15일, 개성공업지구에서는 20일) 안에 해당 세무기관에 세무변경등록을 하여야 한다. 해산되는 외국투자기업은 기업등록취소수속을 하기 20일 전에 해당 세무기관에 세무등록 취소수속을 하여야 한다.

북한에 180일(라선경제무역지대에서는 90일, 개성공업지구에서는 182일) 이상 체류하거나 거주하는 외국인은 체류 또는 거주승인을 받은 날부터 20일(라선경제무역지대에서는 15일, 개성공업지구에서는 20일) 안으로 해당 세무기관에 세무등록을 하여야 한다.

2) 세무등록신청서에 기재할 내용

세무등록을 하려 할 경우에는 해당 세무기관에 세무등록신청서를 제출해야 한다(외국투자기업 및 외국인세금법 시행규정 제5조).

외국투자기업의 세무등록신청서에는 기업의 명칭과 소재지, 기업등록 날짜와 등록번호, 총투자액과 등록자본, 기업형태와 업종, 경영기간, 종업원수(그 중 외국인수), 부지면적과 건물면적, 거래은행명칭과 돈자리번호, 기업의 책임자와 재정회계책임자명 등의 필요한 내용을 기재하고, 기업등록문건사본을 첨부하여야 한다.

외국인의 세무등록신청문건에는 신청자명, 국적, 주소, 여권번호, 체류증 또는 거주등록증의 발급날짜, 체류 또는 거주기간 같은 내용을 밝힌 필요한 문서를 첨부하여야 한다. 세무등록을 변경하거나 세무등록 취소수속을 하려 할 경우에는 세무기관에 기업의 명칭 또는 외국인명과 주소, 변경 및 취소근거 같은 내용을 밝힌 세무변경등록신청서 또는 세무등록 취소신청서를 제출해야 한다.

세무등록을 하였을 경우에는 세무등록을 한 날부터 10일 안으로 신청자에게 세무등록증을 발급해주어야 한다. 세무등록내용이 변경되었을 경우에는 세무등록증을 다시 발급해주어야 한다(외국투자기업 및 외국인세금법 시행규정 제6조).

4. 세금 납부

세금은 수익인이 직접 신고・납부하거나, 수익금을 지불하는 단위[69]가 원천징수(공제납부)하며 계산된 조선원을 해당 시기 조선무역은행이 발표한 외화교환시세에 맞게 전환성외화로 환산하여 해당 은행의 세무기관 돈자리에 납부한다(외국투자기업 및 외국인세금법 시행규정 제9조 및 제10조).

세금을 납부할 때에는 세무기관의 확인을 받은 세금납부문건을 해당 은행에 제출해야 하며 은행은 세무기관의 확인이 있는 세금납부문건만을 접수하고 결제해주어야 한다. 은행은 신고 납부자 또는 납세의무자(공제납부자)에게 세금납부영수증을, 세무기관에는 세금납부통지서를 발급해주어야 한다(외국투자기업 및 외국인세금법 시행규정 제11조).

세금부과와 징수, 세금납부와 관련한 사업은 중앙재정지도기관의 통일적인 장악과 지도 밑에 해당 세무기관이 한다(외국투자기업 및 외국인세금법 시행규정 제12조).

귀국(임시출국 제외)하려는 해당 외국인은 세금을 납부한 확인문건이 있어야 출국수속을 할 수 있다(외국투자기업 및 외국인세금법 시행규정 제13조).

5. 국제법 우선 규정

외국투자기업 및 외국인세금법 제7조 및 외국투자기업 및 외국인세금법 시행규정 제14조에서는 외국투자기업과 외국인은 자기 나라 정부와 북한 사이에 체결한 세금과 관련한 조약에서 이 법과 다르게 세금문제를 정하였을 경우 그에 따라 세금을 납부할 수 있다고 규정하고 있다.

자국의 법률보다 외국과 체결한 조약과 협정이 더 우선한다는 동 규정은 당연한 규정이다.

---

69) 단위(單位) : 사업체나 조직체 등에서 각 부문별로 나뉘어진 낱낱의 부서. 조선말사전, 북한 과학원출판사, 1962. 영어로 Entity에 해당하는 개념으로 회사, 사업부 및 조직 등으로 해석될 수 있다.

제5절 기업소득세

일반적으로 기업소득세란 기업활동을 하여 얻은 소득[70]과 기타 소득에 대하여 국가가 부과하는 세금으로 직접세의 한 종류이다(외국투자기업 및 외국인세금법 제8조).

북한의 세금법과 시행규정에서 소득이라는 표현을 사용하고 있다. 북한의 조선말 사전에 따르면, 소득을 '이익 또는 수익(수입)'으로 설명하고 있다는 것을 보면, 북한의 세금법에서 사용하고 있는 소득은 한국의 이익과 혼동되어 사용되고 있음을 알 수 있다.

이와 관련하여 외국투자기업 및 외국인세금법 제12조와 외국투자기업 및 외국인세금법 시행규정 제18조에서는 '기업소득세는 외국투자기업의 총 수입금에서 원가를 덜어 이윤을 확정한 다음 이윤에서 거래세 또는 영업세와 기타 지출을 공제한 결산이윤에 부과하거나 소득액에 부과하여야 한다.'라고 설명하여, 이익과 소득을 구분하여 설명하고 있음을 알 수 있다.

기업소득세의 납세 연도는 해마다 1월 1일부터 12월 31일까지이다.

납세 연도 안에 영업을 시작한 외국투자기업은 영업을 시작한 날부터 그 해 12월 31일까지, 해산되는 외국투자기업은 해산되는 해의 1월 1일부터 그해 해산을 선포한 날 까지를 납세기간으로 한다(외국투자기업 및 외국인세금법 시행규정 제17조).

1. 과세대상 소득

외국인 투자기업의 기업소득세 과세대상은 다음과 같다(외국투자기업 및 외국인세금법 시행규정 제16조).

외국투자기업이 북한 내에서 기업활동을 하여 얻은 소득에는 공업, 농업, 수산업부문의 생산물 판매소득, 건설, 탐사, 개발부문의 건설물 인도소득, 운수, 체신, 동력부문의 운임 및 요금소득, 상업(무역 포함)부문의 상품판매 소득, 금융부문의 이자 및 수수료소득, 급양, 편의, 오락업 같은 편의 봉사부문의 음식물 판매수입금과 봉사요금 및 기타 기업활동을 하여 얻은 기본소득이 속한다.

---

70) 소득(所得) : 이익으로 되는 수입, 얻은 이익이나 수입. 조선말사전, 북한 과학원출판사, 1962.

외국투자기업이 북한 내에서 얻은 기타 소득에는 기본업종의 영업활동과 직접적 관련없이 얻는 이자소득, 배당소득, 고정자산 임대소득, 자산판매 소득, 지적소유권과 기술비결의 제공에 의한 소득, 경영과 관련한 봉사제공에 의한 소득, 증여소득 및 기타 소득이 속한다.

외국투자기업이 북한 이외의 지역에서 얻은 소득으로 지사소득, 출장소 소득, 자회사(새끼회사)소득, 대리점[71] 소득 및 북한 이외의 지역에서 얻은 기타 소득이 속한다.

상기 규정에서 확인되는 내용 중에서 해외 지사소득, 해외 출장소 소득을 외국투자기업의 소득으로 간주한다는 내용은 충분히 이해가 가는 내용이다. 그러나, 해외 자회사의 소득과 해외 대리점 소득을 북한법인인 외국투자기업(본사)의 과세대상 소득으로 보겠다는 내용은 입법과정에서 발생한 오류라고 판단된다. 향후 수정 보완이 필요하다.

총 수입금에서는 외국투자기업이 북한에서 기업활동을 하여 얻은 수입금과 기타 수입금, 북한 외의 지역에서 얻은 수입금이 포함된다(외국투자기업 및 외국인세금법 시행규정 제18조).

작업기간이 1년 이상 걸리는 건설 및 조립, 설치공사, 대형 기계설비의 가공, 제작과 같은 작업을 하는 기업의 기업소득세는 납세 연도마다 그 해에 실행한 작업량에 따라 얻은 수입금에서 지출된 비용을 공제하고 남은 금액에 부과한다(외국투자기업 및 외국인세금법 시행규정 제19조).

2. 공제가능 원가

원가란 일정한 생산물을 생산하고 판매하는데 소비된 생산수단과 노동보수의 화폐적 표현이다.

원가에는 다음과 같은 항목이 포함된다(외국투자기업 및 외국인세금법 시행규정 제18조).

① 공업부문의 원료 및 자재비, 연료 및 동력비, 노동력비, 감가상각금, 물자구입경비, 새 제품생산비, 직장 및 회사관리비, 보험료, 판매비

71) 대리점(代理店) : 대리상의 상점. 조선말사전, 북한 과학원출판사, 1962.
대리상(代理商) : 어떤 상인의 상행위의 대리 또는 매개를 하는 사람, 북한 과학원출판사, 1962.
대리인(代理人) : 대리권을 가지고 본인을 대신하는 사람. 조선말사전, 북한 과학원출판사, 1962.

② 농업부문의 종자(알, 묘목 포함)비, 연료 및 동력비, 노동력비, 보험료, 먹이 및 깃비[72], 농약비, 방역 및 수의약품비, 기타 자재비, 관개사용료, 감가상각금, 새끼짐승 구입비, 물자구입경비, 보조부문 이용비, 작업반 일반비, 기타 관리비, 판매비
③ 건설부문의 자재비, 노동력비, 보험료, 건설기계운영비, 감가상각금, 연료 및 동력비, 기업일반비
④ 운수부문의 운영자재비, 연료 및 동력비, 노동력비, 보험료, 감가상각금, 일반비
⑤ 상업부문의 상품구입비, 유통비(수송비, 보관비), 포장비, 용기손모 및 수리비, 상품 자연감모비, 영업용 연료 및 전력비, 노동력비, 대외판매 수속비, 비품비, 난방비, 조명비, 물사용료, 사무비, 통신비, 여행비, 선전비, 대외사업비, 노동보호비, 문화사업비, 대부리자, 보험료 및 기타의 비용
⑥ 급양[73] 편의부문의 급양원자재 구입비와 유통비
⑦ 기타 지출에는 환자시세의 변동으로 입은 손실, 기업이 파산 당하여 받지 못하는 채권, 판로가 막혀 체화된 제품을 실현하기 위하여 재가공, 재포장하는데 든 비용과 같은 지출이 포함된다.

3. 이월결손금

외국투자기업이 경영손실을 냈을 경우에는, 결손금액을 다음해의 결산이윤에서 공제할 수 있으며 다음해에도 공제하지 못하였을 경우에는 연속하여 해마다 공제할 수 있으나 4년을 넘을 수 없다(외국투자기업 및 외국인세금법 시행규정 제32조).

참고로 개성공업지구의 경우 기업의 소득에 대한 기업소득세의 과세표준은 당해 연도의 소득에서 회계연도의 개시일 전 5년 이내에 발생한 경영손실금을 공제한 금액으로 한다(개성공업지구 세금규정 제24조, 개성공업지구 세금규정 시행세칙 제33조).

72) 깃, 외양간, 마구간 닭의 둥우리 등에 깔아주는 짚이나 풀 따위. 조선말사전, 북한 과학원출판사, 1962.
73) 급양(給養) : 음식물을 공급함. 조선말사전, 북한 과학원출판사, 1962.

4. 기업소득세 세율(외국투자기업 및 외국인세금법 제9조 및 제10조, 외국투자기업 및 외국인세금법 시행규정 제20조)

북한은 외국투자기업들의 활동을 장려하기 위하여 소득세율을 비교적 낮게 설정하였으며, 특수경제지대에서는 더 낮게 정하였다.

① 외국투자기업의 기업소득세율은 결산이윤의 25%(북한국적을 가진 해외조선동포가 투자하는 외국인 투자기업은 결산이윤의 20%)

② 라선경제무역지대 등의 특수경제지대에서의 외국투자기업의 기업소득세율은 결산이윤의 14%(북한국적을 가진 해외조선동호가 투자한 외국인 투자기업은 결산이윤의 10%)

③ 북한이 장려하는 첨단기술부문, 지하자원개발과 하부구조건설부문, 과학연구 및 기술개발부문의 외국투자기업의 기업소득세율은 결산이윤의 10%

④ 외국기업의 기타 소득에 대한 기업소득세율은 소득액의 20%(라선경제무역지대 등의 특수경제지대에서는 소득액의 10%)

또한, 기업소득세 과세방법에 있어서, 과세표준에 세율을 적용하여 산출세액을 산정하는 방법 이외에, 간이과세 방법과 인정과세 방법의 하나로 매출액 개념인 소득액에 정해진 세율을 적용하여 계산하는 방법도 있다(외국투자기업 및 외국인세금법 시행규정 제21조).

5. 기업소득세의 납부

기업소득세의 과세기간은 매년 1월 1일부터 12월 31일까지로 한다(외국투자기업 및 외국인세금법 제11조).

1) 신고 · 납부

① 예정신고 및 확정신고

기업소득세는 분기별로 예정 신고 및 납부하고, 연말 결산에 의하여 확정 납부하여야 한다(외국투자기업 및 외국인세금법 제13조 및 제14조).

일부 북한 서적에서는 분기 결산이윤을 정확히 계산할 수 없을 경우에는 전년도에 납부한 기업소득세액의 4분의 1에 해당하는 금액을 예정 납부하며, 계절성을 띠는 경우에는 분기에 관계없이 연간을 기준으로 예정 납부할 수 있다고 하는 내용이 기재되어 있으나, 전년기준의 4분의 1에 해당하는 금액을 납부할 수 있다는 규정은 관련법규에서 전혀 확인되지 않는 내용이며, 계절성의 경우 연간 기준으로 납부한다는 내용은 외국투자기업 및 외국인세금법 시행규정 제64조의 거래세와 관련한 내용으로 기업소득세의 규정이라고 볼 수 없다.

다만, 전년도 실적에 의한 예정납부 방법은 개성공업지구에서 활용가능한 방법으로 확인된다(개성공업지구 세금규정 시행세칙 제57조).

② 납부기간

외국투자기업의 기업소득세 예납액은 분기 다음 달 15일까지 납부하여야 한다. 이 경우 기업소득세납부문건과 재정결산문건을 기업소득세납부에 앞서 해당 세무기관에 제출해야 한다(외국투자기업 및 외국인세금법 시행규정 제23조).

외국투자기업은 과세기간이 종료한 날부터 2개월 안으로, 연간 기업소득세납부문건과 회계검증기관의 확인을 받은 연간 재정결산문건을 해당 세무기관에 제출한 후, 연간 기업소득세를 납부하여야 한다. 연간 기업소득세의 과납액은 반환 받으며, 미납액은 추가납부 하여야 한다(외국투자기업 및 외국인세금법 시행규정 제24조).

③ 신고관련 서류(외국투자기업 및 외국인세금법 시행규정 제23조)

기업소득세납부문건에는 거래은행의 명칭과 돈자리번호, 결산이윤, 세율, 납세금액 등의 내용을 밝혀야 한다.

회계결산서(재정결산서)에는 재정상태표, 원가계산표, 생산 및 판매소득계산표, 이윤분배 계산표, 국가납부의무 수행표, 손익계산표, 관리비계산표, 감가상각금 적립계산표 등이 포함된다.

④ 회사정리(기간만기, 파산, 해산)의 경우 납부 방법 등(외국투자기업 및 외국인세금법 제14조, 외국투자기업 및 외국인세금법 시행규정 제25조)

외국투자기업은 경영기간이 끝났거나 재판소의 판결에 의하여 파산되는 경우와 자연재해 같은 불가피한 사유로 해산되는 경우 파산 또는 해산선포일부터 20일 안으로 바쳐야 할 기업소득세액의 50%를 납세담보금으로 세운 다음 청산안이 결정된 날부터 15일 안으로 기업소득세를 해당 세무기관에 납부하여야 한다.

납세담보금은 기업소득세 납부금액으로 대체할 수 있다.

외국투자기업이 합병(통합)되거나 분할(분리)되었을 경우에는 그 때까지의 기업소득세를 계산한 다음 합병, 분할 선포일부터 20일 안으로 계산된 기업소득세를 해당 세무기관에 납부하여야 한다. 해산, 합병, 분할되는 외국투자기업은 미납한 기업소득세를 다른 채무의 이행에 앞서 납부하여야 한다.

2) 원천징수 납부

기업소득세는 원천징수(공제납부) 형식으로 납부할 수 있다. 공제납부자는 수익금을 지불한 날부터 15일 안으로 기업소득세 공제납부서를 해당 세무기관에 제출하며 동시에 기업소득세를 납부하여야 한다. 기업소득세 공제 납부문건에는 거래 은행명칭과 돈자리번호, 지불항목, 지불금액, 세율, 납세금액, 이밖에 필요한 내용을 밝혀야 한다(외국투자기업 및 외국인세금법 시행규정 제26조).

외국기업의 기타 소득에 대한 기업소득세는 소득이 생긴 날부터 15일 안으로 수익금을 지불하는 단위가 수익금을 지불할 때에 원천징수(공제)한 세액과 기업소득세 공제납부서를 해당 세무기관에 함께 납부하여야 한다. 동 기업소득세는 수익을 획득한 수익인이 직접 신고납부 할 수도 있다(외국투자기업 및 외국인세금법 제13조, 외국투자기업 및 외국인세금법 시행규정 제27조).

3) 지사, 상주대표기구의 기업소득세 납부 (외국투자기업 및 외국인세금법 시행규정 제28조)

외국인 투자기업의 지사가 얻은 소득의 기업소득세는 본사가 종합하여 납부하며 외국기업의 지사가 얻은 소득에 대한 기업소득세는 지사가 신고·납부한다(외국투자기업 및 외국인세금법 시행규정 제28조 제1항).

본사와 지사의 기업소득세율이 부문과 지역에 따라 다른 경우에는 각각 해당한 세율을 적용하여 기업소득세를 계산하여야 한다.

외국인 투자기업의 총수입금에는 지사의 소득이 속하지 않는다(외국투자기업 및 외국인세금법 시행규정 제28조 제3항).

외국인 투자기업의 총수입금에 지사의 소득이 속하지 않는다는 내용은 외국투자기업 및 외국인세금법 시행규정 제28조 제1항의 내용에 정면 위배되는 내용이며, 논리적으로도 전혀 부합하지 않는다. 본 저자의 판단으로는 외국인 투자기업의 총 수입금액에는 본사와 지사 사이의 본지점 거래는 제거되어야 한다는 본지점 회계처리에 대한 내용을 규정하고 있다고 판단된다. 추후, 입법과정에 수정반영 되어야 할 내용이다.

북한 이외의 지역에 상주대표기구를 창설하여 얻은 소득의 기업소득세를 다른 나라에서 납부하였을 경우에는 그것을 북한에서 공제받을 수 있다. 다른 나라에 납부한 기업소득세액이 정해진 세율로 계산한 기업소득세액과 같거나 그보다 적을 경우에는 실지 납부한 소득세액만큼 공제하여 주며 초과한 몫의 기업소득세액은 공제하여 주지 않는다.

6. 기업소득세 감면

1) 조세 감면(외국투자기업 및 외국인세금법 시행규정 제29조)

① 다른 나라 정부 또는 국제금융기구가 북한 정부 또는 북한 은행에 차관을 주었거나 외국투자은행이 북한 은행 또는 기관, 기업소에 낮은 이자율(Libor 이하의 낮은 이자율)과 유예기간을 포함하여 10년 이상의 상환기간 같은 유리한 조건으로 대부를 주었을 경우에는 그 이자소득에 부과되는 기업소득세를 감면받을 수 있다(외국투자기업 및 외국인세금법 제16조 제1항).

② 장려부문에 투자하여 15년 이상 운영하는 기업에 대하여서는 기업소득세를 3년간 면제하고 그 다음 2년간은 50% 범위에서 감면할 수 있다(외국투자기업 및 외국인세금법 제16조 제2항).

동 조항과 관련하여 주의할 점은 외국투자기업 및 외국인세금법 시행규정 제29조 제3항에 장려부문과 라선경제무역지대 등의 특수경제지대의 생산부문에 종사하는 외국투자기업이 10년 이상 기업을 운영할 경우에는 기업소득세를 이윤이 발생하는 해부터 3년간 면제하며 그 다음 2년간은 50% 범위에서 감면하여 줄 수 있다고 규정하고 있다. 그러나, 외국투자기업 및 외국인세금법은 2015년 9월 9일 수정 보충된 법률이며, 외국투자기업 및 외국인세금법 시행규정은 2002년 12월 26일 수정된 규정으로 최근에 수정된 법률이라는 점과 더불어 법이 시행규정

보다 우선한다는 점에서도 시행규정의 근거보다는 세금법의 규정이 더 우선한다고 보는 것이 타당할 것이다. 따라서, 이하 기업소득세 감면과 관련한 규정은 외국투자기업 및 외국인세금법의 규정만을 설명하였다.

③ 국가가 제한하는 업종을 제외한 생산부문에 투자하여 10년 이상 운영하는 기업에 대하여서는 기업소득세를 2년간 면제하여 줄 수 있다.

④ 정해진 서비스(용역, 봉사)부문에 투자하여 10년 이상 운영하는 기업에 대하여서는 기업소득세를 1년간 면제하여 줄 수 있다.

⑤ 외국투자가가 기업에서 얻은 합법적 이윤을 북한 내에 재투자하여 등록자본을 늘이거나 다른 외국인 투자기업을 창설하여 10년 이상 운영할 경우에는 재투자분에 해당한 기업소득세액의 50%를, 장려부문의 기업에 대하여서는 전부 돌려준다.

상기 기업소득세의 감면기간 적용과 관련하여 외국투자기업 및 외국인세금법 제17조에서 기업소득세의 감면 기간은 외국투자기업이 창설된 다음해부터 적용한다고 규정함으로써 사업초기에 이익이 시현되지 않는 경우가 대부분임을 고려하면, 생산부분 기업의 2년 면제, 서비스부분의 1년 면제, 그리고 장려부문의 3년간 100% 면제, 이후 2년간 50% 감면의 기대효과는 크지않다고 판단된다.

그러나, 개성공업지구의 경우, 기업소득세의 감면기간은 이윤이 나는 해부터 연속하여 계산한다고 규정함으로써 그 감면의 실효성을 제고하였다고 할 수 있다(개성공업지구 세금규정 제30조).

⑥ 외국인 투자기업이 북한 내에서 투자활동을 하여 취득한 배당소득에는 세금을 부과하지 않을 수 있다.

2) 조세 감면 후 사후관리(외국투자기업 및 외국인세금법 제19조)

① 감면에 대한 사후관리

기업소득세를 감면 받은 외국투자기업이 기업소득세를 감면 받은 날로부터 10년이 되기 전에 철수하거나 해산하는 경우와 투자를 제대로 하지 않거나 승인받은 생산업은 하지 않고 봉사업만 하는 경우에는 이미 감면 받았던 기업소득세액을 해당 세무기관에 반환하여야 한다(외국투자기업 및 외국인세금법 시행규정 제34조).

② 재투자 환급에 대한 사후관리

경영기간이 5년이 되기 전에 재투자한 자본을 철수하는 경우에는 되돌려 받은 기업소득세액을 반환하여야 한다(외국투자기업 및 외국인세금법 제16조, 외국투자기업 및 외국인세금법 시행규정 제30조).

3) 조세감면 관련 행정 절차

① 조세감면 신청 절차 (외국투자기업 및 외국인세금법 제18조, 외국투자기업 및 외국인세금법 시행규정 제33조)

외국투자기업이 기업소득세를 감면받고자 하는 경우에는 기업소득세 감면신청문건을 해당 세무기관에 내어 심사승인을 받아야 한다.

기업소득세 감면신청서에는 기업의 명칭과 소재지, 업종, 이윤이 생긴 연도, 총투자액, 거래은행명칭과 돈자리번호 및 기타 필요한 내용을 명시하여야 하며, 이에 추가하여 기업창설 심사승인기관의 확인서를 첨부하여야 한다.

② 재투자 환급 신청 절차 (외국투자기업 및 외국인세금법 제18조, 외국투자기업 및 외국인세금법 시행규정 제30조)

기업소득세의 일부를 공제 또는 반환 받으려고 할 경우에는 세무기관에 해당한 신청문건과 함께 재투자액과 경영기간을 증명하는 기업창설 심사승인기관의 확인문건을 내어야 한다.

제 6 절 개인소득세

1. 개인소득세 납세의무자

북한에서 소득을 얻은 외국인은 개인소득세를 납부하여야 한다. 또한 북한 내에 1년 이상 체류하거나 거주하는 외국인은 북한 이외에서 얻은 소득에 대하여서도 개인소득세를 납부하여야 한다(외국투자기업 및 외국인세금법 제20조).

체류하거나 거주하는 기간에 임시로 출국하는 경우에는 그 일수를 체류 또는 거주기간에 포함시킨다(외국투자기업 및 외국인세금법 시행규정 제35조).

상기 내용 중에서 임시 출국일수가 체류기간(거주기간)에 포함된다는 점에 주의하여야 한다.

2. 개인소득세 과세대상 소득

개인소득세의 과세대상에는 노동보수에 의한 소득, 이자소득, 배당소득, 고정자산 임대소득, 자산판매소득, 지적소유권과 기술비결의 제공에 의한 소득, 경영과 관련한 용역(봉사)제공에 의한 소득, 증여소득 및 기타 개인소득이 포함된다(외국투자기업 및 외국인세금법 시행규정 제36조).

① 노동보수에 의한 소득은 노임, 가급금, 장려금, 상금과 강의, 강연, 저술, 번역, 설계, 제도, 설치, 수예, 조각, 그림, 창작, 공연, 회계, 체육, 의료, 상담 등의 일을 하여 얻은 소득

② 이자소득은 예금, 채권에 의한 이자소득이, 배당소득에는 이익배당금 및 기타 배당금과 같은 소득

③ 고정자산 임대소득과 자산판매소득은 건물, 기계, 설비, 자동차, 선박과 같은 재산을 임대하거나 판매하여 얻은 소득

④ 지적소유권과 기술비결(Know-How)의 제공에 의한 소득은 특허권, 창의고안권(실용신안), 공업도안권, 상표권의 소유자가 그것의 사용권 제공하거나 양도하여 얻은 소득, 특허수속을 하지 않았거나 공개되지 않은 기술문헌과 기술지식, 숙

련기능, 경험 같은 것을 제공하여 얻은 소득, 소설, 시, 미술, 음악, 무용, 영화, 연극과 같은 문학예술작품을 제공하여 얻은 소득

⑤ 경영과 관련한 용역(봉사)제공에 의한 소득은 경영관련 자문 등의 용역(봉사)을 제공하여 얻은 소득

⑥ 증여소득은 화폐재산, 현물재산, 지적소유권, 기술비결과 같은 재산과 재산권을 증여 받은 소득

3. 개인소득세 세율과 세액의 계산

개인소득세율은 과세대상 소득에 따라 상이한 방법과 비율로 설정된다.

개인소득세를 납부하여야 할 소득이 현물 또는 유가증권인 경우에는 그것을 취득할 때의 시가(현지가격)로 한다(외국투자기업 및 외국인세금법 시행규정 제37조).

개인소득세 세율은 다음과 같다(외국투자기업 및 외국인세금법 제22조, 외국투자기업 및 외국인세금법 시행규정 제38조).

① 노동보수의 개인소득세는 월 노동보수액이 조선원 7만 5,000원 아래일 경우 면제하며 그 이상일 경우의 세율은 소득액의 5%~30%로 한다.

② 이자소득, 배당소득, 고정자산 임대소득(노동력비, 포장비, 수수료 같은 비용으로 20%를 공제한 소득), 지적소유권과 기술비결의 제공에 의한 소득, 경영과 관련한 봉사제공에 의한 소득의 세율은 소득액의 20%로 한다.

③ 자산판매소득의 개인소득세율은 소득액의 25%로 한다.

④ 증여소득의 개인소득세는 소득액이 조선원 75만원까지인 경우 면제하며 그 이상일 경우에는 2%~15%로 한다.

개인소득세는 과세대상에 따르는 소득액에 정해진 세율을 적용하여 계산한다.

개인소득세의 계산과 관련하여 외국투자기업 및 외국인세금법 그리고, 외국투자기업 및 외국인세금법 시행규정에서 확인되는 바와 같이, 그 적용에 필요한 자산과 부채의 평가방법 및 손익의 귀속시기 그리고 그 세법관련 단어의 정의 등이 내용이 구체적으로 명시되어 있지 않아서 실무적으로 적용에 있어서 많은 어려움이 있을 것으로 예상된다.

4. 개인소득세의 납부

개인소득세의 납부방법으로는 신고납부 방법과 원천징수(공제납부) 납부방법이 있다(외국투자기업 및 외국인세금법 시행규정 제40조).

개인소득세를 원천징수(공제납부) 당한 납세의무자는 원천징수관련 개인소득의 계산 및 산정내역(지표)을 가지고 있어야 한다.

① 노동보수 관련 세금의 납부

노동보수에 의한 개인소득세는 노동보수를 지급할 때 달마다 계산하여 노동보수를 지급하는 단위가 원천징수(공제)하여 5일 안으로 납부하거나, 또는 수익인이 노동보수를 지급받아 10일 내로 세무기관에 납부한다(외국투자기업 및 외국인세금법 제27조).

② 이자, 배당, 고정자산 임대소득, 지적자산 관련 소득 및 경영관련 자문소득 관련 세금의 납부

수익인이 북한 밖에 있으면서 북한 안에서 얻은 이자소득, 배당소득, 고정자산 임대소득, 지적소유권과 기술비결의 제공에 의한 소득, 경영과 관련한 용역(봉사)제공에 의한 소득의 개인소득세는 수익금을 지불하는 단위가 원천징수(공제납부) 방법으로 납부하며, 수익인이 북한 내에 있을 경우에는 본인이 분기 다음달 10일 안으로 신고·납부한다.

③ 자산판매 소득 및 증여소득 관련 세금의 납부

자산판매 소득 및 증여소득에 대한 개인소득세는 소득을 얻은 날부터 30일 안으로 수익인이 신고·납부한다.

④ 외국인의 해외 소득 관련 세금의 납부(외국투자기업 및 외국인세금법 시행규정 제41조)

외국인이 북한 밖에서 얻은 소득의 개인소득세는 본인(수익인)이 분기마다 계산하여 소득이 있는 분기의, 다음분기 첫 달 안으로 해당 세무기관에 신고·납부하여야 한다. 납세의무자가 북한 밖에서 개인소득세를 납부하였을 경우에는 이 규정에 따라 계산한 개인소득세액 범위 안에서 외국납부세액공제(세금공제)를 신청할 수 있다. 외국납부세액공제(세금공제)신청서에는 해당 나라의 세무기관이 발급한 납세문건 원본을 첨부하여야 한다.

5. 개인소득세 감면

외국투자가와 외국인은 다음과 같은 소득의 개인소득세를 납부하지 않는다(외국투자기업 및 외국인세금법 시행규정 제42조).

① 북한정부와 자기 나라 정부사이에 맺은 협정에 의하여 개인소득세를 납부하지 않기로 한 소득

② 북한의 금융기관으로부터 받은 저축성예금의 이자와 보험보상금

③ 라선경제무역지대 등의 특수경제지대 안에서 비거주자들 사이의 거래업무를 하는 은행에 비거주자가 한 예금의 이자

④ 외국인이 노임을 본국에서 받고 북한 안에서 받지 않을 경우에는 세무기관이 승인한 감면금액

제7절 재산세

1. 재산세 납세의무자

외국투자기업과 외국인은 북한에서 소유하고 있는 재산을 과세대상으로 하는 재산세를 납부하여야 한다(외국투자기업 및 외국인세금법 제28조).

재산세는 재산소유자가 신고・납부하여야 한다. 재산을 임대하였거나 저당 잡혔을 경우에도 재산세를 납부하여야 한다. 다만, 재산소유자가 재산이 있는 곳에 없을 경우에는 재산의 관리자 또는 사용자가 재산세 납부의무자로 된다(외국투자기업 및 외국인세금법 시행규정 제44조).

2. 재산세 과세대상

외국인이 북한 안에 가지고 있는 건물과 선박, 비행기에 대하여 재산세를 납부하여야 한다. 건물에는 살림집, 별장, 부속건물이, 선박, 비행기에는 자가용 배, 자가용 비행기 같은 것이 포함된다(외국투자기업 및 외국인세금법 제29조).

3. 재산세 세율과 세액의 계산

1) 재산세 과세표준

재산세의 과세표준(과세대상 금액)은 해당 세무기관에 등록된 재산가격으로 하여야 한다(외국투자기업 및 외국인세금법 시행규정 제49조).

외국인이 북한 내에 건물, 선박, 비행기를 소유하고 있을 경우 재산을 해당 세무기관에 등록하여야 한다(외국투자기업 및 외국인세금법 제30조).

상속 또는 증여에 의하여 재산을 넘겨 받은 당사자가 북한 이외의 지역에 있을 경우에는 재산의 소유자 또는 관리자가 재산을 등록하여야 한다(외국투자기업 및 외국인세금법 시행규정 제45조).

외국인은 재산을 소유한 날부터 20일 안에 평가값으로 등록한다(외국투자기업 및 외국인세금법 제30조).

등록하는 재산의 가격은 가격제정기관이 평가한 후, 공증기관이 공증한 가격으로 하여야 한다(외국투자기업 및 외국인세금법 시행규정 제46조).

등록된 재산은 해마다 1월 1일 현재로 재평가한 다음 2개월 안에 공증기관의 공증을 받은 가격으로 해당 기관에 재등록하여야 한다(외국투자기업 및 외국인세금법 제30조).

재산의 소유자 또는 재산의 등록값이 달라졌을 경우와 재산을 폐기하였을 경우에는 등록값이 달라졌거나 재산을 폐기한 날부터 20일 안으로 공증기관의 공증을 받아 변경등록 또는 등록취소 수속을 하여야 한다(외국투자기업 및 외국인세금법 시행규정 제48조).

2) 재산세 세율

재산세의 세율은 건물은 1.0%, 선박과 비행기는 1.4%로 한다(외국투자기업 및 외국인세금법 제32조, 외국투자기업 및 외국인세금법 시행규정 제50조).

4. 재산세의 납부

재산세는 재산소유자가 신고・납부하여야 한다(외국투자기업 및 외국인세금법 시행규정 제44조).

재산세는 해마다 1월 안으로 재산소유자가 해당 세무기관에 납부한다(외국투자기업 및 외국인세금법 제34조).

5. 재산세 감면

라선경제무역지대 등의 특수경제지대에 안에 있는 납세의무자가 자기 자금으로 구입하였거나 건설한 건물의 재산세는 그것을 구입하였거나 준공한 달부터 5년간 면제한다(외국투자기업 및 외국인세금법 시행규정 제53조).

납세의무자가 자기 자금으로 구입하였거나 건설한 건물의 재산세 5년간 면제규정은 상당히 당혹스러운 규정이다. 자기 자금을 자본금으로 한정할 것인지, 아니면 스스로의 신용을 바탕으로 한 차입금까지를 자기자금으로 볼 것인지에 대한 자기자금의 정의가 명확치 않을 뿐만 아니라, 하나의 통장으로 관리되는 자본금과 차입금에 대한 구분,

그리고 영업을 1회전 후의 자본금과 차입금에 대한 구분을 어떻게 할 것인지에 대한 실무상의 집행에 있어서 많은 논쟁이 발생할 수 있는 규정이다.

제8절 상속세

1. 상속세 납세의무자

북한 내에 있는 자산을 상속받은 외국인은 상속세를 납부하여야 한다.

북한 내에 거주하고 있는 외국인이 북한 이외의 지역에 있는 자산을 상속받은 경우에도 상속세를 납부하여야 한다(외국투자기업 및 외국인세금법 제35조, 외국투자기업 및 외국인세금법 시행규정 제54조).

2. 상속세 과세대상

상속자산에는 동산, 부동산, 화폐재산, 유가증권, 예금 및 저금, 보험금, 지적소유권, 채권과 같은 자산과 재산권이 포함된다.

상속재산의 가격은 상속받을 때의 재산이 있는 현지가격으로 한다. 상속자산을 평가하는 경우에는 회계검증기관의 검증을 받아야 한다(외국투자기업 및 외국인세금법 시행규정 제56조).

3. 상속세 세율과 세액의 계산

1) 상속세 과세표준

상속세의 과세표준(과세대상)은 상속자가 상속받은 자산가운데서 피상속자의 채무를 청산한 나머지 금액으로 한다(외국투자기업 및 외국인세금법 제36조).

상속세 과세대상[74] 자산가액은 상속자가 상속받은 자산가운데서 피상속자의 채무(상속자가 부담한 장례비용, 상속기간에 상속재산을 보존 관리하는데 발생한 비용, 재산상속과 관련한 공증료 등 포함)를 공제한 나머지금액으로 한다.

피상속자의 채무를 공제받으려고 할 경우에는 공증기관의 공증을 받아야 한다(외국

74) 한국은 상속세 및 증여세법에서 상속재산에 대하여 상속세를 부과하는(제3조) 유산세방식(遺産稅方式)을 택하고 있는데 비해, 북한은 각 상속인이 상속받는 재산을 과세대상으로 하는 유산취득세방식(遺産取得稅方式)을 취하고 있는 것으로 판단된다.

투자기업 및 외국인세금법 시행규정 제55조).

2) 상속세 세율

상속세의 세율은 6%~30%로 한다(외국투자기업 및 외국인세금법 제38조).

4. 상속세의 납부

상속자는 상속세를 상속받은 날부터 3개월 안으로 신고・납부하여야 한다(외국투자기업 및 외국인세금법 제39조).

상속자는 상속자산액, 공제액, 과세대상액, 상속세액, 기타 필요한 내용을 밝힌 상속세납부문건과 회계검증기관의 검증을 받은 상속세 공제신청서를 해당 세무기관에 제출하고, 해당한 상속세(상속자가 2명 이상일 경우에는 상속자별로 자기 몫에 해당한 상속세)를 납부하여야 한다(외국투자기업 및 외국인세금법 시행규정 제58조).

상속세는 화폐자산으로 납부하여야 한다. 불가피한 사정으로 상속세를 현물자산으로 납부하려는 경우에는 그 이유와 재산의 종류, 가격 및 기타 필요한 내용을 밝힌 신청서를 해당 세무기관에 제출하여 승인을 받아야 한다. 상속세로 납부하려는 현물재산은 상속받은 자산이여야 한다(외국투자기업 및 외국인세금법 시행규정 제57조).

상속세액이 조선원 375만원 이상인 경우에는 해당 세무기관에 신청하여 3년 안에 분할하여 납부할 수 있다(외국투자기업 및 외국인세금법 시행규정 제59조).

제 9 절 거래세

1. 거래세 납세의무자

생산부문과 건설부문의 외국투자기업은 거래세를 납부하여야 한다. 생산부문에는 공업, 농업, 수산업과 같은 부문이 포함된다(외국투자기업 및 외국인세금법 시행규정 제60조).

2. 거래세 과세대상

거래세의 과세대상은 공업부문의 제품 판매수입, 농업부문의 농축산물 판매수입, 수산부문의 수산물 판매수입과 건설공사 인도수입금 등의 수입금이 포함된다(외국투자기업 및 외국인세금법 제42조, 외국투자기업 및 외국인세금법 시행규정 제61조).

3. 거래세 세율과 세액의 계산

1) 거래세 세율

거래세의 세율은 생산물 판매수입금의 1%~15%로 한다. 국가가 제한하는 제품과 기호품의 거래세 세율은 생산물 판매수입금의 16%~50%로 한다(외국투자기업 및 외국인세금법 제43조, 외국투자기업 및 외국인세금법 시행규정 제62조).

2) 거래세의 계산

거래세는 품종별로 된 생산물 판매액에 정해진 세율을 적용하여 각각 계산하여야 한다. 생산업과 봉사업을 함께 하는 외국투자기업은 거래세와 영업세를 따로 계산하여야 한다(외국투자기업 및 외국인세금법 제44조, 외국투자기업 및 외국인세금법 시행규정 제63조).

즉, 첫번째 규정은 거래세 과세대상 기업이 세율이 다른 제품을 생산하는 경우, 각각의 제품에 따라 다른 세율을 적용하여 세금을 계산하여야 한다는 내용이며, 두번째 규정은 제품을 생산하기도 하고, 용역을 제공하기도 하는 기업은 매출을 구분 경리하여야 하고, 구분된 매출에 따라 거래세와 영업세를 구분하여 과세한다는 규정이다.

공업부문의 기업이 제품을 생산하여 판매하는 경우, 원재료 등을 매입하여, 이를 가공하여 제품을 판매하게 된다. 그러나, 다른 기업으로부터 매입한 매입재화 관련 매입세액을 공제하는 규정은 아직 없다.

현재 북한의 부가가치세 규정이 중국의 구(舊) 규정, '재화의 이동에 대하여 증치세(增置稅)를 과세하고, 용역의 제공에 대하여는 영업세(營業稅)를 과세한다'[75]는 기본적인 분류 방식을 취한 것을 볼 때 이후, 향후 북한의 경제발전에 따라 거래세에 대하여 전단계 매입세액 공제 제도가 도입될 것으로 보인다.

4. 거래세의 신고 · 납부

납세의무자는 거래세를 달마다 계산하여 다음날 10일 안으로 해당 세무기관에 납부하여야 한다. 계절성을 띄는 부문의 거래세는 연간으로 계산 납부할 수 있다(외국투자기업 및 외국인세금법 시행규정 제64조).

거래세의 신고・납부시기와 관련하여 외국투자기업 및 외국인세금법 제45조에서는 '거래세는 생산물 판매수입금 또는 건설공사 인도수입금이 이루어질 때마다 납부한다.' 라고 규정되어 있다. 필자의 생각으로는 거래세는 간접세이므로, 매 거래시 공급하는 자와 공급받는 자 간에 거래세가 포함되어 결제가 이루어져야 한다는 개념 또는 납세의무 발생시기를 규정한 것이라고 판단된다. 그리고, 과세관청에 신고・납부하는 기간은 매월 1회라고 판단된다.

5. 거래세 감면

수출상품에 대하여서는 거래세를 면제한다. 그러나 수출을 제한하는 상품에 대하여서는 정해진데 따라 거래세를 납부한다(외국투자기업 및 외국인세금법 제46조).

생산부문의 외국투자기업이 생산한 제품을 국가적 요구에 의하여 북한 내에 판매하였을 경우에는 거래세를 면제하여 줄 수 있다(외국투자기업 및 외국인세금법 시행규정 제65조).

라선경제무역지대 등의 특수경제지대에서 생산부문에 종사하는 외국투자기업에는 거래세를 50% 감면한다(외국투자기업 및 외국인세금법 시행규정 제66조).

---

75) 외국투자기업 및 외국인세금법 시행규정 제63조 제2항에 '생산업과 봉사업을 함께 하는 외국투자기업은 거래세와 영업세를 따로 계산하여야 한다.'라고 규정하여, 재화는 거래세, 용역은 영업세를 과세한다는 구분을 명확히 하고 있음을 알 수 있다.

제10절 영업세

1. 영업세 납세의무자

서비스 및 용역(봉사)부문의 외국투자기업은 영업세를 납부하여야 한다(외국투자기업 및 외국인세금법 시행규정 제47조, 외국투자기업 및 외국인세금법 시행규정 제67조).

2. 영업세 과세대상

영업세의 과세대상에는 교통운수, 동력, 상업, 무역, 금융, 보험, 관광, 광고, 숙박(여관), 급양, 오락, 위생편의와 같은 부문의 운임, 요금, 대부이자와 예금이자 사이의 차액 등의 수입금이 포함된다(외국투자기업 및 외국인세금법 제48조, 외국투자기업 및 외국인세금법 시행규정 제68조).

여기서 주의하여야 할 점은 상업과 무역이 영업세 과세대상으로 규정되어 있다는 것이다. 즉, 생산부문의 제품판매는 거래세 과세대상으로 규정되어 있지만, 이러한 재화의 거래가 연속되는 상업과 무역거래는 거래세로 과세되지 않고, 생산자가 판매하는 단계에서만 거래세로 과세되고, 그 이후의 재화의 이동(즉, 상업과 무역)에 대하여 용역에 과세되는 영업세가 과세된다는 점에 주의하여야 한다.

또한 앞에서 검토한 바와 같이 건설공사 인도수입금이 거래세 과세대상으로 규정되어 있으나, 영업세 세율 규정에는 건설업이 영업세 과세대상으로 규정되어 있을 뿐만 아니라, 영업세의 감면규정에서 하부구조 건설용역을 감면대상이라고 규정한 것을 보면 건설업은 영업세 과세대상인 것으로 판단된다. 추후 입법과정에 수정 반영되어야 할 내용이다.

3. 영업세 세율과 세액의 계산

1) 영업세 세율

영업세의 세율은 해당 수입금의 2%~10%로 한다. 그러나 특수업종에 대한 세율은

50%까지 할 수 있다(외국투자기업 및 외국인세금법 제49조, 외국투자기업 및 외국인세금법 시행규정 제69조).

① 건설, 교통운수, 동력부문은 수입금의 2%~4%

② 금융, 보험부문은 수입금의 2%~4%

③ 상업부문, 무역부문, 숙박(여관)업, 급양업, 오락업, 위생편의업과 같은 편의봉사부문은 수입금의 4%~10%

2) 영업세의 계산

영업세는 업종별 수입금에 정한 세율을 적용하여 계산한다. 외국투자기업이 여러 업종의 영업을 할 경우 영업세를 업종별로 계산한다(외국투자기업 및 외국인세금법 제50조, 외국투자기업 및 외국인세금법 시행규정 제69조).

생산업과 봉사업을 함께 하는 외국투자기업은 거래세와 영업세를 따로 계산하여야 한다.

4. 영업세의 신고 · 납부

생산업과 봉사업을 함께 하는 외국투자기업은 거래세와 영업세를 따로 계산하여야 한다(외국투자기업 및 외국인세금법 시행규정 제63조).

영업세는 달마다 이루어진 업종별 수입금에 정한 세율을 적용하여 계산하며 다음달 10일 안으로 납세의무자가 해당 세무기관에 납부하여야 한다(외국투자기업 및 외국인세금법 시행규정 제64조).

영업세의 신고 · 납부시기와 관련하여 외국투자기업 및 외국인세금법 제51조에서 영업세는 봉사수입이 이루어질 때마다 납부한다고 규정되어 있으며, 외국투자기업 및 외국인세금법 시행규정 제70조에서는 영업세는 달마다 이루어진 업종별 수입금에 정한 세율을 적용하여 계산하며 다음달 10일 안으로 납세의무자가 해당 세무기관에 납부하여야 한다고 규정되어 있다.

또한, 가장 최근에 출판된 서적이라고 할 수 있는 조선민주주의인민공화국 투자지남(중국어, 朝鮮民主主義人民共和國 投資指南, 2016)에 따르면, '납세자는 매월 제3, 6, 9, 12, 15, 18, 21, 24 영업일에 영업세를 신고하여야 하고, 신고 후 다음 영업일에 영업세를 납부하여야 한다.'[76]라는 내용이 확인되기도 한다.

필자의 생각으로는 영업세 역시 거래세와 마찬가지로, 매 거래시 공급하는 자와 공급받는 자 간에 영업세가 포함되어 결제가 이루어져야 한다는 개념 또는 납세의무 발생시기를 규정한 것이라고 판단된다. 그리고, 과세관청에 신고·납부하는 기간은 매월 1회일 것이라고 판단된다.

5. 영업세 감면

외국투자기업은 다음과 같은 경우에 세무기관의 승인을 받아 영업세를 감면받을 수 있다(외국투자기업 및 외국인세금법 제52조, 외국투자기업 및 외국인세금법 시행규정 제71조).

① 도로, 철도, 항만, 비행장, 오수 및 오물처리 같은 하부구조를 건설하는 경우에는 일정한 기간 영업세를 면제받거나 감면받을 수 있다.

② 첨단과학기술 봉사부문(상업, 급양업, 오락업과 같은 봉사업은 제외)인 경우에는 영업세를 50% 이내에서 감면받을 수 있다.

76) 朝鮮民主主義人民共和國 投資指南(2016) p.68

제11절 자원세

1. 자원세 납세의무자

자원을 수출하거나 판매 또는 자체소비를 목적으로 자원을 채취하는 외국투자기업은 자원세를 납부하여야 한다(외국투자기업 및 외국인세금법 제53조).

자원에는 광물자원, 산림자원, 동식물자원, 수산자원, 물(水)자원 등의 자연자원이 속한다.

2. 자원세 과세대상

자원세의 과세대상은 수출하거나 판매하여 이루어진 수입금 또는 정해진 가격으로 한다(외국투자기업 및 외국인세금법 제54조).

자원세는 자가소비(자체소비)의 경우에도 과세하는 것이므로, 자가소비의 경우 한국의 간주공급과 마찬가지로 유사판매가액(다른 수출의 경우 단가 : 정해진 가격)으로 과세를 한다고 보는 것이 타당하다.

3. 자원세 세율과 세액의 계산

1) 자원세 세율

자원의 종류에 따르는 자원세의 세율은 내각이 정한다(외국투자기업 및 외국인세금법 제55조).

2) 자원세 세액의 계산

여러가지 자원이 함께 채취되는 경우에는 자원의 종류별로 계산한다(외국투자기업 및 외국인세금법 제56조).

4. 자원세의 신고 · 납부

자원세는 자원을 수출하거나 판매하여 수입이 이루어지거나 자원을 소비할 때마다 해당 세무기관에 납부한다.

5. 자원세의 감면

다음의 경우에는 자원세를 감면할 수 있다.

① 원유, 천연가스 같은 자원을 개발하는 기업에 대하여서는 5년~10년간 자원세를 면제할 수 있다.

② 자원을 그대로 팔지 않고 현대화된 기술공정에 기초하여 가치가 높은 가공제품을 만들어 수출하거나 국가적 조치로 북한의 기관, 기업소, 단체에 판매하였을 경우에는 자원세를 감면할 수 있다.

③ 장려부문의 외국투자기업이 생산에 이용하는 지하수에 대하여서는 자원세를 감면할 수 있다.

제12절 지방세

지방세란 지방행정기관이 해당 지역의 공원, 도로, 오물처리시설 등을 관리 운영하는데 필요한 자원을 획득하기 위하여 과세하는 세금을 말한다(외국투자기업 및 외국인세금법 시행규정 제73조).

외국투자기업과 외국인은 도시경영세, 자동차 이용세로 구성되는 지방세를 납부하여야 한다. 라선경제무역지대 등의 특수경제지대에서 거주하지 않고 임시로 체류하면서 경제거래를 하는 외국인도 지방세를 납부하여야 한다(외국투자기업 및 외국인세금법 시행규정 제72조).

1. 도시경영세

1) 도시경영세 납세의무자

외국투자기업과 북한에 거주하고 있는 외국인은 도시경영세를 납부하여야 한다(외국투자기업 및 외국인세금법 제59조).

2) 도시경영세 과세대상

도시경영세의 과세대상은 외국투자기업인 경우 월노임 총액으로 하며 외국인인 경우에는 노동보수에 의한 소득, 이자소득, 배당소득, 임대소득 및 재산판매소득과 같은 월수입액으로 한다(외국투자기업 및 외국인세금법 제60조, 외국투자기업 및 외국인세금법 시행규정 제74조).

3) 도시경영세 세율과 세액의 계산

외국투자기업은 월노임 총액에 1%의 세율을 적용하여 다음달 10일 안으로 신고・납부한다. 외국인은 월수입액에 1%의 세율을 적용하여 다음달 10일 안으로 본인이 신고・납부하거나 수익금을 지불하는 단위가 원천징수(공제납부)한다.

2. 자동차이용세

1) 자동차이용세 납세의무자

자동차를 소유한 외국투자기업과 외국인은 자동차를 이용하는 경우 자동차이용세를 납부하여야 한다(외국투자기업 및 외국인세금법 제64조, 외국투자기업 및 외국인세금법 시행규정 제76조).

2) 자동차이용세 과세대상과 등록

외국투자기업과 외국인은 북한 내에서 자동차를 소유한 날부터 30일 안으로 해당 세무기관에 신청문건을 제출하여 자동차 이용과 관련한 세무등록을 하여야 한다.

세무등록문건에는 자동차 소유자명, 국적, 민족별, 주소, 자동차의 번호, 종류, 좌석수 또는 적재중량, 취득날짜 등의 필요한 내용을 밝혀야 한다(외국투자기업 및 외국인세금법 시행규정 제77조).

3) 자동차이용세 세율과 세액의 계산

자동차이용세는 자동차 대당 또는 좌석수, 적재 톤(Ton)당 조선원 1,500원~15,000원을 적용하여 계산하며 해마다 2월 안으로 본인이 신고·납부하여야 한다.

자동차를 이용하지 않는 기간에는 자동차이용세를 면제받을 수 있다.

제13절 관 세

관세란 나라의 관세경계선을 통과하는 물품에 대하여 부과하는 세금이다.

북한 사회주의헌법 제38조에서 북한은 자립적 민족경제를 보호하기 위하여 관세정책을 실시한다고 규정하고 있다. 북한에서 관세와 관련한 문제는 세관법에 규정되어있다. 관세를 부과하는 정부기관은 해당 세관이다.

관세를 부과하는 기준가격은 기관, 기업소, 단체 등이 해외에서 수입하는 물자에는 국경 도착가격으로, 수출하는 물자에는 국경 인도가격으로 하며 국제우편물과 공민이 들여오거나 내가는 물자에는 소매가격으로 한다. 관세율은 내각이 정한다.

관세의 계산은 해당 물자가 국경을 통과하는 당시의 관세율에 따라 조선원으로 한다. 조선원에 대한 외화의 환산은 국가외화관리기관이 발표하는 해당 시기의 외화교환시세에 따라한다.

1. 관세의 면제(면세)

1) 관세를 부과하지 않는 경우 (관세법 제49조)

① 북한의 조치에 따라 들여오는 물자

② 다른 나라 또는 국제기구, 비정부기구에서 북한정부 또는 해당 기관에 무상으로 기증하거나 지원하는 물자

③ 외교여권을 가진 공민, 북한에 주재하는 다른 나라 또는 국제기구의 대표기관이나 그 성원이 이용하거나 소비할 목적으로 정해진 기준의 범위에서 들여오는 사무용품, 설비, 비품, 운수수단, 식료품

④ 외국투자기업이 생산과 경영을 위하여 들여오는 물자와 생산하여 수출하는 물자, 무관세상점 물자

⑤ 가공무역, 중계무역, 재수출 같은 목적으로 반출입하는 보세물자

⑥ 국제상품전람회나 전시회 같은 목적으로 임시반출입하는 물자

⑦ 해당 조약에 따라 관세를 물지 않게 되어있는 물자

⑧ 이삿짐과 상속재산

⑨ 정해진 기준을 초과하지 않는 공민의 짐, 국제우편물

2) 면제대상에 관세를 부과하는 경우

관세를 부과하지 않게 되어있지만, 아래의 경우에는 이 법 제49조를 적용하지 않고 관세를 부과한다(관세법 제50조).

① 외국투자기업이 생산과 경영을 위하여 들여온 물자와 생산한 제품을 북한 내에서 판매하려 할 경우

② 무관세상점 물자를 용도에 맞지 않게 판매하려 할 경우

③ 가공, 중계, 재수출 같은 목적으로 반입한 보세물자를 북한 내에서 판매하거나 정해진 기간 안에 반출하지 않을 경우

④ 국제상품 전람회나 전시회 같은 목적으로 임시 반입한 물자를 북한 내에서 사용, 소비하는 경우

⑤ 해당 대표단 성원과 외교여권을 가진 공민, 북한에 주재하는 다른 나라 또는 국제기구의 대표기관이나 그 성원이 정해진 기준을 초과하여 물자를 들여오거나 내가는 경우

⑥ 국제우편물 또는 공민의 짐이 정해진 기준을 초과할 경우

정해진 기준을 초과하는 국제우편물과 공민의 짐은 세관이 정한 기간 안에 관세를 납부하여야 찾을 수 있다. 세관은 정해진 기간 안에 관세를 납부하지 못할 경우 관세액에 맞먹는 짐을 담보물로 하고 남은 짐을 먼저 내줄 수도 있다(관세법 제48조).

2. 관세율의 적용

북한과 다른 나라 사이에 맺은 조약에 관세 특혜조항이 있을 경우에는 특혜관세율을 적용하며 관세 특혜조항이 없을 경우에는 기본관세율을 적용한다(관세법 제43조).

관세율이 정해지지 않은 물자에는 그와 유사한 물자의 관세율을 적용한다(관세법 제44조).

3. 관세의 납부

기관, 기업소, 단체는 관세납부계산서에 따라, 해당 공민은 관세납부통지서에 따라 관세를 납부한다. 관세납부계산서, 관세납부통지서의 발급은 해당 세관이 한다(관세법 제46조).

물자를 수출입 하려는 기관, 기업소, 단체는 관세를 해당 물자가 반출입되기 전에 납부하여야 한다(관세법 제47조).

4. 관세의 미납 및 과오납

1) 관세의 미납 및 과소납부

세관은 관세를 부과하지 못하였거나 적게 부과하였을 경우 해당 물자를 통과시킨 날부터 3년 안에 관세를 추가하여 부과할 수 있다(관세법 제52조).

2) 관세의 과오납

다음의 경우에는 받은 관세를 전부 또는 일부 돌려준다.

① 북한의 조치로 해당 물자의 반출입이 중지되었을 경우
② 수출입물자가 어찌할 수 없는 사유로 수송도중 전부 또는 일부 못쓰게 되었을 경우
③ 관세의 부과 또는 계산을 잘못하여 관세를 초과납부하였을 경우

5. 보세와 보세제도

보세(保稅)는 관세 부과대상의 물자에 관세징수를 일정한 기간 보류하는 것을 의미한다. 물자를 보세하기 위하여 취한 관세법상의 제도를 보세제도라고 한다.

대외경제교류를 발전시키기 위하여 보세지역, 보세공장, 보세창고, 보세전시장을 설립·운영한다. 보세지역, 보세공장, 보세창고, 보세전시장의 설립, 운영질서를 정하는 사업은 내각이 한다(관세법 제55조).

보세기간에는 보세물자에 관세를 부과하지 않는다. 보세기간은 보세공장, 보세창고에서는 2년으로 하며 보세전시장에서는 세관이 정한 기간으로 한다(관세법 제56조).

부득이한 사정으로 보세기간을 연장하려는 짐임자는 보세기간이 끝나기 10일 전에 보세기간연장신청서를 해당 세관에 제출하여야 한다. 세관은 보세기간을 6개월까지 연장하여 줄 수 있다(관세법 제57조).

보세물자를 가공, 포장, 조립하기 위하여 보세지역 밖으로 내가려는 경우에는 관세액에 맞먹는 담보물 또는 담보금을 세관에 맡겨야 한다.

세관은 보세물자가 정해진 기간 안에 반입되면 담보물 또는 담보금을 돌려준다. 그러나 보세물자가 정해진 기간 안에 반입되지 않으면 세관에 맡긴 담보물 또는 담보금을 관세로 처리할 수 있다(관세법 제58조).

제4장

부동산

제1절 부동산

1. 부동산 기초내용

북한 토지임대법 시행규정 제3조에서 임대한 토지의 소유권은 조선민주주의인민공화국에 있으며, 토지를 임차한 자는 임차한 토지의 이용권만을 가진다고 규정하여 중국 및 베트남 등의 공산권 국가가 취하는 소유권과 이용권의 분리 형태를 취하고 있다.

토지의 소유권은 북한의 소유로 되어있으며, 토지임대법 제2조 (토지임차자)에서 다른 나라의 법인과 개인은 토지를 임대 받아 이용할 수 있다는 규정에서 확인되는 바와 같이 수요자는 해당 토지를 일정기간 임대료를 납부하고 토지사용권을 임대하여 사용하는 이용권 제도를 규정하고 있다.

토지임대법 제4조 (토지임대차계약의 당사자)에서 토지임대는 중앙국토환경보호지도기관의 승인 하에 하며, 토지임대차계약은 해당 도(직할시)인민위원회 국토환경보호부서가 맺는다고 규정하고 있다. 즉, 토지의 임대는 중앙국토환경보호지도기관의 승인을 득하여야 하며, 계약을 체결하는 계약상의 주체는 해당 지역의 도(직할시)인민위원회 국토환경부서, 라선경제무역지대의 경우 라선시인민위원회 국토환경보호부서, 개성공업지구의 경우 중앙공업지구지도기관[77]이 외국인(법인과 개인)과 계약을 체결하게 된다.

외국인투자법과 토지임대법 제6조 (토지의 임대기간) 및 토지임대법 시행규정 제6조에서 밝히고 있는 바와 같이 토지임대기간은 최장 50년 안에서 계약당사자들이 합의하여 정한다. 또한 토지임대법 제7조 (토지에 대한 임차자의 재산권)에서의 내용과 같이 임대한 토지의 이용권은 임차자의 재산권으로 된다.

---

77) 개성공업지구 부동산규정 제6조

또한 토지임대법 시행규정 제8조에서는 임대한 토지이용권의 재산권에 대하여 토지임차자의 합법적 권리와 이익은 법적으로 보호되며, 토지임차자는 북한의 법과 규정, 토지임대차계약에 따라 임차한 토지를 관리 이용한다고 보충하여 재산권으로써의 법적 보호를 강조하고 있다.

토지임대법 제5조 (토지이용권의 출자)에서는 북한의 기관, 기업소, 단체는 합영, 합작기업에 토지이용권을 출자할 수 있고, 이 경우 해당 토지를 관리하는 도(직할시)인민위원회의 승인을 받아야 한다고 규정하여 북한 측에서 토지이용권을 현물출자 하는 방법을 규정하고 있다.

위의 내용과 외국인투자법 제12조[78] 및 토지임대법 제5조, 제7조[79] 및 토지임대법 시행규정 제5조, 제7조[80]를 종합하면, 북한측의 토지이용권의 현물출자와 마찬가지로 토지이용권을 보유한 외국인(법인과 개인) 역시 토지이용권의 현물출자가 가능하다고 판단된다.

2. 토지개발 방식으로의 토지 분양개발

토지 분양개발방식은 일반적인 토지의 개별적인 임대에 비하여, 임대되는 토지면적이 대단히 크며 일단 임대된 토지는 임차한 회사의 투자 의사결정에 따라 직접 개발되거나 제3자에게 재임대되어 개발되며, 임차한 회사가 개발지역 안에서 하부구조(SOC) 건설로부터 기업배치, 해당 개발지역의 관리, 환경보호 등의 모든 문제를 종합적으로 취급하는 것을 의미한다.

간단히 설명하면, 개발업자가 일정 지역에 대한 총괄개발 권한을 받아 산업단지를

---

78) 외국인투자법 제12조 (투자자산과 재산권) 외국투자가는 화폐재산, 현물재산, 공업소유권 같은 재산과 재산권으로 투자할 수 있다. 이 경우 투자하는 재산과 재산권의 가치는 해당 시기의 국제시장가격에 기초하여 당사자들 사이의 합의에 따라 평가한다.

79) 토지임대법 제5조 (토지리용권의 출자) 북한의 기관, 기업소, 단체는 합영, 합작기업에 토지이용권을 출자할 수 있다. 이 경우 해당 토지를 관리하는 도(직할시)인민위원회의 승인을 받아야 한다.
토지임대법 제7조 (토지에 대한 임차자의 재산권) 임대한 토지의 이용권은 임차자의 재산권으로 된다.

80) 토지임대법 시행규정 제5조 합영, 합작 기업에 토지를 출자하려는 북한의 기관, 기업소, 단체(이 아래부터는 '기관, 기업소'라 한다)는 도 국토관리기관 또는 지대당국(이 아래부터는 '토지임대기관'이라 한다)의 승인을 받아 토지이용권을 가질 수 있다. 기관, 기업소가 합영, 합작 기업에 출자한 토지의 이용권은 임차한 토지의 이용권과 같은 것으로 취급할 수 있다.
토지임대법 시행규정 제7조 임차한 토지이용권은 토지임차자의 재산권으로 된다. 토지임차자는 임차한 토지의 이용권을 기업에 투자하거나 제3자에게 양도 또는 저당할 수 있다.

개발하고 운영하는 것을 의미한다.

토지임대법 시행규정 제52조에서 토지임차자는 임차한 토지를 재임대할 수 있다. 토지 재임대는 토지임대기관으로부터 토지를 임차하여 그 이용권을 소유한 임차자가 임차한 토지를 개발하여 다시 제3자에게 이용권을 빌려주는 형식의 토지양도라고 규정하고 있으며 토지임대법 시행규정 제53조에서 토지의 재임대는 임대차계약에 토지를 개발한 다음 재임대를 허용한 토지에 한(限)한다고 규정하여 토지분양개발 방식의 법적 근거를 제공하고 있다.

북한에서는 1993년 10월 27일에 채택된 토지임대법과 2002년 11월 20일에 채택된 개성공업지구법에 따라 공업지구로 선정된 지역의 개발권한을 현대아산주식회사에게 부여하고, 개성공업지구의 토지임대기간을 50년으로 정한 바 있다.

3. 부동산 관련 법령

부동산이란 토지나 건물과 같이 옮길 수 없는 재산으로, 동산에 대치되는 개념이다. 일반적으로 부동산에는 토지 및 그의 정착물이 속한다. 해당 법적규제에 따라 선박, 비행기, 자동차도 동산이지만 부동산으로 취급된다.

1993년 10월 27일에 채택된 조선민주주의인민공화국 토지임대법, 1992년 10월 5일에 채택된 조선민주주의인민공화국 외국인투자법에서는 토지임차자의 자격과 임대방법, 임차한 토지의 이용과 담보의 제공 그리고, 양도와 관련한 내용을 규정하고 있다.

합작기업, 합영기업에 토지를 출자하려는 북한의 기관, 기업소, 단체는 기업소재지의 도(직할시) 인민위원회 국토관리기관 또는 지대당국(이 아래부터는 '토지임대기관'이라 한다)의 승인을 받아 토지이용권을 가질 수 있다. 북한의 기관, 기업소, 단체들이 합작, 합영, 단독투자형태로 외국투자를 받아들여 외국인 투자기업을 창설할 때 자기 출자 몫으로 출자하는 토지의 원시취득(기관, 기업소, 단체가 취득하는 것을 의미함)은 토지임대 범주에 속하지 않는다. 즉, 일반적인 토지임대의 방법에 따라 취득하지 않는다(토지임대법 시행규정 제5조).

기관, 기업소가 합작기업, 합영기업에 출자한 토지의 이용권은, 출자를 받은 합작기업 및 합영기업의 입장에서는 일반적으로 임차한 토지의 이용권과 같은 것으로 취급할 수 있다.

4. 토지이용권

토지임대는 임차자에게서 값을 받고 토지이용권을 일정한 기간 넘겨주는 행위이다. 임대한 토지의 소유권은 북한에 있다. 토지를 임차한 자(이하 '토지임차자')는 임차한 토지의 이용권만을 가진다. 땅속 또는 물밑에 있는 천연자원, 매장되어 있거나 은닉된 문화유적 및 유물, 귀금속과 같은 가치물은 토지이용권에 속하지 않는다.

토지임대는 중앙국토환경보호지도기관이 승인을 하고, 토지임대차계약은 해당 도(직할시)인민위원회 국토환경보호부서가 체결한다. 개성공업지구의 경우에는 공업지구관리기관이 토지임대계약의 주체가 된다(토지임대법 제4조, 개성공업지구 부동산규정 제5조).

임차한 토지이용권은 토지임차자의 재산권으로 된다. 토지임차자는 임차한 토지의 이용권을 기업에 투자하거나 제3자에게 양도 또는 저당할 수 있다(토지임대법 제7조).

토지의 임대기간은 토지용도와 투자내용에 따라 계약당사자들이 합의하여 정한다. 이 경우 최고 50년을 넘을 수 없다(토지임대법 제6조).

토지를 협상의 방법으로 임대하며 라선경제무역지대 등의 특수경제지대에서는 입찰, 경매의 방법으로 임대할 수 있다(토지임대법 제9조).

토지임차자는 토지를 임대차계약에서 정한 용도에 맞게 이용하여야 한다. 토지용도를 변경하려는 토지임차자는 토지를 임대한 기관과 용도를 변경하는 보충계약을 맺어야 한다(토지임대법 제14조).

5. 토지 임대계약의 방법

1) 협상에 의한 임대계약

협상에 의한 토지임대는 토지임대기관과 토지 임차희망자 사이에 임대료, 투자 및 개발 조건을 비롯한 임대차 조건을 직접 합의한 다음 토지임대차계약을 맺는 방법으로 한다.

협상에 의한 토지임대는 다음과 같은 절차로 진행한다(토지임대법 제10조).

① 토지를 임대하는 기관은 토지 임차희망자에게 다음과 같은 자료를 제공한다.

ⓐ 토지의 위치와 면적, 지형도

ⓑ 토지의 용도

ⓒ 건축면적, 토지개발과 관련한 계획

ⓓ 건설기간, 투자의 최저한계액

ⓔ 환경보호, 위생방역, 소방과 관련한 요구

ⓕ 토지 임대기간

ⓖ 토지 개발상태

② 임차희망자는 제공된 토지자료를 연구한 다음 기업창설 승인문건 사본 또는 거주 승인문건 사본을 첨부한 토지이용신청서를 토지 임대기관에 낸다.

③ 토지를 임대하는 기관은 토지이용신청서를 받은 날부터 20일 안에 신청자에게 승인여부를 알려준다.

④ 토지를 임대하는 기관과 임차희망자는 토지의 면적, 용도, 임대목적과 기간, 총투자액과 건설기간, 임대료와 그 밖의 필요한 사항을 내용으로 하는 토지임대차계약을 채결한다.

⑤ 협상, 경매를 통하여 토지를 임차한 자는 임대차계약을 맺은 날부터 15일 안으로 토지임대료의 10%에 해당한 이행보증금을 내야 한다. 이행보증금은 토지임대료에 충당할 수 있다(토지임대법 제31조).

⑥ 토지를 임대한 기관은 토지임대차계약에 따라 토지이용권 값을 받은 다음 토지이용증을 발급하고 등록한다. 토지이용권은 그것을 등록한 때로부터 임차자에게 넘어간다.

2) 입찰에 의한 임대계약

토지의 입찰은 규모가 크거나 주요한 개발대상의 토지임대 또는 라선경제무역지대 등의 특수경제지대에서 적용할 수 있다.

입찰을 통한 토지의 임대는 다음과 같이 한다(토지임대법 제12조).

① 토지를 임대하는 기관은 토지의 자료와 입찰장소, 입찰 및 개찰날짜, 입찰절차를 비롯한 입찰에 필요한 사항을 공시하거나 입찰안내서를 지정한 대상자에게 보낸다.

② 토지를 임대하는 기관은 응찰대상자에게 입찰문건을 판다.

③ 토지를 임대하는 기관은 입찰과 관련한 상담을 한다.

④ 입찰자는 정한 입찰보증금을 내고 봉인한 입찰서를 입찰함에 넣는다.

⑤ 토지를 임대하는 기관은 경제, 법률부문을 비롯한 관계부문의 성원을 망라하여 입찰심사위원회를 조직한다.
⑥ 입찰심사위원회는 입찰서를 심사, 평가하며 토지개발 및 건설과 임대료 조건을 고려하여 낙찰자를 결정한다.
⑦ 토지를 임대하는 기관은 입찰심사위원회가 결정한 낙찰자에게 낙찰통지서를 발급한다.
⑧ 낙찰자는 낙찰통지서를 받은 날부터 30일 안에 토지를 임대하는 기관과 토지임대차계약을 맺고 해당한 토지이용권 값을 지불한 다음 토지이용증을 발급받고 등록한다. 사정에 의하여 계약체결을 연기하려 할 경우에는 정한 기간이 끝나기 10일 전에 토지를 임대하는 기관에 신청하여 30일간 연장 받을 수 있다.
⑨ 낙찰되지 못한 응찰자에게는 낙찰이 결정된 날부터 5일 안에 해당 사유를 통지하며 입찰보증금을 돌려준다. 이 경우 입찰보증금에 대한 이자를 지불하지 않는다.
⑩ 낙찰자가 정한 기간 안에 토지임대차계약을 맺지 않은 경우에는 낙찰을 무효로 하며 입찰보증금을 돌려주지 않는다.

3) 경매에 의한 임대계약

경매에 의한 토지의 임대는 정한 시간과 장소에 임차희망자들을 모아 놓고 공개적인 임차경쟁을 조직하는 방법으로 한다. 토지의 경매는 라선경제무역지대 등의 특수경제지대에서 부동산개발용지, 금융, 상업, 관광 및 오락 용지와 같은 경쟁성이 강한 토지의 임대에 적용할 수 있다.

경매를 통한 토지의 임대는 다음과 같이 한다(토지임대법 제13조).
① 토지를 임대하는 기관은 토지자료, 토지 경매날짜, 장소, 절차, 토지의 기준값 같은 경매에 필요한 사항을 공시한다.
② 토지를 임대하는 기관은 공시한 토지의 기준값을 기점으로 하여 경매를 붙이고 제일 높은 값을 제기한 임차희망자를 낙찰자로 정한다.
③ 낙찰자는 토지를 임대하는 기관과 토지임대차계약을 맺은 다음 토지이용증을 발급받고 등록한다.
④ 협상, 경매를 통하여 토지를 임차한 자는 임대차계약을 맺은 날부터 15일 안으로

토지임대료의 10%에 해당한 이행보증금을 내야 한다. 이행보증금은 토지임대료에 충당할 수 있다(토지임대법 제31조).

6. 토지임대료

북한에서 토지를 임대하여 사용하기 위하여는 토지임대료(토지이용권 값)와 토지사용료를 부담하여야 한다.

토지임대법 시행규정 제85조에서 토지임차자는 토지임대기관에 토지임대료를 지불하여야 한다. 토지임대료는 토지이용권의 값이라고 규정하고 있으며, 토지임대법 시행규정 제91조에서 임차한 토지의 이용자는 소재지 재정기관에 해마다 정한 토지사용료를 물어야 한다. 토지사용료는 국가소유의 토지를 이용한 대가로 지불하는 요금이라고 설명하고 있다.

1) 토지임대료(토지이용권 값)

협상에 의한 토지임대는 토지임대기관과 토지임차 희망자 사이에 임대료, 투자 및 개발 조건을 비롯한 임대차 조건을 직접 합의한 다음 토지임대차계약을 맺는 방법으로 한다.

협상을 통하여 토지를 임대하는 경우 토지임대료는 국가가격제정기관이 정한 기준임대료에 기초하여 토지임대기관과 토지임차자가 협의하여 정한다. 자유경제무역지대의 토지를 입찰과 경매를 통하여 임대하는 경우 입찰 및 경매기준가격은 지대당국이 정하며 낙찰자가 제기한 가격을 임대료로 한다(토지임대법 시행규정 제86조, 제87조).

토지임대기관은 개발한 토지를 임대하는 경우 임대료에 토지개발비를 포함시켜 받아야 한다. 토지개발비에는 토지정리와 도로건설 및 상하수도, 전기, 통신, 난방시설 건설에 지출된 비용이 포함된다(토지임대법 제29조, 토지임대법 시행규정 제88조).

토지임차자는 임대차계약을 체결한 날부터 15일 내로 임대료의 10%에 해당한 금액을 이행보증금으로 토지임대기관에 납부하여야 한다. 이행보증금은 이자를 계산하지 않으며 보증기간이 끝났을 경우 임대료의 지불로 갈음할 수 있다. 토지임대기관은 임차자가 정당한 이유없이 정한 기간 안에 이행보증금을 물지 않을 경우 해당 계약이행을 포기한 것으로 간주하고 다른 임차희망자와 토지임대차계약을 맺을 수 있다. 이 경우 낙찰자의 경매보증금은 돌려주지 않는다(토지임대법 시행규정 제35조).

토지임차자는 임대차계약을 체결한 날부터 90일 내에 토지임대료 전액을 납부하여야 한다.

장려부문 토지임대료가 조선원 13억 9,500만원 이상되는 토지개발부문의 임차자는 토지임대기관과의 합의 하에 임대료를 5년 안에 분할하여 납부할 수 있다. 이 경우 미납금에 해당한 이자를 부담하여야 한다. 토지임대료 미납금에 대한 이자율은 토지임대기관과 임차자 사이의 합의에 따라 정한다(토지임대법 제30조, 토지임대법 시행규정 제89조).

토지임대료를 정한 기간 안에 납부하지 않을 경우, 그 기간이 지난날부터 매일 미납금의 0.1%에 해당한 연체료를 부과한다. 연체료를 연속하여 50일간 부담하지 않을 경우에는 토지임대차계약을 취소할 수 있다. 이 경우 이미 지불한 임대료는 되돌려주지 않는다(토지임대법 제30조, 토지임대법 시행규정 제90조).

2) 토지사용료

토지사용료의 납부자는 다음과 같다(토지임대법 시행규정 제93조).

① 토지임대기관으로부터 토지를 임차한 자

② 판매를 통하여 토지이용권을 넘겨받은 자

③ 토지를 재임대한 자

④ 합영 또는 합작기업(토지를 출자 몫으로 하였을 경우에 한함)

토지사용료는 국가가격제정기관이 정한다. 토지사용료는 4년 동안 변동시키지 않으며 변동시키는 경우에는 변동폭이 20%를 넘지 않도록 한다(토지임대법 시행규정 제92조).

실무에서는 보통 토지를 다음과 같이 구분하여 토지임대료를 산정한다.

부류	급지	구 분	용도
1부류 (중심지)	1급지	도시중심지구역, 관광적지	상업, 금융, 호텔, 오락
			주택 및 공공건물
			공업 및 창고
	2급지	도시주변구역, 1, 3급지에 속하지 않는 지역	상업, 금융, 호텔, 오락
			주택 및 공공건물
			공업 및 창고

부류	급지	구 분	용도
1부류 (중심지)	3급지	중심구역과 멀리 떨어진 농촌지역, 산림지역	상업, 금융, 호텔, 오락
			주택 및 공공건물
			공업 및 창고
2부류 (도급소재지, 관광지)	1급지	도시중심구역, 관광적지	상업, 금융, 호텔, 오락
			주택 및 공공건물
			공업 및 창고
	2급지	도시주변구역, 1, 3급지에 속하지 않는 지역	상업, 금융, 호텔, 오락
			주택 및 공공건물
			공업 및 창고
	3급지	중심구역과 멀리 떨어진 농촌지역, 산림지역	상업, 금융, 호텔, 오락
			주택 및 공공건물
			공업 및 창고
3부류 (기타 지역)	1급지	도시중심구역, 관광적지	상업, 금융, 호텔, 오락
			주택 및 공공건물
			공업 및 창고
	2급지	도시주변구역, 1, 3급지에 속하지 않는 지역	상업, 금융, 호텔, 오락
			주택 및 공공건물
			공업 및 창고
	3급지	중심구역과 멀리 떨어진 농촌지역, 산림지역	상업, 금융, 호텔, 오락
			주택 및 공공건물
			공업 및 창고

토지사용료는 토지이용권을 등록한 날부터 계산하며 해마다 12월 20일까지 지불하여야 한다. 토지사용료를 지불할 기간이 1년이 되지 못하는 경우에는 한달분에 해당한 사용료에 사용한 달수를 곱하는 방법으로 사용료를 계산하여 지불하여야 한다(토지임대법 시행규정 제94조).

토지임대기관은 장려부문과 자유경제무역지대 안에 투자하는 대상에 대하여 투자규모와 내용, 경제적 효과성에 따라 토지사용료를 10년까지 감면하거나 면제하여 줄 수 있다(토지임대법 시행규정 제95조).

7. 토지 개발관련 비용

토지를 개발하기 위하여는 개발구획 내에서 생활하는 주민과 그들의 생활근거에 해당하는 농경지, 살림집, 기타 부착물을 이전하는 비용(토지이전 보상비)이 우선하여 발생하며, 동 토지를 공장 부지 등으로 개발하기 위하여 토지에 건물부지를 닦고 하부구조를 구축하는 비용(토지개발비)이 발생한다.

1) 토지이전 보상비

① **농작물 보상비** : 최근 3년간 해당 농경지의 평균수확량을 토지를 임대한 당시 국제시장가격으로 계산한 금액

② **건물보상비** : 국가표준 설계단가에 감가상각 잔존 연수를 고려한 합의가격

③ **기타 부착물보상비** : 기타 부착물을 이설하거나 폐기하는 것과 관련한 비용

토지이전보상비는 토지임차자가 부담한다. 임대하고자 하는 토지에는 농경지나 건물, 기타 부착물이 있을 수 있다. 이런 경우 토지를 임대할 때 그 토지에 있는 농경지와 건물, 기타 부착물을 처리하는 문제가 제기된다. 그러므로 토지임차자는 철거되는 농경지, 건물, 기타 부착물에 대하여 상당한 보상을 해야 하며 토지임대기관은 해당 주민들의 생활을 정착시키기 위한 대책을 세워야 한다. 토지이전보상비는 토지임대차계약을 맺을 때 협의하여 정한다.[81)]

2) 토지개발비

토지임대기관은 개발한 토지를 임대하는 경우 임대료에 토지개발비를 포함시켜 받아야 한다. 토지개발비에는 토지정리(건물부자, 구내도로, 녹지, 울타리)와 도로건설 및 상하수도, 전기, 통신, 난방시설 건설에 지출된 비용이 포함된다(토지임대법 제29조, 토지임대법 시행규정 제88조).

① 도로, 통신, 난방, 상수, 하수, 전기, 부지정리 등 토지개발정도에 따라 그 가격을 달리 정한다.

② 토지개발비는 토지부류와 용도에 관계없이 정한 요금을 적용한다.

---

81) 조선투자법 안내, 법률출판사 2007, p.259

③ 개발한 토지가 기술공법상 요구와 질적수준을 보장하지 못하였을 때에는 정도에 따라 정한 가격에서 50%까지 낮추어 적용할 수 있다.

8. 토지이용권의 양도 및 기타

토지용권은 토지임차자의 재산권(토지임대법 제29조)으로서 양도(판매, 증여, 상속 등)의 법적절차를 통하여 소유권이 이전된다. 또한 직접적인 소유권의 변동은 없지만, 부동산과 관련한 법적 행위에 해당하는 재임대와 저당 등의 법률행위가 가능하다.

1) 토지이용권의 양도

임차한 토지이용권은 토지임차자의 재산권으로 된다. 토지임차자는 임차한 토지의 이용권을 기업에 투자하거나 제3자에게 양도 또는 저당할 수 있다(토지임대법 시행규정 제7조).

토지임차자는 토지를 임대한 기관의 승인을 받아 임차한 토지의 전부 또는 일부에 해당한 토지이용권을 제3자에게 양도(판매, 증여, 상속)하거나 저당할 수 있다(토지임대법 제15조, 토지임대법 시행규정 제40조).

임차한 토지의 이용권을 양도하거나 저당하는 기간은 토지임대차계약에 정해진 기간 안에서 남은 이용기간을 초과할 수 없다. 양도받은 토지의 이용기간을 연기하려고 할 경우에는 토지임대기관으로부터 토지를 다시 임차하여야 한다(토지임대법 시행규정 제41조).

아래와 같은 조건을 만족한 토지이용권만이 양도가 가능하다(토지임대법 제16조, 토지임대법 시행규정 제42조).

① 토지임대기관으로부터 임차하였거나 토지임차자로부터 판매, 교환형식으로 양도받은 토지의 이용권이어야 한다.

② 토지임차자는 임대차계약에서 정한 토지임대료(토지이용권 가격) 전액을 부담하였어야 한다.

③ 토지임대차계약에 명시된 기한과 조건에 따라 투자와 건설을 한 토지의 이용권이어야 한다.

토지이용권을 양도할 경우에는 토지이용과 관련한 권리와 의무, 토지에 있는 건축물과 기타 부착물도 함께 넘어간다(토지임대법 시행규정 제44조).

토지이용권을 판매, 증여, 상속을 통하여 양도하는 경우 당초의 토지임대차계약에 밝힌 토지이용과 관련한 임차자의 권리와 의무는 양도받은 자에게 넘어간다. 토지임대기관과 맺은 토지임대차계약에 지적된 모든 사항은 양도계약에 밝히지 않았다 하더라도 여전히 효력을 가진다(토지임대법 제17조, 토지임대법 시행규정 제43조).

건설을 하지 않고 토지이용권의 가격변동을 통한 투기 같은 양도는 금지한다.[82)]

2) 토지이용권의 판매

토지임차자는 임차한 토지의 이용권을 값을 받고 제3자에게 판매할 수 있다. 판매는 임차자가 임차한 토지의 이용권을 값을 받고 제3자에게 넘기는 행위이다(토지임대법 시행규정 제45조).

토지이용권의 판매절차는 다음과 같다(토지임대법 제18조).

① 토지이용권의 판매자와 구매자는 계약을 맺고 공증기관의 공증을 받는다.

② 토지이용권의 판매자는 계약서 사본을 첨부한 토지이용권 판매신청서를 토지를 임대한 기관에 제출하여 승인을 받는다.

토지이용권 판매신청서에는 토지의 면적, 위치, 용도, 임차기간 및 이용한 기간, 판매목적, 판매가격, 임대료 및 사용료 납부상황, 구매자의 이름과 소속, 기업의 업종 등을 밝히고 임대차계약서와 양도(매매)계약서 사본, 구매자의 투자능력을 확인하는 확인서 또는 신용담보서 등을 첨부하여야 한다.

토지임대기관은 토지이용권 판매신청서를 접수한 날부터 20일 안으로 검토한 다음 승인하거나 부결하는 결정을 하고 신청자에게 알려주어야 한다. 토지임대기관은 다음과 같은 경우에 토지이용권 판매신청을 부결할 수 있다(토지임대법 시행규정 제48조, 제49조).

ⓐ 토지이용권의 양도조건에 맞지 않을 경우

ⓑ 토지이용권양도(판매)계약서가 당초의 임대차계약서 내용과 상이하게 작성되었을 경우

---

82) 조선투자법 안내, 법률출판사 2007, p.250

ⓒ 구매자의 투자 및 경영 능력을 확인할 수 없는 경우

ⓓ 가격을 비롯한 매매조건이 공정하지 못할 경우

③ 토지이용권을 판매하였거나 구매하였을 경우 토지이용권의 판매자와 구매자는 해당 시, 군 국토관리기관에 토지이용권 취소 및 명의변경 등록을 하여야 한다. 이 경우 판매자는 토지이용권의 취소등록을 하며 구매자는 토지이용권 명의변경 등록을 한다. 토지이용권의 취소 및 명의변경 등록을 하지 않은 토지이용권의 매매는 효력을 가지지 못한다(토지임대법 제50조).

토지임차자가 토지이용권을 제3자에게 판매하려는 경우 토지임대기관은 그것을 우선적으로 구매할 수 있는 권리를 가진다. 이 경우 토지임차자는 제3자에게 제기한 판매조건을 토지임대기관의 구매에 불리하게 수정 제기할 수 없다(토지임대법 제19조, 토지임대법 시행규정 제51조).

3) 토지이용권의 증여

토지임차자는 임차한 토지의 이용권을 기관, 기업소나 다른 나라의 법인 또는 개인에게 증여할 수 있다. 증여는 토지임차자가 토지이용권을 무상으로 제3자에게 넘기는 형식의 양도이다(토지임대법 시행규정 제62조).

토지이용권을 증여하려는 자는 증여문건을 작성하고 토지임대기관에 토지이용권 증여신청서를 제출하여 승인을 받아야 한다. 토지임대기관은 토지이용권 증여신청서를 접수한 날부터 20일 안에 검토한 다음 승인하거나 부결하는 결정을 하고 신청자에게 알려주어야 한다(토지임대법 시행규정 제63조).

토지이용권을 증여하는 자와 증여받는 자는 증여한 토지이용권의 취소 및 명의변경 등록을 하여야 한다. 증여받은 토지이용권의 취소 및 명의변경 등록절차는 토지이용권을 제3자에게 판매하였을 경우와 같다. 토지이용권 명의변경 등록을 하는 경우에는 재정기관의 증여세 납부확인서를 내야 한다(토지임대법 시행규정 제64조).

증여하는 토지이용권의 소유권은 명의변경등록을 한 순간부터 증여받는 자에게 넘어간다. 토지이용권의 명의변경등록을 하지 않은 증여는 효력을 가지지 못한다(토지임대법 시행규정 제65조).

4) 토지이용권의 상속

토지임차자는 임차한 토지의 이용권을 상속할 수 있다. 토지이용권의 상속은 토지이용권 소유자가 사망하였을 경우 법에 의하여 정해진 상속자 또는 유언이나 재판소의 판결에 의하여 정해진 상속자에게 토지이용권을 무상으로 넘기는 형식의 양도이다(토지임대법 시행규정 제66조).

토지이용권을 상속받으려는 자는 국내 또는 국외에 있는 거주지의 신분등록기관 또는 재판소가 발급한 상속확인서를 해당 거주지 공증기관의 공증을 받아 토지임대기관에 내야 한다(토지임대법 시행규정 제67조).

토지임대기관은 상속확인서를 접수한 날부터 20일 안으로 검토하고 동의하거나 거부하는 결정을 하여야 한다(토지임대법 시행규정 제68조).

토지이용권을 상속받으려는 자는 피상속자가 사망한 날부터 6개월 안에 상속수속을 하여야 한다. 이 기간 안에 상속수속을 하지 않을 경우 토지이용권은 자동적으로 토지임대기관에 넘어간다(토지임대법 시행규정 제69조).

토지이용권을 상속받은 자는 시, 군 국토관리기관에 토지이용권의 명의변경등록을 하여야 한다. 이 경우 해당 등록기관에 토지임대기관의 상속확인문건, 재정기관의 상속세납부확인서 같은 문건을 내야 한다(토지임대법 시행규정 제70조).

토지이용권을 상속받은 자는 임대차계약에 정한 토지임차자의 권리와 의무를 그대로 넘겨받는다. 토지임대차계약의 내용을 변경시키려는 경우에는 토지임대기관과 보충계약을 맺어야 한다(토지임대법 시행규정 제71조).

5) 토지이용권의 재임대

토지임차자는 임차한 토지를 재임대 할 수 있다. 토지 재임대는 토지임대기관으로부터 토지를 임차하여 그 이용권을 소유한 임차자가 임차한 토지를 개발하여 다시 제3자에게 이용권을 빌려주는 형식의 토지양도이다(토지임대법 시행규정 제52조).

토지의 재임대는 임대차계약에 토지를 개발한 다음 재임대를 허용한 토지에 한한다(토지임대법 시행규정 제53조).

토지를 재임대 하려는 자는 토지의 양도(재임대)계약을 맺고 토지임대기관에 토지재임대신청서를 내어 승인을 받아야 한다. 토지 재임대신청서에는 재임대 하려는 토지의 면적, 위치, 용도, 임대기간, 임대료, 임대 받는 자의 이름 또는 기업명칭, 업종 등을 밝히고 (원) 임대차계약서 사본, 양도(재임대) 계약서 사본, 토지를 재임대 받는 자의 투자능력을 확인하는 문건 등을 첨부하여야 한다(토지임대법 제20조, 토지임대법 시행규정 제54조).

토지임대기관은 토지 재임대신청서를 접수한 날부터 10일 안으로 검토한 다음 승인하거나 부결하는 결정을 하고 신청자에게 알려주어야 한다(토지임대법 시행규정 제55조).

토지를 재임대한 자와 재임대 받은 자는 시, 군 국토관리기관에 재임대 등록수속을 하여야 한다. 토지 재임대 계약은 등록수속을 끝낸 순간부터 효력을 가진다(토지임대법 시행규정 제56조).

토지를 재임대한 자는 재임대 받은 자가 계약에 맞게 임대물을 관리 및 이용하도록 요구하며 정한 임대료를 받을 권리를 가진다(토지임대법 시행규정 제57조).

토지를 재임대한 자는 다음과 같은 의무를 진다(토지임대법 시행규정 제58조).

① 재임대한 토지의 보호, 유실방지, 유실된 토지의 복구 사업을 하여야 한다.
② 재임대한 토지에 있는 건축물과 기타 부착물의 수리 및 보수 사업을 하여야 한다.
③ 재임대 받은 자의 정상적인 토지이용을 방해하는 붕락[83], 침몰과 같은 재해요소의 방지 및 제거 사업을 하여야 한다.

토지를 재임대 받은 자는 토지양도(재임대)계약에 따라 토지를 이용할 권리를 가지며 토지를 재임대한 자가 이 규정 제58조에 정한 의무를 이행하지 않을 경우 자기 부담으로 그 의무를 수행하고 해당한 비용을 임대료에서 삭감하거나 계약해제를 요구할 수 있다(토지임대법 시행규정 제59조).

토지를 재임대 받은 자는 다음과 같은 의무를 진다(토지임대법 시행규정 제60조).

① 토지양도(재임대)계약에 정한대로 임대료를 지불하여야 한다.
② 토지양도(재임대)계약의 요구에 맞게 토지를 이용하여야 한다.
③ 토지의 이용권을 재양도 할 수 없다.
④ 토지 재임대자의 승인없이 건축물과 기타 부착물을 개조 또는 해체하지 말아야 한다.

83) 붕락(崩落) : 무너져서 떨어짐, 조선말사전, 북한 과학원출판사, 1961

⑤ 토지를 정히 다루어야 하며 그에 손상을 주는 경우 손해배상을 하여야 한다.
⑥ 임차기간이 끝나면, 임대물을 돌려주어야 한다.

토지 재임대기간이 끝났을 경우에는 토지 재임대 취소등록을 하여야 한다(토지임대법 시행규정 제61조).

6) 토지이용권의 저당

토지임차자는 임차한 토지의 이용권을 저당할 수 있다. 토지이용권의 저당은 임차자가 임차한 토지의 이용권을 은행 또는 기타 금융기관으로부터 받는 대부의 상환담보로 세우는 행위이다. 토지이용권을 저당하는 경우에는 토지에 있는 건축물과 기타 부착물도 함께 저당된다(토지임대법 제21조, 토지임대법 시행규정 제72조).

토지이용권을 저당하려고 할 경우에는 저당하는 자(이 아래부터 '저당자'라 한다)와 저당받는 자(이 아래부터 '저당권자'라 한다)는 토지임대차계약의 내용에 맞게 토지저당계약을 맺고 공증기관의 공증을 받아야 한다. 이 경우 저당권자는 저당자에게 토지임대차계약서 또는 양도계약서 사본, 토지이용권 사본, 토지의 실태자료를 요구할 수 있다(토지임대법 제22조, 토지임대법 시행규정 제73조).

토지저당계약을 맺은 저당권자와 저당자는 저당계약을 맺은 날부터 10일 안으로 시, 군 국토관리기관에 토지이용권 저당등록을 하여야 한다. 토지저당권은 등록한 날부터 효력을 가진다(토지임대법 제23조, 토지임대법 시행규정 제74조).

토지이용권의 저당자는 저당기간에도 토지임차자의 권리와 의무를 가진다. 토지저당자가 저당한 토지이용권을 양도하려는 경우에는 저당권자와 합의하여야 한다(토지임대법 시행규정 제75조).

저당권자는 다음과 같은 경우 저당 받은 토지이용권 토지에 있는 건축물과 기타 부착물을 처분할 수 있다(토지임대법 제24조, 토지임대법 시행규정 제76조).
① 저당자가 기한이 되도록 채무를 상환하지 못하였을 경우
② 저당자가 저당기간 안에 기업을 해산하거나 파산당한 경우
③ 저당자가 저당기간 안에 사망하였으나 상속자가 없을 경우와 상속자가 채무상환을 거절하는 경우

저당받은 토지이용권을 처분하려는 저당권자는 토지임대기관에 저당물처분신청서를 제출하여 승인을 받아야 한다. 저당물처분신청서에는 토지의 면적, 위치, 용도, 저당자와 저당권자, 저당기일, 채무액, 저당물의 채권상환 담보범위와 처분형식 등의 내용을 밝혀야 한다. 저당물의 채권상환 담보범위는 원금상환, 이자상환, 이자상환의 지연에 의한 손해배상과 저당물의 평가비용, 경매비용과 같은 저당권 실시비용에 대한 보상이 포함된다(토지임대법 시행규정 제77조).

토지임대기관은 저당물처분신청서를 접수한 날부터 5일 안으로 검토한 다음 승인하거나 부결하는 결정을 하고 신청자에게 알려주어야 한다. 토지저당계약내용에 맞지 않거나 이 규정 제76조에 정한 저당물의 처분조건이 명확치 못할 경우에는 저당물 처분신청을 부결할 수 있다(토지임대법 시행규정 제78조).

저당물의 처분은 경매의 방법으로 할 수 있으며 저당권자가 여러 명일 경우에는 저당권자들이 협의하여 처분방법을 정할 수 있다. 저당권자는 저당물을 처분하여 얻은 자금에서 기타 채권자에 비하여 우선적으로 상환 받는다. 저당권자가 여러 명일 경우에는 저당권을 국토관리기관에 등록한 순위대로 상환 받는다(토지임대법 시행규정 제79조).

토지이용권을 저당받은 자가 처분한 토지이용권, 토지에 있는 건축물과 기타 부착물을 취득한 자는 공증기관의 공증을 받고 해당 등록기관에 명의변경 등록을 하여야 하며 토지임대차 계약에 맞게 토지를 이용하여야 한다(토지임대법 제25조, 토지임대법 시행규정 제80조).

저당권자가 처분한 토지이용권을 취득한 자는 임대차계약에 맞게 토지를 이용하여야 한다. 임대차계약의 내용을 변경시키려고 할 경우에는 토지임대기관과 보충계약을 맺어야 한다(토지임대법 시행규정 제81조).

토지이용권을 저당한 자는 저당계약기간 안에 저당받은 자의 승인없이 저당한 토지이용권을 다시 저당하거나 양도할 수 없다(토지임대법 제26조).

토지이용권에 대한 저당권은 다음과 같은 경우에 소멸된다(토지임대법 시행규정 제82조).

① 저당자가 채무를 상환하였을 경우

② 저당권자가 저당권을 스스로 포기하였을 경우

③ 저당권자와 저당자가 합의하여 채무상환을 다른 재산으로 대치하는 경우

채무상환이나 기타 원인으로 토지저당 계약이 소멸되는 경우 저당받은 자와 저당한

자는 10일 안으로 토지이용권 저당등록을 취소하는 수속을 하여야 한다(토지임대법 제27조, 토지임대법 시행규정 제83조).

토지이용권의 양도 또는 저당과 관련한 토지이용권의 취소 및 명의변경 등록을 하는 경우에는 중앙재정기관이 정한 등록수수료를 물어야 한다(토지임대법 시행규정 제84조).

9. 토지이용권의 반환 및 기간의 연장

1) 토지임대기간의 만료와 토지이용권의 반환

임대기간이 끝난 토지이용권은 토지를 임대한 기관에 자동적으로 반환된다. 이 경우 해당 토지에 있는 건축물과 기타 부착물도 무상으로 반환된다. 40년 이상 임차한 경우 임대기간이 10년 안에 준공한 건축물에 대해서는 해당한 잔존가치를 보상하여 줄 수 있다(토지임대법 제34조, 토지임대법 시행규정 제96조).

토지임대법 시행규정 제96조에서는 건설 총투자액 조선원 2,000만원 이상인 건축물에 잔존가치를 보상하는 것으로 규정되어 있으나, 금액기준이 변경되었을 가능성이 있다.

토지임차자는 임대기간이 끝나면 토지이용증을 해당 발급기관에 반환하고 토지이용권등록 취소수속을 하여야 한다(토지임대법 제35조, 토지임대법 시행규정 제97조).

토지임차자는 임대기간이 끝났을 경우 임대기간이 끝난 날부터 30일 안으로 토지임대기관이 넘겨받지 않는 건축물, 설비와 임시건물, 저장탱크, 창고, 구축물, 야적장, 구내철도와 같은 부대시설물을 자기 비용으로 철거하고 토지를 정리하여야 한다. 임차자가 토지를 정한 기간 안에 정리할 수 없는 경우에는 토지임대기관에 그 사유를 알리고 토지정리를 위탁할 수 있다. 이 경우 해당한 비용을 토지임차자가 지불하여야 한다(토지임대법 제37조, 토지임대법 시행규정 제101조).

임차한 토지의 이용권은 임차기간 안에 취소되지 않는다. 토지임대기관은 자연재해를 비롯한 불가항력적 사정이 있거나 공공이익을 위하여 도시건설계획을 변경시켜야 할 요구가 제기되었을 경우, 임대한 토지의 이용권을 계약만료 이전에 법적수속을 통하여 취소할 수 있다. 이 경우 토지임대기관은 토지이용권을 취소하기 6개월 전에 토지임차자에게 토지이용권의 취소이유, 토지의 위치와 범위, 취소기일 등을 통지하고 합의하여야 한다(토지임대법 시행규정 제102조).

토지임대기관은 임대기간이 끝나기 전에 토지이용권을 취소하는 경우 임차자에게 같은 조건의 토지로 교환해주거나 해당한 보상을 해주어야 한다. 토지를 교환해주는 경우 토지임대기관과 임차자는 이용권을 취소하는 토지와 교환한 토지의 값을 합의 결정하여 차액을 청산한 다음 토지임대차계약을 다시 맺어야 하며, 임차자는 토지이용증을 다시 발급받고 해당한 등록을 하여야 한다(토지임대법 시행규정 제103조).

2) 토지임대기간의 연장

토지임대기간을 연장하려고 할 경우에는 그 기간이 끝나기 6개월 전에 토지임대기관에 토지이용연기신청서를 제출하여 승인을 받아야 한다. 토지임대기관은 토지이용연기신청서를 접수한 날부터 30일 안에 검토한 다음 토지이용연기를 승인하거나 부결하는 결정을 하고 신청자에게 알려주어야 한다(토지임대법 제36조, 토지임대법 시행규정 제98조).

토지이용연기신청서에는 토지의 위치, 면적, 용도, 개발정도와 연기하려는 이유, 기일, 투자계획 등을 밝혀야 한다. 토지이용기간을 연기하여 토지를 새로 개발하거나 용도를 변경하려고 할 경우에는 토지이용연기신청서에 투자의향서와 용도변경신청서를 첨부하여야 한다(토지임대법 시행규정 제99조).

토지이용연기를 승인받은 임차자는 토지임대기관과 토지임대차계약을 다시 맺고 해당한 임대료를 납부한 다음 토지이용증을 재발급 받으며 토지이용권 변경등록을 하여야 한다(토지임대법 시행규정 제100조).

제 5 장

분쟁 해결과 기업의 정리

제 1 절 대외중재

외국인투자법 제22조에서는 외국투자와 관련한 의견상이는 협의의 방법으로 해결한다. 협의의 방법으로 해결할 수 없을 경우에는 조정, 중재, 재판의 방법으로 해결한다고 규정하고 있다. 따라서, 외국인투자와 관련한 분쟁 발생의 경우, 우선적으로 협의에 의하여 해결을 시도하여야 하고, 협의가 이루어지지 않을 경우 조정, 중재 및 재판의 방법으로 분쟁을 해결한다.

1. 대외중재의 개념

대외경제중재는 상업적 거래를 하는 당사자들 사이의 합의에 따라 분쟁의 해결을 재판소 대신에 제3자인 재결원에게 맡기고 그가 내리는 재결에 분쟁당사자들이 복종하는 재판 외적 분쟁해결제도이다(대외경제중재법 제2조 제1항).

이러한 중재를 세계각국에서는 국제중재, 무역중재, 대외경제중재 등으로 그 표현을 여러가지로 사용한다. 흔히 국제중재, 무역중재를 상사중재라 하며 북한에서는 대외경제중재라고 한다.

대외경제중재법이 규정하고 있는 중재는 분쟁당사자들 사이의 합의에 따라 민사재판대신에 분쟁해결을 제3자(재결원)에게 맡기고 그의 재결에 분쟁당사자가 복종하여 분쟁사건을 해결하는 국제중재 즉, 대외경제중재를 의미한다.

대외경제중재는 본질에 있어서 민사재판과 구별된다. 상업거래의 당사자들이 발생한 분쟁을 대외경제중재절차로 해결할 것인지, 민사소송절차로 해결할 것인지 결정하는 것은 당사자들의 민사법상의 권리이다.

북한에서는 조선국제무역중재위원회는 무역, 투자, 봉사와 관련한 분쟁을, 조선해사중재위원회는 해상 경제활동과정에 발생하는 분쟁을, 조선콤퓨터쏘프트웨어중재위원회는 컴퓨터소프트웨어와 관련한 분쟁을 심리 해결한다(대외경제중재법 제3조).

대외경제중재에는 지역관할과 심급을 두지 않으며 중재부가 내린 재결을 최종결정으로 한다.

2. 대외중재의 조건

중재제기 조건은 다음과 같다.

① 중재합의가 있어야 한다.

② 구체적인 청구사실과 근거가 있어야 한다.

③ 중재위원회의 관할에 속하는 분쟁이어야 한다.

중재위원회는 상기 어느 하나의 조건이라도 갖추지 못한 중재제기는 접수하지 말아야 한다(대외경제중재법 제17조).

중재당사자가 서명한 문건이나 당사자 사이에 주고받은 서신, 팩스, 전자우편 등에 중재의사와 관련한 내용이 반영되어 있을 경우와 중재합의가 구두 또는 행동 기타의 수단이나 형식으로 되어있다 하더라도 그 내용이 기록되어 있거나 증거에 의하여 확인되었을 경우에 중재합의로 인정한다(대외경제중재법 제13조).

중재합의는 해당 계약서에 중재항을 포함시키거나 계약서와 별도로 중재합의문건을 만드는 방법으로 한다. 중재합의는 분쟁이 발생한 후에도 할 수 있다(대외경제중재법 제12조).

중재합의를 하지 않으면 대외경제중재를 제기할 수 없으며 따라서 중재사건 자체가 성립될 수 없다. 중재합의는 중재절차에 속하지 않으며 분쟁당사자들이 중재를 제기하기 전에 반드시 지켜야 할 전제조건이다.

중재계약은 거래당사자들 사이의 분쟁을 해결하기 위한 방법이며 중재소속의 기초로 되는 계약이다. 중재계약이 이루어지면 당사자들은 중재수속에 의하여 분쟁을 끝내야 할 의무를 진다. 이 의무를 어기고 당사자 일방이 재판소에 소송을 제기하는 경우 상대편 당사자는 중재계약이 체결되어 있다는 것을 이유로 그 소송에 대한 기각을 요구할 수 있다.

따라서, 중재위원회는 분쟁당사자들에게서 해당 분쟁사건을 접수할 때 반드시 당사자들 사이에 중재합의가 있었는가를 확인하여야 한다.

그러나 중재계약이 체결되었다 하더라도 그 이후 분쟁당사자들 사이에 소송절차로 분쟁을 해결하기로 합의하였다면 재판소에 소송을 제기하여 해결할 수도 있다.

또한, 중재합의 내용 중 사건관할을 반드시 확인하여야 한다. 사건관할을 어기고 접수처리한 중재사건은 법적효력을 가지지 못한다. 따라서 중재위원회와 재결원들이 한 행위도 법적보호를 받을 수 없게 된다.

3. 대외중재 대상과 대외중재 절차

1) 대외중재 대상

대외경제중재의 대상이 되는 분쟁은 다음과 같다(대외경제중재법 제4조).

① 외국적 요소와 함께 당사자들 사이의 중재합의가 있는 대외경제활동 과정에 발생한 분쟁

② 권한 있는 국가기관이 대외 경제중재절차로 해결하도록 중재위원회에 위임한 분쟁

외국적 요소란 당사자들 가운데 어느 일방이 다른 나라의 법인, 개인이거나 업무장소, 거주지, 주소지 또는 분쟁재산이나 중재장소 같은 것이 다른 나라와 연관되는 조건들이다(대외경제중재법 제2조).

2) 대외중재 절차

중재절차는 당사자들이 합의하여 정할 수 있다. 당사자들 사이의 합의가 없을 경우에는 이 법의 절차에 따른다(대외경제중재법 제34조).

대외중재 절차는 다음과 같다.

| 대외중재 절차표 |

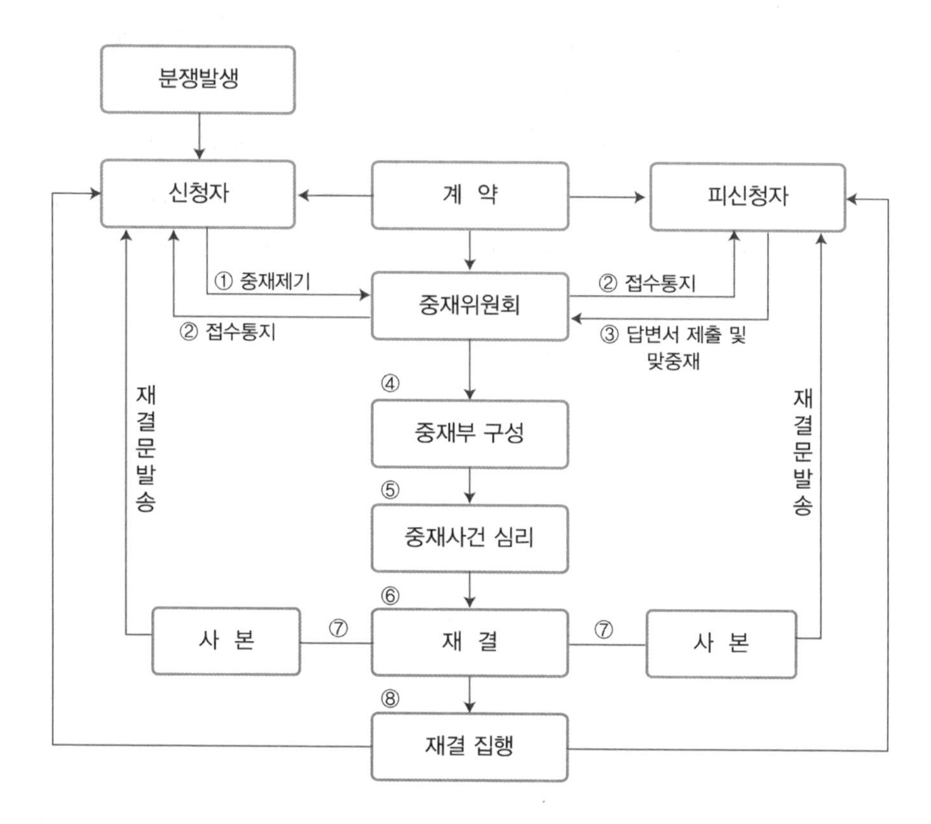

① 중재제기 : 신청자(당사자), 중재위원회에 제기

② 접수통지 : 피신청자, 신청자 사건접수 통지

③ 청구와 항변 : 피신청자 답변서를 중재위원회에 제출

④ 중재부 구성 : 책임재결원 1명, 재결원 2명

⑤ 중재사건 심리 : 사건심리를 시작

⑥ 재결 : 다수결기준으로 재결

⑦ 재결문(사본)발송 : 신청자, 피신청자에 내린 재결문 사본발송, 당사자 간의 합의로 기간연장가능

⑧ 재결집행 : 재판집행제도에 따라 집행

⑨ 합의 및 조정 : 중재신청 후 재결을 내리기 전까지 요청에 따라 집행 중의 중재를 합의 또는 조정가능

4. 대외중재의 제기와 접수

1) 대외중재의 제기

분쟁당사자(중재당사자)들은 자기의 권리와 이익을 보호받기 위하여 중재를 제기할 수 있다. 중재사건이 제기되면 그 조직의 책임자가 법정대표의 자격을 가지고 당사자로 나선다. 중재를 제기한 신청자(원고)와 상대편인 피신청자(피고)는 다같이 중재수속의 당사자로서 수속 상의 권리와 의무를 갖는다.

위임에 의하여 대리인을 통하여 중재제기를 하거나 항변할 수 있다. 대리인으로는 북한 공민이나 외국인이 될 수 있다. 이 경우 대리인은 중재위원회 또는 중재부에 대리위임장을 내야 한다(대외경제중재법 제19조).

중재제기는 시효기간 안에 중재제기서에 밝힐 내용과 그에 첨부할 문건을 중재위원회에 제출하는 방법으로 한다. 중재제기서와 중재제기서에 첨부하는 문건에 명시하여야 할 내용은 아래와 같다.

중재제기서에 밝히는 내용

ⓐ 분쟁당사자의 명칭(이름)과 법적주소, 법정대표 또는 그 대리인의 이름

ⓑ 중재기관, 준거법, 중재지역 같은 중재합의 내용

ⓒ 청구내용과 금액

ⓓ 재결원의 선정과 관련한 의사표시 또는 재결원의 이름

ⓔ 기타 필요한 내용

중재제기서에 첨부하는 문건

ⓐ 중재조항 또는 중재계약서 원본

ⓑ 중재비용 납부확인 문건

ⓒ 중재를 제기하기 전에 상대방에게 낸 청구문건

ⓓ 피신청자의 계약상 의무 위반사실 증명 문건

ⓔ 기타 필요한 문건

중재제기서에는 중재제기의 이유와 그 원인으로 된 사실을 구체적이고, 객관적으로 논리 정연하고 알기 쉽게 써야 한다. 특히 청구금액에 대해서는 산출근거를 명확히 밝히고 관련되는 근거자료들을 첨부함으로써 청구가 공정한 재결을 받을 수 있도록 해야

한다.

중재비용은 중재절차(수속)의 중요한 구성요소로서, 분쟁당사자 일방이 분쟁의 최종해결을 위하여 납부한 것으로 중재를 제기한 후 재결이 내려질 때까지 소요되는 비용이다.

중재비용은 중재위원회가 중재제기서(신청서)를 접수할 때 흔히 은행을 통하여 예납 받으며 해당 사건이 재결원협의회에 의하여 재결되면 재결에서 청구금액을 지불할 의무를 진자가 그것을 부담하게 된다. 중재비용은 청구금액에 따라 정해진 비율로 계산하며 필요에 따라 통신연락을 하거나 해당 외국인을 재결원으로 초빙하는 등의 중재사업에도 쓸 수 있다.

2) 접수통지

중재위원회는 중재제기문건을 받은 날부터 5일 안에 그것을 검토하고 중재제기를 승인하였을 경우에는 접수통지서를 각 당사자들에게 보내며 부결하였을 경우에는 이유를 밝힌 부결통지서를 신청당사자에게 보내야 한다(대외경제중재법 제18조).

3) 대외중재 관련 시효

북한에서의 민법상 시효는 아래와 같다.

민법 제259조 (민사시효의 적용)

민사상 권리의 실현을 보장받기 위한 재판이나 중재의 제기는 민사시효 기간 내에 하여야 한다. 이를 어긴 경우에는 재판, 중재절차에 의한 권리의 실현을 보장받지 못한다. 북한 소유 재산의 반환청구에 대하여서는 민사시효가 적용되지 않는다.

민법 제260조 (공민[84]이 당사자로 나서는 민사시효 기간)

기관, 기업소, 단체와 공민사이 또는 공민사이의 민사시효 기간은 1년으로 한다.

---

84) 공민(公民) : 일정한 국가의 국적을 가지고 그 국가헌법에 의하여 보장된 모든 권리를 가지며, 헌법에 제정된 모든 의무를 수행하는 사람. 조선말사전, 북한 과학원출판사, 1961.
북한 민법 제19조 (공민의 민사권리능력) 공민의 민사권리능력은 출생과 함께 생기며 사망과 함께 없어진다. 모든 공민은 민사권리능력을 평등하게 가진다. 법은 따로 정하지 않는 한 누구도 공민의 민사권리능력을 제한할 수 없다.

민법 제261조 (기관, 기업소, 단체사이의 민사시효 기간)

기관, 기업소, 단체사이의 민사시효 기간은 다음과 같다.

① 제품의 대금청구와 보증금반환청구, 공급한 제품의 규격, 완비성 및 견본의 위반과 파손, 부패변질, 수량부족 그밖의 계약조건위반으로 하여 발생한 손해보상청구와 위약금, 연체료의 지불청구 및 운수, 체신업무와 관련하여 발생한 청구에 대하여서는 3개월

② 앞 호 이외의 청구에 대하여서는 6개월

③ 대외민사거래와 관련한 청구에 대하여서는 조약에서 달리 정하지 않은 한 2년

민법 제262조 (예산제기관, 기업소의 채권에 대한 민사시효 기간)

예산제기관, 기업소의 청구에 대하여서는 민사시효 기간이 만료되기 전이라도 그 청구권이 발생한 예산 연도가 지나면 시효기간이 지난 것으로 본다.

위의 규정을 종합하면, 분쟁당사자가 자기의 권리와 이익을 보호받기 위하여 중재를 제기할 수 있다. 이때, 중재제기는 시효기간 내에 중재제기서와 그에 첨부할 문건을 중재위원회에 제출하는 방법으로 한다.

중재신청자는 중재제기를 변경, 취소하거나 청구를 포기할 수 있다. 중재제기를 변경, 취소하였을 경우에는 시효기간 내에 다시 중재를 제기할 수 있다. 그러나 청구를 포기한 경우에는 같은 내용의 청구를 다시 할 수 없다.

여기서 주의할 점은, 북한의 민법 규정을 검토한 결과 시효와 관련하여는 일반적인 외국인 투자기업이 민법상의 주체로서 적용하거나 적용 받을 수 있는 조항이 확인되지 않는다. 즉, 북한 민법 제260조는 북한 공민(개인)과 북한의 기관, 기업소, 단체 또는 다른 공민 간에 시효를 규정한 것이며, 북한 민법 제261조는 북한의 기관, 기업소, 단체 간의 시효를 규정한 것이며, 북한 민법 제262조는 북한의 예산제도에 따라 운용되는 기관, 기업소, 단체에 적용되는 시효로 북한 민법 제260조와 제261조에서 규정한 시효보다 더 단기의 시효를 적용할 것을 규정하고 있다.

뿐만 아니라, 일반적인 외국인 투자기업이 예산제도에 따라 운영되는 북한의 기관 및 기업소(기업소 역시 정부의 것으로 정부 기관으로 보는 것이 합리적이다) 및 단체와 거래를 통하여 정상적인 상사채권이 성립한 경우, 해당 예산 연도(회계연도)가 지

나면 채권 관련 시효가 소멸한다고 규정되어 있음에 주의하여야 한다. 따라서, 일반적인 외국인 투자기업이 북한 측 기관, 기업소 및 단체와 거래할 때 거래상대방이 예산제도를 적용 받는 기관인지 여부를 먼저 확인해야 할 필요가 있다.

이에 반하여, 북한 측의 기관, 기업소 및 단체가 북한 소유의 재산 반환 청구에 대하여는 시효가 무제한으로 규정되어 있음에 주의하여야 한다.

5. 청구와 항변

원고는 당사자들이 합의하였거나 중재부가 정한 기간 안에 자기의 청구사실과 분쟁내용, 요구 사항을 주장하여야 하며 피고는 그에 대한 항변을 하여야 한다.

당사자들은 자기의 주장을 증명할 수 있는 증거문건이나 증거물을 제출할 수 있으며 사건취급 기간 안에 자기의 청구내용, 항변내용을 수정하거나 보충할 수 있다(대외경제중재법 제38조). 그러나, 중재부는 당사자들의 청구내용 또는 항변내용의 수정, 보충이 부당하여 사건해결이 지연된다고 인정하는 경우 그에 대하여 승인하지 않을 수 있다.

원고가 정당한 이유없이 청구문건을 제출하지 않을 경우에는 사건취급을 중지하고 결속[85]을 하며 피고가 충분한 이유없이 항변서를 제출하지 않을 경우에는 사건취급을 계속한다. 피고가 충분한 이유없이 항변서를 제출하지 않을 경우, 피고가 항변서를 제출하지 않은 사실이 원고의 주장에 대한 인정으로 되지는 않는다.

중재부는 원고와 피고가운데서 어느 일방이 정당한 이유없이 중재 심리에 참가하지 않거나 증거문건을 제출하지 않을 경우 사건심리를 하고 제출된 증거에 기초하여 재결을 내릴 수 있다.

당사자들 사이에 별도의 합의가 있거나 중재부가 정당한 이유가 있다고 인정할 경우에는 앞 항을 적용하지 않는다(대외경제중재법 제40조).

피고는 접수된 중재사건에 대하여 맞중재를 신청할 수 있다. 맞중재는 기본중재와 직접 관련되는 것이어야 하며 중재 심리가 끝나기 전에 제기하여야 한다. 중재위원회 맞중재로 중재사건처리가 지연된다고 인정할 경우 맞중재 신청을 접수하지 않을 수 있다(대외경제중재법 제44조).

85) 결속(結束) : 일정하게 벌어진 말이나 일을 수습하여 끝맺음. 조선말사전, 북한 과학원출판사, 1961

6. 중재부 구성

1) 중재위원회와 중재부

중재위원회란 대외경제분쟁해결사업을 조직하고 중재과정에 제기되는 문제를 해결하는 상설중재기관이다. 중재부는 중재위원회에서 분쟁을 재결[86]하기 위하여 조직되는 중재원 협의회를 의미한다.

중재부란 대외경제분쟁사건의 취급처리를 맡은 단독중재원 또는 3명의 중재원으로 구성된 중재원집단이다.

중재부의 중재원수는 당사자들이 합의하여 정할 수 있다. 당사자들의 합의가 없을 경우에는 중재위원회가 중재원수를 1명 또는 3명으로 정한다(대외경제중재법 제20조).

중재원의 선정절차는 당사자들이 합의하여 정할 수 있다. 당사자들의 합의가 없을 경우에는 다음의 절차로 중재원을 선정한다(대외경제중재법 제21조).

중재위원회는 중재원을 선정할 경우 당사자들의 요구 또는 이 법에 규정한 중재원의 자격에 근거하여 공정하고 독자적인 중재원을 선정하여야 한다(대외경제중재법 제22조).

① 중재부를 3명의 중재원으로 구성하려 할 경우에는 당사자들이 각각 1명의 중재원을 선정한 다음 선정된 2명의 중재원이 15일 안에 책임중재원을 선정하며, 당사자들이 중재원을 선정하지 않거나 선정된 2명의 중재원이 책임중재원을 선정하지 못하였을 경우에는 당사자 일방 또는 선정된 중재원의 요구에 따라 중재위원회가 선정한다.

② 중재부를 중재원 1명으로 구성하는 경우 당사자들이 정해진 기간 안에 중재원 선정에 대한 합의를 하지 못하면 당사자 일방의 요구에 따라 중재위원회가 중재원을 선정한다. 당사자들은 본 조항에 따라 중재위원회가 내린 결정에 대하여 의견을 제기할 수 없다.

2) 중재원의 선임

중재원으로는 다음의 성원이 될 수 있다(대외경제중재법 제23조).

① 중재위원회의 성원

② 분쟁사건을 심리 해결할 수 있는 능력을 가진 법 또는 경제부문의 일꾼

---

86) 재결이란 대외경제 분쟁사건을 심리하고 중재부가 내린 결정이다.

③ 변호사, 판사로 일한 경력이 있는 일꾼
④ 중재분야에서 널리 알려진 해외조선동포 또는 외국인

중재원으로 선정된 자는 선정된 때부터 사건의 취급처리가 끝날 때까지 자기의 공정성과 독자성에 대하여 의심이 제기될 수 있는 모든 사유를 중재위원회와 당사자들에게 제때에 통지하여야 한다. 자기의 공정성과 독자성에 대하여 의심받을 사유가 있거나 이 법에 정해진 자격 또는 당사자들 사이에 합의한 자격을 갖추지 못한 중재원은 배제될 수 있다(대외경제중재법 제24조 및 제25조).

중재원이 스스로 사임하는 경우와 당사자들의 합의 또는 중재위원회의 결정으로 중재원을 교체할 수 있다(대외경제중재법 제26조).

7. 중재 사건의 심리

1) 심리날짜 및 장소의 통지

중재절차와 중재장소는 당사자들이 합의하여 정할 수 있다. 당사자들의 합의가 없을 경우에는 중재부가 당사자들의 편의, 사건해결의 전반상황을 고려하여 중재장소를 정한다(대외경제중재법 제34조, 제35조).

당사자들의 합의가 없는 한 중재의 시작일은 피신청자가 중재접수통지서를 받은 날로 한다(대외경제중재법 제36조).

2) 중재 심리

중재 심리는 해당 중재위원회의 소재지에서 비공개로 한다. 분쟁당사자들의 요구에 따라 중재 심리를 공개로 할 수 있으며 소재지 밖의 다른 곳에서도 할 수 있다.

당사자들 사이에 다른 합의가 없는 한 중재부는 감정을 위하여 감정인 및 증인을 지정하고 그에게 필요한 자료를 제공하거나 당사자들이 감정 및 증거와 관련한 문서, 물건 등을 감정인 및 증인에게 제출하도록 요구할 수 있다. 당사자 일방의 요구 또는 중재부가 필요하다고 인정할 경우에는 감정인, 증인을 중재 심리에 참가시켜 답변하게 할 수도 있다(대외경제중재법 제41조).

중재부는 당사자의 신청 또는 필요에 따라 증거조사를 하거나 재판기관이나 해당기관에 증거 조사를 의뢰할 수 있다. 당사자도 중재부의 승인을 받아 증거조사를 의뢰할 수 있다(대외경제중재법 제42조).

8. 분쟁에 대한 심리종결

1) 재 결

재결이란 대외경제 분쟁사건을 심리하고 중재부가 내리는 결정이다.

중재원 3명으로 구성된 중재부의 의사결정은 다수결로 한다. 당사자들의 합의 또는 중재원들의 합의가 있을 경우에는 책임중재원이 의사결정을 한다.

재결은 재판소의 확정판결과 같은 법적효력을 가진다. 당사자는 재결문에 지적된 기간 안에 재결을 정확히 집행하여야 한다(대외경제중재법 제50조).

책임 있는 당사자가 재결문에 지적된 의무를 제때에 이행하지 않거나 불성실하게 이행할 경우 상대방당사자는 재판기관 또는 해당 기관에 재결집행을 신청할 수 있다. 재결집행신청문건에는 재결문의 등본을 첨부한다(대외경제중재법 제61조).

재결에 따라 집행하여야 할 재산이 북한 밖에 있을 경우에는 해당 나라의 재판기관에 재결집행을 신청할 수 있다(대외경제중재법 제63조).

2) 중재의 중단

중재는 재결로 끝내거나, 다음의 경우에는 중재부의 결정으로 종결(중단)된다(대외경제중재법 제52조).

① 원고가 중재제기를 취소하였을 경우

② 원고와 피고가 중재를 끝내는데 합의하였을 경우

③ 중재부가 중재를 계속하는 것이 불필요하거나 불가능하다고 인정하는 경우

중재부는 원고가 중재제기를 취소하였거나 피고가 동의하지 않으며 분쟁을 끝까지 해결하는 것이 피고에게 정당한 이익이 있다고 인정할 경우에는 중재사건취급을 끝내지 말아야 한다.

중재부의 중재업무는 이 법 제54조의 추가재결과 제59조의 재결의 취소를 제외하고는 중재의 종결과 함께 끝낸다.

3) 화 해

화해는 중재위원회에 제기하였던 분쟁사건에 대하여 서로 양보하고 이해한데 기초하여 중재수속을 그만둘 것을 합의하는 행위이다. 당사자들은 중재사건 취급처리의 임의의 단계에서 언제든지 서로 화해할 수 있다.

중재부는 당사자들이 화해하였을 경우 사건처리를 결속하고 화해결정을 하여야 한다. 화해결정은 해당 사건에 대하여 재결과 같은 효력을 가진다(대외경제중재법 제47조).

4) 조 정

조정은 조정회의에서 조정인이 제출한 안에 쌍방이 동의하는 방법으로 진행된다. 조정회의는 발생한 분쟁을 조정의 방법으로 해결하기 위하여 조정자와 분쟁당사자들로 구성된 협의체이다.

조정회의에는 분쟁해결에 대한 중재원의 의견을 말로 제기할 수 있으며 호상 양보와 이해의 견지에서 해결하도록 권고할 수 있다. 조정회의는 서면교환을 통하여 분쟁당사자들 사이에 합의가 이루어지면 합의서(조정서)를 작성하고 분쟁당사자들이 이에 서명한다. 이때 작성한 합의서는 해당 중재위원회의 결정서를 대신한다(대외경제중재법 제48조).

9. 재결에 대한 이의신청

1) 재결의 정정 및 추가재결 신청

아래의 경우 당사자들은 기간을 달리 정하지 않는 한 재결문을 받은 날부터 30일 안에 재결문의 정정이나 해석 또는 추가재결을 신청할 수 있다(대외경제중재법 제54조).

① 재결문에서 계산상 또는 문구상 결함 같은 것을 정정하려 할 경우

② 재결문의 일부 내용에 대한 해석이 필요할 경우

③ 청구는 하였으나 재결문에 포함되지 않은 문제에 대한 추가재결을 요구할 경우

2) 재결의 취소 신청

재결에 의견이 있는 당사자는 그것을 취소시켜줄 것에 대한 의견을 제기할 수 있다.

재결의 취소제기는 재판기관에 한다(대외경제중재법 제56조).

재결취소신청의 유효기간은 당사자들이 재결문이나 그 정정문, 해석문, 추가재결문을 받은 날부터 2개월간으로 한다(대외경제중재법 제58조).

10. 제3국 중재기관에 의한 중재

제3국에 의한 중재는 오직 계약이행과 관련하여 두 거래당사자가 제3국의 중재기관에서 분쟁을 해결하기로 합의한 경우에만 가능하다.

제2절 기업의 해산

기업의 해산이란 한마디로 정리하면, 기업이 계속 존재할 수 없는 사유의 발생으로 그 기업자격이 상실되는 것을 말한다. 법인의 해산이라고도 한다.

해산을 크게 해산원인에 따라 자발적 해산(법인자체의 결정)과 강제적 해산(재판기관 또는 행정기관의 결정)으로 나눈다. 자발적 해산은 일반적 해산 또는 청산이라고도 하며 강제적 해산은 파산이라고도 한다.

기업의 해산 사유는 아래와 같다.

1. 합작기업의 해산

합작기업은 다음과 같은 경우에 해산할 수 있다(합작법 제20조, 합작법 시행규정 제110조, 제111조).

① 합작기업은 존속기간이 끝났을 경우 해산된다.

② 합작당사자들이 계약의무를 이행하지 않았거나 지속적인 경영손실 등의 사유로 지불능력이 없어 기업운영이 불가능한 경우

③ 자연재해 등의 불가피한 사정으로 기업을 운영할 수 없는 경우

④ 공동협의기구에서 토의하거나 합작당사자들이 합의하여 기업의 해산을 결정하였을 경우

⑤ 기업이 파산되었을 경우

합작기업의 해산으로 생긴 손해에 대한 책임은 허물있는 당사자가 진다.

2. 합영기업의 해산

합영기업은 다음과 같은 경우에 해산할 수 있다(합작법 제43조, 합작법 시행규정 제128조).

① 존속기간이 끝났을 경우

② 합영 당사자들이 계약의무를 이행하지 않거나 지속적인 경영손실로 인한 지불능

력 부족으로 영업을 할 수 없게 되는 경우

③ 자연재해 등의 부득불 한 상황으로 영업을 지속할 수 없는 경우

④ 이사회가 회사의 해산을 결정했을 경우

⑤ 법원이 회사 파산을 선고했을 경우

⑥ 다른 법과 규정을 위반했을 경우

합영당사자가 계약의무를 이행하지 않아 해산하는 경우 책임이 있는 측이 손실을 배상해야 한다(합영법 시행규정 제130조).

3. 외국인기업의 해산

외국인기업은 다음과 같은 경우에 해산할 수 있다(외국인기업법 제27조, 외국인기업법 시행규정 제73조).

① 경영기간이 만료되었을 경우

② 자연재해를 비롯한 불가항력적 사유로 더 이상 경영을 계속할 수 없다고 인정되는 경우

③ 경영손실을 회복하기 곤란하여 투자가가 해산을 결심하였을 경우

④ 재판소의 판결에 따라 해산이 선포되었을 경우

⑤ 기타 위법 행위로 인해 해산을 선고받거나 결정되었을 경우

일반적으로 기업의 해산은 공시되며 등록된다. 기업의 해산이 개시된다고 하여 기업의 모든 활동이 즉시에 정지되는 것은 아니다. 기업 해산이 등록되는 것으로 해산이 개시된 후에도, 해오던 경제거래를 완전히 마무리하기 위한 사업은 계속된다. 기업의 활동은 청산인에 의한 청산수속이 끝나는 때에 완전히 정지되며 기업의 해산도 이때에 완료되게 된다.[87]

87) 조선투자법 안내, 법률출판사 2007, p.317

제3절 해산 절차

1. 합작기업의 해산

합작당사자들이 계약의무를 이행하지 않거나 지불능력이 없어 기업운영이 불가능한 경우, 불가피한 사정으로 기업을 운영할 수 없는 경우, 공동협의기구에서 토의하거나 합작당사자들이 합의하여 기업의 해산을 결정하였을 경우에는 기업해산신청서를 중앙경제협조관리기관에 제출해야 한다(합작법 시행규정 제112조).

중앙경제협조관리기관은 기업해산신청서를 접수한 날부터 20일 안에 심사하고 승인하거나 부결하는 결정을 한 다음 신청자에게 해당한 통지문건을 보내주어야 한다(합작법 시행규정 제113조).

합작당사자들이 계약의무를 이행하지 않아 기업이 해산되는 경우에는 책임 있는 당사자가 그 손해를 보상하여야 한다(합작법 시행규정 제20조).

2. 합영기업의 해산

합영회사의 존속기간이 끝나고 지불능력의 부족이나 불가항력적인 이유로 영업을 계속할 수 없게 되는 경우, 이사회에서 해산 결정을 한 경우에 중앙경제협력관리기관에 회사해산신청서를 제출해야 한다. 신청서에 해산근거를 밝히고 관련 확인 문건을 첨부해야 한다(합영법 시행규정 제129조).

중앙경제협력관리기관은 기업해산신청서를 접수한 날부터 10일 안으로 심사하여 승인 또는 부결을 결정하여 신청자에게 통지해야 한다(합영법 시행규정 제131조).

합영당사자들이 계약의무를 이행하지 않아 기업이 해산되는 경우에는 책임 있는 당사자가 그 손해를 보상하여야 한다(합영법 시행규정 제130조).

3. 외국인기업의 해산

외국인기업을 해산하려 할 경우에는 지대당국을 통해 대외경제기관에 심사승인신청을 제출해야 한다. 심사승인기관이 해산을 승인한 날이 기업해산일로 된다(외국인기업법 제74조).

제4절 청 산

1. 청산위원회 조직

1) 합작기업의 청산위원회 조직

합작당사자들은 기업이 해산되는 경우 청산위원회를 조직하여야 한다(합작법 제21조).

합작기업은 합작기업의 해산이 승인된 날부터 15일 안에 공동협의기구에서 토의한 다음 청산위원회를 조직하여야 한다. 청산위원회 성원에는 기업책임자, 채권자대표, 합작당사자, 기타 필요한 성원이 포함되어야 한다(합작법 시행규정 제114조).

합작기업이 정한 기간 안에 청산위원회를 조직하지 않을 경우 채권자는 북한의 재판기관에 청산위원회를 조직하여 줄 것을 요구할 수 있다(합작법 시행규정 제115조).

청산위원회를 조직하여 줄 것에 대한 채권자의 요구가 있을 경우와 합작기업의 파산을 선고하였을 경우 재판기관은 청산원을 임명한 다음 청산위원회를 조직하여야 한다(합작법 시행규정 제116조).

2) 합영기업의 청산위원회 조직

합영기업은 존속기간이 끝나기 전에 해산사유가 생기면 이사회에서 결정하고 투자관리기관의 승인을 받아 해산할 수 있다. 이 경우 청산위원회는 이사회가 조직한다(합영법 제44조).

합영기업은 해산승인증서를 받은 날부터 15일 안으로 이사회는 청산위원회를 조직한다. 위원회는 합영회사 책임자, 채권자대표, 합영당사자들과 그 밖에 필요한 성원을 포함한다(합영법 시행규정 제132조).

합영기업이 규정된 기간 안으로 청산위원회를 조직하지 않을 경우 채권자는 북한 판결기관에 위원회조직을 요청할 권리가 있다(합영법 시행규정 제133조).

채권자는 청산위원회나 북한 판결기관에 회사 파산 선고를 요청할 수 있으며 판결기관은 청산성원을 임명하고 청산위원회를 조직해야 한다(합영법 시행규정 제134조).

3) 외국인기업의 청산위원회 조직

외국인기업은 기업의 해산을 공개한 날부터 15일 안으로 청산위원회 위원명단을 중앙경제협조관리기관에 제출하여 합의를 받은 다음 청산위원회를 조직하여야 한다. 청산위원회는 조직된 날부터 1주일 안으로 청산사업에 착수하여야 한다(외국인기업법 시행규정 제75조, 제76조).

2. 청산위원회의 업무

청산위원회는 다음과 같은 임무와 권한을 가진다.

1) 합작기업의 청산위원회의 업무(합작법 시행규정 제117조)

① 채권자 회의를 소집하며 채권자 대표를 선출한다.
② 기업의 재산과 도장을 넘겨 받아 관할한다.
③ 채권·채무 관계를 확정하고 재정상태표와 재산목록을 작성한다.
④ 기업의 재산에 대한 가치를 재평가한다.
⑤ 마무리하지 못한 해당 업무를 넘겨받아 처리한다.
⑥ 청산안을 작성한다.
⑦ 거래은행, 기업등록기관, 세무기관에 기업의 해산에 대하여 통지한다.
⑧ 세금을 납부하고 채권채무를 정산하며 남은 재산을 처리한다.
⑨ 기타 청산과 관련하여 제기되는 문제를 처리한다.

2) 합영기업의 청산위원회의 업무(합영법 시행규정 제135조)

① 채권자 회의를 열고 채권자 대표를 선출할 수 있다.
② 회사 재산과 직인을 관리한다.
③ 채권·채무 관계를 파악하고 재정상황표와 재산목록을 제정할 수 있다.
④ 회사재산의 가치를 다시 평가하고 청산방안을 정할 수 있다.
⑤ 합영기업과 거래하는 은행, 세무기관과 회사등록기관에 회사의 해산을 통지할 수 있다.

3) 외국인기업의 청산위원회의 업무(외국인기업법 시행규정 제78조)

① 채권자 회의를 소집한다.
② 기업의 재산과 인장을 넘겨받아 관할한다.
③ 채권·채무 관계를 확정하고 재정상태표와 재산목록을 작성한다.
④ 기업의 재산에 대한 가치를 평가한다.
⑤ 청산안을 작성한다.
⑥ 세금을 바치고 채권과 채무를 청산한다.
⑦ 청산하고 남은 재산을 처리한다.
⑧ 기타 청산과 관련하여 제기되는 문제를 처리한다.

청산위원회는 조직된 날부터 10일 내로 채권자와 채무자에게 기업의 해산에 대하여 통지하여야 한다(합작법 시행규정 제118조, 합영법 시행규정 제136조).

채권자는 해산통지를 받은 날부터 30일 안에 채권청구문건을 청산위원회에 내야 한다. 채권청구문건에는 채권자명, 채권의 내용, 근거를 밝히고 해당한 확인문건을 첨부하여야 한다(합작법 시행규정 제119조, 합영법 시행규정 제137조).

상기 규정과 관련한 내용은 외국인기업법에서는 확인되지 아니한다. 그러나, 외국인기업법에서 역시 법 논리상 동일한 절차로 진행함이 타당할 것이라고 판단된다.

청산위원회는 채권청구문건을 접수한 순서대로 채권을 등록하며 청산안에 따라 채권자의 채권을 처리해주어야 한다. 청산안은 기업을 해산시킨 공동협의기구(합영기업은 이사회) 또는 중앙경제협조관리기관(기업의 파산을 선고하였을 경우에는 재판기관)의 합의를 받아야 한다. 청산재산은 청산사업과 관련한 비용, 세금, 종업원의 노동보수, 기업의 채무순위로 처리하며, 잔여재산은 합작기업의 경우 합작계약에 따라, 합영기업의 경우에는 합영당사자 출자비율에 따라 분배한다(합작법 시행규정 제120조, 제121조, 합영법 시행규정 제138조, 제139조).

상기 규정과 유사한 내용으로 외국인기업법 제29조와 외국인기업법 시행규정 제79조에 외국인기업은 청산이 끝나기 전에 재산을 마음대로 처리할 수 없으며, 외국인기업의 재산 청산은 청산작업과 관련된 비용, 세금, 직원노동력 보수, 회사채무의 절차에 따라 처리하여야 한다라는 내용의 규정이 있다. 이 규정 중, 외국인기업은 청산이 끝나기 전에 재산을 처리할 수 없다는 규정은 합리적이지 않다. 왜냐하면, 청산 자체가 회사의 자산을 이용하여 부채를 정리하는 작업이므로, 회사 자산의 정리가 필수적인 업무이기 때문이다. 청산이 끝나기 전에 재산을 처리할 수 없다는 규정의 입법취지는 주주에게 잔여재산을 임의로 배분할 수 없다는 의미로 판단된다.

청산위원회(재판기관이 조직한 청산위원회 제외)는 재산이 채무보다 적을 경우 해당 재판기관에 기업의 파산선고를 신청하여야 한다. 재판기관의 판결로 파산이 선고되었을 경우에는 청산사업이 재판기관으로 넘어가게 된다(합작법 제21조, 합작법 시행규정 제122조, 합영법 제44조, 합영법 시행규정 제140조).

청산위원회는 기업의 거래업무를 종료하고 청산을 끝낸 다음 10일 안에 청산보고서를 만들어 중앙경제협조관리기관(회사파산으로 청산작업이 진행되는 판결기관에 제출하고, 기업등록 취소수속을 하여야 한다. 청산보고서를 제출한 후 지대당국에 기업등록증과 영업허가증을 반납하고 기업 및 세무등록 취소수속을 하며 해당 거래은행의 돈자리를 막아야 한다(합작법 제21조, 합작법 시행규정 제123조, 합영법 제44조, 합영법 시행규정 제141조, 외국인기업법 시행규정 제80조).

상기 규정과 관련한 내용은 외국인기업법 시행규정 제80조에 규정되어 있다. 다만, 외국인기업법에서는 청산 종료 후 10일이 아니라, 즉시 청산보고서를 만들어 제출할 것을 규정하고 있다.

제5절 파 산

북한에서는 2000년 4월 19일 합영기업, 합작기업, 외국인기업에 적용하는 외국인 투자기업파산법(이하 '파산법')을 채택하였으며, 2011년 12월 21일에 동 법을 수정보충한 바 있다.

채무를 정한 기간 안에 상환하지 못하거나 기업의 채무가 자기 자산을 초과하거나 엄중한 손실로 기업을 더 유지할 수 없거나 청산이라는 일반절차로 기업을 해산할 수 없을 경우에는 파산이라는 절차를 통하여 해산시킨다. 파산이란 채무를 이행할 수 없게 된 외국인 투자기업의 자산을 재판소가 채권자들에게 나누어 주고 그 기업을 해산시키는 행위이다(파산법 제2조, 제3조).

파산절차는 재판소의 파산선고에 의하여 시작된다. 재판소는 파산 제기를 접수하면 파산수속을 개시할 것인가, 기각할 것인가를 결정한다. 이때 재판소는 채권자의 파산제기가 정당하다고 인정되는 경우 판결(파산개시결정)을 내린다. 재판소는 곧 청산위원회를 조직하고 파산재산에 대한 관리처분권을 부여한다. 파산재산의 분배는 재판소가 비준한 파산재산분배표에 근거하여 청산위원회가 한다. 청산위원회는 파산재산분배를 끝낸 날부터 10일 안에 기업파산 총화[88]보고서를 만들어 재판소에 제출한다. 재판소는 청산위원회의 총화보고서 청취를 위한 채권자 회의가 끝나면 파산종결결정을 내린다. 만일 파산수속 과정에 당사자들 사이에 화해가 이루어지면 화해수속을 진행한다.

1. 파산의 조건과 파산의 관할

채무를 정한 기간 안에 상환하지 못하거나 기업의 채무가 자기 자산을 초과하거나 엄중한 손실로 기업을 더 유지할 수 없거나, 청산이라는 일반절차로 기업을 해산할 수 없을 경우에는 기업을 파산시킬 수 있다. 기업파산은 재판소의 판결에 따라 한다.

북한의 기관, 기업소, 단체에서 자금을 지원받을 수 있거나 상환기간이 된 채무를 파산제기가 있은 날부터 6개월 안에 청산할 담보가 있을 경우에는 기업을 파산시키지

88) 어떤 사물의 총체적 진행 상황, 또는 진행 결과를 종결하는 일. 조선말사전, 북한 과학원출판사, 1961

않을 수 있다(파산법 제4조).

또한, 기업파산이 제기된 후 당사자들 사이에 화해가 이루어진 경우에는 진행 중인 파산수속을 중지할 수 있다.

기업파산사건은 해당 기업소재지에 있는 도(직할시)재판소가 관할 및 처리한다. 라선경제무역지대 등의 특수경제지대에서 기업파산사건은 해당 특수경제지대를 관할하는 재판소가 관할 및 처리한다(파산법 제6조).

2. 파산의 제기와 취소 및 재판소의 결정

파산제기는 채무상환능력이 없는 해당 기업과 그 채권자가 한다. 기업의 해산처리를 맡은 청산위원회도 파산을 제기할 수 있다. 파산제기는 해당 재판소에 서면으로 한다(파산법 제8조).

계약에서 정한 기간 안에 채권금액을 받지 못하게 된 채권자는 채권금액을 회수할 목적으로 해당 기업의 파산을 제기할 수 있다. 이 경우 채권자가 3명 이상이 되는 기업의 경우 1명 이상 채권자의 동의를 받아야 한다. 파산제기서에는 채권자의 명칭(이름), 주소, 법정대표와 그 대리인의 이름, 주소, 채권명, 채권금액, 채권기간, 파산시킬 기업의 명칭과 주소를 밝히고 채권을 상환 받지 못한 이유, 파산제기에 동의한 사실을 증명하는 자료를 첨부하여야 한다(파산법 제9조).

채무상환능력을 잃은 해당 기업은 이사회 또는 공동협의회의 결정에 따라 면책을 목적으로 자기 기업의 파산을 제기할 수 있다. 파산제기서에는 기업의 명칭, 주소, 기업의 손해정형, 채무를 상환할 수 없는 이유를 밝히고 채무 및 재산목록 같은 문건을 첨부하여야 한다(파산법 제10조).

외국인 투자기업의 해산절차에 따라 조직된 청산위원회는 청산 과정 중에 그 기업을 파산시키는 것이 옳다고 인정되는 경우 해당 재판소에 파산제기를 하여야 한다. 파산제기서에는 기업의 명칭, 주소, 재산 및 채무자료와 청산절차로 기업을 해산할 수 없는 이유를 밝혀야 한다(파산법 제11조).

파산의 신청(제기) 당사자와 관련하여, 주주(소액주주)에 의한 파산 신청(제기) 관련 규정은 확인되지 않는다.

파산제기자는 기업의 파산이 선고되기 전에 파산제기를 취소할 수 있다. 이 경우 파산제기취소신청을 해당 재판소에 하여야 한다(파산법 제12조).

재판소는 파산제기를 받은 날부터 30일 내에 파산제기를 접수하거나 부결하여야 한다. 이 경우 필요한 조사를 할 수 있다(파산법 제13조).

재판소는 파산제기가 정당하다고 인정되는 경우 판결로 기업파산을 선고하고 판결서 등본을 파산제기자와 해당 기업에 보내야 한다. 판결서에는 파산기업의 명칭, 법정대표이름, 파산근거, 판결날짜 등이 포함되어야 한다(파산법 제14조).

3. 파산선고와 사해행위

파산선고를 받은 기업은 판결서 등본을 받은 날부터 정상적인 재산거래 및 경영활동을 중지하여야 한다. 파산선고를 통지받은 기업은 그날부터 2일 안에 기업창설을 승인한 기관에 파산선고를 받은 사실에 대하여 알리고 필요한 등록을 하여야 한다(파산법 제15조, 제16조).

파산기업의 법정대표 또는 그 대리인은 파산수속이 종결될 때까지 재판소의 허가없이 기업소재지, 거주지를 떠날 수 없으며 파산과 관련한 질문에 설명을 하거나 파산업무에 협력하여야 한다(파산법 제17조).

파산기업이 파산제기 6개월 전 또는 파산제기 후에 자산을 감추었거나 분배한 행위, 무상 또는 낮은 가격으로 양도한 행위, 파산제기 후 또는 그 30일 전에 자기 채권을 법적 근거없이 포기한 행위, 기업파산을 예견하고 채권자들에게 손해를 준 행위는 무효로 한다(파산법 제18조).

상기 규정은 사해행위(詐害行爲)에 대한 규정이다. 한국에서의 사해행위에 대한 규정은 사해행위의 취소를 법원에 소를 제기하는 방법만 청구할 수 있다. 그런데, 북한에서는 이러한 사해행위를 소송에 의한 법원 판결없이 일괄적으로 무효로 한다는 규정은 상당히 파격적인 규정이라 할 수 있다.

4. 청산위원회의 조직과 업무

1) 청산위원회의 조직

재판소는 파산선고를 한 날부터 5일 안에 2명~3명으로 구성된 청산위원회를 조직하여야 한다. 청산위원회 성원으로는 해당 기업창설을 승인한 기관, 재정은행기관 일군, 기타 일군이 될 수 있다. 청산위원회 위원장은 재판소가 임명한다(파산법 제19조).

2) 청산위원회의 업무(파산법 제20조)

청산위원회는 다음과 같은 사업을 한다.

① 60일 이내의 채권신고 기간 설정, 채권의 조사 및 확정기간과 파산선고 후 20일 내에 제1차 채권자 회의 소집일자, 파산선고를 받은 기업에 진 채무를 상환하여야 할 날짜, 파산기업의 자산을 가지고 있는 자가 그것을 신고 및 반환하여야 할 날짜 등의 파산절차 개시에 필요한 사항을 정한다.

② 파산기업의 채권자, 채무자, 파산기업의 자산소지자들에게 파산통지를 한다.

③ 파산기업의 인감(공인), 회계장부, 재산목록 및 채권자명단, 기타 문건을 넘겨 받는다.

④ 파산기업 법정대표의 입회 하에 기업재산의 가격을 평가한다.

⑤ 파산기업의 회계장부를 마감하고 재정상태표와 재산목록을 작성하여 재판소에 낸다.

⑥ 필요에 따라 파산기업의 재산에 봉인을 하고 해당한 조서를 작성한다.

⑦ 파산기업의 경영업무를 마감한다.

⑧ 기업파산 선고시까지 이행하지 않은 계약을 취소시키거나 그 이행을 중지시킨다.

청산위원회는 정한 날짜에 제1차 채권자 회의를 소집한다. 제1차 채권자 회의는 채권자 중에서 채권자 회의의 책임자를 정하고 청산위원회로부터 기업의 파산경위와 재산 및 채무실태에 대하여 보고받는다(파산법 제21조).

채권자 회의 결정은 회의에 참가한 채권자의 반수 이상이 찬성하고 그들의 채권액이 파산채권총액의 2분의 1 이상이 되어야 채택된다. 채권자 회의의 결정은 모든 채권자에게 같은 효력을 가진다(파산법 제22조).

3) 파산채권의 신고와 확정

파산선고를 받은 기업의 채권자는 채권신고기간 내에 청산위원회에 서면으로 채권신고를 하여야 한다. 채권신고서에는 채권자의 명칭(이름), 주소, 채권명, 채권금액, 채권기간 및 채권발생 근거 등을 밝히며 채권 이외의 청구권을 가지고 있을 경우에는 청구금액과 그와 관련한 증명문건을 첨부하여야 한다(파산법 제23조).

청산위원회는 채권신고를 받는 차제[89]로 채권등록을 하여야 한다. 채권등록은 채권신고서의 양식에 따라 한다(파산법 제24조).

채권신고기간 안에 신고하지 않은 채권은 무효이다. 파산에 대하여 통지한 청산위원회는 그에 대하여 답변이 없는 채권자에게 다시 통지하여야 한다(파산법 제25조).

청산위원회는 채권조사기간 안에 신고된 채권에 대하여 채권조사를 하여야 한다. 채권조사는 관계기관에 의뢰하거나 직접 알아보는 방법으로 한다(파산법 제26조).

청산위원회는 이견이 제기된 채권에 대하여 관계 있는 채권자에게 통지하여야 한다. 채권자는 이견제기자를 대상으로 파산사건을 관할하는 재판소에 채권확정을 위한 민사소송을 제기할 수 있다. 재판소는 제기된 사건을 심리하고 그 결과를 청산위원회에 알려야 한다(파산법 제27조).

신고내용과 조사내용이 차이나는 채권, 이견이 제기되었으나 민사소송이 제기되지 않은 채권의 확정은 청산위원회가 한다(파산법 제28조).

채권의 조사 및 확정을 끝낸 청산위원회는 다음의 방법으로 채권표를 만든다(파산법 제29조).

① 우선권의 유무에 따라 채권을 구분하고 채권금액 크기 순으로 기록한다.

② 채권 이외의 청구권은 이자, 손해보상금, 위약금, 벌금, 수수료, 소송비용 등으로 구분하여 기록한다.

③ 상환기간이 되지 않은 채권은 파산선고 시점을 상환기간으로 하고 채권금액을 계산하여 기록한다.

④ 채권금액과 채권의 조사 및 확정기간 내에 제기된 내용은 채권별로 기록한다.

청산위원회는 작성된 채권표를 채권자 회의 동의를 받은 후, 재판소의 비준을 받아야 확정한다. 비준된 채권표는 모든 채권자에게 같은 효력을 가진다(파산법 제30조).

채권신고서, 채권표는 재판소에 보관한다. 재판소는 파산기업 이해관계자들의 요구에 따라 해당 문건을 보여줄 수 있다(파산법 제31조).

89) 차제(次第) : 그 즉시로, 순서대로, 뒤이어. 조선말사전, 북한 과학원출판사, 1961

4) 분배 대상 자산의 확보와 분배순위의 결정

파산기업의 자산은 채권자들에게 분배한다. 파산자산에는 파산선고를 받은 기업의 화폐자산과 현물자산, 지적소유권 및 기타 재산권 등이 속한다. 파산 절차 중에 취득한 자산도 분배 대상 파산자산에 속한다(파산법 제32조).

분배할 파산재산의 확보는 청산위원회가 한다. 청산위원회는 미납된 출자 몫을 회수하고, 파산기업의 채권을 회수하여야 한다. 이 경우 상환기간이 되지 않은 채권은 파산선고일을 기준으로 해당 금액을 계산하여야 한다(파산법 제33조).

청산위원회는 파산기업의 채무자가 그 기업에 대하여 채권을 가지고 있을 경우 채권과 채무를 서로 상계할 수 있다. 상계는 무역은행이 당일 발표하는 외화교환시세표에 따라 한다(파산법 제34조).

상기 규정에서 확인되는 바와 같이, 파산의 경우에는 대외 외화 채권·채무의 상계가 가능한 것으로 확인된다.

청산위원회는 자산분배를 위하여 생산제품 또는 기계설비, 지적소유권 같은 재산을 현금으로 전환시킬 수 있다(파산법 제35조).

파산자산의 분배순위는 다음과 같다(파산법 제36조).

① 국가수수료 및 파산 수속비용

② 노임과 보험금

③ 세금을 비롯한 국가의무 납부금

④ 파산수속 중에 계약취소로 생긴 위약금

⑤ 담보채권

⑥ 무담보채권

⑦ 채권 이외의 청구권

상기 파산자산의 분배순위와 청산에 있어서 청산위원회의 청산자산의 배부순서가 다르게 규정되어 있음에 주목할 필요가 있다.

북한 정부 수수료 및 파산 수속비용의 지출정형은 청산위원회가 채권자 회의 책임자에게 통지한다. 청산위원회의 통지에 대하여 제기된 이견의 처리는 재판소의 판정에 따른다(파산법 제37조).

청산위원회는 분배순위와 채권표에 따라 파산자산 분배표를 만들어야 한다. 파산자산분배표에는 분배하여야 할 총금액, 실지로 분배하는 금액, 분배 받을 채권자의 명칭(이름), 주소, 분배금액 등을 명시하여야 한다(파산법 제39조).

파산재산분배표는 청산위원회가 채권자 회의에 제출한다. 채권자 회의에서 파산재산분배표가 가결된 경우에는 재판소의 비준을 받으며 부결된 경우에는 재판소의 판정에 따른다. 재판소의 판정에 따라 파산재산분배표를 다시 작성할 수 있다(파산법 제41조).

청산위원회는 파산자산분배표의 담보채권 분배액에 파산선고가 있은 날부터 재산분배일까지의 기간에 해당되는 이자를 포함시켜야 한다.

규정한 순위에 따라 분배액을 정하다가 분배 자산이 부족하여 더 할당할 수 없을 경우 나머지 분배순위의 채권에 대한 분배액은 같은 비율로 정한다(파산법 제40조).

5) 파산자산의 분배

파산자산의 분배는 재판소가 비준한 파산자산분배표에 근거하여 청산위원회가 한다. 청산위원회는 파산자산 분배를 끝낸 날부터 10일 안에 기업파산총화보고서를 만들어 재판소에 제출하여야 한다(파산법 제42조).

재판소는 청산위원회의 기업파산총화보고서를 심의하고 판정으로 파산을 종결하여야 한다. 이 경우 파산종결에 대하여 청산위원회에 통지하여 파산관계자들에게 알리도록 하여야 한다. 재판소의 기업파산종결 판정에 대하여 상소할 수 없다(파산법 제43조).

파산기업의 자산부족으로 청산 받지 못한 채권은 무효로 한다. 파산이 종결된 후에 발견된 파산기업의 자산은 해당 사건을 취급한 재판소가 은행을 통하여 처리한다(파산법 제44조).

6) 손해배상 및 벌금

청산위원회는 다음과 같은 경우 재판소의 승인을 받아 손해배상을 시키거나 벌금을 부과할 수 있다.

① 파산기업의 법정대표 또는 그 대리인이 이유없이 채권자 회의에 참가하지 않았거나 청산위원회와 채권자의 질문에 대하여 설명, 답변을 하지 않았거나 허위적인 설명이나 답변을 한 경우

② 파산재산을 감추었거나 채무문건을 위조하였거나 허위적인 채무를 승인한 경우
③ 회계장부 또는 전표를 위조, 소각하였거나 그 내용을 알 수 없게 하였거나 청산위원회가 마감한 회계장부를 변조한 경우
④ 파산기업의 법정대표 또는 그 대리인이 재판소의 허가없이 기업소재지, 거주지를 이탈하였거나 다른 사람과 접촉, 통신연락을 하여 파산집행에 지장을 주었을 경우
⑤ 기업의 채무자 또는 파산재산의 소지자가 재판소가 정한 기간 안에 채무를 상환하지 않았거나 파산기업의 재산을 반환하지 않아 파산수속에 지장을 준 경우
⑥ 기타 파산수속에 지장을 주었거나 채권자에게 손해를 준 경우

상기 내용 중에 일정 조건에 해당하는 경우, 청산위원회가 법원(재판소)의 승인을 받아 손해배상을 시키거나 벌금을 부과할 수 있다고 규정되어 있다. 그러나, 손해배상은 채무불이행과 불법행위로 인하여 손해를 입은 자에게 손실을 보상하는 것이므로, 손해배상의 수령자는 기업의 이해관계자로서 주로 채권자가 될 것이므로, 손해를 발생시킨 자에게 손해배상금을 부과하여 이를 손해를 입은 자에게 배분하는 것은 합리적이다. 그러나, 벌금은 정부에 귀속되는 것으로 파산수속에 지장을 주었거나 채권자에게 손해를 준 자로 하여금 정부에 금전 등을 납부하게 하는 것이 적법한 것인지 향후 입법과정에서 다투어볼 여지가 있다.

제6절 화 해

채권자의 이익을 현저하게 해치지 않는 범위에서 파산을 예방할 수 있다면, 채무자는 물론 채권자에게도 유리하다. 파산이 개시되기 전에 파산절차 밖에서 파산을 예방하는 방법으로서 이용하려는 것이 화의이다. 이러한 화의(和議)를 북한에서는 화해라는 용어로 사용하고 있다. 이하, 북한의 용어인 화해로 설명한다.

북한에서의 화해는 '파산선고를 받은 기업의 제의와 그에 대한 채권자들의 승낙에 의하여 진행 중의 기업파산수속을 중지시키는 재판상의 수속이다.'라고 설명하고 있다.

한국과 북한의 화의(화해)의 가장 큰 차이점은, 한국의 화의는 파산이 개시되기 전에 해당 기업이 채권자와 화의를 신청하여 기업을 정상화하여 지속하는 절차임에 비해, 북한에서의 화해는 파산이 진행 중인 상황에서 기업이 청산위원회와 재판소(법원)에 제기하는 절차이다.

파산선고를 받은 기업은 이사회 또는 공동협의회에서 토의하고 화해를 제기할 수 있으며, 화해제기를 할 경우 채권의 조사 및 확정기간 안에 화해제기이유, 채무상환방법, 담보 등을 밝힌 화해제기서를 청산위원회에 제출해야 한다. 화해조건은 모든 채권자에게 공정하여야 한다(파산법 제45조, 제46조).

청산위원회는 화해제기를 받은 날부터 5일 안에 그에 대하여 재판소에 알리고 재판소의 의견에 따라 채권자 회의에서 심의 결정하도록 하여야 한다. 화해심의를 위한 채권자 회의에는 채권자, 화해제기자, 청산위원회 성원들이 참가한다. 채권자들의 제기에 따라 파산기업의 채무를 대신 반환하여 줄 자도 참가할 수 있다(파산법 제47조).

화해제기자는 채권자 회의에서 화해제기 이유와 화해조건에 대하여 설명하고 채권자들의 질문에 답변하여야 한다. 이 경우 채권자들의 이익을 침해하지 않는 범위에서 화해조건을 변경시킬 수 있다(파산법 제47조).

상기 내용에서 확인되는 바와 같이, 채권자의 이익을 침해하지 않는 범위에서 화해조건을 변경시킬 수 있다고 되어 있지만, 화해는 기본적으로 기업 채권자의 이익을 현저하게 해치지 않는 범위에서 파산을 예방할 수 있다면, 채무자는 물론 채권자에게도 유리하다고 판단되는 경우에 재판소(법원)에서 승인하는 절차이다.

그러나 화해의 경제논리 상, 채권자의 이익을 침해하지 않는 범위에서 조건을 변경하는 것은 사실상 불가능하다. 따라서 파산을 지속하는 경우보다 채권자의 이익이 개선되거나, 아니면 채권자의 이익이 현저히 침해되지 않는 범위에서 화해를 승인하거나, 화해조건을 변경시킬 수 있다고 수정하는 입법적 보완이 필요하다.

화해제기는 채권자 회의에 참가한 채권자의 반수 이상이 찬성하고 그들의 채권액이 파산채권 총액의 3분의 2 이상이 되어야 가결된다(파산법 제49조).

재판소는 채권자 회의에서 가결된 화해에 대하여 판정으로 승인하거나 부결하여야 한다. 화해에 대한 재판소의 판정은 채권자 및 화해제기자에게 같은 효력을 가진다(파산법 제50조).

재판소는 채권자 회의 화해가결에 대한 판정을 한 날부터 5일 안에 그에 대하여 화해제기자에게 알려야 한다. 화해승인 판정통지를 받은 기업은 화해조건에 지적된 의무를 제때에 정확히 이행하여야 한다. 채권자는 의무이행을 태공[90]한 기업에 대하여 재판소에 화해취소의 소를 제기할 수 있다(파산법 제51조).

재판소는 화해취소의 소제기가 있은 날부터 10일 안에 판정으로 화해취소 제기를 승인하거나 부결하여야 한다. 화해취소 승인판정이 있을 경우 중지하였던 파산수속은 계속된다(파산법 제52조).

90) 태공(怠工) : 맡은 임무나 일을 게으름을 부리고 하지 않음. 조선말사전, 북한 과학원출판사, 1961

제6장

북한에서의 무역

제1절 무역회사의 설립과 운영

1. 무역회사의 설립

북한 사회주의 헌법 제36조에서 북한에서의 대외무역은 국가기관, 기업소, 사회협동단체가 한다. 국가는 완전한 평등과 호혜의 원칙에서 대외무역을 발전시킨다고 규정하고 있으며, 무역법 제11조에서는 무역거래는 중앙무역지도기관으로부터 영업허가를 받은 기관, 기업소, 단체가 한다고 명시하고 있다.

따라서, 외국인 투자기업이 북한의 일반적인 지역에서 해외의 거래처와 직접적인 무역거래를 하는 것은 불가능하다고 판단된다.

다만, 특수경제지대에서의 무역사업은 해당 법규에 따른다(무역법 제10조). 따라서, 라선경제무역지대 등의 특수경제지대에서 외국인 투자기업이 직접 해외와 무역거래를 수행하는 것이 가능할 수도 있다.

무역회사를 설립하려면 명칭과 기구, 규약, 업종 및 지표, 영업 장소, 자금원천, 필요한 전문가와 보장성원, 대외시장에 실현할 수 있는 상품생산기지 또는 기술, 봉사원천이 있어야 한다(무역법 제12조).

무역거래를 하려는 기관, 기업소, 단체는 중앙무역지도기관에 영업허가신청서를 제출하여야 한다. 중앙무역지도기관은 영업허가신청서를 검토하고 승인하거나 부결하며 승인하였을 경우 영업허가증을 발급하여야 한다(무역법 제13조).

해당 기관, 기업소, 단체는 영업허가를 받은 범위에서 무역거래를 하여야 한다. 허가받지 않은 업종, 지표의 무역거래는 할 수 없다(무역법 제15조).

해당 기관, 기업소, 단체는 무역거래와 관련하여 국내와 다른 나라 또는 지역에 지사, 사무소, 출장소를 설립·운영할 수 있다. 이 경우 중앙무역지도기관을 통하여 내각의 승인을 받아야 한다(무역법 제20조).

업종 또는 지표를 변경하려는 기관, 기업소, 단체는 중앙무역지도기관에 신청하여 변경등록을 하고 영업허가증에 확인을 받아야 한다. 그러나 명칭을 변경하거나 소속기관이 달라졌을 경우의 수속절차는 따로 정한 절차[91]에 따른다(무역법 제21조).

2. 무역회사의 운영과 해산

해당 기관, 기업소, 단체는 거래당사자와 계약을 정확히 맺고 무역거래를 하여야 한다. 중요 무역계약을 맺으려 할 경우에는 해당 계약서를 중앙무역지도기관에 제출하여 심의를 받아야 한다(무역법 제16조).

해당 기관, 기업소, 단체는 자금거래를 정해진 은행을 통하여 하며 결제는 신용장결제방식을 기본으로 한다. 국가계획기관에서 계획화 한 현물지표에 대한 무역거래가격과 운임은 중앙무역지도기관의 승인을 받는다. 기타 지표에 대한 무역거래 가격과 운임은 해당 기관, 기업소, 단체가 거래당사자와 합의하여 자체로 정하고 해당 기관에 등록한다(무역법 제18조 및 제19조).

해당 기관, 기업소, 단체는 은행담보서 같은 법적담보문건을 받지 않고 상대방에 선불금을 주거나 상품, 기술, 봉사를 제공하는 행위를 하지 말아야 한다(무역법 제23조).

해당 기관, 기업소, 단체는 예비숫자, 계획숫자를 밝힌 다음연도 무역계획 초안을 국가계획기관에 내야 한다. 국가계획기관은 국가적인 전략지표와 제한지표만 찍어 계획화하고 기타 지표는 수출입금액으로 계획화 하여야 한다. 이 경우 내각의 비준을 받는다(무역법 제30조).

해당 기관, 기업소, 단체는 국가계획기관이 시달한 수출입 총액범위에서 수입지표는 승인된 업종에 맞게, 수출지표는 승인된 업종과 자체수출기지에서 생산한 지표로 정하고 집행하며 그 결과를 국가계획기관과 해당 무역지도기관, 통계기관에 제때에 보고하여야 한다(무역법 제31조).

91) 조선투자법 안내(법률출판사 2007, p.274)에서는 회사설립 절차에 따라 진행하는 것으로 규정하고 있다.

해당 기관, 기업소, 단체는 기관별, 품목별, 수송수단별, 구간별로 나누어 무역화물 수송계획 초안을 연간, 분기별, 월별로 세워 국가계획기관에 내야 한다(무역법 제33조).

무역계획은 승인없이 변경시킬 수 없다. 해당 기관, 기업소, 단체는 부득이한 사유로 무역계획을 변경하려 할 경우 국가계획기관에 해당 문건을 내야 한다(무역법 제35조).

해당 기관, 기업소, 단체는 무역거래에서 독자성을 가진다. 무역거래 과정에 발생한 채권, 채무관계는 거래당사자들 사이의 채권, 채무관계로 되며 다른 기관, 기업소, 단체 또는 국가의 책임으로 되지 않는다(무역법 제25조).

해당 기관, 기업소, 단체의 채권, 채무는 기관, 기업소, 단체가 갈라질 경우 그에 맞게 나누며 통합될 경우에는 통합 후에 존속하는 기관, 기업소, 단체에 넘어간다. 해산되는 기관, 기업소, 단체의 채권, 채무는 정해진 청산인이 맡아 처리한다(무역법 제26조).

북한의 기관, 기업소, 단체는 사실상 북한의 국영기업이라고 볼 수 있으므로, 무역회사가 청산하는 경우에, 일반적인 회사의 청산 및 파산의 규정을 적용하지 아니하고, 청산인이 맡아 처리한다는 것은 정상적인 회사법의 법 논리와 규정에 부합하지 않는 내용이다. 향후 입법적 보완이 필요하다.

해당 기관, 기업소, 단체는 통합되거나 해산될 경우 영업허가증을 중앙무역지도기관에 반납하여야 한다. 영업허가증을 바친 기관, 기업소, 단체는 무역거래를 할 수 없다(무역법 제27조).

3. 수출의 제한과 금지

수출입을 제한하는 경우는 다음과 같다(무역법 제40조).

① 북한의 수요보장과 부존자원과 환경을 보호하여야 할 경우

② 북한 인민경제 발전에 지장을 줄 수 있을 경우

③ 국제수지와 무역수지의 균형을 보장하여야 할 경우

④ 해당 조약이나 협정에 따라 수출입을 제한하여야 할 경우

수출입을 금지하는 경우는 다음과 같다(무역법 제41조).

① 북한의 안전과 사회공공질서를 침해할 수 있을 경우

② 사람의 생명에 피해를 줄 수 있을 경우

③ 환경보호와 동·식물의 생장에 위험을 줄 수 있을 경우

④ 경제적 실리가 보장되지 않을 경우

⑤ 해당 조약이나 협정에 따라 수출입을 금지하여야 할 경우

제2절 가공무역과 기술무역

1. 가공무역

가공무역법 제2조(가공무역의 원칙)에서 북한은 가공무역을 장려한다. 가공무역은 거래대상자, 거래형식, 가공지표를 잘 선정하고 가공능력과 국제시장수요를 타산하여 외화수입을 늘이며 신용을 지키는 원칙에서 한다고 규정하고 있다.

가공무역법 제3조(가공무역의 형식)에서 가공무역은 외국기업으로부터 원료, 반제품, 부분품을 받아 그 요구대로 가공, 조립하여 주고 가공비를 받는 위탁가공무역과 외국기업으로부터 원료, 반제품, 부분품을 세관의 감독 밑에 무관세로 수입하고 그것을 가공, 조립하여 수출하는 보세가공무역 같은 여러가지 형식으로 한다고 규정하고 있다.

상기 규정은 단순 임가공무역을 수행하고 당초 위탁자(원재료 등의 소유자)에게 완제품 등을 제공하는 형태의 무역을 북한에서는 위탁가공무역이라고 구분하고, 원재료 등을 북한의 가공업체의 명의로 구입하고(재고자산의 소유권이 북한의 가공업체로 되지만, 수입관세를 면세 또는 보세로 처리함) 이를 가공하여 가공업체가 선정한 거래처에 판매하는 형태의 무역을 보세가공무역이라고 구분하고 있다. 동 규정은 중국의 내료가공과 진료가공의 구분과 정확히 일치하는 구분방법이라고 할 수 있다.

또한 가공무역법 제4조 (가공무역을 할 수 있는 지역)에서 '가공무역은 여러 지역에서 한다. 그러나 보세가공무역은 라선경제무역지대와 개성공업지구 같은 특수경제 지대에서만 할 수 있다.'라고 규정하고 있다. 즉, 통관관련 보세 및 면세 등의 행정업무 처리할 수 있는 지역이 북한의 일반지역에서는 현재 불가능한 것으로 보이며, 일부 제한된 특수경제 지대 등에서만 가능한 것으로 판단된다.

또한, 중요한 항목으로 가공무역업을 수행할 수 있는 주체(실체)에 대한 규정을 파악할 필요가 있다. 가공무역법 제5조 (가공무역의 당사자)에 따르면 가공무역은 국가 또는 사회협동단체의 무역회사가 한다. 필요에 따라 공장, 기업소도 가공무역을 할 수 있다. 이 경우 해당 상급기관과 합의한다고 규정되어 있다. 따라서, 가공무역의 주체는 북한 측 정부기관 및 북한업체임을 알 수 있다.

그렇다면 외국인 투자기업은 가공무역을 할 방법이 없는지에 대한 의문이 들 수 있다. 이에 대한 답으로 가공무역법 제26조 (가공의뢰계약)의 규정에 따르면, 가공능력의 부족으로 일부 특수한 부분을 가공할 수 없을 경우에는 다른 공장, 기업소와 외국인 투자기업 또는 외국기업에 그 가공을 의뢰할 수 있으며. 이 경우 계약을 맺는다고 규정되어 있다. 따라서, 외국인 투자기업도 가공무역에 참여하여 생산 및 가공업무를 진행할 수 있다고 판단된다. 다만, 외국인 투자기업은 직접 가공무역 거래를 해외 업체와 체결하는 것이 불가능하고, 북한 측 정부기관 및 북한업체를 거쳐서 해외 업체와 거래를 할 수밖에 없다고 판단된다.

외국인 투자관련 법규 구조상 일반지역의 합작법인, 합영법인 및 외국인기업의 경제활동을 규정하는 법률과 라선경제무역지대와 개성공업지구 등의 특수경제 지대의 기업활동에 대한 법률이 별도로 규정되어 있음에 주의하여야 한다. 라선경제무역지대와 개성공업지구에서는 외국인 투자기업이 직접 가공무역의 주체가 될 수 있다. 그러나, 중국 등의 제3국 법인을 통한 북한 진출의 경우, 가공무역의 주체로서 경제활동의 가능여부는 사전에 충분히 확인해야 할 중요한 항목이다.

또한, 가공무역법 제17조 (계약의 이행, 담보금 적립요구)에 따르면, 계약당사자는 가공무역계약을 제때에 정확히 이행하여야 한다. 무역회사와 공장, 기업소는 외국기업에 계약이행 담보금을 세울 것을 요구할 수 있다고 규정되어 있다. 이는 가공무역에 따른 채권확보를 위하여 북한 측에서 채권에 대한 담보를 요구하는 것을 법제화한 것이라고 보인다.

가공무역법 제27조 (국가의무납부금의 납부, 감가상각금 납부 면제대상)에서 무역회사와 공장, 기업소는 가공무역으로 얻은 수입가운데서 정해진 몫을 국가에 납부하여야 한다. 계약 상대방으로부터 제공받아 가공무역에 쓰이는 기계설비, 차량운반구[92] 같은 고정 재산은 감가상각금 납부대상으로 되지 않는다고 규정되어 있다.

특이한 점은 북한은 1974년 4월 1일부터 세금제도가 법적으로 완전히 폐지되었으며, 외국인(외국인 투자기업, 외국기업 및 개인)에게만 세금을 부과하는 것으로 규정되어 있지만, 가공무역을 수행하는 업체(편의상의 북한 기업)에게도 일부 외화를 국가에서 징수해 가고 있음을 알 수 있다. 또한, 당연하게도 가공무역에 필요한 기계장치 중에서 해외에서 무상으로 취득한 설비는 감가상각 대상이 아니라고 규정한 것을 미루어 보아, 가공무역을 통하여 무상으로 수입된 기계장치에 대하여 회계 및 세무상 기표를 하

92) 륜전기재

지 않는 것으로 판단된다.

그리고, 무관세로 반입된 재화(면세 재화)에 대하여 사전 및 사후 관리가 이루어지고 있음을 알 수 있다. 가공무역법 제16조 (세관등록)에서는 무역회사와 공장, 기업소는 가공무역계약을 맺은 날부터 5일 안으로 세관등록을 하여야 한다고 규정되어 있으며 가공무역법 제30조 (세관에 통지하여야 할 사유)에서는 무역회사와 공장, 기업소는 국가적 조치로 가공용 물자를 다른데 돌려쓰거나 가공품을 국내에 판매하려 할 경우 계약상대방과 사전합의를 한 다음 해당 세관에 알려야 한다고 규정되어 있다. 관련 규정에서 확인되는 바와 같이 무관세 재화(면세 재화)의 사전신고와 면세재화의 국내 전용(轉用)에 대하여 신고를 하고, 면세 처리한 부분을 다시 과세로 전환하는 절차를 이행하여야 한다.

마지막으로, 가공무역은 해외에서 외화를 획득하는 사업으로 외화의 횡령 등의 방지 및 면세재화의 미신고 국내 전용에 따른 관세 포탈 등을 방지하는 규정이 있으며, 이 내용은 가공무역법 제40조 (영업중지, 가공무역승인취소, 몰수, 벌금부과사유)에서 무역회사와 공장, 기업소가 가공용 물자를 다른데 돌려썼거나 가공품을 국내에 판매하였거나 번 외화를 유용 또는 해외에 예금하거나 가공무역업종을 변경 또는 확대시켜 가공무역사업에 지장을 주었을 경우에는 영업을 중지시키거나 가공무역승인을 취소시키며 해당 물자를 몰수하거나 벌금을 물린다는 내용이 규정되어 있다.

2. 기술무역

기술무역의 범위에 기술 및 기술서비스와 관련된 국가 간 상업적 거래를 의미하며 특허권 판매 및 사용료, 발명, 노하우의 전수, 기술지도, 엔지니어링 컨설팅, 연구개발 서비스 등이 여기에 포함된다. 북한에서는 기술무역을 1999년 3월 11일 수정 및 보완하여 채택한 기술무역법에 따라 규정하고 있다.

기술수출입법 제2조 (기술의 수출입대상)에서는 기술의 수출입대상에는 발명권, 특허권을 받은 기술과 상표, 공업도안, 과학기술저작, 기술 비결 같은 것이 속한다고 규정되어 있다.

기술수출입법 제6조 (기술수출입의 당사자)에 따르면, 기술의 수출입은 중앙무역지도기관의 영업허가를 받은 무역회사가 한다. 기술수출입법 제8조 (수출입기술의 심의

기관)에서는 무역회사는 수출입 하려는 기술에 대하여 중앙과학기술행정지도기관에 신청문건을 제출하여 과학심의를 받고 수출입허가증서를 받은 조건에서 기술무역을 하여야 한다.

그러나 외국인 투자기업의 기술무역과 관련하여 2005년 1월 17일 채택한 최신기술도입규정에 따라 외국인 투자기업이 최신기술을 도입하였을 경우 최신기술의 심의 신청문건을 작성하여 중앙과학기술행정지도기관에 제출하여 최신과학기술과 관련한 심의를 받아야 한다. 최신 기술이라는 것이 판정되었을 경우에는 그것을 등록하고 최신기술도입등록증을 발급받아야 한다는 규정이 있다.

최신기술도입등록증을 받은 외국인 투자기업에는 다음과 같은 특혜를 부여한다.[93)]

① 기업소득세율은 최신기술을 도입한 업종과 지표에 대한 결산이윤의 10%

② 최신기술을 도입한 기업을 10년 이상 운영하거나 특허기술, 기술비결을 도입한 업종과 지표에 해당한 연간 결산이윤에 대한 기업소득세를 3년간 면제, 그 다음 2년간은 50% 감면

③ 정보산업기술, 과학연구부문의 기술, 장려부문의 최신기술을 도입한 경우에는 기업소득세를 3년간 면제, 그 다음 2년간 50% 감면

④ 최신기술이 도입된 상품을 북한 안에 판매하는 경우, 판매상품에 해당한 거래세와 해당 수입물자의 관세면제

⑤ 상품의 질이 국제시장수준에 이르렀으나 판로가 없어 북한 안에 판매하는 경우에는 1년 간 관세와 거래세를 면제, 그 다음 2년 간 관세만 면제

93) 조선투자법 안내, 법률출판사 2007, p.113~114

제3절 가공무역 실무

1. 가공무역의 개념

가공무역이란 외국으로부터 원료, 반제품, 부분품을 수입하여 가공, 조립한 다음 외국에 수출하는 것을 의미한다.[94)]

가공무역은 외국기업으로부터 원료, 반제품, 부분품을 받아 그 요구대로 가공, 조립하여 주고 가공비를 받는 위탁가공(삯가공, 임가공, 주문가공)무역과 외국기업으로부터 원료, 반제품, 부분품을 세관의 감독하에 무관세로 수입하고 그것을 가공, 조립하여 수출하는 보세가공무역으로 나누어진다(가공무역법 제3조).

즉, 위탁가공은 원재료 등이 가공업체의 소유가 아니므로 단순 임가공비를 매출액으로 획득하는 사업이며, 보세가공은 북한의 가공업체가 원재료를 보세(면세)로 구입하여 재고의 소유권을 북한의 가공업체가 가지고 이를 가공하여 완성된 재화를 당초의 원재료 공급자 이외의 제3자에게도 판매가 가능한 무역이라고 할 수 있다.

무역회사와 공장, 기업소는 가공무역에 필요한 원료, 반제품, 포장재, 기계설비, 경영용 물자를 외국기업으로부터 제공받거나 수입할 수 있다. 이 경우 허가를 받지 않으며 관세를 적용하지 않는다(가공무역법 제24조).

중국에서는 위탁가공을 내료가공이라고 하며, 보세가공은 진료가공이라고 구분한다.

가공무역은 여러 지역에서 한다. 그러나 보세가공무역은 라선경제무역지대 등의 특수경제지대에서만 할 수 있다(가공무역법 제4조).

가공무역은 국가 또는 사회협동단체의 무역회사가 한다. 필요에 따라 공장, 기업소도 가공무역을 할 수 있다. 이 경우 해당 상급기관과 합의한다(가공무역법 제5조).

가공무역 역시 무역업이므로, 무역회사와 공장, 기업소 및 단체가 가공무역 사업의 주체가 된다(가공무역법 제14조). 따라서, 원칙적으로 외국인 투자기업이 가공무역을 직접수행 할 수는 없다.

다만, 특수경제지대에서의 무역사업은 해당 법규에 따른다(무역법 제10조). 따라서,

---

94) 조선투자법 안내, 법률출판사 2007, p.267

라선경제무역지대 등의 특수경제지대에서 외국인 투자기업이 직접 해외와 무역거래를 수행하는 것이 가능할 수도 있다.

다만, 외국인 투자기업이 가공무역을 하고자 할 때는 외국인 투자기업관련법규에 따라 할 수 있다. 이 법에서 규제하지 않은 사항은 무역법과 대외경제계약법을 비롯한 관련법규에 따른다(가공무역법 제6조).

2. 가공무역의 절차

1) 가공무역 대상의 선정

가공무역 대상의 선정은 가공무역의 선행공정이다. 무역회사와 공장, 기업소는 경제 및 기술적 잠재력과 신용 있는 대상, 가공능력을 이용하여 이익을 많이 낼 수 있는 대상, 과학기술발전과 해당 단위의 설비갱신에 도움을 줄 수 있는 대상, 국제 시장에서 수요가 높은 대상을 선정하여야 한다(가공무역법 제8조).

무역회사와 공장, 기업소는 가공무역 대상자로 선정된 외국기업과 계약을 맺기 전에 품명, 수량, 생산보장기간, 상표, 원산지명, 가공비와 그 지불방법 같은 것을 서면으로 합의하여야 한다(가공무역법 제9조).

2) 가공무역 대상의 심의

가공무역신청의 심의는 중앙무역지도기관이 한다. 라선경제무역지대 등의 특수경제지대에서는 지대관리운영기관이 심의한다(가공무역법 제10조).

무역회사와 공장, 기업소는 해당 가공무역심의기관에 다음과 같은 것을 밝힌 가공무역신청서를 내야 한다(가공무역법 제11조).

① 위탁가공 무역신청서에는 무역회사 또는 공장, 기업소의 명칭과 소재지, 업종, 외국기업의 명칭과 소재지, 외국기업에서 제공받을 원료, 반제품, 부분품의 명세, 가공, 조립할 제품명과 그 수량, 생산보장기간, 가공능력, 경제기술 타산자료, 가공비와 그 계산기초자료 같은 것을 밝혀야 한다.

② 보세가공 무역신청서에는 보세지구명, 보세가공무역을 할 공장, 기업소의 명칭과 소재지, 업종, 가공능력, 수입할 원자재, 반제품, 부분품의 명세, 수입액, 가공제품

명과 그 수량, 설비 및 기술상태, 수익성 타산자료, 수출실현담보자료 같은 것을 밝혀야 한다.

가공업무를 수행할 능력을 갖추지 못한 대상, 가공비를 낮게 정한 대상, 북한의 안전보장과 사회공동의 이익에 저해를 줄 수 있는 대상에 대하여서는 가공 무역승인을 할 수 없다(가공무역법 제12조).

3) 가공무역 계약의 체결과 이행

무역회사와 공장, 기업소는 가공무역신청이 승인된 다음 외국기업과 가공무역 계약을 맺어야 한다. 위탁가공무역계약서에는 계약당사자명, 원료, 반제품, 부분품명과 그 수량, 가공, 조립할 제품명과 그 수량, 상표, 원산지명, 생산보장기간, 가공비의 규모와 지불방법, 위약책임 및 손해보상, 분쟁해결 같은 것을 밝히며 보세가공무역계약서에는 계약당사자명, 거래상품명과 그 수량, 규격 및 품질, 가격, 제품을 주고받는 방법, 위약책임관계 같은 것을 밝힌다(가공무역법 제14조 및 제15조).

계약당사자는 가공무역계약을 제때에 정확히 이행하여야 한다. 무역회사와 공장, 기업소는 외국기업에 계약이행담보금을 세울 것을 요구할 수 있다(가공무역법 제17조).

가공능력의 부족으로 일부 특수한 부분을 가공할 수 없을 경우에는 다른 공장, 기업소와 외국인 투자기업 또는 외국기업에 그 가공을 의뢰할 수 있다. 이 경우 계약을 맺는다(가공무역법 제26조).

다음과 같은 경우 가공무역계약당사자는 위약금의 지불, 손해보상을 청구할 수 있다(가공무역법 제18조).

① 정당한 이유없이 계약이행을 지연시켰거나 거절한 경우
② 포장, 품질, 수량 같은 것이 계약조건에 맞지 않을 경우
③ 계약에서 정한 가공비 또는 상품대금을 제때에 지불하지 않았을 경우
④ 기타 계약 위반행위가 있을 경우

외국기업은 가공조립품의 포장을 계약조건대로 하지 않았거나 원료, 반제품, 부분품을 다른 것으로 바꾸어 가공, 조립하였을 경우 재포장을 요구하거나 가공조립품의 접수를 거절할 수 있다. 이 경우 무역회사와 공장, 기업소는 지출되는 비용을 자체로 부

담하며 위약금을 지불하여야 한다(가공무역법 第19조).

무역회사와 공장, 기업소는 외국기업이 가공조립품을 제때에 넘겨받지 않을 경우 그에 따르는 위약금과 보관료를 받을 수 있다. 가공조립품을 넘겨받을 기간이 끝난 날부터 3개월이 지난 경우에는 그것을 판매 처분할 수 있다(가공무역법 第20조).

가공무역계약당사자는 서로 협의하여 계약의 내용과 기간을 변경시킬 수 있다. 이 경우 변경된 내용을 해당 가공무역 심의기관과 세관에 알려야 한다(가공무역법 第21조).

가공무역을 하는 과정에 생긴 채무는 무역회사, 공장, 기업소의 비용으로 보상한다(가공무역법 第32조).

무역회사와 공장, 기업소는 계약에 따라 외국기업이 제공한 기술의 비밀을 보장하여야 한다(가공무역법 第22조).

4) 가공무역 계약의 체결과 이행

무역회사와 공장, 기업소는 가공무역으로 얻은 수입가운데서 정해진 몫을 국가에 납부하여야 한다. 계약 상대방으로부터 제공받아 가공무역에 쓰이는 기계설비, 윤전기재 같은 고정 재산은 감가상각금 계상대상으로 보지 않는다(가공무역법 第27조).

무역회사와 공장, 기업소는 가공무역을 하여 번 외화를 거래은행에 넣고 이용하여야 한다. 이 경우 정해진 몫을 기계설비, 경영용 물자, 우대상품의 구입과 무역상담, 기술교류, 연구 및 실습비용으로 쓸 수 있다(가공무역법 第28조).

가공무역을 하는 무역회사와 공장, 기업소는 다음의 행위를 할 수 없다(가공무역법 第29조).

① 번 외화를 유용하거나 외국에 예금하는 행위
② 승인없이 업종, 지표를 변경하거나 늘이는 행위
③ 가공조립품을 국내에 파는 행위
④ 가공용물자를 유용하는 행위

가공용 물자는 국내에서 쓸 수 없다. 무역회사와 공장, 기업소는 국가적 조치로 가공용 물자를 다른데 돌려쓰거나 가공품을 국내에 판매하려 할 경우 계약상대방과 사전합의를 한 다음 해당 세관에 알려야 한다(가공무역법 第30조).

5) 가공무역 관련 처벌 및 분쟁의 해결

무역회사와 공장, 기업소가 가공용 물자를 다른데 전용하였거나, 가공품을 국내에 판매한 경우, 획득한 외화를 유용하거나, 외화를 해외에 예금한 경우, 그리고 가공무역 업종을 변경 또는 확대시켜 가공무역사업에 지장을 주었을 경우에는 영업을 중지시키거나 가공무역 승인을 취소시키며 해당 물자를 몰수하거나 벌금을 물린다(가공무역법 제40조).

가공무역과 관련한 의견상이는 협의의 방법으로 해결한다. 협의의 방법으로 해결할 수 없을 경우에는 북한의 중재 또는 재판기관에 제기하여 해결할 수 있다(가공무역법 제42조).

Ⅲ

북한 특수지역

선봉
나진
위화도
황금평
금강산
개성
서울
부산

제 1 장

개성공업지구

제 1 절 남북경제협력법

북한은 한국과의 경제협력을 위한 기본법으로서 조선민주주의인민공화국 북남경제협력법(이하 '경제협력법')을 2005년 7월 6일 채택 공포하였다.

경제협력법 제정 이전에 북한은 남북경제협력을 총괄적으로 규정하는 기본법 제정 없이 경제특구를 지정할 때마다 특별법, 개별법에 해당하는 금강산관광지구법(2008년 관광객 피살로 인한 금강산관광사업 중단 이후 기존 금강산관광지구법 폐지됨)과 금강산국제관광특구법, 개성공업지구법을 제정하였다. 이에 경제협력법은 남북경제협력에 있어서 일반법이자 기본법의 지위를 갖는다.

따라서, 경제협력법과 개성공업지구법, 금강산국제관광특구법은 일반법과 특별법의 관계에 있으므로 실무적용에 있어서는 특별법이 우선 적용된다.

경제협력에는 남과 북 사이에 진행되는 건설, 관광, 기업경영, 임가공, 기술교류와 은행, 보험, 통신, 수송, 봉사업무, 물자교류 같은 것이 속하며, 경제협력의 주체로 북한에서는 기관, 기업소, 단체가 한국에서는 법인, 개인이 된다고 규정하고 있다(경제협력법 제2조, 제3조).

북한의 기관, 기업소, 단체는 한국과 경제협력교류를 할 수 있지만 북한의 개인은 한국과 경제협력을 할 수 없다. 그러므로 경제협력법은 한국과 경제협력을 하는 북한의 기관, 기업소, 단체에게 이 법을 적용하도록 규정하고 있으며, 경제협력을 하는 한국의 법인, 개인에게도 이 법을 적용하도록 규정하고 있다.

또한, 한국과 북한 간의 경제협력의 공간으로 북측 또는 남측지역에서 할 수 있으며, 제3국에서도 남북 경제협력을 할 수 있다고 규정하고 있다(경제협력법 제9조).

남북경제협력에 대한 승인과 통일적인 지도는 중앙민족경제협력지도기관이 한다. 남북경제협력에 대한 감독통제는 중앙민족경제협력지도기관과 해당 감독통제기관이 한다(경제협력법 제5조, 제10조, 제25조).

해당 기관은 남북경제협력과 관련한 중앙민족경제협력지도기관의 사업조건을 적극 보장하여야 하며, 해당 기관, 기업소, 단체는 남북경제협력과 관련한 비밀을 준수하여야 한다(경제협력법 제23조, 제24조).

상기 내용에서 확인되는 바와 같이 중앙민족경제협력지도기관이 경제협력의 승인에서부터 지도 및 감독의 통제권한을 갖고 있으며, 남북의 경제협력 주체는 중앙민족경제협력지도기관의 업무를 지원하고, 이에 대한 비밀유지까지 요구하고 있다. 또한, 중앙민족경제협력지도기관의 구성 등에 대한 법적 지위에 대한 내용은 한국과 북한 사이에 이루어진 어떠한 협의와 북한 내의 어떠한 법규에도 명확히 규정된 내용이 확인되지 않는다.

알려진 바에 따르면, 북한은 중앙민족경제협력지도기관의 구성에 있어서 북한 단독으로 내각(외무성과 무역성)에서 인력을 충원해 조직하였으며, 산하에 개성공단과 금강산관광 사업, 일반 남북경제협력사업, 대북지원사업 등을 담당하는 부서를 두고 있다.

따라서, 경제협력법과 같은 이러한 법 규정은 많은 문제점이 있다. 한국과 북한 양국[95] 간의 각종합의서[96]가 존재하는 상황에서 일방(북한) 단독으로 법을 입법하였으며, 사전에 협의되지도 않고, 북한 내 법에도 명확하지 않은 초법적인 조직인 중앙민족경제협력지도기관을 내세워 상대방 국가(한국)에도 동 조직의 지휘와 감독을 적용 받으라는 입법은 향후 많은 문제점이 있을 수 있다.

중앙민족경제협력지도기관의 임무는 다음과 같다(경제협력법 제6조).

① 남북 경제협력계획안의 작성

② 남북 경제협력신청서의 접수 및 승인

③ 남북 경제협력과 관련한 합의서, 계약서의 검토

④ 남북 경제협력에 필요한 노동력의 보장

---

95) 북한을 국가로 인정할 것인가라는 질문에 대한 답은 대한민국의 헌법과 UN의 규정 및 국제법규정 등에 대한 많은 이해와 논의가 필요한 항목이다. 본 책에서는 논의하지 않았다. 저자는 북한을 국가라고 인정하지 않지만, 편의상 양국이라고 칭하여 사용하였다.

96) 조약은 국가 간에 체결되는 약정에 사용하는 것이므로, 한국과 북한의 약정에 대하여 '합의'라는 표현을 하고 있다.

⑤ 북측지역에 있는 남측당사자와의 사업
⑥ 남측당사자의 북측지역 출입 방조
⑦ 남북 경제협력물자의 반출입 승인
⑧ 남북 당사자 사이의 연계보장
⑨ 북측지역에서 생산한 제품의 원산지증명서 발급
⑩ 기타 정부가 위임하는 사업

경제협력법 제6조에서는 남북경제협력은 당국 사이의 합의와 해당 법규, 그에 따르는 남북 당사자 사이의 계약에 기초하여 직접거래의 방법으로 한다고 규정하여 한국기업이 중국(및 중국법인) 등의 제3국 법인을 통한 간접투자의 형식으로 북한에 투자하여 사업을 진행할 경우 동 법을 적용하지 않을 것임을 알 수 있다. 따라서, 중국 등의 제3국을 통한 간접투자의 경우에는 외국인투자법(합작법, 합영법 및 외국인기업법)의 규정을 적용 받게 된다.

남북경제협력을 하려는 남측 또는 북측당사자는 중앙민족경제협력지도기관에 해당 신청서를 내야 한다. 이 경우 남측당사자는 공증기관이 발급한 신용담보문서를 함께 내야 한다(경제협력법 제11조).

중앙민족경제협력지도기관은 해당 신청서를 받은 날부터 20일 안으로 그것을 검토하고 승인하거나 부결하여야 한다. 신청을 승인하였을 경우에는 승인서를, 부결하였을 경우에는 이유를 밝힌 부결통지서를 신청자에게 보낸다(경제협력법 제12조).

경제협력법 제11조에서 규정된 바와 같이 한국 당사자 측에만 부과되는 의무는 공평하지 않은 요구사항이다.

남북경제협력물자에는 관세를 부과하지 않는다. 그러나 다른 나라에서 공업지구와 관광지구에 들여온 물자를 그대로 북측의 다른 지역에 판매할 경우에는 관세를 부과할 수 있다(경제협력법 제19조).

남북경제협력물자의 반출입승인은 중앙민족경제협력지도기관이 한다. 공업지구, 관광지구에서 물자의 반출입은 정해진 절차에 따른다(경제협력법 제18조). 개성공업지구의 경우 개별적인 물자의 반출입과 관련한 규정으로는 개성공업지구 세관규정과 개성공업지구 통관에 관한 합의서를 제정한 바 있다.

제2절 개성공업지구법 기본개요

북한 사회주의헌법 제37조에서 북한은 북한의 기관, 기업소, 단체와 다른 나라 법인 또는 개인들과의 기업합영과 합작, 특수경제지대에서의 여러가지 기업창설운영을 장려한다고 규정하여 특수경제지대의 근거가 되고 있다.

개성공업지구법 제9조에서 공업지구의 경제활동은 이 법과 그 시행을 위한 규정에 따라 하고, 법규로 정하지 않은 사항은 중앙공업지구지도기관과 공업지구관리기관이 협의하여 처리한다고 규정하고 있으며, 동 법 부칙 제2조에서는 개성공업지구와 관련하여 북남 사이에 맺은 합의서의 내용은 이 법과 같은 효력을 가진다고 규정하고 있다.

따라서, 상기 규정에서 확인되는 바와 같이 개성공업지구에서 발생하는 법적분쟁은 각종 남북합의서와 개성공업지구법과 제반규정, 그리고 공업지구관리기관이 제정한 각종 사업준칙에 따라 처리함이 원칙이며, 법규가 미비할 때에는 북한측을 대표하는 중앙공업지구지도기관과 한국측 인원이 대부분을 차지하고 있는 공업지구관리기관이 협의하여 결정하는 것으로 되어 있다.

주의할 것은 외국인투자법, 합작법, 합영법 및 외국인기업법 등의 법률이 개성공단에서 적용될 여지가 없다는 점이다. 물론 합작법, 합영법 및 외국인기업법 등의 근간하에 개성공업지구법 등이 제정되었지만, 법규가 미비하다고 하여 합작법, 합영법 및 외국인기업법 등을 직접 인용하여 해석할 수 없다는 점에 주의하여야 한다.

공업지구개발은 지구의 토지를 개발업자가 임대 받아 부지정리와 하부구조건설을 하고 투자를 유치하는 방법으로 한다. 공업지구는 공장구역, 상업구역, 생활구역, 관광구역 같은 것으로 나눈다(개성공업지구법 제2조).

공업지구에는 남측 및 해외동포, 다른 나라의 법인, 개인, 경제조직이 투자할 수 있다. 투자가는 공업지구에 기업을 창설하거나 지사, 영업소, 사무소 같은 것을 설치하고 경제활동을 자유롭게 할 수 있다. 공업지구에서는 노동력 채용, 토지이용, 세금납부 같은 분야에서 특혜적인 경제활동 조건을 보장한다(개성공업지구법 제3조).

법에 근거하지 않고는 남측 및 해외동포, 외국인을 구속, 체포하거나 몸, 살림집을 수색하지 않는다. 신변안전 및 형사사건과 관련하여 남북 사이의 합의 또는 북한과 다른 나라 사이에 맺은 조약이 있을 경우에는 그에 따른다(개성공업지구법 제8조).

제3절 개성공업지구의 관리 및 운영체계

1) 개성공업지구의 관리 조직

공업지구의 사업에 대한 통일적 지도는 중앙공업지구지도기관이 한다. 중앙공업지구지도기관은 공업지구관리기관을 통하여 공업지구의 사업을 지도한다. 공업지구관리기관은 공업지구관리운영사업 상황을 분기별로 중앙공업지구지도기관에 보고 하여야 한다(개성공업지구법 제5조, 제21조).

중앙공업지구지도기관의 임무는 중앙민족경제협력지도기관 산하 중앙특구개발지도총국이 수행한다.[97] 중앙공업지구지도기관의 설립과 운영은 북한 측 내각에서 구성하는 것으로 대외적인 규정상으로는 확인되지 아니한다.

공업지구관리기관의 설립과 운영은 개성공업지구법과 개성공업지구 관리기관 설립운영규정에 따른다.

공업지구관리기관의 설립은 개발업자가 한다. 설립된 공업지구관리기관은 투자 및 경영활동과 관련한 사업을 직접 맡아서 운영하는 법인으로 된다. 공업지구관리기관의 설립시점은 개발업자와 중앙공업지구지도기관이 협의하여 정한다(개성공업지구 관리기관 설립운영규정 제2조, 제3조).

공업지구관리기관은 개발업자가 추천하는 성원으로 구성한다. 공업지구관리기관의 요구에 따라 중앙공업지구지도기관이 파견하는 일꾼도 공업지구관리기관의 성원으로 될 수 있다(개성공업지구법 제24조).

상기 내용에서 확인되는 바와 같이 중앙공업지구지도기관은 북한의 정부기관으로 보는 것이 타당하다. 따라서, 개성공업지구의 공업지구관리기관의(지구관리위원회)의 구성원을 주로 한국 측의 인원들로 구성하게 하여 공업지구와 관련한 개발, 투자유치, 관리운영 등을 한국 측에서 맡아 하도록 한 것이다. 이 관리방식은 개성공업지구가 주로 한국 또는 해외동포들이 주축이 되어 외국인 투자기업을 설립 운영되는 상황으로, 북한의 정부기관 또는 북한측 인원이 통제가 불가능한 실정을 고려한 현실적 조치라고 판단된다.

---

97) 조선투자법 안내, 법률출판사 2007, p.371

2) 중앙공업지구지도기관

중앙공업지구지도기관의 임무는 다음과 같다(개성공업지구법 제22조).

① 개발업자의 지정

② 공업지구관리기관의 사업에 대한 지도

③ 공업지구 법규의 시행세칙 작성

④ 기업이 요구하는 노동력, 용수, 물자의 보장

⑤ 대상건설 설계문건의 접수보관

⑥ 공업지구에서 생산된 제품의 북측지역 판매실현

⑦ 공업지구의 세무관리

⑧ 타 국가로부터 위임받은 사업

3) 공업지구지도기관(개성공업지구법 제26조, 개성공업지구 관리기관 설립운영 규정 제4조, 제5조, 제6조, 제7조)

공업지구관리기관의 책임자는 이사장이다. 공업지구관리기관에는 이사장 1명을 둔다. 이사장은 공업지구관리기관을 대표하며 공업지구관리기관의 사업전반을 관할한다.

공업지구관리기관의 기구와 정원수는 이사장이 정한다. 이사장은 공업지구의 개발계획과 그 실행정도에 맞게 기구와 정원수를 바로 정하여야 한다.

공업지구관리기관의 성원으로는 전문지식과 해당 부문의 사업경험을 소유한 자가 될 수 있다. 공업지구 안에 설립된 기업 또는 경제조직에 종사하는 자는 공업지구관리기관 성원으로 사업할 수 없다.

공업지구관리기관의 임무는 다음과 같다(개성공업지구법 제25조).

① 투자조건의 조성과 투자유치

② 기업의 창설승인, 등록, 영업허가

③ 건설허가와 준공검사

④ 토지이용권, 건물, 윤전기재의 등록

⑤ 기업의 경영활동에 대한 지원

⑥ 하부구조 시설의 관리

⑦ 공업지구의 환경보호, 소방대책

⑧ 남측지역에서 공업지구로 출입하는 인원과 수송수단의 출입증명서 발급
⑨ 공업지구관리기관의 사업준칙 작성
⑩ 연간 지구개발계획 작성 및 실행
⑪ 지구 내의 기업대표들로 기업책임자회의 조직운영
⑫ 중앙공업지구지도기관과 정상사업협의 및 사업총화 자료보고
⑬ 자체예산의 편성과 집행
⑭ 기타 중앙공업지구지도기관이 위임하는 사업

공업지구관리기관의 운영자금은 수수료 등의 수입으로 한다. 수수료를 정하는 사업은 공업지구관리기관이 한다. 부족되는 운영자금은 공업지구관리기관이 기업(지사, 영업소, 사무소, 개인업자 포함)으로부터 받아 보충할 수 있다. 이 경우 기업의 월 노임총액의 0.5%로 한다(개성공업지구 관리기관 설립운영규정 제19조, 제20조).

제4절 개성공업지구 투자주체와 회사의 형식

개성공업지구법 제3조와 개성공업지구 기업창설 운영규정 제3조에서 공업지구에는 한국 및 해외동포, 다른 나라의 법인, 개인, 경제조직이 투자할 수 있으며 투자는 공업, 건설, 운수, 체신, 과학기술, 상업, 금융, 관광을 비롯한 여러 부문에 할 수 있다고 규정하고 있다.

공업지구에서 투자가는 단독 또는 다른 투자가와 공동으로 투자하여 여러가지 형식의 기업을 창설할 수 있다(개성공업지구 기업창설 운영규정 제4조).

공업지구에서 지사, 영업소, 개인이 영리활동을 하려 할 경우에는 공업지구관리기관에 등록하여야 한다. 이 경우 공업지구관리기관은 해당 등록증을 발급해주어야 한다(개성공업지구 기업창설 운영규정 제32조).

2016년 2월 개성공단 폐쇄 직전까지의 활용된 개성공업지구 기업창설·운영준칙(공업지구 관리기관 작성) 제2조에 따르면 개성공업지구에서는 주식회사의 형식으로 기업을 창설할 수 있다고 규정되어 있다.

상기규정으로 판단하면 개성공업지구에서는 법인형식이 아닌 개인사업자 형식으로도 기업을 창설할 수 있다. 또한, 본사의 지사의 형식으로 개성공업지구에 진출하는 것도 가능하다.

어떤 형태의 회사의 종류(합명회사, 합자회사, 주식회사, 유한회사)를 선택할 수 있도록 할 것인가 하는 것은 공업지구의 경제역할이 더 활성화되는 시기에 남과 북의 관계자들이 서로 협의하여 설정하게 될 것이다. 이렇게 되면 현재에 머무르지 않고 그 형태가 다양해질 것이다.

그리고 상기 규정에서 의미하는 회사의 종류라 함은 투자하는 측과 투자받는 측이 합의하여 공동으로 창설·운영하는 합영회사, 합작회사 등의 회사의 유형을 의미하는 것은 아니다.[98] 이에 대한 근거로 개성공업지구법 제6조의 규정 '북한 측 기관, 기업소, 단체는 공업지구의 사업에 관여할 수 없다. 필요에 따라 공업지구의 사업에 관여하려할 경우에는 중앙공업지도기관과 합의하여야 한다.'를 들 수 있다.

98) 조선투자법 안내, 법률출판사 2007, p.373

결국 개성공업지구법에서 규정하고 있는 회사의 종류는 한국을 비롯한 자본주의 사회에서 선택하고 있는 합명회사, 합자회사, 주식회사, 유한책임회사 형식으로 기업을 창설하고 기업이 독자적으로 경영관리를 실현해 나가는 회사형태를 의미한다고 볼 수 있다.

제5절 개성공업지구의 개발

개성공업지구개발은 2003년에 공포된 개성공업지구법과 개성공업지구개발규정에 따른다.

1) 개발업자 선정(개성공업지구개발규정 제2조)

개발업자 선정은 중앙공업지구지도기관이 한다. 중앙공업지구지도기관은 남북간에 체결한 합의서에 따라 개발업자를 선정하여야 한다.

임차한 토지는 중앙공업지구지도기관이 지정한 한국의 개발업자가 개발하도록 되어 있다. 남측의 개발업자는 현대아산 주식회사이다. 현대아산은 1단계 시범개발사업으로 진행되는 100만평의 토지를 한국 토지공사와 공동으로 개발하도록 합의하였다.[99)]

2) 개발총계획의 작성(개성공업지구개발규정 제3조)

공업지구 개발총계획의 작성은 개발업자가 한다. 개발업자는 토지측량과 지질조사를 하고 공업지구 개발총계획을 작성하여야 한다. 공업지구 개발총계획에는 토지이용계획, 하부구조건설계획, 구역별 개발계획, 단계별 투자 및 사업추진계획 등을 반영한다.

공업지구 개발총계획을 변경시키려 할 경우에는 중앙공업지구지도기관에 신청서를 제출하여 승인을 받는다(개성공업지구법 제14조).

3) 개발업자 선정(개성공업지구법 제11조)

개발업자는 중앙공업지구지도기관과 토지임대차계약을 맺어야 한다. 중앙공업지구지도기관은 토지임대차계약을 맺은 개발업자에게 해당 기관이 발급한 토지이용증을 교부한다.

공업지구의 토지임대기간은 토지이용증을 발급한 날부터 50년으로 한다. 토지임대기간이 끝난 다음에도 기업의 신청에 따라 임대받은 토지를 계속 이용할 수 있다.

99) 2004년 4월 13일 개성에서 개성공업지구건설 1단계 100만평 공장 구역 안에 대한 토지임대차계약(토지임대료 US$1,600만 달러)을 북한 측의 중앙특구개발지도총국과 한국의 토지공사(LH)와 현대아산이 체결하였다.

4) 건물, 부착물의 철거, 이설 및 관련비용(개성공업지구개발규정 제7조, 제8조)

개발업자는 개발구역 안에 있는 건물과 부착물의 철거, 이설과 관련한 사업을 중앙공업지구지도기관과 합의하여야 한다. 중앙공업지구지도기관은 개발공사에 지장이 없도록 건물과 부착물을 제때에 철거, 이설하고 주민을 이주시켜야 한다. 개발구역 안에 있는 건물과 부착물의 철거, 이설, 주민이주에 드는 비용은 개발업자가 부담한다. 개발업자가 부담하는 비용은 중앙공업지구지도기관과 개발업자가 합의하여 정한다(개성공업지구법 제15조).

5) 하부구조 건설(개성공업지구개발규정 제10조, 제11조, 제13조)

공업지구의 하부구조건설은 개발업자가 한다. 개발업자는 필요에 따라 전력, 통신, 용수보장시설 같은 하부구조대상을 다른 투자가와 공동으로 건설하거나 양도, 위탁하여 건설할 수도 있다. 하부구조건설부문의 투자가는 공업지구관리기관에 기업등록을 하고 경영활동을 할 수 있으며 도로, 전기, 가스, 용수 같은 것의 사용료를 받을 수 있다. 이 경우 사용료는 공업지구관리기관과 협의하여 정하여야 한다(개성공업지구법 제17조).

공업지구 밖에서 공업지구까지 연결되는 하부구조건설은 중앙공업지구지도기관이 한다. 이 경우 중앙공업지구지도기관은 하부구조건설에 필요한 설비, 자재를 개발업자가 상업적 방법으로 보장하도록 할 수 있으며 개발업자와 협의하여 다른 투자가가 하부구조건설을 하고 운영하게 할 수도 있다.

6) 토지이용권의 재임대 및 기업의 배치(개성공업지구개발규정 제13조)

개발업자는 개발총계획에 따라 기업을 합리적으로 배치하여야 한다. 개발업자는 하부구조대상건설이 끝나는 차제로 공업지구의 토지이용권과 건물을 용도별로 기업 또는 투자가에게 양도하거나 임대할 수도 있다. 개발업자는 기업의 배치, 토지이용권과 건물의 양도, 임대 같은 사업을 공업지구관리기관에 위탁하여 할 수 있다(개성공업지구법 제18조).

7) 건설허가(개성공업지구개발규정 제14조, 제15조)

공업지구에서 건설허가는 공업지구관리기관이 한다. 대상건설을 하려는 자는 공업지구관리기관에 대상건설 설계문건을 제출하고 건설허가를 받아야 한다. 공업지구관리기관은 건설허가를 한 대상의 설계문건 사본을 중앙공업지구지도기관에 제출하여야 한다. 중앙공업지구지도기관은 설계문건 사본을 접수, 보관하여야 한다.

8) 개발사업의 보장(개성공업지구개발규정 제17조, 제18조)

중앙공업지구지도기관과 해당 기관은 공업지구개발에 지장이 없도록 인원의 출입과 생활상 편의보장, 물자의 반출입 조건을 책임적으로 보장하여야 한다. 중앙공업지구지도기관은 개발업자가 요구하는 북한의 노력, 물자, 용수 등을 제 때에 보장하여야 한다. 필요에 따라 북한의 해당 기관, 기업소, 단체와 개발업자 사이에 계약을 맺고 보장하게 할 수도 있다.

제6절 기업의 창설(설립)

개성공업지구에서의 기업 창설은 남북경제협력법, 개성공업지구 기업창설 운영규정(이하 '기업창설 운영규정')과 공업지구관리기관에서 제정한 개성공업지구 기업창설・운영준칙에 근거하여 진행한다.

공업지구에서 기업의 창설승인, 등록은 공업지구관리기관이 한다. 공업지구관리기관은 기업의 창설승인, 등록과 관련한 준칙을 작성하여 시행하여야 한다(개성공업지구 기업창설 운영규정 제7조).

남북경제협력법 제2조는 한국과 북한 사이의 협력대상 항목으로 건설, 관광, 기업경영, 임가공, 기술교류와 은행, 보험, 통신, 수송, 봉사업무, 물자교류 등을 나열하고 있다.

공업지구에는 남측 및 해외동포, 다른 나라의 법인, 개인, 경제조직이 투자할 수 있다. 투자는 공업, 건설, 운수, 체신, 과학기술, 상업, 금융, 관광을 비롯한 여러 부문에 할 수 있다(개성공업지구 기업창설 운영규정 제2조).

공업지구에서는 하부구조건설부문, 경공업부문, 첨단과학기술부문의 기업창설을 특별히 장려한다. 장려부문의 기업은 세금의 감면, 유리한 토지이용 조건의 보장 같은 우대를 받는다. 공업지구관리기관은 장려, 제한, 금지하는 업종을 중앙공업지구지도기관과 합의하여 공포하여야 한다(개성공업지구 기업창설 운영규정 제3조).

공업지구에서는 북한의 사회 안전과 민족경제의 건전한 발전, 주민들의 건강과 환경보호에 저해를 주거나 경제기술적으로 뒤떨어진 부문의 투자와 영업활동은 할 수 없다(개성공업지구법 제4조).

공업지구에서 투자가는 단독 또는 다른 투자가와 공동으로 투자하여 여러가지 형식의 기업을 창설할 수 있다(개성공업지구 기업창설 운영규정 제4조). 또한, 개성공업지구 기업창설・운영준칙(공업지구 관리기관 작성) 제2조에 따르면 개성공업지구에서는 주식회사의 형식으로 기업을 창설할 수 있다고 규정되어 있다.

기업은 경영활동에 필요한 관리성원과 종업원, 고정된 영업장소 같은 것을 두어야 한다. 등록자본은 총투자액의 10% 이상 되어야 한다(개성공업지구법 기업창설 운영규정 제6조, 개성공업지구 기업창설・운영준칙 제10조).

투자가는 공업지구에 기업을 창설하려 할 경우 공업지구관리기관에 기업창설신청서를 제출해야 한다. 기업창설신청서에는 기업의 명칭, 투자가의 이름과 주소, 기업책임자의 이름, 총투자액과 등록자본, 업종 및 규모, 투자기간, 기업이 발행하는 주식의 총수, 1주의 금액, 주식 및 채권의 발행사항, 연간수입액과 이윤액, 관리기구, 종업원수 같은 것을 밝히며 기업의 규약, 자본신용확인서, 경제기술타산서 등을 것을 첨부하여야 한다(개성공업지구 기업창설 운영규정 제8조, 개성공업지구 기업창설・운영준칙 제9조, 제10조).

공업지구관리기관은 기업창설신청서를 접수한 날부터 10일 안으로 신청내용을 검토하고 승인하거나 부결하여야 한다. 기업창설을 승인하였을 경우에는 기업의 명칭, 총투자액과 등록자본, 업종 및 규모, 투자기간, 관리성원 및 종업원수 같은 것을 밝힌 기업창설승인서를, 부결하였을 경우에는 부결통지서를 신청자에게 보내야 한다(개성공업지구 기업창설 운영규정 제9조, 개성공업지구 기업창설・운영준칙 제16조).

기업창설승인을 받은 투자가는 기업창설승인서에 정해진 기간 안에 투자하여야 한다. 정해진 기간 안에 투자할 수 없을 경우에는 공업지구관리기관에 투자기일 연장신청서를 내고 승인을 받아야 한다. 투자기일은 6개월까지 연장할 수 있다(개성공업지구 기업창설 운영규정 제10조).

그러나, 개성공업지구 기업창설・운영준칙 제20조의 규정은 다음과 같다. 투자가는 투자기간 내에 기업의 설립 시에 발행하는 주식의 총수를 인수하고 각 주식에 대하여 그 인수가액의 전액을 납입하여야 한다. 이 경우 투자가는 납입을 맡을 은행 기타 금융기관과 납입장소를 지정하여야 한다. 현물출자를 하는 투자가는 투자기간 내에 지체없이 출자의 목적인 재산을 인도하고 등록 기타 권리의 설정 또는 이전을 요할 경우에는 이에 관한 서류를 완비하여 교부하여야 한다. 즉, 투자자본금 전액을 지체없이 납부하여야 하는 규정이 있다.

즉, 최고인민회의(상임위원회)에서 제정한 개성공업지구법 기업창설 운영규정에서는 6개월까지 자본금의 납부를 연장할 수 있는 것으로 규정되어 있으나, 개성공업지구 현지 관리기관에 해당하는 공업지구관리기관에서 제정한 개성공업지구 기업창설・운영준칙에서는 출자금(자본금)의 전액 즉시납부를 규정하고 있다. 즉, 상위규정에서는 6개월간의 연장납부가 가능한 것으로 규정하고 있음에 비해, 하위규정에서는 즉시납부를 규정하고 있는 상황이다. 동일한 지위의 법규정 간에 상충하는 내용이 있더라도 이해관계자의 유리한 적용을 하여야 할 것이며, 상위법이 우선 적용되어야 하는 법 이론 측면에서도 공업지구관리기관에서 제정한 개성공업지구 기업창설・운영준칙의 내용은 부적절하다고 할 것이다. 추후 개정되어야 할 내용으로 판단된다.

투자는 화폐자산이나 현물자산, 재산권 같은 것으로 할 수 있다. 이 경우 투자재산과 재산권의 가치평가는 해당 시기의 국제시장가격에 기초하여 한다(개성공업지구 기업창설 운영규정 제11조). 화폐자산 이외의 현물자산, 재산권 등의 현물출자를 한 경우, 회계검증사무소는 현물출자의 이행을 조사하여 관리기관에 보고하여야 한다(개성공업지구 기업창설・운영준칙 제22조).

투자가는 등록자본 또는 그 이상 액수의 투자를 한 다음 공업지구관리기관에 기업등록신청을 하여야 한다. 이를 선투자(출자), 후등록(설립) 방식이라고 한다(개성공업지구 기업창설 운영규정 제12조).

기업의 설립에 있어서 일반적인 지역에서의 합작기업, 합영기업 및 외국인기업의 설립과 특수경제지대(개성공업지구)에서의 기업설립과의 공통점은 등록제가 아니라 허가제라는 점이다. 기업설립에 대하여 먼저 허가를 득하여야, 설립절차(등록)를 진행할 수 있다는 점은 공통점이라고 할 수 있다.

기업의 설립에 있어서, 일반적인 지역에서의 합작기업, 합영기업 및 외국인기업의 설립과 특수경제지대(개성공업지구)에서의 기업설립과의 차이점 중에 하나가 바로 자본금 납부시점과 기업설립시점과의 차이점이라고 할 수 있다. 일반적인 지역에서의 기업설립은 선등록, 후투자의 방식이지만, 특수경제지대(개성공업지구)에서의 순서는 선투자(출자), 후등록(설립) 방식이라고 할 수 있다.

공업지구관리기관은 기업등록신청서를 접수한 날부터 7일 안으로 검토하고 승인하였을 경우에는 기업등록증을 발급하여 주며 부결하였을 경우에는 부결이유를 선청자에게 알려 주어야 한다. 기업등록증을 발급한 날을 기업의 창설일로 한다(개성공업지구 기업창설 운영규정 제14조).

기업은 기업등록증을 받은 날부터 20일 안으로 세관등록, 세무등록을 하여야 한다. 세관등록은 공업지구세관에, 세무등록은 공업지구세무소에 한다(개성공업지구법 기업창설 운영규정 제15조).

공업지구에서 지사, 영업소, 개인이 영리활동을 하려 할 경우에는 공업지구관리기관에 등록하여야 한다. 이 경우 공업지구관리기관은 해당 등록증을 발급해주어야 한다(개성공업지구 기업창설 운영규정 제32조).

제7절 기업의 경영관리

1. 법인의 정관, 주식 및 채권의 발행

기업은 정관(규약)을 가져야 한다. 규약에는 기업의 명칭 및 주소, 창설목적, 업종 및 규모, 총투자액과 등록자본, 기업책임자, 이사, 재정검열원의 임무와 권한, 주식, 채권의 발행사항, 이윤분배, 해산 및 청산, 규약의 수정보충, 기업이 공고를 하는 방법, 투자가의 성명 및 주소 등의 내용을 기재하고 각 투자가가 기명날인 또는 서명하여야 한다(개성공업지구 기업창설 운영규정 제5조, 개성공업지구 기업창설·운영준칙 제10조).

기업은 승인받은 업종의 범위에서 경영활동을 하여야 한다. 업종을 늘이거나 변경하려 할 경우에는 공업지구관리기관의 승인을 받아야 한다(개성공업지구 기업창설 운영규정 제16조).

기업은 규약에서 정한데 따라 주식, 채권 같은 것을 발행할 수 있다. 주식, 채권 같은 것을 양도하거나 유통시킬 수 있다(개성공업지구 기업창설 운영규정 제17조).

2. 물자의 반출입

기업은 경영활동에 필요한 물자를 제한없이 공업지구에 반입하거나 공업지구에서 생산한 제품과 구입한 물자를 공업지구 밖으로 반출할 수 있다.

공업지구에서 물자의 반출입은 신고제로 한다. 물자를 반출입하려는 기업은 물자반출입 지점의 세관에 신고를 하고 검사를 받아야 한다(개성공업지구 기업창설 운영규정 제18조, 제19조).

기업은 중앙공업지구지도기관을 통하여 북한의 기관, 기업소, 단체와 계약을 맺고 경영활동에 필요한 물자를 구입하거나 생산한 제품을 판매할 수 있으며 원료, 자재, 부분품을 위탁가공 할 수 있다(개성공업지구 기업창설 운영규정 제20조).

개성공업지구에서 생산한 제품은 원산지가 개성으로 될 수 있다. 그것은 원료, 자재 등을 한국이나 다른 나라에서 반입하여 가공하거나 새로운 제품을 생산한 것이기 때문에 원산지판정기준이 실질적 변형에 따라 결정되기 때문이다.

3. 재정관리

기업은 반년, 연간을 주기로 회계결산을 하여야 한다. 연간회계결산서는 회계검증을 받아야 한다(개성공업지구 기업창설 운영규정 제21조).

기업은 결산이윤에서 정해진 기업소득세를 납부한 다음 예비기금을 조성하여야 한다. 예비기금은 등록자본의 10%가 될 때까지 해마다 결산이윤의 5%로 조성하며 등록자본을 늘이거나 경영손실을 메꾸는 데만 쓸 수 있다(개성공업지구 기업창설 운영규정 제22조).

기업은 상금기금, 문화후생기금, 양성기금 같은 기금(임의적립금)을 자체로 조성하고 쓸 수 있다(개성공업지구 기업창설 운영규정 제23조).

기업은 연간결산 이윤의 전부 또는 일부를 출자가들에게 배당할 수 있다. 이윤배당은 결산이윤에서 기업소득세를 납부하고 예비기금을 조성한 다음 남은 순소득금으로 한다(개성공업지구 기업창설 운영규정 제24조).

제 8 절 기업 해산

1. 해산(청산)신고

해산하려는 기업은 이사회 또는 출자자총회에서 토의결정하고 해산신고서를 공업지구관리기관에 내야 한다. 해산신고서를 낸 날을 기업의 해산일로 한다(개성공업지구 기업창설 운영규정 제25조). 여기서의 해산일이라 함은 해산 개시일로 이해함이 타당하다.

2. 청산위원회

기업은 해산신고서를 낸 날부터 10일 안으로 해산을 공개하고 기업책임자, 채권자대표와 공업지구관리기관이 지정하는 법률 및 회계전문가를 포함하여 5명 내지 9명으로 청산위원회를 구성하여야 한다. 청산위원회 성원명단은 공업지구관리기관의 승인을 받아야 한다(개성공업지구 기업창설 운영규정 제26조).

청산위원회는 성원명단을 승인받은 날부터 15일 안으로 청산사업에 착수하여야 한다. 청산위원회의 사업비용은 해산되는 기업의 남은 자산에서 먼저 지출한다(개성공업지구 기업창설 운영규정 제27조).

청산위원회는 다음과 같은 사업을 한다(개성공업지구 기업창설 운영규정 제28조).

① 채권자, 채무자에게 기업의 해산을 통보한다.

② 채권자 회의를 소집한다.

③ 기업의 재산을 넘겨받아 관리한다.

④ 채권·채무관계를 확정하고 재정상태표와 재산목록을 작성한다.

⑤ 기업의 재산에 대한 가치평가를 한다.

⑥ 청산안을 작성한다.

⑦ 세금을 납부하고 채권·채무를 청산한다.

⑧ 청산하고 남은 재산을 확정한다.

⑨ 기타 청산사업과 관련하여 제기된 문제를 처리한다.

3. 청산소득세

청산위원회는 기업을 청산하고 남은 재산총액이 등록자본을 초과하는 경우 초과분의 5%에 해당한 몫을 기업소득세로 납부하여야 한다. 15년 이상 운영한 기업에 대하여서는 초과분에 대한 청산소득에 대한 기업소득세를 면제하여 준다(개성공업지구 기업창설 운영규정 제29조).

4. 채무의 이행 및 잔여재산의 처리

해산신고를 한 기업의 자산은 청산사업이 끝나기 전에 마음대로 처리할 수 없다. 기업을 청산하고 남은 자산은 공업지구 안에서 처리하거나 북한 밖으로 내갈 수 있다(개성공업지구 기업창설 운영규정 제30조).

상기 규정은 청산업무가 종결되기 전에 투자자가 임의로 잔여재산을 주주에게 배분할 수 없다는 의미로 이해해야 할 것이다. 왜냐하면, 청산업무 자체가 회사의 자산으로 부채를 상환하는 절차이므로, 자산을 처분하여 그 자금으로 부채를 상환하거나, 회사의 자산으로 직접 부채와 상계를 할 필요가 있기 때문이다.

청산위원회는 청산사업이 끝났을 경우 청산보고서를 작성하여 기업등록증과 함께 공업지구관리기관에 제출하며 기업등록, 세관등록, 세무등록을 취소하고 거래은행의 돈자리를 막아야 한다(개성공업지구 기업창설 운영규정 제31조).

제9절 토지 등 부동산

개성공업지구에서의 부동산 관리는 개성공업지구법과 개성공업지구 부동산규정 및 개성공업지구 부동산등록준칙과 개성공업지구 부동산집행준칙에 따른다.

개성공업지구에서의 부동산이란 토지이용권과 건물, 거기에 부속된 물건이다(개성공업지구 부동산규정 제3조).

공업지구에서 기업과 개인은 토지이용권을 취득하거나 건물을 소유할 수 있다. 토지이용권에는 토지에 있는 천연자원과 매장물이 속하지 않는다(개성공업지구 부동산규정 제4조).

공업지구에서 부동산의 등록과 취득, 양도, 임대, 저당에 대한 관리는 공업지구관리기관(개성공업지구관리위원회)이 한다(개성공업지구 부동산규정 제5조).

기본적인 용어의 정의는 아래와 같다.

① 토지임대기간이란 임대차계약에 따라 토지이용권을 행사할 수 있는 기간이다.

② 분양이란 부동산을 용도별로 분할하여 법인 또는 개인에게 양도하는 행위이다.

③ 양도란 부동산을 매매, 교환, 증여, 상속의 형태로 제3자에게 넘기는 행위이다.

④ 임대란 부동산을 제3자에게 일정한 기간 빌려주는 행위이다.

⑤ 등록임차권이란 임대등록이 되어있는 임차자의 권리이다.

1. 토지이용권의 취득

개발업자는 개발 단계별로 중앙공업지구지도기관과 토지임대차 계약을 맺어야 한다. 토지임대차 계약서에는 토지의 위치와 면적, 용도, 임대기간, 임대료, 계약취소사유 같은 것을 정확히 밝혀야 한다(개성공업지구 부동산규정 제6조).

중앙공업지구지도기관은 토지임대차계약을 맺은 날부터 14일 안으로 개발업자에게 해당 기관이 발급한 토지이용증을 주어야 한다. 토지이용증을 받은 날을 개발업자의 토지이용권소유일로 한다(개성공업지구 부동산규정 제7조).

토지임대기간은 개발업자가 해당 토지이용증을 발급받은 날부터 계산한다. 그러나 토지임대차계약을 맺기 전에 토지이용증을 발급받았을 경우에는 그 계약을 맺은 날부터 계산한다. 중앙공업지구지도기관은 승인된 단계별 공업지구개발계획에 반영된 공사기간만큼 토지임대기간을 늘여줄 수 있다(개성공업지구 부동산규정 제8조).

공업지구의 토지임대기간은 토지이용증을 발급한 날부터 50년으로 한다(개성공업지구법 제12조).

공업지구관리기관은 토지이용권, 건물별로 개발업자와 기업, 개인의 부동산관계를 정확히 등록하여야 한다. 부동산의 등록준칙은 공업지구관리기관이 작성하여 시행한다(개성공업지구 부동산규정 제9조).

부동산의 분양, 임대는 승인된 공업지구개발총계획에 따라 개발업자가 한다. 개발업자는 개발원가에 기초하여 분양가격과 임대료를 합리적으로 정하여야 한다(개성공업지구 부동산규정 제10조).

공업지구에서 토지이용권은 분양, 양도받는 방법으로 소유한다. 이 경우 토지이용권은 공업지구의 토지임대기간 안에서 분양 또는 양도 받은 날부터 남은 기간만큼 효력을 가진다(개성공업지구 부동산규정 제11조).

2. 토지이용권의 등록

토지이용권을 취득한 자는 계약을 맺은 날 또는 계약에서 정한 날부터 14일 안으로 공업지구관리기관에 토지이용권등록신청서를 내야 한다. 토지이용권등록신청서에는 취득자의 이름과 주소, 토지의 위치와 면적, 분양 또는 양도 날짜 같은 것을 밝히고 분양 또는 양도계약서 사본을 첨부하여야 한다(개성공업지구 부동산규정 제12조).

토지이용권의 등록은 토지이용권, 건물소유권, 저당권, 임차권 관련 권리의 설정, 양도, 변경 또는 소멸에 대하여 이를 한다.

공업지구관리기관은 토지이용권등록신청서를 받은 날부터 7일 안으로 검토하고 토지이용권등록증을 발급하여 주어야 한다.

공업지구관리기관은 거래당사자로부터 부동산의 등록수수료를 받을 수 있다. 수수료를 정하는 사업은 공업지구관리기관이 한다(개성공업지구 부동산규정 제55조).

개발업자는 분양할 수 없는 도로, 공원 같은 토지에 대하여서는 공업지구관리기관에 명의변경등록을 하여야 한다. 명의변경등록을 한 날부터 해당 토지의 이용권은 공업지구관리기관이 소유한다(개성공업지구 부동산규정 제13조).

3. 토지이용권의 이용

토지이용권을 소유한 자는 토지를 용도에 맞게 이용하며 적극 보호하여야 한다(개성공업지구 부동산규정 제14조).

소유한 자에게는 중앙공업지구지도기관과 개발업자가 해당 토지에 대한 임대차계약을 맺은 날부터 10년이 지난 다음 해부터 토지사용료를 부과한다. 토지사용료의 기준은 중앙공업지구지도기관과 공업지구관리기관이 협의하여 정한다.

개발업자에게는 토지사용료를 부과하지 않는다(개성공업지구 부동산규정 제15조).

4. 토지이용권의 취소, 반환 및 토지이용권의 연장

합법적으로 소유한 토지이용권은 토지임대기간 안에 취소되지 않는다. 중앙공업지구지도기관은 공공의 이익 같은 부득이한 사유로 토지이용권을 취소하려 할 경우 1년 전에 당사자에게 통지하고 그 이용권의 남은 기간에 해당한 보상을 하거나 같은 조건의 토지를 교환하여 주어야 한다. 이 경우 해당 토지에 있는 건물이나 그 밖의 부착물에 대하여서도 보상을 하여야 한다(개성공업지구 부동산규정 제16조).

토지이용권을 소유한 자는 토지임대기간이 끝났을 경우 10일 안으로 토지이용권 또는 토지이용권등록증을 공업지구관리기관을 통하여 중앙공업지구지도기관에 반환하여야 한다.

토지이용권 또는 토지이용권등록증을 반환한 자는 6개월 안으로 해당 토지를 원상대로 정리하여야 한다. 그러나 토지에 있는 건물이나 그 밖의 부착물이 북한에 유상 또는 무상으로 이관되거나 공공의 이익같은 부득이한 사유로 토지이용권이 취소되었거나 중앙공업지구지도기관이 토지이용기간의 연장신청을 부결하였을 경우에는 토지정리를 하지 않을 수 있다(개성공업지구 부동산규정 제17조).

토지이용권을 소유한 자는 필요에 따라 토지임대기간이 끝난 다음에도 토지를 계속 이용할 수 있다. 이 경우 토지임대기간이 끝나기 6개월 전에 중앙공업지구지도기관과 토지임대차계약을 맺고 토지이용권을 다시 발급받아야 한다.

중앙공업지구지도기관은 공공의 이익 같은 부득이한 경우를 제외하고는 토지이용권을 가진 자의 신청에 따라 토지이용기간을 연장하여 주어야 한다.

토지이용기간연장신청을 부결하였을 경우에는 토지에 달린 건물이나 그 밖의 부착물에 대하여 해당한 보상을 하여야 한다(개성공업지구 부동산규정 第18조).

5. 건물소유권

건물은 그 부지에 해당한 토지이용권이나 등록임차권을 가진 경우에만 소유할 수 있다.

건물은 건물을 새로 건설하거나 이미 있던 건물을 분양 또는 양도받는 방법으로 소유한다. 건물소유권의 소유일은 건물을 새로 건설하였을 경우에는 준공검사에서 합격된 날로, 건물을 분양 또는 양도받았을 경우에는 공업지구관리기관에 건물을 등록한 날로 한다(개성공업지구 부동산규정 第19조, 第20조).

건물을 건설하려는 자는 해당 토지의 이용권이나 등록임차권을 가지고 있어야 한다. 이 경우 등록임차권을 가진 자는 토지이용권자의 동의를 서면으로 받아야 한다(개성공업지구 부동산규정 第21조).

건물을 새로 건설한 자는 준공검사를 받은 날부터 14일 안으로 공업지구관리기관에 건물소유권등록신청서를 내야 한다. 이 경우 준공검사증, 토지이용권등록증 또는 임차권등록증을 첨부하여야 한다.

건물을 분양, 양도받은 자는 계약을 맺은 날 또는 계약에서 정한 날부터 14일 안으로 공업지구관리기관에 건물소유권등록신청서를 내야 한다. 이 경우 계약서 사본, 토지이용권등록증 또는 임차권등록증을 첨부하여야 한다. 공업지구관리기관은 건물소유권등록신청서를 받은 날부터 7일 안으로 검토하고 건물소유권등록증을 발급하여야 한다(개성공업지구 부동산규정 第22조).

6. 부동산의 양도, 임대

1) 양도, 임대의 행정 등 법규정

공업지구관리기관에 토지이용권, 건물소유권을 등록한 자는 그 전부 또는 일부를 이용기간 안에 제한없이 양도, 임대, 저당할 수 있다. 부동산의 등록임차권을 가진 자는 그것을 저당할 수 있다(개성공업지구 부동산규정 第23조).

공업지구에서 부동산의 양도, 임대, 저당관계자는 공정성, 성실성, 신용의 원칙을 지켜야 한다. 사기, 투기 같은 공공의 이익을 해치는 행위를 할 수 없다(개성공업지구 부동산규정 第24조).

부동산의 양도, 임대, 저당은 공업지구관리기관에 등록을 하여야 효력을 가진다. 부동산의 양수자, 임차자, 저당권자는 해당 사유가 발생한 날부터 14일 안으로 양도, 저당등록을 신청하여야 하며 양도자, 임대자, 저당자는 등록에 필요한 협조를 하여야 한다.

당사자 사이의 합의에 따라 임대등록을 하지 않을 수도 있다. 이 경우 해당 임차권은 당사자 사이에서만 효력을 가진다(개성공업지구 부동산규정 第25조).

양도, 임대, 저당사유가 없어진 것과 관련한 수속은 해당 사유가 발생한 날부터 14일 안에 양수자, 임차자, 저당권자가 한다. 양도자, 임대자, 저당자도 해당 사유가 없어진 날부터 14일 안에 양수자, 임차자, 저당권자의 동의서를 첨부하여 변경신청을 할 수 있다(개성공업지구 부동산규정 第26조).

토지이용권과 건물소유권을 같이 소유한 자가 토지이용권 또는 건물을 양도, 임대, 저당할 경우에는 건물소유권 또는 토지이용권도 함께 양도, 임대, 저당된다. 이 경우 토지이용권, 건물소유권의 등록은 공업지구관리기관에 양도, 임대, 저당등록을 할 때 함께 한다. 건물에 달린 토지의 이용권을 소유하지 못한 건물소유자는 건물을 양도, 임대, 저당하려 할 경우 토지이용권을 가진 자의 동의를 받아야 한다(개성공업지구 부동산규정 第27조).

양도자, 임대자, 저당자는 양수자, 임차자, 저당권자의 사기, 강박에 의하여 부동산을 양도, 임대하였거나 부동산 또는 등록임차권을 저당한 사유를 안 날부터 3개월 안으로 양도, 임대, 저당을 취소할 수 있다. 양수자, 임차자, 저당권자는 제3자의 사기 또는 강박에 의하여 부동산을 양도, 임대, 저당하였을 경우 그 사유를 안 날부터 3개월 안으로 양도, 임대, 저당을 취소할 수 있다(개성공업지구 부동산규정 第28조).

양도자, 임대자, 저당자는 양도, 임대, 저당한 날부터 3년이 지났거나 양수자, 임차자, 저당권자가 사기 또는 강박에 대하여 알지 못하는 제3자에게 부동산을 양도하였거나 등록임차권을 주었거나 저당권을 양도하였을 경우 양도, 임대, 저당을 취소할 수 없다

(개성공업지구 부동산규정 第29조).

상기 규정을 통해 볼 때 북한에서는 사기, 강박 등을 사유로 하는 취소의 제척기간을 3개월이라는 단기로 설정하였으며, 선의의 제3자를 보호를 위하여 제3자 대항이라는 개념을 규정하고 있으며, 제3자 대항의 기간으로 취득시효를 3년으로 설정하고 있다.

부동산을 취득한 자는 그것을 제3자에게 양도할 수 있다. 매매, 교환, 증여에 의한 양도는 계약을 맺고 하여야 한다. 부동산의 매매는 협상, 입찰, 경매 같은 방법으로 할 수 있다. 부동산을 입찰, 경매의 방법으로 매매하려는 자는 입찰 또는 경매절차와 방법을 사전에 공포하여야 한다(개성공업지구 부동산규정 第30조, 第31조).

임대받은 부동산을 양도하려는 자는 임차자에게 통지하여야 한다. 그러나 상속받은 부동산에 대하여서는 통지할 의무를 지지 않는다(개성공업지구 부동산규정 第34조).

2) 양도, 임대의 실무관련 규정

임대한 건물의 보수는 임대자가 한다. 임대자는 임차자의 잘못으로 건물을 보수하는 경우 임차자에게 그 비용을 부담시킬 수 있다.

임차자는 건물의 보수가 필요할 경우 임대자에게 알리고 손해를 막기 위한 대책을 세우며 자기의 책임이 없이 발생한 건물보수 비용을 임대자에게 청구할 수 있다(개성공업지구 부동산규정 第38조).

임대자는 계약에서 임대기간을 따로 정하지 않았을 경우 임차자에게 통지하고 계약을 취소[100]할 수 있다. 계약의 취소효력은 임차자가 통지를 받은 날부터 6개월이 지나면 발생한다(개성공업지구 부동산규정 第39조).

원래 취소라 함은 법률행위 당사자의 무능력(민법 제5조 제2항, 제10조, 제13조), 의사표시의 착오(민법 제109조 제1항)를 이유로 사후 시점에서 행위시점으로 소급하여 당초 유효하게 성립한 법률행위의 효력을 소멸케 하는 특정인의 의사표시행위를 의미한다. 따라서 북한에서 사용하고 있는 취소의 개념에 해지와 해제가 혼동되어 사용되고 있음에 주의하여야 한다.

상기 규정에 따르면, 별도의 임대기간을 설정하지 않은 경우, 임대인은 임차인에게 6개월 이전에 계약종료를 통지하여야 한다는 계약의 해지(解止)의미로 해석된다.

---

100) 취소(取消) : ① (결정, 계약 따위를) 그만두기로 하여 그 효력을 없에버림. (공개적으로 발표한 의사를) 거두어 들임. ② (있는 것을) 없애치움. 조선말사전(1960), 과학원출판사

임대자가 계약을 취소할 수 있는 경우는 다음과 같다(개성공업지구 부동산규정 제40조).

① 임대자의 동의 없이 부동산의 용도를 변경하였을 경우
② 정한 기간 안에 임대료를 3회 이상 지불하지 않았을 경우
③ 계약에서 정한 취소사유가 발생하였을 경우

임대기간 내에 계약을 취소하려는 임차자는 3개월 전에 임대자에게 계약취소 의향을 알리고 임대차계약을 취소할 수 있다. 임차자는 앞 항의 경우를 제외한 계약의 취소로 임대자에게 끼친 손해를 보상하여야 한다(개성공업지구 부동산규정 제41조).

상기 내용을 관찰하면 임대인은 계약해지 이전에 6개월에 통지를 해야 하는 것으로 규정되어 있으며, 임차인은 계약해지 이전에 3개월에 통지를 해야 하는 것으로 규정하고 있다. 이는 임대인과 임차인의 평등을 넘어서 임차인 보호를 위해서 달리 규정한 것인지, 아니면 입법상의 단순 불일치로 발생한 차이인지 명확하지 않지만, 임대인과 임차인의 통지 기간에 있어서 각각 다른 통지기간을 규정하고 있음을 확인할 수 있다.

임차자가 즉시 임대차계약을 취소할 수 있는 경우는 다음과 같다(개성공업지구 부동산규정 제42조).

① 임대자의 잘못으로 부동산을 계약에서 정한 용도에 맞게 사용할 수 없을 경우
② 임차자의 책임이 없이 임차한 부동산의 전부 또는 일부가 멸실되어 계약의 목적을 달성할 수 없을 경우
③ 계약에서 정한 임대자의 책임에 속하는 기타의 취소사유가 발생하였을 경우

계약에 따라 임대자에게 임대보증금을 납부한 임차자는 임차권과 함께 임대보증금도 등록할 수 있다. 임대자는 계약기간이 끝났거나 계약이 취소되어 부동산을 반환 받으면 임대보증금을 돌려주어야 한다(개성공업지구 부동산규정 제43조).

등록임차권을 소유한 자는 임대자가 임대보증금을 돌려주지 않을 경우 공업지구관리기관에 부동산의 경매를 신청할 수 있다. 공업지구관리기관은 부동산을 경매한 자금으로 등록임차권을 소유한 자에게 해당한 임대보증금을 지불할 수 있다. 이 경우 경매신청 당시 해당 부동산에 이미 저당권이 설정되어 있다면, 경매를 통해 얻은 자금은 임차자와 저당권자에게 등록순위에 따라 분배하여야 한다(개성공업지구 부동산규정 제44조).

7. 부동산의 저당

1) 저당권의 발생과 소멸

부동산 또는 등록임차권을 가진 자는 자기나 제3자의 채무를 담보하기 위하여 부동산 또는 등록임차권을 저당할 수 있다. 저당권을 소유하려는 자는 저당권과 함께 채무자, 채권액 또는 채권최고액, 채무상환시기, 이자 및 그 지불시기, 기타 저당권의 효력이 미치는 범위에 관한 사항도 등록하여야 한다(개성공업지구 부동산규정 제45조).

저당자는 저당물을 다시 저당할 수 있다. 이 경우 저당권의 순위는 저당등록의 순위에 따른다(개성공업지구 부동산규정 제46조).

임대자는 임대한 부동산을 저당할 경우 임차자에게 그 사유를 제때에 알려야 한다(개성공업지구 부동산규정 제47조).

저당자는 저당물을 그대로 이용할 수 있다. 이 경우 저당물의 가치가 떨어지지 않도록 관리하여야 한다. 저당물을 양도하려 할 경우에는 저당권자에게 미리 알려야 한다(개성공업지구 부동산규정 제48조).

저당권자는 저당물의 가치가 현저히 떨어졌을 경우 저당자에게 추가적인 담보를 제공하거나 떨어진 가치에 해당한 채무액을 즉시 지불할 것을 요구할 수 있다(개성공업지구 부동산규정 제49조).

저당권은 저당물의 가치감소 또는 소멸 같은 사유로 저당자가 받을 보험보상금, 손해보상금 같은 금액에 대하여서도 행사된다. 이 경우 저당권자는 보상금 같은 것이 지불되기 전에 지불자에게 공업지구관리기관의 확인을 받아 해당 권리 및 저당계약의 내용을 알리고 그로부터 보상금 같은 것을 받아야 한다(개성공업지구 부동산규정 제50조).

저당권이 소멸되는 경우는 다음과 같다(개성공업지구 부동산규정 제51조).

① 저당채무가 저당계약에 맞게 상환되었을 경우

② 저당권자와 저당자가 합의하여 채무를 다른 재산으로 상환하였을 경우

③ 저당권자가 저당권을 스스로 포기하였을 경우

2) 경 매

저당권자는 채무자가 채무상환기간에 채무상환을 하지 못하였거나 저당자가 채무상환기간 전에 사망하여 상속자가 없을 경우 공업지구관리기관에 저당물의 경매를 신청할 수 있다. 공업지구관리기관은 저당물을 공정하게 처분하여야 한다(개성공업지구 부동산규정 第52조).

공업지구관리기관은 저당권자의 신청에 따라 저당물을 처분하였을 경우 세금, 수수료, 저당물의 처분비용 같은 정해진 우선공제 대상금을 납부하며 남는 자금을 임대 또는 저당 등록순위에 따라 임차자, 저당권자에게 분배하고 나머지가 있으면 저당자에게 주어야 한다(개성공업지구 부동산규정 第53조).

경매를 통하여 부동산을 소유하였을 경우에는 대금을 전부 지불한 때부터 해당 부동산의 소유권을 가진다. 부동산의 소유권은 등록을 하여야 양도, 임대, 저당할 수 있다(개성공업지구 부동산규정 第54조).

8. 부동산의 상속

부동산을 소유한 자가 사망하였을 경우 부동산과 관련한 재산상 권리의무는 상속자에게 넘어간다. 이 경우 의무는 부동산의 가치를 한도로 상속자에게 넘어간다.[101] 상속자 판정, 상속재산 분배비율 같은 것은 사망당시 피상속자가 속한 나라 또는 지역의 법에 따라 정한다. 상속은 등록을 하지 않아도 효력을 가진다. 그러나 상속받은 부동산은 등록을 하여야 양도, 임대, 저당할 수 있다(개성공업지구 부동산규정 第32조, 第33조).

---

101) 한정상속(限定相續) : 상속인이 상속에 의하여 취득한 재산 한도내에서만 피상속인의 채무와 유증을 변제하는 상속. 조선말사전(1960), 과학원출판사

제10절 인력관리(노동)

개성공업지구에서의 인력(노동) 관리는 개성공업지구법과 개성공업지구 노동규정에 따른다.

1. 노동력 채용방법

기업에 필요한 노동력은 북한의 노동력으로 채용한다. 필요에 따라 기업은 남측 및 해외동포, 외국인 노동력을 채용할 수도 있다. 이 경우 공업지구관리기관은 중앙공업지구지도기관에 보고하여야 한다(개성공업지구법 제37조, 개성공업지구 노동규정 제3조).

외국인의 채용, 남측 및 해외동포, 외국인을 채용한 기업은 공업지구관리기관에 이름, 성별, 생년월일, 거주지, 지식정도, 기술자격, 직종 같은 것을 밝힌 노동력채용문서를 제출해야 한다. 공업지구관리기관은 노동력채용문건 사본을 중앙공업지구지도기관에 내야 한다(개성공업지구 노동규정 제12조).

공업지구의 기업에 필요한 노동력을 보장하는 사업은 노동력 알선기업이 한다. 기업은 필요한 노동력을 노동력알선 기업에 신청하여야 한다(개성공업지구 노동규정 제8조).

기업과 노동력알선 기업은 노동력알선 계약을 맺고 그것을 어김없이 이행하여야 한다. 이 경우 기업은 기능시험, 인물심사 같은 것을 통하여 필요한 노동력을 선발할 수 있다. 노동력알선 계약에는 채용할 노동자 수, 성별, 연령, 업종, 기능, 채용기간, 노임수준 같은 것을 밝힌다(개성공업지구 노동규정 제9조).

기업은 선발된 노동자와 월 노임액, 채용기간 노동시간 같은 것을 확정하고 노동력채용 계약을 맺어야 한다. 노동력채용 계약을 맺은 노동자는 기업의 종업원으로 된다(개성공업지구 노동규정 제10조).

기업은 종업원 대표와 협의하고 모든 종업원에게 적용하는 노동규칙을 작성하고 실시할 수 있다. 노동규칙에는 노동시간과 휴식시간, 노동보호규정, 노동생활질서, 상벌기준 같은 것을 밝힌다(개성공업지구 노동규정 제13조).

일반지역에서의 노동자 채용은 외국인 투자기업 노동법 제14조에서 규정하고 있는 바와 같이 외국인 투자기업은 기업의 직업동맹조직과 노동계약을 맺고 이행하여야 하는 것으로 되어 있으나, 개성공업지구에서의 노동계약은 기업과 노동자가 직접 노동계약을 체결하는 것으로 규정되어 있음에 주의하여야 한다.

2. 노동보수

1) 급여(최저급여)

노동보수에는 노임, 가급금, 장려금, 상금이 속한다. 기업은 종업원의 노동보수를 일한 실적에 따라 정확히 계산하여야 한다(개성공업지구 노동규정 제24조).

기업의 종업원 월 최저 노임은 US$50달러로 한다. 종업원 월 최저 노임은 전년도 종업원 월 최저 노임의 5%를 초과하여 높일 수 없다. 종업원 월 최저 노임을 높이는 사업은 공업지구관리기관이 중앙공업지구지도기관과 합의하여 한다(개성공업지구 노동규정 제25조).

종업원의 월 노임은 종업원 월 최저 노임보다 낮게 정할 수 없다. 그러나 조업 준비기간에 있는 기업의 종업원과 견습공, 무 기능공의 노임은 종업원 월 최저 노임의 70% 범위에서 정할 수 있다(개성공업지구 노동규정 제26조).

최저임금이 합의된 마지막 시기는 2015년 8월으로 당시의 최저임금은 US$73.87달러로 정해졌다. 또한, 사회보험의 산정기준에 노임(급여) 뿐만 아니라 가급금이 포함되었다.

또한, 2014년 공업지구관리기관의 동의없이 북한 측에서 일방적으로 변경한 개성공업지구 노동규정에는 상기 최저임금 상한율 5%의 규정이 폐지된 것으로 전해진다. 추후, 남북경제협력 및 개성공업지구 업무의 재개시 이전에 명확히 확인할 부분이다.

기업은 노동보수를 화폐로 종업원에게 직접 주어야 한다. 이 경우 상금은 상품으로 줄 수도 있다. 노동보수를 주는 날이 되기 전에 사직하였거나 기업에서 내보낸 자에게는 그 수속이 끝난 다음 노동보수를 주어야 한다(개성공업지구 노동규정 제32조).

기업은 자기의 책임으로 또는 양성기간에 일하지 못한데 대하여 종업원에게 일당 또는 시간당 노임의 60%에 해당한 생활보조금을 주어야 한다. 생활보조금을 주는 기간은 3개월을 넘을 수 없으며 생활보조금에는 사회보험료, 도시경영세를 부과하지 않는다(개성공업지구 노동규정 제29조).

2) 가급금(추가근무 수당)

기업은 노동시간 밖의 연장작업 또는 야간작업을 한 종업원에게 일당 또는 시간당 노임액의 50%에 해당하는 가급금을 주어야 한다. 명절이나 공휴일에 노동을 시키고 대휴(대체휴가)를 주지 않았거나 노동시간 밖의 야간작업을 시켰을 경우에는 노임액의 100%에 해당한 가급금을 주어야 한다. 야간작업에는 22시부터 다음날 6시까지 사이에 진행한 노동이 속한다(개성공업지구 노동규정 제30조).

3) 휴가비

기업은 정기 및 보충휴가를 받은 종업원에게 휴가일수에 따르는 휴가비를 지불하여야 한다. 산중 산후 휴가를 받은 여성 종업원에게는 60일에 해당하는 휴가비를 지불하여야 한다(개성공업지구 노동규정 제27조).

휴가비의 계산은 휴가 받기 전 3개월간의 노임을 실 가동일수에 따라 평균한 하루 노임에 휴가 일수를 적용하여 한다(개성공업지구 노동규정 제28조).

뿐만 아니라 월급여로 노임을 지급하는 종업원에게 휴가비를 지급함에 있어 휴가기간에 급여 계산을 중지하고 휴가비를 지급하는 것인지 아니면, 월 노임을 계속 지급하고 추가로 휴가비를 지급하여야 하는 것인지 명확한 지침이 확인되지 않는다.

4) 상금 등

기업은 세금을 납부하기 전의 세전이익의 일부를 상금기금으로 조성하고 일을 잘한 종업원에게 상금 또는 상품을 줄 수 있다(개성공업지구 노동규정 제31조).

기업은 세금을 납부하기 전의 세전이익의 일부를 종업원을 위한 문화후생 기금으로 조성하고 쓸 수 있다. 문화후생 기금은 종업원의 기술문화 수준의 향상과 체육사업, 후생시설 운영 같은데 쓴다(개성공업지구 노동규정 제45조).

외국인 투자기업재정관리법 제55조 규정에서는 결산이윤의 10%를 기금(준비금, 충당금)으로 적립하도록 규정되어 있으나, 개성공업지구에서는 구체적으로 몇 %를 적립하라는 규정이 없다.

즉, 개성공업지구에서는 결산이윤의 10%로 특정 비율을 정하지 않고 결산이윤의 일부를 기금(준비금, 충당금)으로 적립하라고 규정되어 있는 것을 볼 때 개성공업지구에서는 기업의 부담을 줄이기 위하여 비율을 강제하지 않은 것으로 추정된다.

상기 규정 개성공업지구 노동규정 제31조와 제45조에 따른 세전이익을 이용한 상금기금과 문화후생 기금 적립액이 세무상 손비로 인정되는지에 대하여는 불명확한 상황이다. 유관 법규에서 기금을 적립할 것을 규정하였으므로, 마땅히 손금으로 계상되는 것이 타당할 것이나, 세무상 손실금의 귀속 회계연도는 그 이익금과 손실금이 확정된 날이 속하는 회계연도로 한다는 확정주의를 채택하고 있다는 점을 볼 때 세전 준비금이 손비 인정된다는 것은 논리에 부합하지 않는다.

참고로 개성공업지구 기업재정규정 제16조에서는 세후 당기순이윤의 적립은 손금불산입항목이라고 명시하였으나, 세전이윤에 대하여 적립금에 대하여는 특별한 규정이 확인되지 않는다.

3. 노동조건

공업지구에서 기업의 종업원 노동시간은 주 48시간으로 한다. 기업은 노동의 힘든 정도와 특수한 조건에 따라 종업원의 주 노동시간을 48시간 보다 짧게 할 수 있다. 계절적 제한을 받는 부문의 기업은 연간 노동시간 범위에서 종업원의 주 노동시간을 실정에 맞게 정할 수 있다. 연장작업이 필요한 기업은 종업원 대표 또는 해당 종업원과 합의하여야 한다(개성공업지구 노동규정 제20조, 제21조).

기업은 종업원에게 북한의 명절과 공휴일 휴식을 보장하여야 한다. 명절과 공휴일에 노동을 시켰을 경우에는 15일 안으로 대휴(대체휴가)를 주거나 해당한 보수를 지불하여야 한다(개성공업지구 노동규정 제22조).

기업은 종업원에게 해마다 14일간의 정기휴가를 주며 중노동, 유해노동을 하는 종업원에게는 2내지 7일간의 보충휴가를 주어야 한다. 임신한 여성종업원에게는 60일간의 산전, 90일간의 산후휴가를 주어야 한다(개성공업지구 노동규정 제23조).

4. 해고와 사직

1) 해 고

종업원을 해고하려는 기업은 그 사실을 30일 전까지 당사자에게 알려주어야 한다.

해고한 종업원의 명단은 노동력 알선기업에 내야 한다(개성공업지구 노동규정 第15조).

노동력 채용기간이 끝나기 전에 종업원을 해고할 수 있는 경우는 다음과 같다(개성공업지구 노동규정 第14조).

① 직업병이나 질병 또는 부상으로 치료를 받았으나 자기 직종 또는 다른 직종에서 일할 수 없을 경우
② 기업의 경영 또는 기술조건의 변동으로 종업원이 남을 경우
③ 기술과 기능의 부족으로 자기 직종에서 일할 수 없을 경우
④ 기업의 재산에 막대한 손실을 주었거나 노동생활 질서를 어겨 엄중한 결과를 일으킨 경우

기업의 사정으로 1년 이상 일한 종업원을 내보내는 경우에는 보조금을 준다. 보조금의 계산은 3개월 평균 월 노임에 일한 연수를 적용하여 한다(개성공업지구 노동규정 第19조).

상기 규정은 중국의 경제보상금 제도와 유사한 것으로 판단되며, 종업원이 자발적으로 사직하는 경우와 정년 퇴직까지 근무하는 경우에는 경제보상금을 지급하지 않아도 되는 제도를 차용한 것으로 보인다.

그러나, 개성공업지구 기업재정규정 제19조에 따르면 '기업은 1년 이상 일하다가 퇴직하는 종업원, 관리성원에게 퇴직보조금을 주어야 한다. 퇴직보조금의 계산은 퇴직 전 3개월간의 평균 월노임에 일한 연수를 곱하는 방법으로 한다.'고 규정되어 있다. 즉, 개성공업지구 기업재정규정에 따르면, 회사측의 해고인지 혹은 종업원의 사직인지에 대한 구분 없이 퇴직하는 자로 규정하고 있다.

또한, 2014년 공업지구관리기관의 동의없이 북한 측에서 일방적으로 변경한 개성공업지구 노동규정에는 기존 제19조의 '기업의 사정으로'라는 문구를 삭제하여 한국 방식의 퇴직금(회사의 해고 또는 종업원의 자발적 사직과 무관)과 유사한 형태로 전환한 것으로 전해진다. 다만, 법조문의 구조와 내용으로 검토해 볼 때 회사에서 종업원을 정리하는 경우에 '해고' 또는 '내보낸다'라는 표현을 사용하고 있으며, 종업원의 자발적인 이직은 '사직'이라는 표현을 사용하고 있다. 따라서, 제19조에 '기업의 사정으로'라는 문구가 빠졌다 하더라도, 종업원을 내보내는 경우(즉, 해고하는 경우)에만 퇴직보조금을 지급할 의무가 발생한다고 판단된다. 뿐만 아니라, 개성공업지구 기업재정규정 제19조 역시 기업은 1년 이상 일하다가 퇴직하는 종업원, 관리성원에게 퇴직보조금을 주

어야 한다. 퇴직보조금의 계산은 퇴직 전 3개월간의 평균 월노임에 일한 해수를 곱하는 방법으로 한다고 규정함으로써 종업원의 자발적 사직에도 퇴직보조금을 지급하는 것으로 설정하여 회사의 해고 또는 종업원의 자발적 사직과 무관하게 지급하는 한국 방식의 퇴직금제도 형태로 북한 측에서 전환을 꾀하고 있는 상황이다.

추후, 남북경제협력 및 개성공업지구 업무의 재개시 이전에 명확히 할 부분이다.

종업원을 내보낼 수 없는 경우는 다음과 같다(개성공업지구 노동규정 第16조).

① 직업병을 앓거나 작업과정에 부상당하여 치료받고 있는 기간이 1년이 되지 못하였을 경우

② 병으로 치료받는 기간이 6개월을 초과하지 않았을 경우

③ 임신, 산전산후 휴가, 어린이에게 젖먹이는 기간인 경우

2) 사 직

사직하려는 종업원은 7일 전까지 기업에 사직서를 내야 한다. 기업은 사직서를 접수한 날부터 30일 안에서 사직의 연기를 요구할 수 있다. 이 경우 종업원은 특별한 사정이 없는 한 기업의 요구에 응하여야 한다(개성공업지구 노동규정 第18조).

종업원이 사직을 제기할 수 있는 경우는 다음과 같다(개성공업지구 노동규정 第17조).

① 개인적으로 일을 그만 두거나 다른 일을 해야 할 사정이 생겼을 경우

② 직종이 맞지 않아 기술기능을 충분히 발휘할 수 없을 경우

③ 학교에 입학하였을 경우

5. 노동 보호

기업은 고열, 가스, 먼지, 소음을 막고 채광, 조명, 통풍같은 산업위생 조건을 보장하여야 한다(개성공업지구 노동규정 第33조).

임신 6개월이 지난 여성종업원에게는 힘들고 건강에 해로운 일을 시킬 수 없다. 기업은 여성종업원을 위한 노동위생 보호시설을 충분히 갖추어야 한다(개성공업지구 노동규정 第34조).

기업은 실정에 맞게 종업원의 자녀를 위한 탁아소, 유치원을 꾸리고 운영할 수 있다(개성공업지구 노동규정 第35조).

기업은 종업원에게 노동안전 기술교육을 시킨 다음 일을 시켜야 한다. 노동안전 기술교육 기간과 내용은 업종과 직종에 따라 기업이 정한다(개성공업지구 노동규정 제36조).

기업은 종업원에게 노동 보호용구, 작업 필수품 같은 노동 보호물자를 제때에 공급하여야 한다. 노동 보호물자의 공급기준은 기업이 정한다(개성공업지구 노동규정 제37조).

노동재해 위험이 생긴 기업은 즉시 영업을 중지하고 그것을 제거하여야 한다. 기업은 노동안전 시설을 충분히 갖추어야 한다(개성공업지구 노동규정 제38조).

기업은 작업과정에 종업원이 사망하였거나 부상, 중독같은 사고를 일으켰을 경우 즉시 공업지구관리기관에 알려야 한다. 이 경우 공업지구관리기관은 중앙공업지구지도기관에 보고하여야 한다. 중앙공업지구지도기관은 공업지구 관리기관과 협의하여 사고 심의를 조직 진행하여야 한다(개성공업지구 노동규정 제39조).

6. 사회보험료

공업지구의 기업에서 일하는 북한의 종업원과 그 가족은 국가가 실시하는 사회문화시책의 혜택을 받는다. 사회문화 시책에는 무료교육, 무상치료, 사회보험, 사회보장 같은 것이 속한다. 사회문화시책비는 사회문화시책기금으로 보장한다. 사회문화시책 기금은 기업으로부터 받는 사회보험료와 종업원으로부터 받는 사회문화시책금으로 조성한다(개성공업지구 노동규정 제40조. 제41조).

기업은 북한 공민인 종업원에게 지불하는 월노임 총액의 15%를 사회보험료로 달마다 계산하여 다음 달 10일 안으로 중앙공업지구지도기관이 지정하는 은행에 납부하여야 한다. 사회문화시책과 관련하여 기업은 사회보험료 밖의 다른 의무를 지니지 않는다(개성공업지구 노동규정 제42조).

사회보험료를 제때에 납부하지 않았을 경우에는 납부기일이 지난날부터 매일 0.05%에 해당하는 연체료를 물린다. 연체료는 미납액의 15%를 넘을 수 없다(개성공업지구 노동규정 제47조).

북한 공민인 종업원은 월노임액의 일정한 몫을 사회문화시책금으로 계산하여 다음 달 10일 안으로 중앙공업지구 지도기관이 지정하는 은행에 납부하여야 한다(개성공업지구 노동규정 제43조).

7. 노동 분쟁

공업지구 관리기관은 이 규정을 어기고 엄중한 결과를 일으킨 기업에 US 100달러~2,000달러까지의 벌금을 물리거나 영업을 중지시킬 수 있다. 벌금 및 영업중지는 사전에 경고하였으나 시정하지 않을 경우에 적용한다(개성공업지구 노동규정 第46조).

노동과 관련하여 생긴 의견 상이는 당사자들 사이에 협의의 방법으로 해결한다. 협의의 방법으로 해결할 수 없을 경우에는 노동중재절차로 해결한다(개성공업지구 노동규정 第48조).

제11절 재정관리(재무관리)

개성공업지구에서 공업지구관리기관에 등록된 기업과 영리활동을 하는 지사, 영업소, 개인사업자의 자본조성과 이용, 이윤분배, 자본청산과 관련한 재정관리(재무관리) 제도를 개성공업지구법과 개성공업지구 기업재정규정에 따라 규정하고 있다.

이 규정에서 정하지 않은 사항은 공업지구관리기관이 중앙공업지구지도기관과 협의하여 처리한다.

기업은 자본조성을 출자, 신용, 증여, 이윤저축 같은 방식으로 할 수 있다.

등록자본은 기업을 설립하기 위하여 공업지구관리기관에 등록하고 투자한 자본이다. 기업은 등록자본을 줄일 수 없다(개성공업지구 기업재정규정 제4조).

등록자본은 투자총액의 10% 이상으로 한다. 기업은 투자총액이 늘어나는데 맞게 등록자본을 늘려야 한다(개성공업지구 기업재정규정 제5조).

기업은 투자를 화폐자산, 유형자산, 무형자산으로 할 수 있다. 이 경우 화폐자산의 투자는 전환성외화로 하여야 한다. 무형자산의 투자 몫은 등록자본의 20%를 넘을 수 없다(개성공업지구 기업재정규정 제6조).

투자(출자)하는 유형자산과 무형자산의 가치평가는 국제시장가격에 준하여 정한다(개성공업지구 기업재정규정 제8조).

투자의 인정시점은 다음과 같다(개성공업지구 기업재정규정 제7조).

① 화폐자산은 공업지구에 설립된 은행에 입금시켰을 때

② 부동산은 공업지구관리기관에 등록수속을 끝냈을 때

③ 부동산 이외의 유형자산은 공업지구에서 정해진 수속을 끝냈을 때

④ 무형자산은 도입 또는 이용으로 경제적 이익이 발생하였을 때

상기 개성공업지구에서의 출자의 기준시점과 관련한 규정 중 무형자산의 출자 인정기준은 자산의 인식(Recognition)이라는 회계의 기본적인 개념도 반영되지 않은 규정이다. 추후, 남북경제협력 및 개성공업지구 업무의 재개시 이전에 명확히 할 부분이다.

참고로 외국인 투자기업재정관리법 제14조에서는 무형자산의 출자기준으로 재산권

의 경우 해당 소유권증서를 외국인 투자기업이 넘겨받았을 때로 규정하고 있으며, 기술비결은 계약에서 정한 기술이전이 실현되었을 때라고 규정하고 있다.

기업은 결산이윤에서 정해진 기업소득세를 납부한 다음 예비기금을 조성하여야 한다. 예비기금은 등록자본의 10%가 될 때까지 해마다 결산이윤의 5%로 조성하며 등록자본을 늘이거나 경영손실을 메꾸는 데만 쓸 수 있다(개성공업지구 기업창설 운영규정 제22조, 개성공업지구 기업재정규정 제26조).

특수경제지대가 아닌 일반지역에 설립한 합작기업, 합영기업 및 외국인기업의 경우 법이 정한 규정에 따라 적립하는 기금(법정준비금 개념)으로 예비기금을 등록자본의 25%가 될 때까지 해마다 결산이익의 5%씩 적립하는 것으로 되어 있다. 그러나, 개성공업지구에 설립하는 법인은 예비기금을 등록자본의 10%까지 설정하는 것으로 규정하고 있다. 기업의 입장에서는 일반지역에 설립한 합작기업, 합영기업 및 외국인기업보다 더 많은 이윤을 배당해 가져갈 수 있다.

기업은 당기순이윤에서 예비기금과 이익배당금을 공제하고 남은 잔여이익이 있을 경우, 상금기금, 문화후생기금, 양성기금 같은 자체기금(임의적립금)을 조성하고 쓸 수 있다. 자체기금은 확대재생산, 기술발전 같은 기금으로 쓸 수 있다(개성공업지구 기업창설 운영규정 제23조, 개성공업지구 기업재정규정 제27조).

기업은 연간결산 이윤의 전부 또는 일부를 출자자들에게 배당할 수 있다. 이윤배당은 결산이윤에서 기업소득세를 납부하고 예비기금을 조성한 다음 남은 순소득금으로 한다(개성공업지구 기업창설 운영규정 제24조).

기업은 차입금을 정한 기간 안으로 상환하여야 한다. 채권자를 찾지 못하여 상환할 수 없는 차입금은 예비기금에 포함시킨다(개성공업지구 기업재정규정 제28조).

상기 규정은 광의의 채무면제를 의미하는 것으로 판단된다. 채권자가 확인되지 않아 채무를 상환할 수 없는 상황에서, 지급할 수 없는 채무를 이익으로 처리하지 않고, 이익준비금의 성격인 예비기금으로 처리하라는 회계처리 방법을 규정한 것으로 확인된다.

기업은 채무를 당해 연도에 부담하는 채무액으로 평가하여야 한다(개성공업지구 기업재정규정 제29조).

동 규정은 채무의 평가를 현재가치(Present Value)로 평가하여야 한다는 규정으로 판단된다.

제12절 외화관리

개성공업지구에서 공업지구관리기관에 등록된 기업과 영리활동을 하는 지사, 영업소, 개인사업자의 외화관리 방법과 절차 등을 개성공업지구법, 개성공업지구 외화관리규정 및 개성공업지구 외화관리준칙에 규정되어 있다.

1. 외화관련 기본규정

공업지구에서 외화관리는 공업지구관리기관이 한다. 그러나 북한의 외화수입금에 대한 관리는 중앙공업지구지도기관이 한다(개성공업지구 외화관리규정 제3조).

외화에는 다음과 같은 것이 속한다(개성공업지구 외화관리규정 제4조).

① 전환성 외화 현금

② 전환성 외화로 표시된 채권, 주식 같은 유가증권

③ 전환성 외화로 표시된 어음(수형), 수표(행표), 양도성예금증서 같은 지불수단

④ 장식품이 아닌 금, 은, 백금, 오스미움, 이리디움 같은 귀금속

공업지구에서는 전환성 외화현금을 유통시킨다. 유통화폐의 종류와 기준화폐는 공업지구관리기관이 중앙공업지구지도기관과 협의하여 정한다(개성공업지구 외화관리규정 제5조). 개성공업지구내 기준화폐는 US＄로 한다(개성공업지구 외화관리준칙 제2조).

유통화폐의 환자시세는 공업지구관리기관이 중앙공업지구지도기관과 협의하여 선정한 국제금융시장의 환자시세에 따른다(개성공업지구 외화관리규정 제6조).

개성공업지구내 유통화폐의 환자시세는 서울외국환중개(주)가 당일 고시하는 기준환율로 한다(개성공업지구 외화관리준칙 제3조).

기업은 공업지구에 설립된 은행에 외화돈자리를 두어야 한다. 외화돈자리를 둘 은행은 기업이 자유롭게 선택할 수 있다(개성공업지구 외화관리규정 제7조).

한국 또는 다른 나라에 있는 은행에 외화돈자리를 두려는 기업은 공업지구관리기관에 신고서를 내야 한다. 신고서에는 해당 은행의 명칭, 소재지, 돈자리를 개설할 날짜 같은 것을 밝혀야 한다. 공업지구 밖의 은행에 돈자리를 둔 기업은 반년마다 돈자리별

로 외화수입지출문건을 작성하여 다음달 30일 안으로 공업지구관리기관에 내야 한다(개성공업지구 외화관리규정 제12조, 제13조, 개성공업지구 외화관리준칙 제4조).

개인은 번 외화 또는 공업지구에 가지고 온 외화를 한없이 소지하거나 은행에 예금할 수 있다(개성공업지구 외화관리규정 제15조).

공업지구에서 기업과 개인은 외화를 제한없이 들여오거나 남측 또는 다른 나라로 내갈 수 있다. 이 경우 귀금속 밖의 외화는 세관신고를 하지 않는다(개성공업지구 외화관리규정 제16조).

기업과 개인은 이윤, 노임 같은 합법적으로 얻은 외화를 공업지구 밖으로 송금할 수 있다. 이 경우 세금을 부과하지 않는다(개성공업지구 외화관리규정 제17조).

참고로 특수경제지대가 아닌 일반지역에의 외국인 투자기업과 외국인 개인의 외화 반출과 관련된 규정은 아래와 같다.

외국투자가가 기업을 하여 얻은 이윤과 소득금, 기업을 청산하고 남은 자금은 부기검증기관의 확인을 받은 조건에서 북한 밖으로 세금없이 송금하거나 자본을 제한없이 이전할 수 있다(외화관리법 제29조, 외화관리법 시행규정 제60조).

외국인은 노임과 기타 합법적으로 얻은 외화의 60%까지를 북한 밖으로 송금하거나 가지고 나갈 수 있다. 60%를 넘는 금액을 송금하거나 가지고 나가려는 경우에는 북한 외화관리기관의 승인을 받아야 한다(외화관리법 제30조, 외화관리법 시행규정 제61조).

2. 은행 업무 관련규정

기업과 개인은 외화현금이나 신용카드, 외화돈자리를 이용하여 거래에 따르는 지불 및 결제를 할 수 있다. 결제는 송금결제, 신용장결제, 현금결제, 청산결제방식으로 한다. 이 경우 결제방식은 당사자들이 합의하여 정한다(개성공업지구 외화관리규정 제14조).

공업지구에 설립된 투자은행은 외국환자업무와 그 밖의 금융업무를 할 수 있다. 그러나 투자은행은 조선원과 관련한 환자업무를 할 수 없다(개성공업지구 외화관리규정 제8조).

공업지구에 설립된 투자은행은 반년마다 돈자리별로 외화입출금변동신고서를 작성하여 다음달 30일 안으로 공업지구관리기관에 내야 한다(개성공업지구 외화관리규정 제9조).

세금, 토지사용료, 사회보험료 같은 납부금의 관리, 북한의 기관, 기업소, 단체, 종업원과 관련한 외화결재 또는 외화자금거래업무는 공업지구에 설립된 북한 외국환자은행이 한다(개성공업지구 외화관리규정 제10조).

은행은 외화예금의 비밀을 보장하며 이자를 예금자에게 정확히 계산 지불하여야 한다(개성공업지구 외화관리규정 제11조).

제 13절 기업회계

1. 회계관련 법률규정

개성공업지구에서 공업지구관리기관에 등록된 기업과 영리활동을 하는 지사, 영업소, 개인사업자의 회계계산과 회계서류의 작성 및 회계검증에 있어서 통일성, 과학성 및 객관성을 위하여 개성공업지구법, 개성공업지구 회계규정 및 개성공업지구 기업회계기준에 규정되어 있다.

공업지구관리기관에 등록된 기업은 회계를 한다.

총투자액이 US＄100만 달러 이상이거나 전년도 판매수익 및 봉사수익 금액이 US＄300만 달러 이상인 지사, 영업소와 개인사업자(이 아래부터는 '기업'이라 한다)도 회계를 하여야 한다(개성공업지구 회계규정 제2조).

기업의 회계업무는 회계원, 계산원, 출납원 같은 회계일군이 한다. 회계 업무량이 적은 기업은 회계검증사무소에 회계업무를 위탁할 수 있다(개성공업지구 회계규정 제3조).

공업지구에서 회계화폐는 US＄로 한다. 기업의 경제거래규모에 따라 화폐단위를 천, 만, 백만으로 할 수 있다(개성공업지구 회계규정 제4조).

기업의 회계연도는 1월 1일부터 12월 31일까지이다. 새로 창설된 기업의 회계연도는 조업을 시작한 날부터 12월 31일까지, 해산되는 기업의 회계연도는 1월 1일부터 해산되는 날까지를 하나의 회계연도로 한다(개성공업지구 회계규정 제5조).

회계문건의 작성은 조선말로 한다. 필요에 따라 회계문건을 다른 나라 말로 작성할 수 있다. 이 경우 조선말로 된 번역문을 첨부한다(개성공업지구 회계규정 제6조).

공업지구에서 기업의 회계는 이 규정과 공업지구 기업재정규정, 회계검증규정, 세금규정 같은 관련규정에 준하여 한다. 이 규정에서 정하지 않은 사항은 국제적으로 인정되는 회계관습에 따른다(개성공업지구 회계규정 제7조).

공업지구관리기관은 이 규정에 준하여 공업지구기업회계기준을 작성하여야 한다. 이 경우 중요 내용을 중앙공업지구지도기관과 협의하여야 한다(개성공업지구 회계규정 제8조).

기업의 회계사업에 대한 책임은 기업책임자가 진다. 기업책임자는 위법적인 회계업무를 지시할 수 없다(개성공업지구 회계규정 제9조).

특수관계자란 다음의 기업 또는 개인이다(개성공업지구 기업회계기준 제8조).

① 지배 또는 종속관계에 있는 기업

② 해당 기업이 중대한 영향력을 행사할 수 있는 출자비율법 평가대상의 피투자기업

③ 직접 또는 간접적인 결의권 행사를 통하여 해당 기업에 중대한 영향력을 행사할 수 있는 개인 및 그의 친척 또는 인척

④ 해당 기업의 기업활동에 대한 권한과 책임을 가지고 있는 주요 경영집단 및 그의 친척 또는 인척

⑤ 상기 ③항 또는 ④항의 개인 또는 경영집단 및 그들의 친척 또는 인척이 중대한 영향력을 행사할 수 있는 기업

일반 경제거래란 해당 기업의 정상적 영업활동에서 발생하는 거래이다.

정상가격이란 합리적인 판단력과 거래의사를 가지고 있는 독자적인 당사자들 사이에 거래될 수 있는 가격이다.

2. 회계관련 기초규정

회계계산은 발생한 경제거래에 기초하여 회계서류를 만들고 정해진 규범에 따라 장부에 기록하고 계산하며 주기별로 회계결산서를 작성하는 중요한 사업이다. 기업은 정해진 회계처리(계산)절차를 정확히 지켜야 한다(개성공업지구 회계규정 제10조).

기업이 회계처리(계산)를 하는 경우는 다음과 같다(개성공업지구 회계규정 제11조).

① 화폐자금을 입금하였거나 출금하였을 경우

② 유가증권을 발행 또는 인수하였을 경우

③ 재산을 인수 또는 발송하였을 경우

④ 채권・채무가 발생하였거나 그것을 청산하였을 경우

⑤ 자본금, 기금이 증가하였거나 감소하였을 경우

⑥ 수입 또는 비용지출이 발생하였을 경우

⑦ 손익을 확정하거나 분배할 경우

⑧ 기타 회계처리(계산)가 필요한 경우

회계처리(계산)에서 지켜야 할 원칙은 다음과 같다(개성공업지구 회계규정 제12조).

① 회계 기록을 합법적이며 객관적인 자료와 증거에 기초하여 하여야 한다.

② 회계 계정과목(계시[102])과 용어를 간단명료하게 표시하여야 한다.

③ 회계 계정과목(계시)의 설정과 분류, 계산시점, 재산평가를 기간별로 비교할 수 있도록 지속적으로 적용하며 정당한 이유없이 변경하지 말아야 한다.

④ 자본거래와 손익거래, 자본잉여금과 이익잉여금을 정확히 구분하여야 한다.

⑤ 회계 계정과목(계시)과 금액의 중요내용을 회계결산서에 구체적으로 표시한다.

회계서류의 작성은 다음과 같이 한다(개성공업지구 회계규정 제13조).

① 기록을 검은색으로 한다.

② 경제거래가 있은 즉시에 한다.

③ 양식에 따르는 내용을 빠짐없이 기록한다.

④ 금액을 조선말로 복기한다.

⑤ 경제거래를 지시하거나 집행을 책임진 자의 도장을 찍거나 그가 서명(수표[103]) 한다.

기업은 경제거래를 시작하면 회계서류를 발행하거나 접수하여야 한다. 접수한 회계서류는 회계원이 보관한다(개성공업지구 회계규정 제14조).

회계서류를 접수한 기업은 양식, 기록내용, 계산의 정확성을 검토 확인하여야 한다. 효력을 가지지 못한 불비한 회계서류는 기업책임자 또는 회계부서책임자의 승인을 받고 돌려보낸다(개성공업지구 회계규정 제15조).

불비한 회계서류를 돌려받은 기업은 해당 내용을 수정하고 수정한 자의 도장을 찍어야 한다. 금액을 틀리게 쓴 회계서류는 다시 작성하여야 한다(개성공업지구 회계규정 제16조).

기업은 공업지구에서 정한 회계 계정과목(회계계시)을 이용하여야 한다. 이 경우 중요 경제거래는 공업지구관리기관의 승인을 받고 새로운 계정과목(회계계시)로, 일반

102) 계시(計示) : 부기계산에서 경영 재산의 운동과 그 원천의 변화를 일으키며 경영과정을 형성하는 거래들을 분류하여 그의 증가와 감소를 좌우의 두면으로 구분 계산하는 방식, 또는 그를 표시하는 뜻. 조선말사전(1960), 과학원출판사

103) 수표(手票) : 도장 따위 대신에 자기 성명 밑에 하는 일정한 표식. 수결(手決). 조선말사전(1960), 과학원출판사

경제거래는 유사한 계정과목(회계계시)에 합쳐 표시할 수 있다(개성공업지구 회계규정 제17조).

3. 회계처리 규정

1) 회계장부

회계문건에는 회계서류, 회계장부, 회계결산서가 속한다. 회계문건의 양식은 공업지구관리기관이 중앙공업지구지도기관과 협의하여 정한다(개성공업지구 회계규정 제35조).

회계서류는 경제거래를 반영하는 회계계산의 기초물건이다. 회계서류에는 증표[104), 전표, 분기표, 집계표 등이 속한다(개성공업지구 회계규정 제36조).

회계서류에 반영할 내용은 다음과 같다(개성공업지구 회계규정 제37조).

① 회계서류의 제목

② 발행번호와 날짜

③ 품명, 수량, 단가, 금액 같은 경제거래 근거와 내용

④ 경제거래용도

⑤ 현금거래서류에는 수납인과 출납원의 도장

⑥ 발행기관의 명칭과 소재지

회계장부는 회계서류에 반영된 경제거래를 일정한 양식 또는 계산표에 기록계산하는 회계문건이다. 회계장부에는 분개장(분기일기장), 계정원장(계시원장), 세분계산장부 등이 속한다(개성공업지구 회계규정 제38조).

회계장부에 반영할 내용은 다음과 같다(개성공업지구 회계규정 제39조).

① 표지에는 회계연도, 장부이름, 계시번호, 기업명칭 등을 밝힌다.

② 첫 페이지에는 목록을 쓰고 목록별 페이지 번호를 밝힌다.

③ 둘째 페이지부터 번호를 쓰고 기록하는 회계서류의 날짜와 분개장(분기표)번호, 경제거래 내용과 금액 등을 밝힌다.

④ 마지막 페이지에는 장부의 마감을 확인한 회계부서책임자의 도장을 찍는다.

---

104) 증표(證票) : 증거가 되는 일정한 표. 조선말사전(1960), 과학원출판사

기업은 회계장부를 종합 계산장부와 세부 계산장부로 나누어 갖추어야 한다. 종합 계산장부는 경제거래를 시간적으로, 내용적으로 계산할 수 있게 분개장(분기일기장)과 계정별원장(계시원장)으로 나누며 세부 계산장부는 계산대상별로 세분화하여야 한다(개성공업지구 회계규정 제18조).

회계장부의 작성은 검토확인한 회계서류에 기초하여 복식기입 방법으로 한다. 회계장부양식은 표준양식으로 한다(개성공업지구 회계규정 제19조).

기업은 회계장부의 내용과 현물을 정기적으로 대조 확인하여야 한다. 회계장부의 내용과 현물이 맞지 않을 경우에는 원인을 찾고 맞추어야 한다(개성공업지구 회계규정 제20조).

회계장부의 수정은 다음과 같이 한다(개성공업지구 회계규정 제21조).

① 회계장부를 마감하기 전에 틀리게 쓴 것은 붉은 색으로 두줄을 긋고 다시 쓴다.

② 회계장부를 마감한 다음에 틀리게 쓴 것은 해당 분기를 취소하고 경제거래내용에 맞게 다시 분개(분기)하여 기록한다.

③ 회계장부에 올린 금액을 틀리게 쓴 것은 추가로 분개(분기)하여 바로써 넣는다.

④ 수정한 곳에 회계원의 도장을 찍는다.

2) 회계처리

재산평가는 다음과 같이 한다(개성공업지구 회계규정 제22조, 개성공업지구 기업회계기준 제11조).

① 자산은 취득원가에 기초하여 인식한다.

② 교환, 현물출자, 증여, 무상으로 취득한 자산은 공정가격을 취득원가로 한다.

③ 투자자산, 유형 및 무형자산의 생산, 구입, 건설에 사용된 차입금에 대한 이자비용과 기타 유사한 금융비용은 해당 자산의 취득원가에 포함시킨다.

④ 취득원가는 자산형태별 원가계산기준에 따라 회계연도별로 나눈다.

⑤ 가불금 또는 가수금 같은 미결산항목은 그 내용에 적합한 계시로 표시하며 대조계시 등은 대차대조표의 재산 또는 채무항목으로 표시하지 말아야 한다.

⑥ 장래의 기간에 영향을 미치는 특정한 비용은 다음 기 이후의 기간에 나누어 처리하기 위하여 경과적으로 대차대조표의 재산항목에 기입할 수 있다.

수익(수입)의 계산은 다음과 같이 한다(개성공업지구 회계규정 제23조).

① 상품, 제품의 판매수입은 그것을 판매하여 인도한 시점에서 한다.

② 위탁판매 수익은 위탁받는 자가 위탁품을 판매하여 인도한 시점에서 한다.

③ 건설물인도, 봉사제공, 예약판매수입은 실행정도에 따라 한다.

④ 장기 할부판매수입은 기간이 지난 정도에 따라 한다.

비용의 계산은 다음과 같이 한다(개성공업지구 회계규정 제24조).

① 생산원가는 제품생산과정에 실지 발생한 소비액에 기초하여 한다.

② 판매원가는 판매수입과 관련되는 비용지출만을 포함시켜 한다.

③ 판매비와 관리비는 실지 발생한 지출액에 기초하여 한다.

④ 이자와 기타 금융비용은 기간이 지난 정도에 따라 한다.

3) 재무제표와 재무제표의 작성

회계결산서는 결산기간에 발생하는 경제거래에 기초하여 주기별로 기업의 재정상태, 경영성적, 손익처분, 현금유동의 결과와 원인을 반영하는 회계문건이다. 회계결산서에는 결산서, 결산서 주해, 재정상태설명서가 속한다(개성공업지구 회계규정 제40조).

결산서에는 대차대조표, 손익계산서, 이익처분계산서 또는 손실처리계산서, 현금유동표를, 결산서 주해에는 중요재산의 처분에 대한 설명, 중요항목의 명세자료와 결산서의 이해와 분석에 필요한 기타자료를, 재정상태설명서에는 생산경영상태의 중요내용, 이윤의 확정과 분배상태 같은 것을 반영한다(개성공업지구 회계규정 제41조).

대차대조표의 작성은 다음과 같이 한다(개성공업지구 회계규정 제25조).

① 재정상태를 자산, 채무, 자본으로 구분하며 자산과 채무는 1년을 기준으로 하여 유동재산과 고정재산, 유동채무와 고정채무로, 자본은 자본금, 자본잉여금, 이익잉여금, 자본조정으로 구분한다.

② 자산의 합계를 채무, 자본의 합계와 대비하는 방법으로 표시한다.

③ 자산, 채무, 자본의 해당 계정(계시)을 총액으로 표시한다.

④ 대차대조표의 배열을 유동성 배열법으로 한다.

손익계산서의 작성은 다음과 같이 한다(개성공업지구 회계규정 第26조).

① 손익을 판매손익, 영업손익, 경상손익, 기업소득세덜기전손익과 당기순손익으로 구분한다.

② 수익(수입)과 비용을 발생원천에 따라 구분하고 수익(수입)의 합계를 비용의 합계와 대비하여 표시한다.

③ 수익(수입)과 비용을 발생기간별로 나누어 처리한다.

④ 수익(수입)과 비용의 계시를 총액으로 표시한다.

이익처분계산서 또는 손실처리계산서의 작성은 다음과 같이 한다(개성공업지구 회계규정 第27조).

① 이익처분 상황(정형)을 미처분이익액, 자체기금인입액, 이익처분액, 다음년도 조월이익액으로, 손실처리 상황(정형)을 미처리손실액, 손실처리액, 다음년도 조월손실액으로 구분한다.

② 미처분이익액과 자체기금인입액의 합계를 이익처분액과 다음년도 조월이익액의 합계와 대비하고 미처리손실액을 손실처리액과 다음년도 조월손실액의 합계와 대비하여 표시한다.

③ 이익처분액과 손실처리액을 총액으로 표시한다.

현금유동표의 작성은 다음과 같이 한다(개성공업지구 회계규정 第28조).

① 현금유동을 영업활동, 투자활동, 재정활동에 따라 구분한다.

② 현금의 기초잔고와 기간 증감액을 합계하여 기말잔고로 표시한다.

③ 현금수입과 지출항목을 증가와 감소에 따라 상쇄하지 않고 총액으로 표시한다.

회계결산서의 작성은 다음과 같이 한다(개성공업지구 회계규정 第29조).

① 대차대조표, 손익계산서, 이익처분계산서 또는 손실처리계산서, 현금유동표를 연관시켜 검토 확인하고 종합 편찬한다.

② 업종에 따르는 원가명세서를 첨부한다.

③ 당해 연도와 지난 연도의 회계자료들을 비교하여 표시한다.

④ 손익계산서를 보고식으로, 대차대조표를 계시식으로 한다.

⑤ 잘못 이해할 수 있는 회계내용에 대하여서는 해석을 첨부한다.

회계결산서의 작성주기는 월, 분기, 반년, 연간으로 한다. 연간 회계결산서는 의무적으로 작성하며 월, 분기, 반년결산서는 기업의 규약에 따라 작성한다(개성공업지구 회계규정 第30조).

회계결산서의 작성기일은 다음과 같다(개성공업지구 회계규정 第31조).

① 월 회계결산서는 다음달 6일까지

② 분기 회계결산서는 분기가 지난 다음달 15일까지

③ 반년 회계결산서는 반년이 지난 다음 30일까지

④ 연간 회계결산서는 회계연도가 지난 다음 60일까지

회계결산서에는 기업의 책임자와 회계부서의 책임자가 서명(수표)한다. 기업의 책임자와 회계부서의 책임자는 회계결산서에 대하여 책임진다(개성공업지구 회계규정 第32조).

회계계산과정에 할 수 없는 행위는 다음과 같다(개성공업지구 회계규정 第34조).

① 자산, 채무, 자본의 평가기준과 계산방법을 승인없이 변경하거나 허위기록 또는 기록하지 않는 행위

② 수입을 숨기거나 지연 또는 앞당겨 계산하는 행위

③ 비용, 원가의 계산시점과 계산방법을 승인없이 변경하거나 허위기록 또는 기록하지 않는 행위

④ 이윤계산, 이윤분배 방법을 승인없이 변경하고 허위이윤을 조성하거나 이윤을 숨기는 행위

⑤ 기타 공업지구 회계관련법규를 어기는 행위

기업은 회계연도가 지난 다음 60일 안으로 연간 회계결산서를 공업지구 회계검증사무소에 제출하여야 한다. 연간 회계결산서는 회계검증을 받아야 효력을 가진다. 월, 분기, 반년 회계결산서의 검증은 기업의 신청에 따른다(개성공업지구 회계규정 第33조).

회계문건의 보존기간은 다음과 같다(개성공업지구 회계규정 第42조).

① 회계서류 5년

② 회계장부 10년

③ 연간 회계결산서 10년

④ 월, 분기, 반년 회계결산서는 기업의 규약에 따른다.

회계문건 보존기간의 계산은 다음과 같이 한다(개성공업지구 회계규정 제43조).

① 회계서류는 회계연도가 지난 다음날부터 한다.

② 회계장부는 장부를 마감한 날부터 한다.

③ 회계결산서는 회계검증을 받은 날부터 한다.

회계문건은 회계부서책임자의 책임 하에 해당 기업에 보관한다. 통합, 분할(분리), 해산되는 기업은 해당 이사회에서 보관인과 보관장소를 정한다(개성공업지구 회계규정 제44조).

4) 내부감사

공업지구에서 회계업무(사업)에 대한 감독통제는 중앙공업지구지도기관이 한다. 중앙공업지구지도기관에는 기업의 회계감독사업을 담당한 감독부서를 둘 수 있다(개성공업지구 회계규정 제45조).

회계감독은 회계결산서와 회계검증보고서를 검토하는 방법으로 한다. 이 경우 위법행위가 발견되면 공업지구관리기관에 알리고 기업의 회계사업 상황(정형)을 직접 조사할 수 있다(개성공업지구 회계규정 제46조).

기업은 종합계산 장부작성 업무와 자산보관업무, 내부회계 검증업무를 분리시키며 자산실사의 범위, 기간, 실사방법을 정하여야 한다. 투자, 자산처분, 자금공급 같은 중요경제업무의 책임한계를 명백히 하여야 한다(개성공업지구 회계규정 제47조).

기업은 출납업무와 회계장부 기록 및 계산업무, 회계문건 보관업무를 겸임시키지 말아야 한다(개성공업지구 회계규정 제48조).

이직(조동[105]), 동원, 병치료, 해임 같은 사유가 있는 회계원은 제3자의 입회 하에 회계업무(사업)을 인계하여야 한다. 회계원의 인계인수에 대한 입회는 회계부서 책임자가, 회계부서 책임자의 인계인수에 대한 입회는 기업의 책임자가 한다(개성공업지구 회계규정 제49조).

회계업무 집행과정에 제3자에게 손해를 주었을 경우에는 해당한 손해를 보상시킨다(개성공업지구 회계규정 제50조).

---

105) 조동(調動) : 일자리를 옮김. 조선말사전(1960), 과학원출판사

5) 벌금 등

회계결산서 작성에서 중요자료를 누락시켰거나 착오를 일으켰을 경우에는 6개월부터 1년까지 업무를 중지시킨다. 돈, 물품을 받고 사실과 어긋나게 회계를 하였을 경우에는 1년 이상 업무를 중지시킨다(개성공업지구 회계규정 제51조).

벌금을 물리는 경우는 다음과 같다(개성공업지구 회계규정 제52조).

① 회계결산서를 사실과 어긋나게 작성하였거나 의무적인 회계검증을 거절, 회피하였을 경우에는 US$1만 달러 이하의 벌금을 물린다.

② 정당한 이유없이 회계감독기관이 요구하는 자료의 제출을 거절하였거나 허위자료를 제출하였을 경우에는 US$5,000달러 이하의 벌금을 물린다.

③ 기업이 연간 회계결산서를 정한 기간 안에 제출하지 않았을 경우에는 US$500달러 이하의 벌금을 물린다.

④ 대가를 약속하고 사실과 어긋나게 기록, 계산, 보고하였을 경우에는 해당물품을 몰수하고 US$1만5,000 달러 이하의 벌금을 물린다.

⑤ 위법적인 회계계간을 강요하였을 경우에는 US$1만 달러 이하의 벌금을 물린다.

벌금을 제때에 납부하지 않았을 경우에는 해당한 금액에 대하여 매일 0.05%의 연체료를 부과한다. 연체료의 계산은 중앙공업지구지도기관이 벌금통지서를 보낸 다음 7일이 지난날부터 한다(개성공업지구 회계규정 제53조).

4. 회계감사(회계검증)

1) 회계감사(회계검증) 기본규정

일반적으로 회계감사(회계검증)이란 기업(회사)들의 돈계산이 정확하며 사실인가를 알아보기 위하여 제3자가 진행하는 객관적인 검사활동을 의미한다. 개성공업지구의 기업들은 북한의 세무소에 세금을 납부하여야 한다. 세금납부 이전에 우선 회계검증을 받아야 한다.[106)]

개성공업지구에서 회계감사(이하 '회계검증')는 이 규정과 공업지구 회계규정, 개성

106) 조선투자법 안내, 법률출판사 2007, p.417

공업지구 기업회계기준, 개성공업지구 회계검증기준, 개성공업지구 회계검증준칙, 기업재정규정, 세금규정 같은 관련규정에 준하여 한다(개성공업지구 회계검증규정 제3조).

공업지구에서 회계검증은 공업지구에 설립한 회계검증사무소가 한다. 회계검증사무소는 유형재산에 대한 감정평가도 한다(개성공업지구 회계검증규정 제2조).

공업지구관리기관에 등록된 기업과 총투자액이 US$100만 달러 이상이거나, 전년도 판매수익 및 봉사수익 금액이 US$300만 달러 이상이 되는 지사, 영업소, 개인업자(이하 '기업')는 회계검증을 의무적으로 받아야 한다.

앞 항에 포함되지 않은 기업은 연간 회계결산서에 대한 검증을 받지 않을 수도 있다(개성공업지구 회계검증규정 제4조).

회계검증사무소는 공업지구의 회계검증사업을 담당한 독자적인 법인이다. 회계검증사업에는 누구도 간섭할 수 없다(개성공업지구 회계검증규정 제5조).

2) 회계검증사무소

회계검증사무소의 설립승인은 공업지구관리기관이 한다. 공업지구관리기관은 회계검증사무소 설립신청서의 심사를 책임적으로 하여야 한다(개성공업지구 회계검증규정 제7조).

공업지구에는 2개의 회계검증사무소를 둔다. 2개 이상의 회계검증사무소를 두려 할 경우에는 중앙공업지구지도기관의 승인을 받는다(개성공업지구 회계검증규정 제8조).

공업지구에 회계검증사무소를 내오려는 회계검증조직은 공업지구관리기관에 설립신청서를 내야 한다. 이 경우 기본 정관(규약), 사무소성원의 자격, 경력증명문건을 첨부하여야 한다. 설립신청서에는 사무소의 명칭, 소재지, 기본업무, 기구와 정원수, 책임자와 성원의 이름, 자격, 자본금총액, 존속기간, 해산사유 등을 밝혀야 한다(개성공업지구 회계검증규정 제9조).

공업지구관리기관은 회계검증사무소의 설립신청서를 접수한 날부터 10일 안으로 심의하고 등록 또는 부결하는 결정을 하며 그 결과를 중앙공업지구지도기관에 통지하여야 한다. 공업지구관리기관에 등록한 날을 회계검증사무소의 설립일로 한다(개성공업지구 회계검증규정 제10조).

기본 정관(규약), 기구와 정원수, 기본업무가 달라진 회계검증사무소는 공업지구관리기관에 다시 등록하여야 한다. 이 경우 공업지구관리기관은 중앙공업지구지도기관에 통지하여야 한다(개성공업지구 회계검증규정 제11조).

회계검증사무소의 업무는 다음과 같다(개성공업지구 회계검증규정 제12조).

① 기업의 창설, 통합, 분리에 대한 회계검증

② 결산보고서에 대한 회계검증

③ 유형자산에 대한 감정평가

④ 기업의 해산, 파산에 대한 회계검증

⑤ 회계검증과 관련한 상담

⑥ 기타 회계관련법규에 지적된 업무

회계검증사무소에는 3명 이상의 회계검증원과 1명 이상의 감정평가원을 둔다. 회계검증원과 감정평가원(이 아래부터는 '회계검증원'이라 한다)은 해당한 자격증을 가지고 그 부문에서 3년 이상 일한 자가 될 수 있다. 형사처벌을 받았던 자는 회계검증원으로 사업할 수 없다(개성공업지구 회계검증규정 제13조).

회계검증원은 업무와 관련하여 해당 기업의 회계장부, 서류 같은 것을 열람하거나 복사할 수 있으며 장부와 현물을 대조 확인할 수 있다. 기업과 개인은 회계검증원이 요구하는 자료를 제때에 보장하여야 한다(개성공업지구 회계검증규정 제14조).

회계검증사무소는 회계검증을 객관적으로 공정하게 하여야 한다. 회계검증과정에 알게 된 비밀은 공개할 수 없다(개성공업지구 회계검증규정 제15조).

3) 회계검증 업무

기업은 회계검증을 제때에 정확히 받아야 한다. 회계검증에는 투자검증, 결산검증, 청산검증이 속한다(개성공업지구 회계검증규정 제23조).

① 투자검증

새로 창설되거나 통합, 분할(분리)되는 기업, 총투자액의 10% 이상을 재투자하는 기업은 투자검증을 받아야 한다. 투자검증을 받지 않았을 경우에는 출자증서의 발급, 이윤분배, 투자상환 같은 것을 할 수 없다(개성공업지구 회계검증규정 제24조).

투자검증은 기업이 작성한 투자보고서에 대하여 한다. 투자보고서에는 출자상태표와 화폐자산 출자명세표, 현물자산 출자명세표, 부동산 출자명세표, 지적소유권 출자명세표 등이 속한다(개성공업지구 회계검증규정 제25조).

기업창설투자에 대한 검증은 조업을 한 날부터 3개월 안으로, 통합, 분할(분리)에 대한 검증은 기업변경등록을 끝낸 날부터 2개월 안으로, 재투자에 대한 검증은 해당투자를 끝낸 날부터 1개월 안으로 한다(개성공업지구 회계검증규정 제26조).

회계검증사무소는 중고설비투자에 대한 감정평가를 정확히 하여야 한다. 중고설비에 대한 감정평가를 받는 기업은 중고설비의 생산시기와 구입시기, 구입가격, 내용연수, 사용한 기간 같은 것을 정확히 확인할 수 있는 증거문서를 회계검증사무소에 내야 한다(개성공업지구 회계검증규정 제27조).

② 결산검증

결산검증은 기업의 월, 분기, 반년, 연간 회계결산서에 대하여 한다. 이 경우 월, 분기, 반년 회계결산서에 대한 검증은 기업의 신청에 따른다. 기업은 연간 회계결산서에 대한 검증을 의무적으로 받아야 한다(개성공업지구 회계검증규정 제28조).

기업은 회계연도가 끝난 다음 2개월 안으로 연간 회계결산서를 회계검증사무소에 내야 한다. 회계 업무량이 특별히 많은 기업은 회계검증사무소의 승인을 받고 회계연도가 끝난 다음 3개월 안으로 연간 회계결산서를 낼 수도 있다(개성공업지구 회계검증규정 제27조).

회계검증원은 결산검증결과를 종합하여 회계검증보고서와 세무조정계산서를 작성하여야 한다. 회계검증보고서에는 회계결산서에 대한 설명서와 재정상태설명서를 첨부하여야 한다(개성공업지구 회계검증규정 제30조).

회계결산서의 설명서에 반영할 사항은 다음과 같다(개성공업지구 회계검증규정 제31조).

ⓐ 공업지구 회계관련규정에 부합되지 않는 사항

ⓑ 주요 회계정책 및 예측과 그 변경 상황(정형)

ⓒ 우발사항과 결산 후 발생한 경제거래 상황(정형)

ⓓ 중요자산의 처분 상황(정형)

ⓔ 기업의 통합, 분리 상황(정형)

ⓕ 회계결산서의 중요항목

ⓖ 회계결산서의 이해와 분석에 필요한 자료

재정상태설명서에 반영할 사항은 다음과 같다(개성공업지구 회계검증규정 제32조).

ⓐ 중요 생산 및 경영상태

ⓑ 이윤의 확정과 분배상태

ⓒ 자금의 증감과 회전상태

ⓓ 재정상태, 경영성적, 현금유동에 영향을 주는 요인

ⓔ 대차대조표의 이해와 분석에 필요한 자료

회계검증사무소는 회계연도가 끝난 다음 3개월 안으로 기업의 연간 회계결산서에 대한 검증을 끝내야 한다. 부득이한 사정으로 회계검증을 끝낼 수 없을 경우에는 그 이유와 연장기간을 공업지구세무소에 통지하여야 한다(개성공업지구 회계검증규정 제33조).

③ 청산검증

청산검증대상은 해산 또는 파산되는 기업의 청산보고서이다. 청산보고서에는 청산재정상태표, 채권채무명세표, 자금원천분배표, 재산실사표, 국가납부표 같은 것이 속한다(개성공업지구 회계검증규정 제34조).

해산 또는 파산되는 기업은 청산사업을 끝낸 날부터 1개월 안으로 청산보고서에 대한 회계검증을 받아야 한다. 청산검증을 받지 않았을 경우에는 기업에 조직된 청산위원회의 사업을 종결할 수 없으며 기업등록을 삭제할 수 없다(개성공업지구 회계검증규정 제35조).

회계검증사무소는 투자검증보고서, 결산검증보고서, 청산검증보고서의 사본을 공업지구관리기관을 통하여 중앙공업지구지도기관에 내야 한다. 검증보고서의 사본은 해당 검증을 끝낸 날부터 7일 안으로 내야 한다(개성공업지구 회계검증규정 제36조).

4) 회계검증사무소 관련 기타내용

회계검증사무소는 검증정형을 해당 장부에 기록하여야 한다. 장부기록 및 관리방법을 정하는 사업은 공업지구관리기관이 한다(개성공업지구 회계검증규정 제16조).

회계검증원은 검증이 끝나면 회계검증보고서를 작성하여야 한다. 회계검증보고서에는 검증대상, 검증보고서의 부류, 검증과 관련한 의견, 보고날짜, 회계검증원의 이름 같은 것을 밝히고 회계검증사무소의 도장을 찍는다(개성공업지구 회계검증규정 제17조).

회계검증원은 이해관계가 있는 기업에 대하여 회계검증을 하지 말아야 한다. 이해관계가 있는 기업으로부터 회계검증을 의뢰받았을 경우에는 다른 회계검증원에게 넘겨주어야 한다(개성공업지구 회계검증규정 제18조).

회계검증원은 회계검증과정에 알게 된 위법행위에 대하여 회계검증보고서에 밝히고 수정을 요구하여야 한다. 수정 요구에 응하지 않을 경우에는 회계검증사무소를 통하여 공업지구관리기관에 통지하여야 한다(개성공업지구 회계검증규정 제19조).

회계검증사무소는 회계검증, 상담과 관련한 검증요금 또는 봉사료를 받을 수 있다. 검증요금과 봉사료의 기준을 정하는 사업은 공업지구관리기관이 한다(개성공업지구 회계검증규정 제20조).

회계검증사무소는 해마다 세금을 납부한 다음 당기순이윤의 10%를 직전 회계연도 총수입액의 10%가 될 때까지 손해보상준비금으로 적립하여야 한다. 업무과정에 고의 또는 과실로 제3자에게 입힌 손해에 대하여 제때에 보상하여야 한다(개성공업지구 회계검증규정 제21조).

회계검증사무소는 손해보상준비금을 손해보상에만 써야 한다. 손해보상준비금을 다른 용도에 쓰려 할 경우에는 공업지구관리기관을 통하여 중앙공업지구지도기관의 승인을 받아야 한다(개성공업지구 회계검증규정 제22조).

제14절 세무일반

개성공업지구에서 세금은 개성공업지구법과 개성공업지구 세금규정, 한국과 북한이 합의한 남북사이의 소득에 대한 이중과세방지합의서(이하 '이중과세방지합의서')에 따라 부과된다.

공업지구에서 세금의 납세의무자로는 공업지구에서 경제거래를 하거나 소득을 얻은 기업과 개인에게 적용한다. 기업에는 공업지구에서 영리활동을 하는 기업과 지사, 영업소, 개인업자가, 개인에는 남측 및 해외동포, 외국인이 속한다(개성공업지구 세금규정 제2조).

상기 규정에서 확인되는 바와 같이 북한 노동자 개인은 납세의무자로 나열되어 있지 않음에 주목할 필요가 있다.

공업지구에서는 기업소득세, 개인소득세, 재산세, 상속세, 거래세, 영업세, 지방세(도시경영세, 자동차이용세)를 적용한다.

공업지구에서는 이 규정이 정한 세금만을 부과한다. 개발업자의 자산, 개발과 관련한 경제활동에는 세금을 부과하지 않는다(개성공업지구 세금규정 제17조, 개성공업지구 세금규정 시행세칙 제15조).

개발업자의 자산에는 공업지구의 개발과 관련하여 개발업자가 소유하고 있는 건물, 자동차가 속한다.

개발업자의 공업지구개발과 관련한 경제활동은 다음과 같다.

① 개발공사와 관련하여 개발구역 안의 건물, 부착물의 철거와 이설, 주민이주와 관련하여 진행하는 영업활동

② 전력, 통신, 용수 보장시설과 같은 하부구조 대상을 단독으로 또는 다른 투자가와 공동으로 건설하거나 양도, 위탁하여 건설하는 경우

③ 개발업자가 공업지구개발총계획에 따라 투자기업의 배치와 관련하여 토지이용권과 건물을 기업에 양도하거나 임대하는 경우

④ 기타 공업지구개발과 관련하여 세무소에 등록된 범위 안에서 진행하는 개발업자의 영업활동

세금과 관련하여 남북 사이에 체결한 합의서 또는 북한과 다른 나라 사이에 맺은 협정이 있을 경우에는 그에 따른다(개성공업지구 세금규정 제16조).

남북 사이의 소득에 관한 이중과세방지합의서를 비롯한 남북 사이에 체결한 기타 합의서 또는 세무업무와 관련하여 북한과 다른 나라 사이에 맺은 협정들에 준하여 이 규정과 다르게 세금을 납부하려는 기업과 개인은 해당 합의서나 협정에 준하여 과거에 납부한 세금납부증과 협정문건(사본)을 세무소에 제출하여야 한다(개성공업지구 세금규정 시행세칙 제14조).

남북 사이의 이중과세방지와 관련한 방법은 아래와 같다.

① 일방은 자기 지역의 거주자가 상대방에서 얻은 소득에 대한 세금을 법이나 기타 조치에 따라 감면 또는 면제받았을 경우 세금을 전부 납부한 것으로 인정한다(이중과세방지 합의서 제22조).

② 그러나 이자, 배당금, 사용료에 대하여는 상대방에서 납부하였거나 납부하여야 할 세액만큼 일방의 세액에서 공제할 수 있다.

③ 일방이 자기 지역의 거주자가 상대방에서 얻은 소득에 대하여 세금을 납부하였거나 납부하여야 할 경우 일방에서는 그 소득에 대한 세금을 면제하는 외국소득 면제제도(Exemption Method)를 적용하고 있다.

개성공업지구에서 세금의 부과와 징수는 공업지구 세무소가 한다. 공업지구 세무소의 사업에 대한 지도는 중앙공업지구지도기관이 한다(개성공업지구 세금규정 제3조).

세무소는 정상적으로 공업지구 안의 기업과 개인의 세금납부정형을 요해, 검열할 수 있으며 이 경우에 기업과 개인은 세금납부 상황을 요해, 검열하는데 필요한 문건과 자료, 사업조건을 제때에 보장해주어야 한다(개성공업지구 세금규정 시행세칙 제3조).

1. 세법 기초이론

1) 실질과세(개성공업지구 세금규정 시행세칙 제18조)

과세의 대상이 되는 소득, 수익, 재산, 경제거래행위 또는 거래당사자의 책임이 명의일 뿐이고 실지 당사자가 따로 있는 때에는 실지 거래당사자를 납세의무자로 하여 세금규정 및 이 세칙을 적용한다.

세금규정 및 이 세칙의 적용에서 과세표준의 계산은 소득, 수익, 자산, 행위 또는 거래의 명칭이나 형식에 관계없이 그 실질내용에 따라 적용한다.

2) 근거과세(개성공업지구 세금규정 시행세칙 제19조)

납세의무자가 세금규정 및 세칙, 개성공업지구 회계관련법규들에 준하여 장부를 비치, 기장하고 있는 경우 당해 연도 세금의 과세표준에 대한 조사와 결정은 비치, 기장한 장부와 이에 관계되는 증빙자료에 근거하여야 한다.

동 규정에 준하여 세금을 조사, 결정함에 있어서 기업이 제출한 증빙 자료의 객관성이 보장되지 않거나 기록의 내용이 사실과 맞지 않고 기록에 누락된 것이 있는 경우 세무소는 조사한 사실과 결정의 근거를 결정서에 밝혀야 한다.

3) 해석기준, 소급과세의 금지(개성공업지구 세금규정 시행세칙 제19조)

세금규정 및 세칙의 해석과 적용은 납세자의 재산권을 보호하는 원칙에서 한다. 세금규정 및 세칙에 대한 해석은 중앙공업지구지도기관이 하며 새로운 해석 또는 조치에 따라 소급과세하지 않는다.

4) 납세의무의 성립시기(개성공업지구 세금규정 시행세칙 제22조)

세금을 납부할 의무(세금규정 및 이 세칙에 징수의무자가 따로 규정되어 있는 세금의 경우에는 이를 징수하여 납부할 의무를 포함)는 다음과 같은 경우에 성립한다.

① 기업소득세는 과세기간이 마감되는 때 또는 해산되는 기업의 기업소득세는 당해 연도 기업이 해산되는 때

② 개인소득세는 소득을 얻은 때, 노임소득의 경우에는 원천징수 하는 개인소득세는 소득금액을 지불하는 때

③ 재산세는 매년 1월 1일 또는 건물을 새로 등록한 날

④ 상속세는 상속을 개시하는 때

⑤ 거래세와 영업세는 과세기간이 마감되는 때

⑥ 기업의 도시경영세는 종업원에게 노임 지불의무가 발생하는 때, 개인의 도시경영세는 그 과세표준이 되는 개인소득세의 납세의무가 성립하는 때

⑦ 자동차 이용세는 매년 1월 1일 또는 자동차를 새로 등록한 날

5) 세금징수권의 소멸시효(개성공업지구 세금규정 시행세칙 제25조)

세금의 징수를 목적으로 하는 권리는 이를 행사할 수 있는 때로부터 5년간 행사하지 않으면 세금징수권의 소멸시효가 완성된다.

2. 세무등록

공업지구에서 세무등록은 세무소에 한다. 이 경우 세무등록 신청서와 기업등록증 사본을 낸다. 세무등록은 기업등록증을 발급받은 날부터 20일 안으로 한다(개성공업지구 세금규정 제4조).

기업의 세무변경 등록은 통합 분류되었거나 등록자본 업종같은 것을 변경 등록한 날부터 20일 안으로 한다. 해산되는 기업의 세무등록 취소는 해산 20일 전까지 한다(개성공업지구 세금규정 제5조).

공업지구의 182일 이상 체류하면서 소득을 얻은 개인의 세무등록은 20일 안으로 한다. 이 경우 세무등록신청서를 낸다. 종업원의 세무등록 수속을 기업이 할 수도 있다(개성공업지구 세금규정 제6조).

개인이 거주나 체류 또는 출입기간에 출장, 여행 등으로 임시 공업지구 밖으로 나가 있은 기간은 체류일수에 포함시킨다(개성공업지구 세금규정 시행세칙 제5조).

세무등록증의 발급은 세무등록신청서를 접수한 날부터 3일 안으로 한다. 세무변경 등록을 하였을 경우에는 세무등록증을 다시 발급한다(개성공업지구 세금규정 제7조).

해산되는 기업은 해산선포일로부터 20일 안에 세무등록취소 신청을 하여야 한다(개성공업지구 세금규정 시행세칙 제4조).

3. 세무 신고납부 등 기본행정

공업지구에서 세금의 계산과 납부는 미국 달러(US＄)로 한다(개성공업지구법 제41조, 개성공업지구 세금규정 제11조).

그러나 불가피한 사정으로 세금을 미국 달러로 납부할 수 없는 경우에는 세무소의

합의를 받아 다른 전환성화폐로 할 수 있다. 이 경우 유통화폐의 환자시세는 공업지구 관리기관이 중앙공업지구지도기관과 협의하여 선정한 국제금융시장의 환자시세에 따른다.

공업지구에서 세무문건은 조선말로 작성한다. 필요에 따라 세무문건을 다른 나라 말로 작성할 수도 있다. 이 경우 조선말로 된 번역문을 첨부한다(개성공업지구 세금규정 제8조). 다른 나라 말로 된 세무문건의 해석에서 의견불일치가 생기는 경우 조선말로 된 번역문을 기준으로 한다.

세무문건은 5년간 보존한다. 그러나 연간 회계결산서, 고정자산 계산장부는 기업이 운영되는 기간까지 보존한다(개성공업지구 세금규정 제10조).

이 내용은 개성공업지구 회계규정 제42조에서 규정하고 있는 회계문건의 보존기간과 차이가 있다. 실무에서 보수적인 처리가 필요하다.

세무문건은 반년 및 연간 재정회계결산서, 각종 세분계산장부, 회계전표, 세무등록 및 변경 (취소) 문건, 세금납부 및 감면, 공제, 반환 확인문건 (세금, 수수료납부 영수증 포함), 자산 등록문건 등 개성공업지구회계규정과 관련규정에서 작성하도록 규정되어있는 모든 회계관련 장부(컴퓨터 전자매체 포함) 및 서류들과 현금 및 물자반출입 경유 확인문건 등 세금계산의 기초로 되는 각종 문건들을 포괄한다(개성공업지구 세금규정 시행세칙 제7조).

기업과 개인은 세금계산의 근거로 되는 재정회계 문건과 증빙서류들을 세무소에 아래와 같은 기간 내에 제출하여야 한다(개성공업지구 세금규정 시행세칙 제9조).

① 당해 연도 회계결산서는 다음해 3월까지
② 개인소득세 계산자료는 소득이 발생한 다음달 10일까지
③ 기타 세금계산에 필요한 각종 증빙서류들은 세칙에 규제되거나 세무소의 서면통지에 지적된 날자까지

또한 기업과 개인은 생산 및 경영활동과 관련하여 개성공업지구로 들여오거나 내가는 모든 물자(귀금속과 보석 포함)에 대하여 월별 종합반출입 신고서를 작성하여 다음달 10일(필요한 경우 세무소에서 요구하는 날)까지 세무소에 제출하여야 한다.

세금의 납부는 세금 납부 신고서를 공업지구 세무서에 제출하고 확인을 받은 다음 중앙공업지구지도기관이 지정한 은행에 한다. 이 경우 은행은 세금 납부자에게 세금납

부 확인서를 발급하여 주고 공업지구세무서에는 세금납부 통지서를 보낸다(개성공업지구 세금규정 제12조).

세금은 수익인이 직접 신고 납부하거나 수익금을 지불하는 단위가 원천징수(공제납부) 할 수 있다(개성공업지구 세금규정 시행세칙 제11조).

① 공업지구 안에 거주하는 기업이나 개인이 공업지구 안이나 밖에서 얻는 소득에 대한 세금은 수익인이 신고・납부한다. 세금은 세금납부신고서를 세무소에 제출하고 확인을 받은 다음 세무소가 지정하는 은행에 납부한다.

② 공업지구 밖의 기업, 경제조직, 단체가 공업지구 안에서 얻은 소득에 대한 세금은 소득지불단위가 지불 금액에 정해진 비율을 가산하여 징수한다. 공제한 세금은 공제한 단위가 세금납부신고서를 세무소에 제출하고 확인을 받은 다음 세무소가 지정하는 은행에 납부한다.

③ 해당 은행은 세무소의 확인이 있는 세금납부문건을 접수하여 결재한 다음 신고납부자 또는 징수자에게는 세금납부 영수증을, 세무소에는 세금납부통지서를 발급해야 한다.

세금을 정확히 납부하지 못한 기업과 개인은 수정 신고를 할 수 있다. 이 경우 기업소득세는 다음 연도 기업소득세를 납부하기 30일 전까지 개인소득세, 상속세, 거래세, 영업세, 도시경영세는 납부하여야 할 날부터 60일 안으로 한다. 수정신고로 추가 납부할 경우에는 세금납부 의무자가 미납액의 5%를 가산한 금액을 계산 납부하며 과납액은 공업지구 세무서가 검토하고 30일 안으로 반환하거나 다음 번 납부액에서 공제하여 줄 수 있다(개성공업지구 세금규정 제13조, 제14조, 개성공업지구 세금규정 시행세칙 제29조).

기업과 개인은 결산결과로 납부하여야 할 세액을 기한 내에 납부하지 못한 미납액에 대하여 납부의무가 발생한 날부터 일당 연체료율을 가산하여 정해진 기일 안에 납부하여야 한다(개성공업지구 세금규정 시행세칙 제12조).

세무등록 세금납부는 정해진 기간에 한다. 어찌할 수 없는 사유로 세무등록, 세금납부를 정해진 시간에 할 수 없을 경우에는 그 사유가 없어진 날로부터 10일 안으로 한다(개성공업지구 세금규정 제15조).

세금규정 및 이 세칙에 규정하는 신고, 신청, 청구, 기타 서류의 제출과 통지, 납부, 징수의무를 세무소의 판단이나 아래의 이유로 인하여 정해진 기한까지 이행할 수 없다고 인정되는 경우에 세무소는 납세자의 신청에 따라 그 기한을 연장해줄 수 있다.

① 자연재해

② 납세자가 화재나 그와 유사한 재해를 입었을 때

③ 납세자 또는 그 동거가족이 질병으로 위급하거나 사망하여 상중인 때

④ 납세자가 경영상 심한 손해를 입은 때 (납부 또는 징수의 경우에 한한다)

제15절 기업소득세

1. 기업소득세 개요

기업은 공업지구에서 경영활동을 하여 얻은 소득과 기타 소득에 대하여 기업소득세를 납부하여야 한다. 경영활동을 하여 얻은 소득에는 생산물 판매소득, 건설물 인도소득, 운임 및 요금소득 같은 것이 기타소득에는 이자소득, 배당소득, 고정재산임대소득, 재산 판매소득, 지적소유권과 기술비결(Know-How)료 제공에 의한 소득, 경영봉사소득, 증여소득 같은 것이 속한다(개성공업지구 세금규정 제18조).

공업지구에서 기업소득세 계산에 있어서 세율은 결산이윤의 14%로 한다. 그러나 하부구조 건설부문과 경공업부문, 첨단과학기술부문의 기업소득세의 세율은 결산이윤의 10%로 한다(개성공업지구 세금규정 제19조).

결산이윤을 정확히 계산하기 어려운 기업과 연간 판매 및 봉사 수입액이 US$300만 달러 아래인 기업은 연간 판매 및 수입 봉사 수입액의 2% 또는 1.5%를 기업소득세로 납부할 수도 있다(개성공업지구 세금규정 제22조).

기업은 선택한 기업소득세의 계산방법을 3년간 변경할 수 없다. 기업소득세의 계산방법을 변경하려는 기업은 회계연도가 끝나기 1개월 전에 공업지구 세무소에 변경 신청서를 내야 한다(개성공업지구 세금규정 제23조).

결산이윤은 기업의 총수입금에서 그와 관련하여 지출한 비용과 거래세 또는 영업세를 덜고 확정한다. 결산이윤의 확정에 필요한 수입항목, 비용지출항목, 계산시점과 가치평가방법은 개성공업지구 회계규정에 따른다(개성공업지구 세금규정 제20조).

개성공업지구에 들어온 모든 기업들의 회계처리는 개성공업지구 세금규정, 개성공업지구 회계규정, 개성공업지구 기업재정규정 등 회계관련규정 및 세칙들과 중앙지도기관이 관리기관과 합의하여 정하는 계산방식(개성공업지구 기업회계기준 등)에 준하여 진행한다. 세금의 과세표준에 대한 조사와 결정에서 당해 연도의 납세의무자가 계속하여 준수하고 있는 회계관련법규 및 기업회계기준이나 세무, 회계감독기관들의 조치에 따르는 행위로서 일반적으로 공정하다고 인정되는 경우에는 이를 존중한다.

세금은 개성공업지구 세금규정 및 세칙, 기업재정규정 등에 따라 그 세액이 확정된다(개성공업지구 세금규정 제20조, 개성공업지구 세금규정 시행세칙 제21조, 제23조).

기업소득세의 과세표준은 당해 연도의 소득에서 회계연도의 개시일 전 5년 이내에 발생한 경영손실금을 공제한 금액으로 한다(개성공업지구 세금규정 제24조, 개성공업지구 세금규정 시행세칙 제33조).

결산이윤, 총수입금, 총수입금과 관련하여 지출한 비용은 해석상 편리를 위하여 이 세칙에서는 매 회계연도의 소득, 이익금의 총액, 손실금의 총액이라 한다. 한국의 익금과 손금과 유사한 명칭이라고 볼 수 있다.

이익금은 자본 또는 출자의 납입 및 이 세칙에서 규정하는 것을 제외하고 당해 연도 기업의 순자산을 증가시키는 거래로 인하여 발생하는 수익의 금액으로 한다(개성공업지구 세금규정 시행세칙 제35조).

손실금은 자본 또는 출자의 반환, 잉여금의 처분 및 이 세칙에서 규정하는 것을 제외하고 당해 기업의 순자산을 감소시키는 거래로 인하여 발생하는 손실과 비용을 말한다. 동 손실과 비용은 세금규정 및 이 세칙에 달리 정하고 있는 것을 제외하고는 그 기업의 경영활동과 관련하여 발생하거나 지출된 손실 또는 비용으로서 수익과 직접 관련된 것으로 한다(개성공업지구 세금규정 시행세칙 제38조).

기업의 매 회계연도의 소득금액계산에서 주식발행액면초과금은 이익금에 포함하지 않으며, 주식할인발행차금은 손실금에 포함하지 않는다(개성공업지구 세금규정 시행세칙 제36조, 제39조).

다음 조항의 수익은 기업의 매 회계연도의 소득금액계산에 있어서 이익금에 포함하지 않는다(개성공업지구 세금규정 시행세칙 제37조).

① 자산의 평가이익. 그러나 시행세칙 제54조 제1항(외화 자산 및 채무의 평가)에 의한 평가로 인하여 발생하는 평가이익은 제외한다.

② 매 회계연도의 소득으로 이미 과세된 소득을 다시 당해 회계연도의 이익금에 포함한 금액

③ 손실금에 포함하지 않은 기업소득세를 반환 받았거나 반환 받을 금액을 다른 세액에 충당한 금액

2. 기업소득세 신고 및 납부

1) 기업소득세 확정 신고

기업소득세의 계산기간은 1월 1일부터 12월 31일까지로 한다. 새로 창설된 기업은 영업을 시작한 날부터 그 해 12월 31일까지, 해산되는 기업은 해산되는 해의 1월 1일부터 해산 선포일까지 기업소득세의 계산기간으로 한다(개성공업지구 세금규정 제21조).

해산, 통합 분리되는 기업은 그 선포일부터 2개월 안으로 기업소득세를 납부하여야 한다(개성공업지구 세금규정 제28조).

기업은 기업소득세를 확정납부하기 전에 연간 회계결산서에 대한 회계검증을 받아야 한다. 연간 판매 및 봉사수입액이 US$300만 달러 아래인 기업은 회계검증을 받지 않을 수도 있다(개성공업지구 세금규정 제26조).

기업은 매 회계연도의 마지막 날부터 3월 이내에 당해 회계연도의 소득에 대한 기업소득세의 과세표준과 세액을 세무소에 신고한 후, 세금을 해당 은행에 납부하여야 한다. 매 회계연도의 소득금액이 없거나 결손금이 있는 기업의 경우에도 이를 적용한다(개성공업지구 세금규정 제27조, 개성공업지구 세금규정 시행세칙 제56조).

세금신고에 있어서는 그 세금신고서에 다음 조항의 서류를 첨부하여야 한다.

① 기업회계기준을 집행하여 작성한 대차대조표, 손익계산서, 이익잉여금처분계산서(또는 결손금처리계산서), 현금흐름표

② 세무소가 정하는 바에 따라 작성한 세무조정계산서

각 회계연도의 소득에 대한 기업소득세의 과세표준을 신고하거나 세무서가 직권으로 기업소득세의 과세표준을 결정 또는 경정한 후의 이익금에 포함한 금액은 그 귀속자에 따라 상여, 배당, 기타 기업외유출, 기업내보유 등으로 처분[107]한다.

2) 기업소득세 예정신고

매 회계연도의 기간이 6월을 초과하는 기업은 당해 회계연도 개시일부터 6월 간을 예정납부 기간으로 하여 당해 회계연도의 직전 회계연도의 기업소득세로서 납부한 세금의 2분의 1을 그 예정납부 기간이 경과한 날부터 2개월 내에 세무소에 납부하여야 한다.

---

107) 한국세법상 소득처분의 개념이다.

그러나 직전 회계연도의 기업소득세액이 없는 기업은 당해 예정납부기간을 1회계연도로 보고 산출한 기업소득세액을 예정납부 세액으로 하여 세무소에 납부할 수 있다(개성공업지구 세금규정 시행세칙 第57조).

기업은 매 회계연도의 소득에 대한 기업소득세의 산출세액에서 예정납부세액을 공제한 금액을 매 회계연도의 소득에 대한 기업소득세로서 회계연도가 끝난 다음 3개월 내에 세무소에 납부하여야 한다. 이 경우 과납액은 환급 받고 미납액은 추가 납부한다(개성공업지구 세금규정 第25조, 개성공업지구 세금규정 시행세칙 第58조).

3) 결정 및 경정

세무소는 제출된 세금신고서 및 기타 서류들에 결함 또는 오류가 있는 경우에는 이를 수정할 것을 요구할 수 있으며 수정결과에 객관성이 보장되지 않는다고 인정되는 경우 세무소가 판단하는데 따라 결정할 수 있다(개성공업지구 세금규정 시행세칙 第59조).

세무소는 기업이 규정에 따른 적법한 신고를 하지 않은 때에는 당해 기업의 매 회계연도의 소득에 대한 기업소득세의 과세표준과 세액을 결정한다.

세무소는 규정에 의한 신고를 한 기업의 신고내용에 오류 또는 탈루가 있는 때에는 당해 기업의 매 회계연도의 소득에 대한 기업소득세의 과세표준과 세액을 경정한다.

세무소가 기업소득세의 과세표준과 세액을 결정 또는 경정하는 경우에는 장부 기타 증빙서류를 근거로 하여야 한다. 그러나 장부 기타 증빙서류에 의하여 소득금액을 계산할 수 없는 경우에는 추계할 수 있다.

세무소는 기업소득세의 과세표준과 세액을 결정 또는 경정한 후 그 결정 또는 경정에 오류 또는 탈루가 있는 것을 발견한 때에는 즉시 이를 다시 경정한다.

세무소가 기업의 매 회계연도의 소득에 대한 기업소득세의 과세표준과 세액을 결정 또는 경정한 때에는 이를 해당 기업에게 통지하여야 한다(개성공업지구 세금규정 시행세칙 第61조).

4) 징수 및 반환

세무소는 기업이 특별한 이유없이 확정신고 및 납부 규정에 따른 회계연도의 소득에 대한 기업소득세를 납부하여야 할 세액의 전부 또는 일부를 납부하지 않은 때에는 그 미납된 기업소득세액과 해당한 연체료를 그 납부기한이 경과한 날부터 2개월 내에 징수하여야 한다.

세무소는 기업이 특별한 이유없이 예정신고 납부 규정에 의하여 납부하여야 할 예정납부세액의 전부 또는 일부를 납부하지 않았을 경우 미납된 예정납부세액을 납부기한이 경과한 날부터 2개월 내에 징수하여야 한다(개성공업지구 세금규정 시행세칙 제62조).

3. 기업소득세의 면제 및 감면

기업소득세를 면제하거나 감면하는(덜어주는) 경우는 다음과 같다(개성공업지구 세금규정 제29조).

① 장려부문과 생산부문에 투자하여 15년 이상 운영하는 기업에 대하여서는 이윤이 발생하는 해부터 5년간 면제하고 그 다음 3년간 50% 감면한다(덜어준다).

② 봉사부문에 투자하여 10년 이상 운영하는 기업에 대하여서는 이윤이 발생하는 해부터 2년간 면제하고 그 다음 1년간 50% 감면한다(덜어준다).

③ 이윤을 재투자하여 3년 이상 운영하는 기업에 대하여서는 재투자분에 해당한 기업소득세의 70%를 다음 연도에 바쳐야 할 세금에서 감면한다(덜어준다).

기업소득세의 감면기간은 이윤이 나는 해부터 연속하여 계산한다. 이 기간 경영손실이 난 해에 대해서도 기업소득세의 감면기간에 포함시킨다(개성공업지구 세금규정 제30조).

기업소득세의 면제 및 감면에 필요한 기간을 만족하기 전에 철수 해산하거나 재투자한 자본을 회수한 기업에 대해서는 이미 감면해 주었던 기업소득세를 회수한다(개성공업지구 세금규정 제32조).

4. 기업소득세 과세표준 계산관련 세법규정

원가, 비용으로 계산하지 않는 지출 또는 손실은 다음과 같다(개성공업지구 기업재정규정 제16조). 하기 조항들은 세무상 비용으로 인정되지 않는 항목이다.

① 자산의 구입을 위한 자본적 지출

② 자기 자본에 대한 이자

③ 일반이자율보다 높은 이자

④ 본사에 지불한 특허권사용료

⑤ 대외투자 및 관련기업을 대신하여 지출된 관리비
⑥ 기준을 초과한 회수불가능 채권 및 대외사업비
⑦ 몰수당한 재산손실액, 위약금, 연체료, 벌금, 보상금
⑧ 당기순이윤으로 적립한 예비기금
⑨ 생산, 경영활동과 관련이 없는 지출

이하, 중요한 세무조정 항목에 대하여 상술한다.

1) 벌금 등 손금불산입

세금규정 및 세칙을 비롯한 해당 법규에 따르는 의무를 이행하지 않은 것으로 하여 부과되는 위반금 및 벌금에 대해서는 기업의 매 회계연도의 소득금액의 계산에서 손실금에 포함하지 않는다(개성공업지구 세금규정 시행세칙 제40조).

① 매 회계연도에 납부하였거나 납부할 기업소득세와 세금규정에 규정된 의무를 이행하지 않은 것으로 인하여 이미 납부하였거나 납부할 세액(연체료 및 벌금을 포함한다)
② 벌금, 연체료
③ 법규에 의한 의무를 이행하지 않았거나 금지, 제한조건 등의 위반에 대한 제재로서 부과되는 금액

2) 자산 평가손실(감액손실) 손금불산입

기업이 보유하는 자산의 평가손실(감액손실)은 매 회계연도의 소득금액계산에서 손실금에 포함하지 않는다. 그러나 재고자산 감모손실, 유형자산 감모 및 폐기손실, 부도주식 및 외화 자산 및 부채의 평가함에 따라 발생하는 평가손실은 손실금으로 인정한다(개성공업지구 세금규정 시행세칙 제41조).

3) 감가상각비 한도초과액 손금불산입

고정자산(유형자산과 무형자산)에 대한 감가상각비는 기업이 고정자산의 상각액을 손실금으로 계산하였을 경우 고정자산의 내용연수에 따른 상각비율에 의하여 계산한 금액(한도액)을 한도로 하여 이를 소득계산상 손실금에 포함하고 한도초과액은 손실

금에 포함하지 않는다(개성공업지구 세금규정 시행세칙 제42조).

아래 자산은 감가상각 대상에 포함되지 아니한다.

① 경영활동에 이용하지 않는 고정자산

② 건설 중이거나 완성하지 못한 고정자산

③ 시일이 지나도 그 가치가 감소되지 않는 고정자산

고정자산(유형자산과 무형자산)의 감가상각은 정액법, 정률법, 생산고 비례법에 따라 한다. 기업은 유형자산의 형태와 이용방식, 과학기술 발전영향 등을 고려하여 감가상각방법을 합리적으로 선택할 수 있다. 이 경우 선택한 감가상각방법은 유형재산의 내용연수가 끝날 때까지 변경할 수 없다(개성공업지구 기업재정규정 제10조). 동 규정은 회계처리 방법에 대한 규정으로 세법에서 규정한 감가상각 방법과 불일치하는 경우, 세무조정 항목이 발생할 수 있다.

고정자산의 종류와 감가상각 내용연수는 다음과 같다(개성공업지구 기업재정규정 제9조, 개성공업지구 세금규정 시행세칙 제42조).

① 유형자산

구 분	내용연수
건물(부속설비 포함) 및 구축물	20년 이상
철도차량, 선박, 기계와 같은 생산설비	10년 이상
철도차량, 선박을 제외한 수송수단	5년 이상
전자설비와 취득원가가 US$300 달러 이상인 공구, 기구 및 비품	3년 이상

상기 감가상각 내용연수는 세법상 최단기간을 규정한 것으로 동 기간보다 단축하여 감가상각 할 수는 없으나, 내용연수를 더 늘리는 것은 얼마든지 가능하다.

감가상각 한도액을 계산함에 있어서 감가상각재산의 잔존가액은 취득원가의 5%로 한다. 기업은 감가상각재산의 잔존가치를 5% 이하로 평가하려 할 경우 세무소 승인을 받아야 한다(개성공업지구 기업재정규정 제11조).

기업은 경영활동에 이용하지 않는 고정자산과 건설 중에 있거나 완성하지 못한 고정자산, 시일이 지나도 가치가 감소되지 않는 고정자산에 대하여서는 감가상각을 하지 말아야 한다(개성공업지구 기업재정규정 제14조).

② 무형자산

무형자산의 내용연수는 계약 또는 기업설립신청서에 정한 기간으로 한다. 계약 또는 기업설립신청서에 정하지 않은 무형재산의 내용연수는 예상수익기간으로 하며 예상수익기간을 확정할 수 없을 경우의 내용연수는 아래와 같다(개성공업지구 기업재정규정 제12조).

구 분	내용연수
영업권, 공업도안권, 상표권, 연구개발비, 기업설립비	5년
특허권	10년
기타무형자산	5년

상기 항목 중, 연구개발비는 새로운 기술 또는 제품의 연구개발에 지출하는 비용이다. 기업은 연구개발비를 5년간에 균등하게 나누어 계산하여야 한다(개성공업지구 기업재정규정 제17조).

무형자산의 감가상각은 정액법 또는 생산고 비례법에 따라 한다. 무형자산의 잔존가치는 영(零)으로 한다(개성공업지구 기업재정규정 제13조). 동 규정은 회계처리 방법에 대한 규정으로 세법에서 규정한 무형자산 상각 방법과 불일치하는 경우, 세무조정 항목이 발생할 수 있다.

기업은 다음 조항의 구분에 의한 자산별로 하나의 방법을 선택하여 회계연도의 기업소득세 과세표준 신고기한까지 세무소에 신고하여야 한다.

① 건축물과 무형자산(연구개발비, 기업설립비는 제외) : 정액법

② 건축물 외의 유형자산 : 정률법 또는 정액법

③ 연구개발비, 기업설립비 : 매 회계연도 균등상각

현재 개성공업지구 세금규정 및 시행세칙에서는 기업설립비(한국의 창업비・개업비 등의 이연자산)가 아직까지 회계상 및 세무상 인정되는 것으로 파악된다. 한국의 일반기업회계기준 및 K-IFRS에 따른 재무제표를 작성한다면, 동 이연자산은 GAAP 조정 등을 통하여 발생즉시 비용처리하는 회계처리를 하여야 할 것이다.

회계연도 중에 취득하여 경영활동에 이용한 감가상각재산에 대한 감가상각 한도액

계산은 사용한 날부터 당해 회계연도 마지막날까지의 월수에 따라 계산한다. 이 경우 월수는 서력(西曆)에 따라 계산하되 1월 중에는 1월로 정한다.

기업이 감가상각 대상 자산을 취득하기 위하여 지출한 금액과 감가상각 대상 자산에 대한 자본적 지출에 해당하는 금액을 손실금으로 계산한 경우에는 이를 감가상각한 것으로 간주하고 그에 따라 상각한도액을 계산한다.

4) 접대비(대외사업비) 한도초과액 손금불산입

기업은 다음의 범위 안에서 접대비(대외사업비)를 지출하며 아래 기준을 초과하는 금액은 당해 회계연도의 소득금액계산에서 손실금에 포함할 수 없다(개성공업지구 세금규정 시행세칙 제43조).

① 생산부문, 상업부문의 순판매액이 US$200만 달러까지 되는 기업은 그 금액의 0.5%를, 순판매액이 US$200만 달러가 넘는 기업은 그 초과액의 0.3%를 가산한 한도금액

② 건설, 금융, 교통운수 같은 기타 봉사부문의 기업은 순영업액이 US$70만 달러까지는 그 금액의 1%를, US$70만 달러를 초과할 경우에는 그 초과액의 0.5%를 가산한 한도금액

접대비(대외사업비)라 함은 교제비 등 이와 유사한 성질의 비용으로서 기업이 업무와 관련하여 지출한 금액을 말한다.

5) 한도초과 관리층 인건비 손금불산입

기업은 관리성원의 노임기준을 세금납부액을 감소시키지 않도록 규약에서 정하고 지불하여야 한다. 관리성원에게 지불한 노임은 관리비에 포함시켜 계산한다. 기업이 관리성원에게 지불한 상금은 관리비에 포함시켜 계산한다. 그러나 종업원의 상금기준을 초과하여 관리성원에게 지불한 상금은 관리비에 넣어 계산할 수 없다(개성공업지구 기업재정규정 제22조, 제24조).

기업이 관리성원에게 지불하는 노임 중 기업규약, 주주총회 또는 이사회의 결의에 의하여 결정된 노임지불기준에 따르는 금액을 초과하여 지불하는 경우 그 초과금액은 손실금에 포함하지 않는다(개성공업지구 세금규정 시행세칙 제44조).

기업이 개성공업지구 세금규정 시행세칙 제55조 제5항의 규정에 의한 지배주주 및 특수관계자에 해당하는 종업원에게 정당한 이유없이 같은 지위에 있는 종업원에게 지불하는 금액을 초과하여 보수를 지불한 경우 그 초과금액은 손실금에 포함하지 않는다.

상기 규정은 한국에서의 임원보수에 대한 규정 및 부당행위 계산부인 규정과 마찬가지로 사전에 합의된 금액 또는 종업원에게 지급되는 동일한 기준에 따른 금액을 지급할 것을 규정하고 있다고 판단된다.

6) 업무무관경비 손금불산입

기업이 매 회계연도에 지출한 비용 중 다음의 금액은 당해 회계연도의 소득금액계산에서 손실금에 포함하지 않는다(개성공업지구 세금규정 시행세칙 제45조).

① 당해 기업의 업무와 직접 관련이 없다고 인정되는 자산을 취득, 관리함으로써 발생한 비용 등

② 기타 그 기업의 업무와 직접 관련이 없다고 인정되는 지출금액

7) 지급이자 손금불산입

아래와 같은 차입금의 이자는 기업의 매 회계연도의 소득금액계산에 있어서 이를 손실금에 포함하지 않는다(개성공업지구 세금규정 시행세칙 제46조, 제47조).

① 채권자가 명확치 않은 사채의 이자

② 건설자금에 충당한 차입금의 이자

건설자금에 충당한 차입금의 이자라 함은 그 명목 여하에 관계없이 경영용 고정자산의 구입, 제작 또는 건설에 이용되는 차입금(고정자산의 건설 등에 이용여부가 분명하지 않는 차입금을 제외한다)에 대한 지불이자 또는 이와 유사한 성질의 지출액을 말한다.

동 지불이자 또는 지출액은 건설 등이 준공된 날(토지를 분양받은 경우에는 그 대금을 청산한 날)까지 이를 자본적 지출로 하여 그 원가에 가산한다. 그러나, 차입금의 일시예금에서 생기는 수입이자는 원가에 가산하는 자본적 지출금액에서 차감한다.

차입한 건설자금의 일부를 운영자금으로 이용한 경우에는 그 부분에 해당되는 지불이자는 손실금으로 한다.

차입한 건설자금의 연체로 인하여 생긴 이자를 원가에 가산한 경우 그 가산한 금액

은 이를 당해 회계연도의 자본적 지출로 하고, 그 원가에 가산한 금액에 대한 지불이자는 손실금으로 한다.

건설자금의 명목으로 차입한 것으로 그 건설 등이 준공된 후에 남은 차입금에 대한 이자는 매 회계연도의 손실금으로 한다. 이 경우 건설 등의 준공일은 당해 건설 등의 대상물이 전부 준공된 날로 한다.

8) 퇴직보조금 지불충당금 한도초과액 손금불산입

퇴직보조금 지불충당금은 퇴직자들에게 보조금을 지불하기 위하여 미리 설정한 자금이다.

기업의 사정으로 1년 이상 일한 종업원을 내보내는 경우의 퇴직보조금 지불에 충당하기 위하여 퇴직보조금 지불충당금을 손실금으로 계산한 때에는 1년간 계속하여 근로한 종업원에게 지불한 월노임 총액의 5%에 해당되는 금액의 범위로 당해 회계연도의 소득금액계산에서는 이를 손실금에 포함한다(개성공업지구 세금규정 시행세칙 제48조, 개성공업지구 기업재정규정 제20조).

기업은 1년 이상 일하다가 퇴직하는 종업원, 관리성원에게 퇴직보조금을 주어야 한다. 퇴직보조금의 계산은 퇴직 전 3개월 간의 평균 월노임에 일한 해수를 곱하는 방법으로 한다(개성공업지구 기업재정규정 제19조).

(기업의 사정으로) 1년 이상 일한 종업원을 내보내는 경우에는 보조금을 준다. 보조금의 계산은 3개월 평균 월 노임에 일한 연수를 적용하여 한다(개성공업지구 노동규정 제19조).

상기 규정들에서 확인되는 바와 같이, 퇴직금의 지급에 대하여 회사의 해고에 의한 퇴사의 경우에도 지급의무가 있는지에 대한 많은 이슈가 있다. 추후, 남북경제협력 및 개성공업지구 업무의 재개시 이전에 명확히 할 부분이다.

퇴직보조금 지불충당금을 손실금으로 처리한 기업이 종업원에게 퇴직금을 지불하는 경우에는 당해 퇴직보조금 지불충당금에서 먼저 지불한 것으로 한다.

동 규정을 적용하기 위하여, 기업은 퇴직보조금 지불충당금에 관한 명세서를 작성하고, 세무소에 제출하여야 한다.

9) 대손충당금 한도초과액 손금불산입

기업이 매 회계연도에 판매채권, 대부금 기타 이에 준하는 채권의 장부상 가격의 합계액을 대손에 충당하기 위하여 대손충당금을 손실금으로 계산한 경우에는 당해 회계연도 마지막 날 현재의 채권잔고의 1%(금융기업은 2%)에 해당되는 금액을 손실금에 포함한다(개성공업지구 세금규정 시행세칙 제49조, 개성공업지구 기업재정규정 제18조).

기업이 보유하고 있는 채권 중 채무자의 파산 등의 이유로 회수할 수 없는 판매채권 및 미수금 등 경제거래로 인한 채권은, 채권의 발생일로부터 3년이 경과하는 때 당해 회계연도의 소득금액계산에 있어서 이를 손실금에 포함한다.

대손충당금을 손실금으로 계산한 기업에 대손금이 발생한 경우에는 그 대손금을 대손충당금과 먼저 상계하여야 하고, 손실금과 계산하고 남은 대손충당금의 금액은 다음 회계연도의 소득금액계산에 있어서 이를 이익금에 포함한다.

세무상 손실로 처리한 대손금 중 회수한 금액은 그 회수한 날이 속하는 회계연도의 소득금액계산에 있어서 이를 이익금에 포함한다.

동 규정을 적용하기 위하여, 기업은 대손충당금 및 대손금에 관한 명세서를 작성하고, 세무소에 제출하여야 한다.

10) 손익의 귀속시기

기업의 각 회계연도[108)]의 이익금과 손실금의 귀속 회계연도는 그 이익금과 손실금이 확정된 날이 속하는 회계연도로 한다(개성공업지구 세금규정 시행세칙 제50조).

한국 세법에서의 권리의무 확정주의(Settlement principle of claims and obligations)와 유사한 규정으로 판단된다. 한국 회계의 발생주의(Accrual basis)와는 다르다는 것에 주의하여야 한다.

상품・제품 등의 재화의 판매로 인한 이익금과 손실금의 귀속 회계연도는 구체적으로 아래와 같이 규정된다.

① 기업이 각 회계연도에 있어서 상품, 제품 또는 기타의 생산품을 판매함으로써 생긴 판매손익의 귀속 연도는 그 상품, 제품 또는 생산품을 인도한 날이 속하는 회계연도로 한다. 그러나 인도하지 않았으나 인도할 수 있는 상태에 있는 경우에는

108) 개성공업지구 세금규정 시행세칙에서 회계연도라는 표현을 하고 있지만, 동 규정은 회계기준이 아닌 세법규정으로 과세연도 혹은 납세연도라는 표현으로 이해함이 바람직하다.

인도할 수 있는 상태에 있는 날이 속하는 회계연도로 한다.

② 기업이 각 회계연도에 있어서 앞 조에 해당하지 않는 자산(예를 들면 부동산 등)을 양도함으로써 생긴 이익금과 손실금의 귀속 회계연도는 그 대금을 청산한 날 또는 소유권 이전등기를 한 날 중 빠른 날이 속하는 회계연도로 한다.

③ 기업이 각 회계연도에 있어서 자산을 타인에게 위탁하여 매매, 양도, 양수함으로써 생긴 손실금과 이익금의 귀속 회계연도는 그 수탁자가 그 재산을 매매, 양도, 양수한 날이 속하는 회계연도로 한다.

④ 기업이 자산을 분할지불 또는 연불조건으로 판매하거나 양도한 경우에는 그 분할지불 또는 연불조건에 따라 당해 회계연도 및 그 후의 회계연도에 있어서 매 회계연도에 회수하였거나 회수할 판매 또는 양도금액과 이에 대응하는 비용을 해당 회계연도에 계산한 경우에는 이익금과 손실금에 각각 포함한다.

⑤ 기업이 연불조건에 의하여 건설제조 및 봉사의 제공을 한 경우에는 그 연불조건에 따라 당해 회계연도 및 그 후의 회계연도에 있어서 각 회계연도에 접수하였거나 접수할 금액과 이에 대응하는 비용을 해당 회계연도의 이익금과 손실금에 각각 포함한다.

⑥ 기업이 건설 또는 제조에 관한 장기도급계약(계약기간이 1년 이상)을 체결한 경우에는 그 대상물의 건설 또는 제조에 착수한 날이 속하는 회계연도로부터 그 대상물의 건설 또는 제조를 완료하여 그것을 도급자에게 인도한 날이 속하는 회계연도까지의 각 회계연도의 손익은 그 대상물의 건설 또는 제조를 완료한 정도를 기준으로 하여 계산한 수익과 비용을 당해 회계연도의 이익금과 손실금에 각각 포함한다.

⑦ 기업이 재산의 일부 또는 전부를 임대한 경우에는 그 계약조건에 따라 당해 회계연도 및 그 후의 회계연도에 있어서 각 회계연도의 임대료로서 수입될 금액과 이에 대하는 비용을 해당 회계연도의 이익금과 손실금에 각각 포함한다.

이자 등의 이익금과 손실금의 귀속 회계연도는 다음 조항과 같다.

① 기업이 수입하는 이자와 할인액 및 배당소득은 실제로 지불을 받은 날이 속하는 회계연도의 이익금으로 한다.

② 기업이 지불하는 이자 등은 실제로 지불한 날이 속하는 회계연도의 손실금으로

한다. 그러나 결산을 확정함에 있어서 이미 경과한 기간에 대응하는 이자 등을 당해 회계연도의 손실금으로 계산한 경우에는 그 계산한 회계연도의 손실금으로 한다.

상기 규정은 현금으로 수령하거나 현금으로 지급하는 회계연도의 익금과 손금으로 한다는 내용이다. 그러나, 비용에 있어서는 미지급이자에 대해서는 현금으로 결제가 이루어지지 않는 경우라도, 별도의 세무조정을 하지 않는다는 내용으로 판단된다.

③ 금융, 보험업을 경영하는 기업이 수입하는 이자 보험료와 같은 고유수입항목 또는 보증료가 포함되는 회계연도는 해당 수입금이 실제로 수입된 회계연도로 하되 해당 항목에 따르는 선수입금은 제외한다. 그러나 그 기업이 해당 항목의 미수수입금은 그것이 수입으로서 확정된 날이 속하는 회계연도의 수익으로 계산한 경우에는 예외로 한다.

11) 자산 부채의 평가

기업이 보유하는 재산 및 채무의 장부가격을 평가(증가 또는 감소)한 경우에는 그 평가일이 속하는 회계연도 및 그 후의 매 회계연도의 소득금액 계산에 있어서 당해 자산 및 채무의 장부상가격은 그 평가하기 전의 가격으로 한다. 즉, 평가를 세무상으로 인정하지 않는다.

그러나 다음 조항에 해당하는 경우에는 평가 후의 금액을 세무상 가액으로 인정한다.

그러므로, 아래 조항에 해당하는 자산은 그 장부상 가격을 감액(감소)할 수 있고, 이를 세무상 손실로 처리할 수 있다는 것에 주의하여야 한다.

① 재고재산(제품 및 상품, 반제품 및 재가공품, 원재료, 저장품) 등의 평가

재고자산으로서 파손, 부패 등의 이유로 인하여 정상가격으로 판매할 수 없는 것은 장부상 가격을 감소시킬 수 있고 세무상 손실금으로 인정할 수 있다.

한국 세법의 경우 원칙이 재고자산평가손실은 세무상 비용으로 인정하지 않지만 재해나 파손, 부패 등 사유로 정상 판매가 불가능 한 경우 재고감모손실로 세무상 비용(손금)에 가산할 수 있다.

따라서, 개성공업지구 세금규정에서 규정하고 있는 정상가격으로 판매할 수 없는 것이라는 표현이 평가손실을 의미하는 것인지, 감모손실을 의미하는 것인지 아니면 평가손실과 감모손실 둘 다 의미하는 것인지 불명확하게 규정되어 있다. 추후 확인이 필요하다.

② 고정자산의 감모손실

고정자산으로서 폭우, 지진과 같은 불가항력적 요인이나 화재 등의 이유로 인하여 파손 또는 멸실된 것은 장부상 가격을 감소시킬 수 있고 세무상 손실금으로 인정할 수 있다.

③ 유가증권(주식 등, 채권)의 평가

주식 등으로서 그 발행기업이 부도가 발생한 경우와 당해 주식 등 주식 등을 발행한 기업이 파산한 경우의 당해 주식 등은 장부상 가격을 감소시킬 수 있고 세무상 손실금으로 인정할 수 있다.

④ 화폐성 외화재산 및 채무의 평가

앞 항의 규정에 따라 자산 및 채무를 평가한 기업은 당해 재산 및 채무의 평가에 관한 명세서를 세무소에 제출하여야 한다.

12) 재고자산의 평가(재고자산 단가의 결정 : 원가흐름의 가정)

재고재산의 평가(재고자산 단가의 결정)는 다음 조항 중 기업이 선택하여 세무소에 신고한 방법에 의한다.

- **원가법** : 개별법, 선입선출법, 후입선출법, 총평균법, 이동평균법, 판매가격환원법
- **저가법**

  기업이 재고재산을 평가함에 있어서 당해 자산을 자산별로 구분하여 종류별로 각각 다른 방법에 의하여 평가할 수 있다. 이 경우 수익과 비용을 영업의 종목별로 각각 구분하여 기장하고 종목별로 제조원가보고서와 손익계산서를 작성하여야 한다.

기업이 재고재산의 평가방법을 신고하려는 경우 아래 기한 내에 재고자산 평가방법 신고(변경신고)서를 세무소에 제출하여야 한다. 이 경우 저가법을 신고하는 경우에는 시가와 비교되는 원가법을 함께 신고하여야 한다.

① 새로 설립한 기업은 당해 기업의 설립일 또는 수익사업 개시일이 속하는 회계연도의 기업소득세 과세표준의 신고기한

② 최초 신고를 한 기업으로서 그 평가방법을 변경하고자 하는 기업은 변경할 평가방법을 적용하고자 하는 회계연도의 마지막 날 이전 3월이 되는 날

기업이 아래 ⓐ항에 해당하는 경우에는 세무소가 선입선출법(매매를 목적으로 소유하는 부동산의 경우에는 개별법으로 한다)에 의하여 재고재산을 평가한다. 그러나 다음의 ⓑ항 또는 ⓒ항에 해당하는 경우로서 신고한 평가방법에 의하여 평가한 가격이 선입선출법에 의하여 평가한 가격보다 큰 경우에 신고한 평가방법에 의한다.

ⓐ 규정된 기한 내에 재고재산의 평가방법을 신고하지 않는 경우

ⓑ 신고한 평가방법 외의 방법으로 평가한 경우

ⓒ 규정에 의한 기한 내에 재고재산의 평가방법 변경신고를 하지 않고 그 방법을 변경한 경우

기업이 재고재산의 평가방법을 규정된 기한 경과된 후에 신고한 경우에는 그 신고일이 속하는 회계연도까지는 앞의 규정에 따라 집행하며 그 후의 회계연도부터는 기업이 신고한 평가방법에 의한다.

재고재산을 평가한 기업은 재고재산평가 조정명세서를 세무소에 제출하여야 한다.

13) 유가증권의 평가

유가증권의 평가는 다음의 방법 중 기업이 세무소에 신고한 방법에 의한다.

- 개별법(채권의 경우에 한한다), 총평균법, 이동평균법

기업이 유가증권의 평가방법을 신고하려는 경우 다음 조항의 기한 내에 유가증권평가방법신고(변경신고)서를 세무소에 제출하여야 한다. 이 경우 저가법을 신고하는 경우에는 시가와 비교되는 원가법을 함께 신고하여야 한다.

① 새로 설립한 기업은 당해 기업의 설립일 또는 수익사업 개시일이 속하는 회계연도의 기업소득세 과세표준의 신고기한

② 최초 신고를 한 기업으로서 그 평가방법을 변경하고자 하는 기업은 변경할 평가

방법을 적용하고자 하는 회계연도의 마지막 날 이전 3월이 되는 날

기업이 다음 조항의 ⓐ항에 해당하는 경우에는 세무소가 평균법에 의하여 유가증권을 평가한다. 그러나 다음의 ⓑ항 또는 ⓒ항에 해당하는 경우로서 신고한 평가방법에 의하여 평가한 가격이 평균법에 의하여 평가한 가격보다 큰 경우에 신고한 평가방법에 의한다.

ⓐ 규정된 기한 내에 유가증권의 평가방법을 신고하지 않는 경우
ⓑ 신고한 평가방법 외의 방법으로 평가한 경우
ⓒ 규정에 의한 기한 내에 유가증권의 평가방법변경신고를 하지 않고 그 방법을 변경한 경우

기업이 유가증권의 평가방법을 규정된 기한 경과된 후에 신고한 경우에는 그 신고일이 속하는 회계연도까지는 앞의 규정에 따라 집행하며 그 후의 회계연도부터는 기업이 신고한 평가방법에 의한다.

유가증권을 평가한 기업은 유가증권평가 조정명세서를 세무소에 제출하여야 한다.

14) 외화자산 및 부채의 평가

화폐성 외화자산 및 채무는 회계연도 마지막 날 현재 중앙지도기관의 합의를 받은 대상이 발표하는 당일 국제환차시세에 의하여 평가하여야 한다.

화폐성 외화자산 및 채무를 평가함에 따라 발생하는 평가금액과 기장액의 차익 또는 차손은 당해 회계연도의 이익금 또는 손실금에 이를 포함한다.

기업이 상환 받거나 상환하는 외화채권, 채무의 금액과 기장액의 차익 또는 차손은 당해 회계연도의 이익금 또는 손실금에 이를 포함한다.

화폐성 외화재산 및 채무를 평가한 기업은 외화재산 등 평가손익 조정명세서를 세무소에 제출하여야 한다.

15) 부당행위 계산 부인

세무소는 기업의 행위 또는 소득금액의 계산이 특수관계자와의 거래에 있어서 그 기업의 소득에 대한 조세의 부담을 부당하게 감소시킨 것으로 인정되는 아래 조항의 경우에는 그 기업의 행위 또는 소득금액의 계산에 관계없이 그 기업의 매 회계연도의

소득금액을 재계산 할 수 있다.

① 자산을 시가보다 높은 가격으로 구입 또는 현물로 출자 받았거나 그 재산을 과대(감가)상각한 경우

② 수익 자산을 구입 또는 현물로 출자 받았거나 그 재산에 대한 비용을 부담한 경우

③ 자산을 무상 또는 시가보다 낮은 가격으로 양도 또는 현물로 출자하였을 경우

④ 불량자산을 교환하거나 불량채권을 양수한 경우

⑤ 출연금을 대신 부담한 경우

⑥ 화폐 기타 재산 또는 봉사를 무상 또는 낮은 이자율이나 임대료로 대부하거나 제공한 경우. 그러나 주주 등이나 출연자가 아닌 관리성원 및 사용인에게 사택을 제공하는 경우를 제외한다.

⑦ 화폐 기타 재산 또는 봉사를 시가보다 높은 이자율이나 임차료로 제공하거나 받았을 경우

⑧ 다음에 해당하는 자본거래로 인하여 주주 등인 기업이 특수관계자인 다른 주주 등에게 이익을 분여하는 경우

ⓐ 기업의 증자에 있어서 신주를 배정받을 수 있는 권리의 전부 또는 일부를 포기하거나 신주를 시가보다 높은 가격으로 인수하는 경우

ⓑ 기업의 감자에 있어서 주주 등의 소유주식 등의 비율에 의하지 않고 일부 주주 등의 주식 등을 소각하는 경우

⑨ 기타 제1호 또는 제8호에 준하는 행위 또는 계산 및 그 외에 기업의 이익을 분여하였다고 인정되는 경우

동 규정의 적용에 있어서 정상적인 거래에서 적용되거나 적용될 것으로 판단되는 가격(효율, 이자율, 임대료 및 교환비율 등 이에 준하는 것)을 시가(市價, 時價)라고 한다.

특수관계있는 자라 함은 다음 조항의 관계에 있는 자를 말한다.

① 관리성원에 대한 인사권의 행사, 경영상의 주요의사결정 등 당해 기업의 경영에 대하여 실질적인 영향력을 행사하고 있다고 인정되는 자와 그 친척

② 주주 등(소액주주 등을 제외한다)과 그 친적

③ 기업의 관리성원, 사용인 또는 주주 등의 사용인(주주 등이 영리기업인 경우에는 그 관리성원을, 비영리기업인인 경우에는 그 이사 및 설립자를 말한다)이나 사용

인 외의 자로서 기업 또는 주주 등의 화폐나 기타 재산에 의하여 생활을 유지하는 자와 이들과 생활을 함께하는 친척

④ 제①호 또는 제③호에 해당하는 자가 발행주식총수 또는 출자총액의 30% 이상을 출자하고 있는 다른 기업

⑤ 제④호 또는 제⑦호에 해당하는 기업이 발행주식총수 또는 출자총액의 50% 이상을 출자하고 있는 다른 기업

⑥ 당해 기업에 50% 이상을 출자하고 있는 기업에 50% 이상을 출자하고 있는 기업이나 개인

⑦ 제①호 또는 제③호에 해당하는 자 및 당해 기업이 이사의 과반수를 차지하거나 출연금(설립을 위한 출연금에 한한다)의 50% 이상을 출연하고 그 중 1명이 설립자로 되어있는 비영리법인

소액주주 등이라고 함은 발행주식총수 또는 출자총액의 1%에 미달하는 주식 또는 출자증권을 소유한 주주 또는 출자자를 말한다. 그러나 당해 기업의 지배주주 등과 특수관계에 있는 자는 소액주주 등으로 보지 않는다.

지배주주 등이라 함은 기업의 발행주식총수 또는 출자총액의 1% 이상의 주식 또는 출자증권을 소유한 주주와 출자자로서 그와 특수관계에 있는 자와의 소유주식 또는 출자증권의 합계가 당해 법인의 주주 또는 출자자 중 가장 많은 경우의 당해 주주 또는 출자자를 말한다.

5. 비영리지사 등의 기업소득세

영리활동을 전문으로 하지 않는 지사, 영업소, 사무소와 공업지구 밖의 기업, 경제조직, 단체가 공업지구 안에서 얻은 기타 소득에 대한 세율과 세액의 산정방법은 다음과 같다(개성공업지구 세금규정 제33조).

① 이자소득은 소득액의 10%

② 배당소득, 고정재산 임대소득은 소득액에서 70%를 공제한 나머지 금액의 10%

③ 재산판매소득, 지적재산권과 기술비결의 제공에 의한 소득, 경영봉사 소득은 소득액에서 30%를 공제한 나머지 금액의 10%

영리활동을 전문으로 하지 않는 지사, 영업소, 사무소가 기타 소득을 얻은 경우에는 수익단위가 다음 달 10일 안으로 신고·납부한다. 공업지구 밖의 기업, 경제조직, 단체가 공업지구 안에서 기타 소득을 얻은 경우에는 소득지불 단위가 소득을 지불하기 전에 공제하여 다음 달 10일 안으로 납부한다(개성공업지구 세금규정 제34조).

제16절 개인소득세

1. 개인소득세 개요

공업지구에 182일 이상 체류, 거주하거나 소득을 얻은 개인은 개인소득세를 납부하여야 한다. 개인소득세는 개인의 소득에 대하여 부과하는 세금이다(개성공업지구 세금규정 시행세칙 제63조).

공업지구에 거주하거나 기업에 소속된 개인은 매해 3월 10일까지, 그리고 182일 이상 체류, 거주하거나 소득을 얻는 개인은 체류(거주)승인을 받은 때로부터 20일 내에 개인세무등록신청서를 세무소에 내야 한다(개성공업지구 세금규정 시행세칙 제65조).

개인소득세는 다음 조항에 따르는 소득에 부과한다(개성공업지구 세금규정 시행세칙 제64조).

① **노동보수** : 공업지구에서 노동을 제공하고 받는 노임, 연금 또는 퇴직금 등 이와 유사한 성질의 노동보수

② **이자소득과 배당소득** : 공업지구에 고정영업장을 둔 기업으로부터 받는 이자 또는 이익이나 잉여금의 배당 또는 분배소득

③ **고정자산 임대소득** : 공업지구에서 고정자산(토지와 그 부착물, 자동차 등)의 임대 등으로 하여 생기는 소득

④ **자산 판매소득** : 공업지구에서 자산(부동산, 주식 또는 출자증권 등)의 판매 등으로 하여 발생하는 소득

⑤ **지적재산권과 기술비결의 제공에 의한 소득** : 공업지구에서 저작권, 상표권, 특허권, 공업도안권을 비롯한 지적재산권과 기술비결의 제공 등으로 인하여 발생하는 소득

⑥ **경영 봉사소득** : 공업지구에서 기술고문, 기능공양성, 상담 등의 제공으로 인하여 발생하는 소득

⑦ **증여소득** : 공업지구에서 재산을 증여 받음으로 인하여 발생하는 소득

2. 개인소득세의 세율 및 계산

현금이 아닌 물품, 유가증권에 대하여 개인소득세를 부과할 경우에는 그것을 취득할 당시의 현지 가격으로 계산한다(개성공업지구 세금규정 제38조).

개인소득세의 세율 적용은 아래와 같다(개성공업지구 세금규정 제37조).

① 노동보수에 대한 세율

노동보수액에서 30%를 공제한 나머지 금액이 US$500 달러 이상일 경우 아래 세율을 적용한다.

월 노동보수 과세표준(US$)	세 율
500 이상~1,000까지	500을 초과하는 금액의 4%
1,000 이상~3,000까지	20+1,000을 초과하는 금액의 7%
3,000 이상~6,000까지	160+3,000을 초과하는 금액의 11%
6,000 이상~10,000까지	490+6,000을 초과하는 금액의 15%
10,000 이상	1,090+1만을 초과하는 금액의 20%

월 노동보수액에서 30%를 공제한 금액이 US$500 달러 미만일 경우에는 개인소득세를 과세하지 않는다.

② 증여소득에 대한 세율

증여소득에 대한 소득금액이 US$10,000 달러 이상일 경우 아래 세율을 적용한다.

증여소득액(US$)	세 율
10,000 이상~100,000까지	10,000을 초과하는 금액의 2%
100,000 이상~500,000까지	1,800+100,000을 초과하는 금액의 5%
500,000 이상~1,000,000까지	21,800+500,000을 초과하는 금액의 8%
1,000,000 이상~3,000,000까지	61,800+1,000,000을 초과하는 금액의 11%
3,000,000 이상	281,800+3,000,000을 초과하는 금액의 14%

증여소득액이 US$10,000 달러 미만일 경우에는 개인소득세를 과세하지 않는다.

③ 이자 소득에 대한 세율은 소득액의 10%로 한다.

④ 배당소득, 고정재산 임대소득에 대한 세율은 소득액에서 70%를 공제한 나머지 금액의 10%로 한다.

⑤ 자산판매 소득, 지적 재산권과 기술비결 제공에 의한 소득, 경영봉사 소득에 대한 세율은 소득액에서 30%를 공제한 나머지 금액의 10%로 한다.

3. 개인소득세의 신고 및 납부

1) 개인소득세 신고 및 납부

개인소득세의 납부기간과 방법은 다음과 같다(개성공업지구 세금규정 제39조).

① 노동보수에 대한 개인소득세는 소득을 얻은 다음 달 10일 안으로 노동보수를 지불하는 단위가 원천징수(공제납부)하거나 수익인이 신고·납부하며, 공업지구 안에 있는 기업 또는 비영리 지사, 영업소, 사무소를 대신하여 공업지구 밖에 있는 기업, 경제조직, 단체가 노동보수를 지불할 경우에는 지구 안에 있는 기업 또는 비영리 지사, 영업소, 사무소가 원천징수(대리납부, 공제 납부)한다.

② 자산판매 소득, 증여소득에 대한 개인소득세는 소득을 얻은 날부터 30일 안으로 수익인이 신고·납부한다.

③ 이자소득, 배당소득, 고정재산 임대소득, 지적재산권과 기술비결의 제공에 의한 소득, 경영봉사 소득에 대한 개인소득세는 소득을 얻은 다음 달 10일 안으로 소득을 지불하는 기업이 원천징수(대리납부, 공제납부)하거나 수익인이 신고·납부한다.

④ 원천징수를 할 수 없는 경우에는 수익인이 신고·납부하여야 한다(개성공업지구 세금규정 시행세칙 제69조).

원천징수의무자 또는 수익인은 개인소득세를 그 징수일이 속하는 달의 다음달 10일까지 세무소에 납부하여야 한다(개성공업지구 세금규정 시행세칙 제70조).

개인소득에 대한 세금납부는 월별로 하는 것을 원칙으로 하며 필요한 경우 세무서의 합의를 받고 182일 이상 체류, 거주하는데 따라 연중에 얻은 소득에 대한 월별종합계산서, 그에 따르는 증빙서류와 함께 일시에 납부할 수도 있다(개성공업지구 세금규정 시행세칙 제66조).

2) 개인소득세의 결정과 경정(개성공업지구 세금규정 시행세칙 제67조, 제68조)

세무소는 과세표준 확정신고를 하여야 할 자가 그 신고를 하지 않았거나 증빙서류를 제출하지 않았을 경우 해당 개인소득세납부의무자의 과세표준과 세액을 결정한다.

세무소는 과세표준 확정신고를 한 자가 제출한 증빙서류의 객관성이 보장되지 않는다고 판단되거나 신고내용에 부족 또는 오류가 있는 때는 과세표준과 세액을 경정한다.

세무소가 과세표준과 세액을 결정 또는 경정하는 경우에는 필요한 증빙서류를 근거로 하며 제출된 서류가 객관적이지 못하다고 인정되는 경우 해당 납세의무자의 직종, 기술소유, 연한, 급수 등을 고려하여 예상되는 소득으로 한다.

세무소는 과세표준과 세액을 결정 또는 경정한 후 그 결정 또는 경정에 부족 또는 오류가 있는 것이 발견된 때에는 이를 다시 경정한다.

세무소는 거주자의 과세표준과 세액을 결정 또는 한 때에는 이를 당해 거주자 또는 상속인에게 서면으로 통지하여야 한다.

4. 개인소득세의 면제 및 감면

개인소득세의 면제대상은 다음과 같다.

① 남북 사이에 맺은 합의서 또는 북한과 다른 나라 사이에 맺은 협정에 따라 개인소득세를 납부하지 않기로 한 소득

② 북한의 금융기관으로부터 받은 저축성 예금이자와 보험금 또는 보험보상금 소득

③ 공업지구에 설립된 은행에 비거주자 등이 예금한 돈에 대한 이자소득

제17절 거래세와 영업세

부가가치세(VAT) 과세에서 있어서 중국에서는 증치세와 (舊)영업세로 나누어 과세를 하고 있다. 즉, 중국에서는 재화의 이동과 재화의 수입에 대하여 증치세를 과세하며, 용역의 제공에 대하여 (舊)영업세를 과세한다. 증치세는 한국의 부가가치세와 마찬가지로 개념으로 전단계 매입세액공제법을 적용하여 신고·납부하며, 영업세는 판매세(Sales Tax) 개념으로 전단계 매입세액공제법 적용하지 아니하고 매출액의 일부를 수익자의 비용으로 신고·납부한다.

이에 북한에서도 중국의 과세체계를 상당부분 차용하여, 부가가치세 관련 세목의 명칭을 거래세와 영업세라는 세목으로 과세한다. 다만, 재화의 생산 단계에서만 거래세를 적용하여 신고·납부하며, 도소매 등의 유통·상업 부문부터는 재화의 양도가 이루어지지만 영업세를 적용하여 신고·납부한다. 다만, 이해가 필요한 것으로, 현재 북한에서는 전산화가 이루어지지 않은 상태로, 거래세라고 하더라도 공장에서 매입한 원재료에 대한 전단계 매입세액 공제의 적용이 불가능하다.

1. 거래세

거래세는 재화를 생산한 업체가 생산물을 판매하여 얻은 수입금에 부과하는 세금이다. 생산부문의 기업은 거래세를 납부하여야 한다(개성공업지구 세금규정 제60조).

거래세의 계산은 생산물 판매액에 아래의 세율을 적용하여 계산한다. 생산업과 봉사업을 함께 하는 기업의 거래세와 영업세의 계산은 따로 구분 경리한다(개성공업지구 세금규정 제63조).

구 분	세 율
전기, 전자, 금속, 기계제품	1%
연료, 광물, 화학, 건재, 고무제품	1%
섬유, 신발, 일용, 가죽, 기타 공업제품	1%
식료품, 농산물, 축산물, 수산물	2%
술, 담배, 기타 기호품	15%

상기 내용에서 확인되는 바와 같이 개성공업지구에서의 거래세 과세대상은 재화를 생산한 업체가 생산물을 판매하여 얻은 수입금이다. 그러나, 일반세법이라고 할 수 있는 외국투자기업 및 외국인세금법 제42조, 외국투자기업 및 외국인세금법 시행규정 제61조의 규정에 따르면, 거래세 과세대상으로 공업부문의 제품판매수입, 농업부문의 농축산물판매수입, 수산부문의 수산물판매수입과 더불어 건설공사 인도수입금 등의 수입금이 규정되어다.

즉, 외국투자기업 및 외국인세금법에 따르면, 건설업도 거래세 과세대상[109] 업종이나 개성공업지구에서의 거래세 과세대상 업종에는 건설업이 포함되지 않는다는 것을 알 수 있다.

생산물 판매자는 분기가 지난 다음 달 20일 안으로 거래세를 납부하여야 한다. 농업부문같이 계절성을 띠는 생산부문 기업의 거래세 납부방법은 공업지구 세무서가 따로 정할 수 있다(개성공업지구 세금규정 제64조, 개성공업지구 세금규정 시행세칙 제94조).

기업이 생산한 제품을 남측지역에 반출하거나 다른 나라에 수출할 경우에는 거래세를 면제한다(개성공업지구 세금규정 제65조).

상기 규정과 관하여 중요한 점은 수출에 있어서 영세율제도를 적용하는 것이 아니라 면세제도를 적용한다는 점에 주의하여야 한다.

2. 영업세

영업세는 교통운수, 체신, 상업, 금융, 관광, 광고, 여관, 급양, 오락, 위생편의 같은 봉사 부문의 봉사수익금과 건설부문의 건설물 인도 수익금에 부과된다(개성공업지구 세금규정 제66조).

109) 외국투자기업 및 외국인 세금법 시행규정에 따르면 건설업은 영업세 납부대상으로 규정되어 있다.

영업세의 계산은 업종별 수익액에 아래의 세율을 적용하여 계산한다. 여러 업종의 봉사 영업을 하는 기업의 영업세 계산은 업종별로 구분하여 계산한다(개성공업지구 세금규정 제69조).

구 분	세 율
건설, 교통, 운수, 체신부문	1%
금융부문	1%
상업부문	2%
급양, 숙박(여관), 관광, 광고, 위생편의 부문	1%
교육, 문화, 체육, 기타 봉사부문	1%
부동산 거래부문	2%
오락 부문	7%

기업은 영업세를 분기마다 계산하여 다음달 20일 내로 납부하여야 한다(개성공업지구 세금규정 제70조, 개성공업지구 세금규정 시행세칙 제102조).

전기, 가스, 난방 등의 에네지(에네르기)의 생산 및 공급부문과 상하수도, 용수, 도로부문에 투자하여 운영하는 기업에 대하여서는 영업세를 면제한다(개성공업지구 세금규정 제71조).

제18절 상속세

1. 상속세 개요

공업지구에 있는 재산을 상속받은 자는 상속세를 납부하여야 한다. 상속재산에는 부동산, 화폐재산, 현물재산 등의 화폐로 계산할 수 있는 경제적 가치가 있는 모든 물건과 유가증권, 지적재산권, 보험청구권 같은 재산적 가치가 있는 사실상의 모든 권리를 포함한다(개성공업지구 세금규정 제52조).

상기 내용 중 특이한 점은 외국투자기업 및 외국인세금법 제35조, 외국투자기업 및 외국인세금법 시행규정 제54조에서는 ① 북한 내에 있는 재산을 상속받은 외국인과 ② 북한 내에 거주하고 있는 외국인이 북한 밖에 있는 재산을 상속받았을 경우에는 상속세를 납부하여야 한다고 속인주의(거주자)에 따른 과세원칙을 규정하고 있는데 반해, 개성공업지구의 상속세 규정은 공업지구 내에 있는 재산을 상속받는 자를 상속세 납세자로 규정하고 있다는 점에서, 개성공업지구 거주자의 해외자산의 상속과 관련한 상속세 납세의무를 부과하고 있지 않음을 알 수 있다.

참고로 한국의 상속세는 거주자와 비거주자를 구분하여 거주자는 국내와 국외에 있는 모든 상속재산이 과세대상이 되며 비거주자의 경우에는 국내에 있는 모든 상속재산이 과세대상이 된다.

상속재산 중 피상속인에게만 포함되는 것으로서 피상속인의 사망으로 인하여 소멸되는 것은 이를 제외한다(개성공업지구 세금규정 시행세칙 제80조).

상속세의 상속재산 가액은 상속받은 재산에서 다음의 지출을 공제한 금액으로 한다(개성공업지구 세금규정 제53조).

① 피상속자의 채무액

② 상속받은 자가 부담하는 장례비용

③ 상속기간에 상속재산을 보존 및 관리하는 데 소요되는 비용

④ 자산 상속과 관련한 공증료 등의 지출

⑤ 가족들의 부양료 US$30만 달러

2. 상속자산의 평가

상속자산의 가격은 자산을 상속받을 당시의 현재 가격(시가)으로 한다(개성공업지구 세금규정 제54조).

시가는 정상적인 거래로써 이루어지는 경우에 객관적이라고 인정되는 가격으로 한다. 평가기준일을 전후한 6개월 이내의 기간 중 매매, 감정, 이용, 경매가 있는 경우에 확정되는 가격은 시가로 본다.

시가를 산정하기 어려운 경우에는 당해연도 재산의 종류, 규모, 거래상태 등을 고려하여 아래의 방법에 의하여 평가한 가격에 의한다(개성공업지구 세금규정 시행세칙 제81조).

1) 부동산의 평가

부동산에 대한 평가는 아래 조항에서 정하는 방법에 의한다(개성공업지구 세금규정 시행세칙 제82조).

① **토지** : 개발업자가 분양한 가격 (감가상각비 제외)

② **건물** : 등록가격 (감가상각비 제외)

기타 시설물 및 구축물에 대하여서는 평가기준일에 다시 건축하거나 다시 취득할 때 소요되는 가격에서 그것의 설치일부터 평가기준일까지의 감가상각비적립금을 차감하여 평가한 가격으로 한다.

사실상 임대차계약이 체결되거나 임차권이 등기된 재산의 경우에는 1년간 임대료를 100분의 18로 나눈 금액과 임대보증금의 합계액, 앞의 규정에 따라 평가한 가격 중 큰 금액을 그 재산의 가격으로 한다.

개성공업지구 세금규정 시행세칙 제82조에서 규정하고 있는 토지와 건물의 평가방법에 있어서 '감가상각비 제외'라는 표현은 감가상각누계액(감가상각비적립금)을 차감한다는 의미로 보는 것이 합리적이다.

2) 기타 유형자산의 평가

차량과 기계장비는 분할지불 하는 경우 다시 취득할 수 있다고 예상되는 가격을 의미하며 그 가격이 확인되지 않는 경우에는 장부상의 가격(취득가격에서 감가상각비를 차감한 가격)을 그 재산의 가격으로 본다.

상품, 제품, 반제품, 재가공품, 원재료 기타 이에 준하는 동산 및 소유권의 대상이 되는 동산의 평가는 그것을 처분할 때에 취득할 수 있다고 예상되는 가격으로 한다. 그러나 그 가격이 확인되지 않은 경우에는 장부가격으로 한다.

사실상 임대차 계약이 체결되거나 임차권이 등기된 재산의 경우에는 1년간 임대료를 100분의 18로 나눈 금액과 임대보증금의 합계액, 앞의 규정에 따라 평가한 가격 중 큰 금액을 그 재산의 가격으로 한다.

3) 유가증권 등의 평가

공업지구 내의 기업의 주식 및 출자증권은 다음의 산식에 의하여 평가한 순손익가격과 1주당 순자산가격을 각각 3과 2의 비율로 가중평균한 가격에 의한다.

- 1주당 순손익가격 = 1주당 최근 3년간의 순손익액의 가중평균액 ÷ 10
- 1주당 순자산가격 = 당해기업의 순자산가격 ÷ 발행주식 총수

아래 상황에 해당하는 경우에는 앞 규정에 관계없이 순자산가격으로만 평가한다.

① 상속세 과세표준 신고기한 이내에 평가대상 기업의 청산절차가 진행 중이거나 경영자의 사망 등으로 인하여 계속경영이 곤란하다고 인정되는 기업의 주식 또는 출자증권

② 사업개시 전의 기업, 사업개시 후 3년 미만의 기업과 휴, 폐업 중에 있는 기업의 주식 또는 출자증권

③ 평가기준일이 속하는 회계연도 전 3년 내의 회계연도부터 계속하여 세금규정 및 이 세칙상 매 회계연도에 속하거나 속하게 될 손실금의 총액이 그 회계연도에 속하거나 속하게 될 이익금의 총액을 초과하여 결손금이 있는 기업의 주식 또는 출자증권

발행주식 총수는 평가기준일 현재의 발행주식총수에 의한다.

4) 무형재산권 등의 평가

① 구입한 무형자산

구입한 무형자산권의 가격은 구입가격에서 구입한 날부터 평가기준일까지의 감가상각비를 차감한 금액으로 평가한다.

② 영업권

영업권의 평가는 다음 산식에 의하여 계산한 초과이익 금액을 평가기준일 이후의 영업권 지속연수(원칙적으로 5년으로 한다)를 감안하여 환산한 금액의 합계액을 말한다. 그러나 구입한 무형재산권으로서 그 성질상 영업권에 포함시켜 평가되는 무형재산권의 경우에는 이를 별도로 평가하지 않으나 당해 무형재산권의 평가액이 환산한 가격보다 큰 경우에는 당해 가격을 영업권의 평가액으로 한다.

[최근 3년간(3년에 미달하는 경우에는 해당 연수로 한다)의 순손익액의 가중평균액의 50%에 해당되는 가격 - (평가기준일 현재의 자기자본 × 10%)] × PVIF(10%, n)

n: 평가기준일로부터의 지속연수(원칙적으로 5년으로 한다)

최근 3년간의 순손익액의 가중평균액은 다음과 같이 계산한다.

1주당 최근 3년간의 순손익액의 가중평균액=[(평가기준일 이전 1년이 되는 회계연도회 1주당 순손익액 × 3)+(평가기준일 이전 2년이 되는 회계연도의 1주당 순손익액 × 2)+(평가기준일 이전 3년이 되는 회계연도의 1주당 순손익액 × 1)] ÷ 6

③ 어업권

어업권의 가격은 영업권 평가방법으로 계산한다.

④ 기타 무형자산

특허권, 상표권, 공업도안권 및 저작권 등은 그 권리에 의하여 장래에 받을 각 연도의 수입금액을 기준으로 다음의 계산식에 의하여 환산한 금액의 합계액으로 한다.

각 연도의 수입금액 × PVIF(10%, n)

n: 평가기준일부터의 지속연수

이 경우 각 연도의 수입금액이 확정되지 않은 것은 평가기준일 전 최근 3년간(3년에 미달하는 경우에는 그 미달하는 연수로 한다)의 각 연도의 수입금액의 합계액을 평균한 금액을 각 연도의 수입금액으로 할 수 있다.

⑤ 저당권이 설정된 자산의 평가

아래에 해당하는 자산은 당해 재산이 담보하는 채권액 등을 기준으로 평가한 가격과 상기 상속자산의 평가 규정에 의하여 평가한 가격 중 큰 금액을 그 재산의 가격으로 한다.

ⓐ 저당권이 설정된 자산

ⓑ 양도담보[110] 자산

ⓒ 전세권이 등기된 자산 (임대보증금을 받고 임대한 자산을 포함한다)

3. 상속세의 세율 및 계산

상속세의 세율은 상속받은 재산액에서 세금규정 제53조의 금액을 공제하고 남은 상속재산가액이 US＄10만 달러 이상의 경우에는 아래의 세율을 적용하여 상속세 세액을 계산한다(개성공업지구 세금규정 제55조, 제56조).

상속재산 가액[111](US$)	세 율
100,000 이상~1,000,000까지	100,000을 초과하는 금액의 6%
1,000,000 이상~5,000,000까지	54,000+1,000,000을 초과하는 금액의 10%
5,000,000 이상~15,000,000까지	454,000+5,000,000을 초과하는 금액의 15%
15,000,000 이상~30,000,000까지	1,954,000+15,000,000을 초과하는 금액의 20%
30,000,000 이상	4,954,000+30,000,000을 초과하는 금액의 25%

4. 상속세의 신고 및 납부

상속세납부의무가 있는 상속인은 상속 개시일부터 6개월 내에 상속세의 과세대상 금액 및 과세표준을 세무소에 신고하여야 한다. 세금신고서에 상속세 과세표준의 계산에 필요한 상속재산의 종류, 수량, 평가가격, 재산 분할지불 및 각종 공제 등을 입증할

110) 채권담보의 목적으로 일정한 재산을 양도하고, 채무자가 채무를 이행하지 않는 경우에 채권자는 목적물로부터 우선변제를 받게 되나, 채무자가 이행을 하는 경우에는 목적물을 채무자에게 반환하는 방법에 의한 담보를 말한다.

111) 개성공업지구 세금규정 제53조에서 규정한 채무액, 장례비용 및 부양료 US＄30만 달러를 공제한 후의 금액으로 상속세 과세표준으로 봄이 타당하다.

수 있는 서류 등을 첨부하여 세무소에 제출하여야 한다.

상속 개시일이란 유언집행자 또는 상속재산관리인이 지정 또는 선임되어 직무를 시작하는 날을 의미한다(개성공업지구 세금규정 시행세칙 제87조).

상속이 개시된 때에 그 상속인은 피상속인에게 부과되거나 그 피상속인이 납부할 세금, 연체료, 벌금에 대하여 상속으로 인하여 얻은 재산을 한도로 납부할 의무를 진다(개성공업지구 세금규정 시행세칙 제24조).

재산을 상속받은 자가 2명 이상일 경우에는 상속자별로 자기 몫에 해당한 상속세를 납부하여야 한다(개성공업지구 세금규정 제58조).

상속세는 화폐재산으로 납부한다. 부득이한 사정으로 상속세를 화폐재산으로 납부할 수 없을 경우에는 재산의 종류, 가격, 수량, 품질, 현물재산으로 납부하는 이유 같은 것을 밝힌 신청서를 공업지구 세무서에 내고 승인받은 다음 현물재산으로 납부할 수도 있다(개성공업지구 세금규정 제57조).

상속세가 US＄3만 달러 이상일 경우에는 공업지구 세무서의 승인을 받아 그것을 3년간 분할하여 납부할 수 있다(개성공업지구 세금규정 제59조).

세무소는 분할지불 납부를 승인받은 납세의무자가 아래 조항에 해당되는 경우에는 그 분할지불 납부허가를 취소하고 분할지불 납부에 관계되는 세액을 일시에 징수할 수 있다.

① 분할지불 납부세액을 지정된 납부기한까지 납부하지 않은 경우

② 담보의 변경 및 기타 담보 보존에 필요한 세무소의 명령에 따르지 않은 경우

제19절 재산세

기업과 개인은 공업지구에 소유하고 있는 건물에 대하여 재산세를 납부하여야 한다. 건물에는 기업과 개인의 소유로 되어 있는 각종 생산 및 비생산용 건물, 살림집, 별장들과 그 부속건물들이 포함된다(개성공업지구 세금규정 제41조, 개성공업지구 세금규정 시행세칙 제71조).

재산세의 납부는 매년 1월 1일 현재의 건물 소유자가 한다. 건물 소유자는 건물을 임대하였거나 저당하였을 경우에도 재산세를 납부하여야 한다. 그러나, 신규투자를 촉진하기 위하여 새로 건설한 건물을 소유하였을 경우에는 등록한 날부터 5년간 재산세를 면제한다(개성공업지구 세금규정 제42조, 제51조, 개성공업지구 세금규정 시행세칙 제79조).

건물의 소유자가 공업지구 안에 없는 경우에는 건물의 관리자 또는 건물의 관리를 위임받은 건물 사용자가 재산세 납부의무자로 된다(개성공업지구 세금규정 시행세칙 제72조).

건물 소유자는 건물을 취득한 다음달 20일 안으로 공업지구관리기관에 건물등록신청서를 제출하여 건물등록을 하여야 한다. 건물등록신청서에는 건물소유자의 이름, 주소, 건물명, 단위, 수량, 건평, 내용연한, 건설연도, 취득 가격 같은 것을, 양도받은 건물은 양도자의 이름, 주소 같을 것을 밝힌다(개성공업지구 세금규정 제43조).

건물의 등록가격은 해당 건물을 취득할 당시의 현지가격으로 한다. 건물의 등록가격이 정확하지 못하다고 인정되는 경우 회계검증기관이 공증한 가격과 세무소가 평가하는 가격을 기준가격으로 한다(개성공업지구 세금규정 제44조, 개성공업지구 세금규정 시행세칙 제74조).

건물의 소유자는 등록된 건물이 개축, 대보수, 마멸, 분할지불소유 등의 원인으로 가격이 변경되었을 경우에는 관리기관에 재등록을 할 수 있다. 재등록하려는 건물소유자는 관리기관에 변경된 건물의 가격확인문건을 내야 한다.

재산세는 등록된 건물가격에 대하여 부과한다. 공업지구 관리기관은 건물을 등록하였을 경우 건물 등록증을 건물 소유자에게 주고 그 사본을 공업지구 세무소에 보내야 한다(개성공업지구 세금규정 제46조).

건물소유자는 등록된 건물의 가격이 달라졌을 경우 공업지구관리기관에 재등록을 할 수 있다. 재등록하려는 건물소유자는 공업지구관리기관에 변경된 건물의 가격확인 문건을 제출해야 한다(개성공업지구 세금규정 제45조).

재산세 납부세액은 등록된 건물가격에 아래 세율을 적용하여 계산한다(개성공업지구 세금규정 제47조, 제48조).

건물용도	세 율(연간)
생산용 건물	0.1%
주택용 건물	0.2%
상업용 건물	0.5%
오락용 건물	1.0%

공업지구 세무소는 매해 2월 안으로 재산세 납부 통지서를 건물 소유자에게 발급하며 건물 소유자는 재산세 납부 통지서를 받은 날부터 30일 안으로 재산세를 납부하여야 한다. 새로 건설한 건물의 소유자는 건물을 등록한 날부터 5년이 지난 다음 30일 안으로 12월 31일까지의 재산세를 납부하여야 한다(개성공업지구 세금규정 제49조).

건물을 폐기한 자는 건물폐기확인서와 함께 이름, 주소, 건물명, 폐기날짜, 납부한 재산세, 반환 받을 재산세 등의 내용을 밝힌 재산세 반환신청서를 공업지구 세무서에 제출해야 한다. 공업지구 세무서는 신청내용을 10일 안으로 검토하고 건물을 폐기한 날부터 12월 31일까지의 재산세를 돌려주어야 한다(개성공업지구 세금규정 제50조).

제 20절 지방세

개성공업지구의 기업과 개인은 지방세를 납부하여야 한다. 지방세에는 도시경영세, 자동차이용세가 속한다(개성공업지구 세금규정 제72조).

1. 도시경영세

도시경영세는 기업의 월노임 총액 또는 개인의 급여(노동보수), 이자소득, 배당소득, 재산판매소득 같은 월수입 총액에 부과한다.

도시경영세 납부세액은 기업의 월노임 총액 또는 개인의 월수입 총액에 아래 세율을 적용하여 계산한다(개성공업지구 세금규정 제74조, 제75조).

납세의무자	세 율
기업	0.5%
개인	0.2%

기업은 도시경영세를 달마다 계산하여 다음달 10일 안으로 납부하여야 한다. 개인의 도시경영세는 소득을 얻은 다음달 10일 안으로 소득을 지불하는 기업이 원천징수(공제 납부)하거나 수익인이 신고·납부하여야 한다(개성공업지구 세금규정 제76조).

2. 자동차이용세

자동차이용세는 매해 1월 1일 현재로 자동차를 소유한 기업 또는 개인이 납부한다. 자동차에는 승용차, 버스, 화물자동차, 자동 자전차와 특수차가 속한다. 특수차에는 기중기차, 유조차, 지게차, 시멘트운반차, 굴착기, 불도저, 냉동차 등이 속한다(개성공업지구 세금규정 제77조).

공업지구에서 자동차를 이용하려는 자는 공업지구 관리기관에 자동차 소유자의 이름, 거주지 또는 체류지, 자동차 번호, 종류, 좌석수, 적재중량, 소유날짜 등을 기재한 자동차 등록신청서를 제출하여야 한다. 공업지구 관리기관은 자동차를 등록하였을 경우 자동차등록증을 신청자에게 내주고 그 사본을 공업지구 세무소에 보내주어야 한다(개성공업지구 세금규정 제78조).

자동차 이용세 납부세액은 종류별 자동차 대수에 아래 세액(단가)을 적용하여 계산한다(개성공업지구 세금규정 제79조, 제80조).

구 분	세액(US$, 연간 단가)
승용차 대당	US $ 40.00
버스 대당 12석까지 13석~30석까지 31석 이상	 US $ 40.00 US $ 50.00 US $ 60.00
화물자동차 적재 톤(Ton) 당	US $ 3.00
자동 자전차 대당	US $ 10.00
특수차 대당	US $ 20.00

공업지구 세무소는 매해 2월 안으로 자동차 이용세 납부 통지서를 발급하며 자동차 소유자는 자동차 이용세 납부 통지서를 받은 날부터 30일 안으로 자동차 이용세를 납부하여야 한다. 공업지구에서 자동차를 새로 소유한 자는 자동차를 등록한 날부터 30일 안으로 12월 31일까지의 자동차 이용세를 납부하여야 한다(개성공업지구 세금규정 제81조).

자동차를 폐기한 자는 자동차 폐기 확인서와 함께 이름, 주소, 자동차명, 폐기날짜, 납부한 자동차 이용세, 반환받을 자동차 이용세 등을 기재한 자동차 이용세 반환 신청서를 공업지구 세무소에 제출해야 한다. 공업지구 세무소는 신청 내용을 10일 안으로 검토하고 자동차를 폐기한 날부터 12월 31일까지의 자동차 이용세를 돌려주어야 한다(개성공업지구 세금규정 제82조).

자동차를 60일 이상 연속 이용하지 않은 자는 공업지구 세무소에 신청서를 내고 이용하지 않은 기간의 자동차 이용세를 면제받을 수 있다(개성공업지구 세금규정 제83조).

제21절 관 세

개성공업지구에서의 세관관련 업무는 개성공업지구 세관규정에 따라 한다.

우선 무역, 수출입 업무와 관련하여 중요한 점은 개성공업지구에서 물자의 반출입은 신고제로 한다는 점이다. 즉, 허가제가 아닌 신고제로 운영한다는 점에 주목할 필요가 있다(개성공업지구 세관규정 제4조).

개성공업지구 세관규정은 개성공업지구에 설립된 기업(개발업자 포함)과 지사, 영업소, 사무소 및 지사가 공업지구의 개발과 관리운영, 생산과 경영을 위하여 반출입하는 물자와 우편물, 출입하는 운수수단에 적용한다. 남측지역에서 공업지구에 출입하는 남측 및 해외동포, 외국인(이 아래부터는 '개인'이라 한다)에게도 이 규정을 적용한다(개성공업지구 세관규정 제2조).

그러나 공업지구에서 공업지구 밖의 북한지역으로의 반출입과 관련 세관업무는 따로 정한 법규에 따라 한다(개성공업지구 세관규정 제9조).

공업지구 세관사업과 관련하여 법적으로 정하지 않은 사항은 해당 세관이 공업지구 관리기관과 협의하여 처리하며 남과 북 사이에 맺은 해당 합의서의 사항에 따라 처리한다(개성공업지구 세관규정 제8조).

1. 관세 부과기준과 면세 기준

북한에서는 개성공업지구의 개발과 관리운영은 나라와 나라 사이의 무역이 아닌, 민족내부의 교역으로 간주하여, 개성공업지구는 관세 면세원칙이 적용되는 무관세지역으로 규정하고 있다.

공업지구에서 반출입물자와 북한의 기관, 기업소, 단체에 위탁가공 하는 물자에 대하여서는 관세를 부과하지 않는다. 그러나 다른 나라에서 반입한 물자를 가공에 사용하지 않고 그대로 공업지구 밖의 북한 지역에 판매하는 경우에는 관세를 부과할 수 있다(개성공업지구 세관규정 제7조).

관세를 부과하는 경우는 투자당사자가 한국측 투자자, 해외동포 투자자 또는 외국인 투자자 여부에는 관계없이 다른 나라에서 물자를 공업지구에 반입하여 가공하지 않거나, 또는 가공하여 생산한 제품을 공업지구 밖의 북한 지역으로 판매하는 경우를 의미한다(세관법 제50조).

2. 관세의 부과와 납부

세관은 관세를 부과하려는 기업, 지사 또는 개인에 관세납부통지서를 발급하여야 한다(개성공업지구 세관규정 제36조).

공업지구에서 관세의 기준가격은 해당 물자의 공업지구도착가격(CIF)으로 한다. 관세의 계산은 해당 시기의 관세율을 적용한다(개성공업지구 세관규정 제37조).

관세납부통지서를 받은 기업, 지사는 지정된 은행에 관세를 납부하여야 한다. 이 경우 해당 은행으로부터 관세납부증을 받아 세관에 내야 한다(개성공업지구 세관규정 제38조).

관세를 초과하여 납부한 기업, 지사 또는 개인은 관세를 납부한 날부터 1년 안에 초과분에 해당한 관세를 돌려줄 것을 세관에 요구할 수 있다. 이 경우 세관은 1개월 안으로 검토하고 돌려주거나 부결하여야 한다. 세관은 관세를 적게 부과한 물자에 대하여서는 그것을 통과시킨 날부터 1년 안에 해당한 관세를 추가로 부과시킬 수 있다(개성공업지구 세관규정 제39조).

참고로 개성공업지구의 관세부과 제척기간은 일반지역 세관의 관세부과 제척기간(3년[112])에 비하여 단기의 제척기간을 설정하고 있다.

3. 관세의 면제대상

1) 다음의 물자에는 관세를 부과하지 않는다(세관법 제49조).

① 북한의 조치에 따라 반입하는 물자

② 다른 나라 또는 국제기구, 비정부기구에서 북한 또는 해당 기관에 무상으로 기증하거나 지원하는 물자

③ 외교여권을 가진 공민, 북한에 주재하는 다른 나라 또는 국제기구의 대표기관이나 그 성원이 이용하거나 소비할 목적으로 정해진 기준의 범위에서 들여오는 사

112) 세관은 관세를 부과하지 못하였거나 적게 부과하였을 경우 해당 물자를 통과시킨 날부터 3년 안에 관세를 추가하여 부과할 수 있다(세관법 제52조).

무용품, 설비, 비품, 운수수단, 식료품

④ 외국투자기업이 생산과 경영을 위하여 들여오는 물자와 생산하여 수출하는 물자

⑤ 무관세 상점물자

⑥ 가공무역, 중계무역, 재수출 같은 목적으로 반출입하는 보세물자

⑦ 국제상품 전람회나 전시회 같은 목적으로 임시 반출입하는 물자

⑧ 해당 조약에 따라 관세를 부담하지 않게 규정된 물자

⑨ 이사짐과 상속재산

⑩ 정해진 기준을 초과하지 않는 공민의 짐, 국제우편물

2) 다음의 경우에는 면제대상에 관세를 부과한다(세관법 제50조).

① 외국투자기업이 생산과 경영을 위하여 들여온 물자와 생산한 제품을 북한 지역에서 판매하려 할 경우

② 무관세 상점물자를 용도에 맞지 않게 판매하려 할 경우

③ 가공, 중계, 재수출 같은 목적으로 반입한 보세물자를 북한 지역에서 판매하거나 정해진 기간 안에 반출하지 않을 경우

④ 국제상품 전람회나 전시회 같은 목적으로 임시 반입한 물자를 북한 지역에서 사용, 소비하는 경우

⑤ 해당 대표단성원과 외교여권을 가진 공민, 북한에 주재하는 다른 나라 또는 국제기구의 대표기관이나 그 성원이 정해진 기준을 초과하여 물자를 반출입 하는 경우

⑥ 국제우편물 또는 공민의 짐이 정해진 기준을 초과할 경우

4. 세관등록 및 수속

1) 세관등록 및 변경

공업지구에서 기업, 지사는 세관등록을 하여야 생산 및 경영활동과 관련한 물자를 반출입할 수 있다(개성공업지구 세관규정 제5조).

기업, 지사는 기업창설 또는 지사설립승인을 받은 날부터 20일 안으로 세관에 등록하여야 한다. 경우에 따라 대리인도 세관등록 및 수속을 할 수 있다(개성공업지구 세관규정 제10조, 제11조).

세관등록을 하려는 기업, 지사는 세관등록신청서를 세관에 제출해야 한다. 세관등록신청서에는 기업 또는 지사등록증의 사본, 공인, 명판의 도안, 세관이 요구하는 문건을 첨부하여야 한다. 세관은 세관등록신청서를 접수한 날부터 7일 안으로 해당 기업 또는 지사에 세관등록증을 발급하여 주어야 한다(개성공업지구 세관규정 제12조, 제13조).

공업지구관리기관은 기업의 업종변경을 승인하였을 경우 그 상황을 세관에 즉시 통지하여야 한다(개성공업지구 세관규정 제14조).

2) 운수수단의 등록

한국과 개성공업지구 사이를 자주 왕복하는 운수수단(철도차량 제외)은 세관에 등록하여야 한다. 세관에 등록한 운수수단은 세관수속을 하지 않는다. 운수수단을 등록하려는 기업, 지사와 개인은 운수수단 등록신청서를 세관에 제출해야 한다. 운수수단 등록신청서에는 운수수단의 번호, 차종, 차형과 소속, 생산연도, 배기량, 적재량 또는 정원수, 운행목적, 운행구간, 유효기간을 밝혀야 한다(개성공업지구 세관규정 제15조, 제16조).

세관은 운수수단 등록신청서를 접수한 날부터 3일 안으로 해당 운수수단을 등록하고 운수수단등록증을 발급하여 주어야 한다. 운수수단등록증의 유효기간은 연장할 수 있다. 물자를 반출입 하려는 기업, 지사와 개인은 품명, 수량, 규격, 가격과 출발지, 도착지, 송화인, 수화인 같은 것을 밝힌 물자반출입신고서를 세관에 내야 한다. 물자반출입신고서는 컴퓨터통신망을 통하여 제출할 수도 있다(개성공업지구 세관규정 제17조, 제18조).

3) 반출입 신고

기업, 지사는 공업지구 밖의 북한의 기관, 기업소, 단체에 위탁가공을 하려할 경우 가공물자 반출입신고서를 세관에 제출하여야 한다. 가공물자 반출입신고서에는 품명, 수량, 규격, 가공비와 위탁자, 수탁자, 가공기간, 가공장소 등을 기재하여야 한다(개성공업지구 세관규정 제19조).

열차로 수송하는 통과물자에 대한 세관신고는 공업지구 안의 해당 철도역이 한다. 철도역은 열차가 도착하는 즉시 세관에 짐부침표, 차표(차무이표), 짐나름표, 출하명세서 같은 문건을 내야 한다(개성공업지구 세관규정 제20조).

한국 또는 다른 나라에서 보내온 우편물에 대한 세관신고는 개성공업지구 우편국이 한다. 한국 또는 다른 나라로 보내려는 우편물에 대한 세관신고는 해당 기업, 지사, 개인 또는 그 대리인이 한다(개성공업지구 세관규정 제21조).

개인은 휴대품을 세관에 신고하여야 한다. 휴대품에 대한 세관신고는 말로 한다(개성공업지구 세관규정 제22조).

개성공업지구에서는 외화를 세관신고 없이 반출입한다. 그러나 귀금속과 보석은 세관에 신고하여야 반출입할 수 있다(개성공업지구 세관규정 제23조).

5. 기 타

기업, 지사 또는 개인은 반출입물자를 컨테이너(짐함), 유개차와 같은 운수수단으로 수송하여야 한다. 산적[113]으로 수송하는 물자, 소량의 물자는 컨테이너(짐함) 또는 유개차가 아닌 운수수단으로도 수송할 수 있다(개성공업지구 세관규정 제32조).

공업지구에는 보세전시장, 보세창고, 보세공장 같은 것을 설치, 운영할 수 있다. 해당 기업, 지사는 보세전시장, 보세창고, 보세공장에 대한 세관의 감독조건을 보장하여야 한다. 보세전시장, 보세창고에는 보세물자가 아닌 물자를 보관할 수 없다. 보세물자의 반출입과 보세공장에서 보세물자포장의 기호표식을 고치는 작업, 선별, 재포장작업 같은 것은 세관의 감독 하에 한다(개성공업지구 세관규정 제34조, 제35조).

113) 산적(散積) : 꾸리지 않고 흩어진 채로 실음, 북한 과학원출판사, 1961

제22절 보험

개성공업지구에서의 보험관련 업무는 개성공업지구 보험규정에 따라 한다.

1. 보험 개요

개성공업지구에서 보험사업은 공업지구보험회사가 한다. 공업지구보험회사를 정하는 사업은 중앙공업지구지도기관이 한다. 공업지구보험회사는 공업지구 안에 지사 또는 사무소를 설치하고 보험사업을 할 수 있다(개성공업지구 보험규정 제3조, 제4조).

보험에 가입하려는 법인 또는 개인은 공업지구보험회사(이 아래부터는 '보험자'라 한다)의 보험에 들어야 한다(개성공업지구 보험규정 제5조).

법인 또는 개인은 다음의 손해를 보상하기 위한 보험에 의무적으로 가입하여야 한다(개성공업지구 보험규정 제6조).

① 화재 및 폭발, 자연재해로 인한 건물 및 기계장치에 생긴 물질적 손해

② 가스사고로 인한 제3자의 생명, 신체 또는 재산에 생긴 손해

③ 자동차사고로 인한 다른 사람을 사망, 부상당하게 하였거나 제3자의 재산에 입힌 손해

④ 종업원이 노동과정에 재해로 입은 손해(기업이 사회보험료를 납부하게 되어있는 종업원은 제외)

보험에 가입하려는 법인 또는 개인이 공업지구보험회사의 보험에 들지 않았을 경우에는 US$1만 달러까지의 벌금을 부과한다(개성공업지구 보험규정 제26조).

2. 보험계약의 체결, 발효 및 소멸

1) 보험계약의 체결과 발효

보험계약은 보험자와 보험에 가입하려는 법인 또는 개인(이 아래부터는 '피보험자'라 한다) 사이에 체결한다. 보험자는 보험대리인을 통하여 보험계약을 체결할 수도 있

다. 보험계약은 서면으로 체결한다(개성공업지구 보험규정 제7조).

보험에 가입하려는 피보험자는 보험계약신청서를 보험자에게 제출하여야 한다. 보험계약신청서에는 보험대상, 보험가격 또는 보험금액, 보험기간, 책임범위 같은 사항을 정확히 명시하여야 한다(개성공업지구 보험규정 제8조).

보험계약은 보험자가 보험계약신청에 동의하고 피보험자에게 보험증권을 발행하는 것으로 성립한다(개성공업지구 보험규정 제9조).

보험계약의 효력은 피보험자가 보험료를 납부한 때부터 발생한다. 보험자는 피보험자가 보험료를 납부하기 전에 발생한 손해에 대하여 책임지지 않는다(개성공업지구 보험규정 제10조).

피보험자는 보험계약에서 따로 정하지 않은 경우 보험료를 보험기간이 시작되기 전에 납부하여야 한다. 보험료는 계약조건에 따라 한 번에 납부할 수도 있고 여러 번에 나누어 납부할 수도 있다(개성공업지구 보험규정 제11조).

2) 보험계약의 취소 및 소멸

피보험자가 정해진 보험료를 납부하지 않았을 경우 보험계약을 맺은 날부터 2개월이 지나면 계약의 효력은 없어진다. 보험료의 일부만을 납부하고 나머지를 정한 기간까지 납부하지 않을 경우 보험자는 다시 기간을 정하여 주며 그 기간에도 보험료를 납부하지 않으면 계약을 취소할 수 있다.

제3자를 위한 보험에서 피보험자가 보험료의 납부를 지체할 경우 보험자는 다시 기간을 정하여 주며 그 기간이 지나도록 보험료를 납부하지 않으면 계약을 취소할 수 있다(개성공업지구 보험규정 제12조).

보험자가 보험계약을 취소할 수 있는 경우는 다음과 같다(개성공업지구 보험규정 제23조).

① 보험기간 안에 보험대상이 없어졌을 경우

② 피보험자가 보험기간 안에 보험위험의 변경통지를 하지 않았을 경우

③ 피보험자가 보험자의 조사에 응하지 않거나 보험자의 권고에 대하여 해당한 대책을 세우지 않았을 경우

④ 피보험자가 보험사고를 고의적으로 일으켰거나 또는 허위신고를 하고 보험보상을 요구하였을 경우

⑤ 기타 정당한 사유가 있을 경우

보험계약이 소멸(취소)되는 경우는 다음과 같다(개성공업지구 보험규정 第24조).

① 어찌할 수 없는 사유로 보험사업을 다시 할 수 없을 경우

② 보험계약 일방이 지불능력을 상실하였을 경우

③ 보험계약 일방이 파산 또는 해산되었을 경우

3) 보험계약의 양도

보험증권을 양도하려는 피보험자는 서면으로 보험자의 동의를 받아야 한다. 보험증권이 양도되면 피보험자의 계약상 권리의무는 보험증권을 양도받은 자에게 넘어간다(개성공업지구 보험규정 第24조).

3. 보험 보상

피보험자는 보험사고가 발생하였을 경우 48시간 안으로 보험자에게 알리고 손해를 확인할 수 있도록 사고현장을 보존하여야 한다(개성공업지구 보험규정 第16조).

피보험자는 보험사고가 발생하였을 경우 손해가 늘어나지 않도록 해당한 대책을 세워야 한다. 손해가 늘어나는 것을 막기 위하여 피보험자가 들인 합리적인 비용은 보험자가 부담한다(개성공업지구 보험규정 第17조).

보험사고가 발생하였을 경우 보험자는 그에 대한 감정을 조직할 수 있다. 감정은 전문감정기관 또는 해당 자격이 있는 자만이 할 수 있다(개성공업지구 보험규정 第18조).

피보험자는 보험사고가 발생하였을 경우 30일 안으로 보험보상청구서를 보험자에게 내야 한다. 이 경우 사고의 원인과 손해정도를 확인할 수 있는 자료를 함께 내야 한다. 정해진 기간까지 보험보상청구서를 낼 수 없을 경우에는 그 사유를 보험자에게 알려야 한다(개성공업지구 보험규정 第19조).

보험보상은 보험자가 보험보상청구서를 접수한 날부터 30일 안으로 한다. 정당한 이유 없이는 보험보상을 거절할 수 없다(개성공업지구 보험규정 第20조).

배상책임보험에서 보험자는 피보험자가 제3자의 생명이나 재산에 피해를 주었을 경우 피해를 입은 자에게 손해보상금을 직접 지불할 수 있다(개성공업지구 보험규정 第21조).

피보험자는 보험사고가 제3자에 의하여 발생하였을 경우 그에 대한 보상청구권을

확보하여야 한다(개성공업지구 보험규정 제22조).

보험사고와 관련한 보상청구시효는 보험사고가 발생한 날부터 2년으로 한다(개성공업지구 보험규정 제25조).

제 2 장

금강산국제관광특구

제 1 절 금강산국제관광특구 개발사업의 특혜사항

1. 투자장려 및 보호정책

금강산국제관광특구지도국은 국제관광 특구의 개발과 운영을 통일적으로 지도하며 금강산국제관광특구 관리위원회를 통하여 국제관광특구에 대한 외국기업의 투자와 경제활동보장, 국제관광사업과 투자재산보호 등 전반사업을 맡아 수행한다.

금강산국제관광특구지도국은 국제관광특구의 비행장, 철도, 도로, 항만, 발전소, 통신시설 등 하부구조를 원만히 갖추기 위한 조치를 적극적으로 취하며 이 부문에 대한 투자를 특별히 장려한다.

금강산국제관광특구지도국은 투자가가 투자한 자본과 합법적으로 얻은 소득, 투자가에게 부여된 권리를 법적으로 보호한다.

2. 투자 경영 및 소유방식의 자유보장, 편의보장

금강산국제관광특구개발에 참가하는 해외투자가는 하부 구조건설부문과 여러가지 관광봉사업(여행업, 숙박업, 식당업, 카지노업, 골프장업, 오락 및 편의시설업 등), 첨단공업, 농업 부문에 단독 또는 다른 투자가와 공동으로 투자하여 단독기업 또는 합영, 합작기업을 창설할 수 있다.

국제관광특구에는 기업의 지사, 대리점, 출장소 같은 것을 설치할 수 있다.

외국투자가가 계약상의 의무를 정확히 이행하였을 경우 3일~15일 이내에 그가 신청한 기업창설승인과 영업허가를 받을 수 있다.

국제관광특구에서 기업은 자기가 요구하는 높은 지적 수준을 가진 값싼 노동력을 북한과 다른 나라 또는 남측 및 해외동포로부터 채용할 수 있다.

3. 세금, 관세, 토지임대에 있어서 특혜보장

1) 세금 특혜

국제관광특구에서 기업소득세는 결산이윤의 14%로 하며, 하부구조건설부문 및 먼저 투자하는 기업(이 특혜사항을 발표한 후 2년 내에 투자를 진행한 기업)은 결산이윤의 10%를 적용한다. 총 투자액 규모에 따라 기업소득세를 3년~4년간 감면, 2년~3년간 50% 감면해 주며 이윤의 재투자에도 특혜를 준다.

국제관광특구에서는 세금항목을 간소화하여 적용하며 영업세와 지방세 등 각종 세금에서도 투자장려부문과 먼저 투자하는 기업, 총 투자액 규모에 따라 특혜를 보장해 줄 수 있다.

2) 관세 특혜

국제관광특구에서는 특혜관세를 적용한다. 국제관광특구에서 세관수속은 신고제로 한다.

3) 토지임대에서의 특혜

국제관광특구에서 토지임대 기간은 장려부문 투자, 먼저 투자하는 기업, 총 투자액 규모에 따라 50년까지의 범위 안에서 정할 수 있다.

토지임대료는 ㎡당 50유로까지의 범위에서 급지별, 먼저 투자하는 기업, 총 투자액 규모에 따라 특구 이외의 지역보다 우대적으로 정하며 토지사용료에서도 특혜를 적용한다.

4. 출입, 거주 및 체류의 편리보장

국제관광특구에서는 무사증제를 실시한다. 국제관광특구에 출입, 거주 및 체류수속은 최단기간에 간편하게 하도록 보장한다.

5. 외화관리의 편리보장

국제관광특구 안에서 기업과 개인은 특구 안에 설립된 북한은행 또는 다른 나라 은행에 돈자리를 개설하고 전환성외화의 거래를 자유롭게 할 수 있다.

국제관광특구에서는 외화를 자유롭게 반출입 할 수 있으며 합법적으로 얻은 이윤과 소득금을 재투자하거나 내갈 수 있다.

제2절 금강산국제관광특구법 기본개요

1. 연혁 및 개요

금강산 관광사업은 개성공업지구 개발보다 앞서 진행되었다.

북한은 민간사업자인 현대아산의 제의에 따라 1998년 11월 금강산관광을 추진하였다. 사업초기부터 북한이 금강산 지역을 특별구역으로 지정한 것은 아니었다.

금강산 관광사업은 당초 해로를 통한 관광사업으로 시작되었으나, 2003년 육로 관광으로 전환되면서 관광객이 증가하여 2005년 6월에 누적관광객 수가 100만명을 도달하게 되어, 2001년 한국관광공사가 금강산 현지의 관광시설물 일부를 인수하는 방법으로 사업에 참여하고 2002년 한국정부의 금강산 관광사업에 대한 남북협력기금 지원의 결과로, 북한은 2002년 11월 13일 금강산관광지구법을 제정하여 금강산관광지구법을 입법화 하였다.

그러나, 2008년 금강산 관광객의 피살사건으로 인해 사업이 중단되고, 사업 중단이 장기화되자 북한은 2011년 4월 8일 금강산관광에 대한 현대아산의 독점권을 취소하는 한편, 같은 해 5월 31일 금강산국제관광특구법을 제정하였다.

2. 투자 및 개발의 주체와 경제활동 조건보장

국제관광특구에는 다른 나라 법인, 개인, 경제조직이 투자할 수 있다. 남측 및 해외동포, 북한의 해당 기관, 단체도 투자할 수 있다.

국가는 국제관광특구에 대한 투자를 적극 장려하며 투자가들에게 특혜적인 경제활동조건을 보장한다(금강산국제관광특구법 제4조).

투자가는 국제관광특구개발을 위한 하부구조건설부문과 여행업, 숙박업, 식당업, 카지노업, 골프장업, 오락 및 편의시설업 같은 관광업에 단독 또는 공동으로 투자하여 여러 가지 형식의 기업을 창설할 수 있다(금강산국제관광특구법 제24조).

상기 규정은 구(舊) 금강산관광지구법 제7조 및 제8조의 내용, 관광지구의 개발은 개발업자가 한다. 개발업자는 중앙관광지구지도기관이 정한 기간까지 관광지구 개발과 관광사업권한을 행사할 수 있으며 그 권한의 일부를 다른 투자가에게 양도하거나 임대할 수 있다는 규정이 변경된 것으로, 개발업자로 지정된 현대아산의 개발 독점권이 취소된 것을 확인할 수 있다. 뿐만 아니라, 투자의 주체로 외국법인 및 외국인을 우선하여 명기함으로써 한국 측 투자자의 지위가 하락한 것을 알 수 있다.

북한은 금강산국제관광특구를 독자적으로 신설해 주권을 행사키로 한 것이라고 주장할 것이지만, 동 규정을 통하여 북한이 금강산특구법을 입법하여 개발업자인 현대아산의 독점권을 박탈한 것이다. 따라서, 이와 관련한 재개정을 요구하여야 하며, 혹은 이에 상응하는 보상 또는 최소한 일정기간에 대한 경과조치를 요구하여 현대아산의 권리를 보호하는 방안을 강구하여야 한다.

3. 금강산국제관광특구의 관리

국제관광특구지도기관은 국제관광특구의 개발과 관리운영을 통일적으로 지도하는 중앙지도기관이다(금강산국제관광특구법 제9조).

국제관광특구관리위원회는 국제관광특구를 관리하는 현지집행기관이다. 국제관광특구관리위원회는 책임자는 위원장이다(금강산국제관광특구법 제11조).

국제관광특구에는 국제관광특구관리위원회, 투자가, 기업의 대표들로 구성하는 공동협의 기구 같은 것을 내올 수 있다. 공동협의기구는 국제관광특구의 개발과 관리, 기업운영에서 제기되는 중요문제들을 협의, 조정한다(금강산국제관광특구법 제13조).

동 규정은 금강산국제관광특구 운영의 자율성과 관련된 내용으로, 개성공단의 운영과 비교해 볼 때 자율성이 거의 없다.

즉, 개성공업지구에서 발생하는 법적분쟁은 각종 남북합의서와 개성공업지구법과 제반규정, 그리고 공업지구관리기관이 제정한 각종 사업준칙에 따라 처리함이 원칙이며, 법규가 미비할 때에는 북한측을 대표하는 중앙공업지구지도기관과 한국측 인원이 대부분을 차지하고 있는 공업지구관리기관이 협의하여 결정하는 것으로 되어있다.

그러나, 금강산국제관광특구에서는 개성공업지구의 공업지구관리기관에 해당하는 국제관광특구관리위원회 조직이 집행기관으로 되어 있으며, 한국 기업 및 투자가는 법적인 자율성 및 권한이 거의 없다고 할 수 있는 공동협의기구를 설립할 수 있다는 수준의 법적지위를 부여받고 있다(금강산국제관광특구법 제13조).

4. 관광 당사자

국제관광특구에서의 관광은 외국인이 한다. 북한 공민과 남측 및 해외동포도 관광을 할 수 있다(금강산국제관광특구법 제18조).

상기 규정은 금강산국제관광특구를 관광할 수 있는 관광객에 대한 규정으로 구(舊) 금강산관광지구법 제2조의 '금강산관광지구에서의 관광은 남측 및 해외동포들이 한다. 외국인도 금강산 관광을 할 수 있다.'는 규정이 변경된 것으로, 기존에는 금강산국제관광특구의 관광객이 주로 한국 국민이었다는 규정과 비교해 볼 때 한국인 관광객의 중요성 또는 우선순위에 변동이 발생했다는 것을 알 수 있다.

5. 세 금

국제관광특구에서 기업과 개인은 해당 법규에 정해진 세금을 물어야 한다. 비행장, 철도, 도로, 항만, 발전소건설 같은 특별장려부문기업에는 세금을 면제하거나 감면해준다(금강산국제관광특구법 제36조).

상기 규정은 구(舊) 금강산관광지구법 제8조에 규정된 '개발업자가 하는 관광지구 개발과 영업활동에는 세금을 부과하지 않는다.'는 면세지역 정책을 철회하고 개성공업지구 세금규정을 모델로 하여 일반 과세로의 전환을 규정하고 있다.

이와 더불어, 북한은 2012년 6월 27일 세목, 납세의무자, 세율, 납부기한 및 벌금 등의 총 62개 조항으로 구성된 금강산국제관광특구 세금규정을 채택 공표하였다.

금강산국제관광특구 세금규정의 내용을 살펴보면, 개성공업지구 세금규정을 기준으로 하여 대부분의 규정을 인용하고 있으며, 세율을 개성공업지구 보다 상향 조정하고 각종 세금납부 기간을 단축하는 등 세금관련 규정을 강화하는 방향으로 규정하고 있다.

주목할 점은, 개성공업지구 세금규정 제16조[114]와 개성공업지구 세금규정 시행세칙 제14조[115]에 규정된 남북한 합의내용이 다른 규정에 우선한다는 규정이 금강산국제관

114) 세금과 관련하여 남북 사이에 체결한 합의서 또는 북한과 다른 나라 사이에 맺은 협정이 있을 경우에는 그에 따른다.

115) 남북 사이의 소득에 관한 이중과세방지합의서를 비롯한 남북 사이에 체결한 기타 합의서 또는 세무업무와 관련하여 북한과 다른 나라 사이에 맺은 협정들에 준하여 이 규정과 다르게 세금을 납부하려는 기업과 개인은 해당 합의서나 협정에 준하여 과거에 납부한 세금납부증과 협정문건(사본)을 세무소에 제출하여야 한다.

광특구 세금규정[116]에는 반영되어 있지 않으며, 금강산국제관광특구 세금규정 제11조에서는 국제관광특구에서 세금과 관련하여 북한과 다른 나라 사이에 맺은 협정이 있을 경우에는 그에 따른다고 규정하여 국제법우선의 원칙을 수용하고 있음을 알 수 있다.

특히 금강산국제관광특구법 제36조에서는 국제관광특구에서 기업과 개인은 해당 법규에 정해진 세금을 물어야 한다고 규정하여 개인소득세와 관련하여 남북한 합의에 따른 개인소득세 면세적용이 불가능하게 되었다는 점에 주의할 필요가 있다.

6. 기업창설

투자가는 국제관광특구개발을 위한 하부구조건설부문과 여행업, 숙박업, 식당업, 카지노업, 골프장업, 오락 및 편의시설업 같은 관광업에 단독 또는 공동으로 투자하여 여러 가지 형식의 기업을 창설할 수 있다(금강산국제관광특구법 제24조).

국제관광특구의 개발은 개발 총계획에 따라 한다. 국제관광특구에서 하부구조를 건설하거나 기업을 창설하려는 투자가는 국제관광특구개발 총계획의 요구를 지켜야 한다(금강산국제관광특구법 제25조).

국제관광특구에서 기업을 창설, 운영하려는 투자가는 국제관광특구관리위원회의 기업창설승인을 받아야 한다. 기업창설신청서에는 기업의 명칭, 투자가의 이름과 주소, 총투자액과 등록 자본, 업종 및 규모, 투자기간, 존속기간, 관리기구, 종업원수 등을 밝히며 기업의 규약, 자본신용확인서, 경제기술타산서 등을 첨부하여야 한다(금강산국제관광특구 기업창설운영규정 제10조).

기업창설승인을 받은 투자가는 정해진 기간 안에 기업등록과 세무등록, 세관등록을 하여야 한다(금강산국제관광특구법 제26조).

국제관광특구개발과 관리운영을 위한 비행장, 철도, 도로, 항만, 발전소 같은 하부구조건설승인은 국제관광특구지도기관이 한다. 비행장, 철도, 도로, 항만, 발전소 같은 하부구조건설부문의 투자를 특별히 장려한다(금강산국제관광특구법 제27조).

국제관광특구에는 지사, 대리점, 출장소 같은 것을 내올 수 있다. 이 경우 금강산국제관광특구관리위원회의 승인을 받아야 한다(금강산국제관광특구법 제28조).

기업과 개인은 국제관광특구 안에 설립된 북한은행 또는 다른 나라 은행에 돈자리를

116) 국제관광특구에서 세금과 관련하여 북한과 다른 나라 사이에 맺은 협정이 있을 경우에는 그에 따른다.

개설하고 이용할 수 있다(금강산국제관광특구법 제29조).

기업과 개인은 국제관광특구 안에 설립된 북한 또는 다른 나라 보험회사의 보험에 들 수 있다(금강산국제관광특구법 제31조).

7. 기업관리 및 운영

국제관광특구에서 기업은 북한의 노동력과 다른 나라 또는 남측 및 해외동포를 채용할 수 있다(금강산국제관광특구법 제33조).

국제관광특구에서 유통화폐는 전환성외화로 한다. 전환성외화의 종류와 기준화폐는 국제관광특구지도기관이 해당 기관과 합의하여 정한다(금강산국제관광특구법 제34조).

국제관광특구에서는 외화를 자유롭게 반출입할 수 있으며 합법적으로 얻은 이윤과 소득금을 송금할 수 있다. 투자가는 다른 나라에서 국제관광특구로 반입 및 투자한 재산과 국제관광특구에서 합법적으로 취득한 재산을 경영기간이 끝나면 북한 이외의 지역으로 내갈 수 있다(금강산국제관광특구법 제35조).

상기 '경영기간'이라는 단어에 대하여 주목할 필요가 있다. 북한은 중국과 유사한 상법(회사법) 체계로 구성되어 있다. 중국의 상법(회사법)은 한국 상법과 회계 등에서의 기본적인 공준이라고 할 수 있는 회사의 영속성(계속기업의 가정, Going-concern assumption)을 인정하지 않고 있으며, 회사는 주주간의 합의에 의하여 설립된 실체로 주주간에 합의(정관)된 기간에 따라 법인이 운영된다는 기업의 존속기간을 규정하고 있으며, 존속기간 만료가 청산(해산)의 요건으로 규정되어 있다. 물론 존속기간 만료 시점 또는 존속기간 만료 이전에 추가적인 주주 합의를 통하여 기업의 존속기간을 연장할 수 있으며, 존속기간 만료 이전에 주주 합의를 통하여 청산(해산)을 결의할 수도 있다.

상기 존속기간과 관련한 규정으로 금강산국제관광특구 기업창설운영규정 제10조와 외국투자기업 등록법 제16조에서 기업의 설립에 있어서 존속기간의 확정이 필수 기재사항으로 규정하고 있다. 동 규정 등에서 '존속기간'이라는 어휘를 사용하고 있음을 확인할 수 있다.

따라서, 주의할 점은 금강산국제관광특구법 제35조에서의 '경영기간이 끝나면'에서의 경영기간의 뜻이 불확실 하다는 점이다. 사전(事前)에 설정한 존속기간의 종료를 의미하는 것인지, 아니면 존속기간이 만료되지 않은 상황에서 중도에 청산(해산)을 하여 경영을 중단하는 것 역시 '경영기간이 끝나는' 것으로 볼 것인지에 대한 명확한 해석이 불가능한 상황이다.

즉, 존속기간 만료가 아닌 경영기간 중도에 청산을 하는 경우, 투자금액을 회수할 수 있는지에 대한 규정이 명확히 확인되지 않는다는 것에 주의할 필요가 있다.

8. 통관 및 관세

국제관광특구에서는 정해진 금지품을 제외하고 경영활동과 관련한 물자를 자유롭게 들여오거나 내갈 수 있다(금강산국제관광특구법 제37조).

국제관광특구에서는 특혜관세제도를 실시한다. 국제관광특구의 개발과 기업경영에 필요한 물자, 투자가에서 필요한 정해진 규모의 사무용품, 생활용품에는 관세를 적용하지 않는다. 관세 면제대상 물자를 국제관광특구 이외의 지역에 팔거나 북한에서 제한하는 물자를 국제관광특구 안에 들여오는 경우에는 관세를 부과한다(금강산국제관광특구법 제38조).

제3절 금강산국제관광특구 기업창설규정

1. 기업창설의 주체, 투자의 제한 및 금지대상

금강산국제관광특구에서 기업(지사, 사무소 포함)을 창설 운영하는 다른 나라의 법인, 개인, 경제조직과 남측 및 해외동포들에게 이 규정을 적용한다.

투자가는 단독 또는 다른 투자가와 공동으로 투자하여 여러가지 형식의 기업을 창설할 수 있다.

국제관광특구에서 자연생태환경을 파괴하거나 변화시킬 수 있는 대상에 대한 투자는 제한하거나 금지한다. 국제관광특구에서 제한하거나 금지하는 대상을 정하는 사업은 중앙금강산국제관광특구지도기관이 한다.

2. 기업의 정관 및 등록자본

기업은 정관(규약)을 가지고 있어야 한다. 정관(규약)에는 기업의 명칭 및 주소, 창설목적, 업종 및 규모, 총투자액과 등록자본, 기업책임자, 재정검열원의 임무와 권한, 주식, 채권의 발행사항, 이윤분배, 해산 및 청산, 정관(규약)의 수정 및 보충절차 등을 밝혀야 한다.

상기 내용에서 확인되는 바와 같이 금강산국제관광특구에서 설립하는 기업은 유한회사 이외에 주식회사 등의 법인설립도 가능한 것으로 확인된다.

기업은 경영활동에 필요한 관리성원과 종업원, 고정된 영업장소를 두어야 한다. 등록자본은 총투자액의 30% 이상이 되어야 한다.

기업은 규약에서 정한 것에 따라 주식, 채권 등을 발행할 수 있다. 주식, 채권 등을 양도하거나 유통시킬 수 있다.

3. 기업창설 승인, 세무 및 세관등록

국제관광특구에 기업을 창설하려는 투자가는 국제관광특구관리위원회에 기업창설

신청서를 제출하여야 한다. 기업창설신청서에는 기업의 명칭, 투자가의 이름과 주소, 총투자액과 등록 자본, 업종 및 규모, 투자기간, 존속기간, 관리기구, 종업원수 등을 기재하여야 하며 기업의 정관(규약), 자본신용확인서, 경제기술타산서 등을 첨부하여야 한다.

국제관광특구관리위원회는 기업등록신청을 접수한 날부터 15일 안으로 검토하고 등록을 승인하거나 부결하여야 한다. 기업은 기업등록증을 발급받은 날부터 15일 안으로 국제관광특구 세무기관과 세관에 해당 등록을 하여야 한다.

기업은 기업창설승인서에 지적된 기간 안에 투자하여야 한다. 부득이한 사정으로 투자기간을 늘이려 할 경우에는 국제관광특구관리위원회에 투자기간연장신청을 하여야 한다.

기업은 허가 받은 업종의 범위에서 영업활동을 하여야 한다. 업종을 늘이거나 변경하려 할 경우에는 국제관광특구관리위원회의 승인을 받아야 한다.

기업은 국제관광특구에 개설된 북한은행 또는 외국투자은행에 돈자리를 두어야 한다.

기업은 기업창설승인서에 지적된 존속기간을 연장하려는 경우 존속기간이 완료되기 6개월 전에 기업의 명칭과 소재지, 연장기간, 경제기술타산서 등을 첨부한 존속기간연장신청서를 국제관광특구관리위원회에 제출해야 한다.

4. 기업의 관리 및 운영

기업은 국제관광특구관리위원회를 통하여 국제관광특구 밖의 북한의 기관, 기업소, 단체와 계약을 맺고 건설 및 경영활동에 필요한 물자를 구입하거나 원료, 자재, 부분품의 가공을 위탁할 수 있다.

국제관광특구에서 물자의 반출입은 신고제로 한다. 물자를 반출입 하려는 기업은 물자 반출입지점의 세관에 신고하고 검사를 받아야 한다.

5. 지분의 양도 및 해산

기업은 자기의 출자지분을 제3자에게 양도할 수 있다. 이 경우 국제관광특구관리위원회에 통지하여야 한다.

기업의 존속기간이 완료되었거나, 자금부족 또는 기타 원인으로 경영활동을 할 수 없거나, 법과 규정을 위반하였을 경우 해산한다. 이 경우 기업은 국제관광특구관리위원회에 해산신고서를 내야 한다. 해산신고서를 낸 날을 기업의 해산일로 한다.

해산되는 기업에 대한 청산사업은 청산위원회가 한다. 청산위원회는 기업 또는 금강산국제관광특구관리위원회가 필요한 성원들로 조직한다.

청산위원회는 기업에 대한 청산사업이 끝나면 청산보고서를 작성하여 국제관광특구관리위원회에 내야 한다. 기업을 청산하고 남은 재산은 금강산국제관광특구 안에서 처리하거나 북한 영역 밖으로 반출할 수 있다.

앞서 언급한 바와 같이, 존속기간 만료 이전에 경영을 지속하지 않는 것으로 내린 결정에 따라 청산(해산)하는 경우, 잔여재산에 대한 북한 이외 지역으로의 반출이 가능한지에 대한 규정이 확인되지 않는다. 사전에 충분한 주의와 확인이 필요하다.

제 4 절 금강산국제관광특구 세금규정

이 규정은 금강산국제관광특구(이 아래부터 '국제관광특구'라고 한다)에서 경제거래를 하거나 소득을 얻는 기업과 개인에게 적용한다.

기업에는 다른 나라 투자가, 남측 및 해외동포가 투자하여 창설 운영하는 기업과 지사, 사무소 등이, 개인에는 외국인, 남측 및 해외동포가 속한다.

따라서, 금강산 국제관광특구 세금규정 역시 외국인 투자기업과 외국인에 대한 과세기준임을 알 수 있다.

1. 기업과 개인의 세무등록 및 변경

기업은 기업등록증을 발급받은 날부터 15일 안으로 금강산국제관광특구세무소(이 아래부터 '세무소'라고 한다)에 세무등록신청서를 내고 세무등록을 하여야 한다. 세무소는 세무등록신청서를 접수한 날부터 10일 안으로 세무등록증을 발급하여야 한다.

합병(통합), 분할(분리)되었거나 등록자본, 업종 등이 변경된 기업은 금강산국제관광특구관리위원회(이 아래부터 '국제관광특구관리위원회'라고 한다)에 변경등록을 한 날부터 10일 안으로 세무소에 세무변경등록을 하여야 한다. 해산되는 기업은 해산 20일 전까지 세무취소등록을 하여야 한다.

국제관광특구에 체류하거나 거주하면서 소득을 얻은 개인은 체류 또는 거주승인을 받은 날부터 20일 안으로 세무소에 세무등록신청서를 내고 세무등록을 하여야 한다. 종업원의 세무등록수속은 기업이 할 수도 있다.

2. 세금의 신고납부

국제관광특구에서 세무사업에 대한 지도는 국제관광특구지도기관이 한다.

세무문건은 5년간 보존한다. 그러나 연간 회계결산서, 고정자산 계산장부는 기업이 운영되는 기간까지 보존한다.

세금은 정해진 외화로 수익인이 직접 신고・납부하거나 수익금을 지불하는 단위가 원천징수(공제납부)한다.

세금납부자는 세무소에 세금납부신고서를 내고 확인을 받은 다음 중앙금강산국제관광특구지도기관(이 아래부터 '국제관광특구지도기관'이라고 한다)이 지정한 은행에 납부하여야 한다. 이 경우 은행은 세금납부자에게 세금납부확인서를 발급하여 주며 세무소에는 세금납부통지서를 보낸다.

세금납부자는 세금을 정해진 기간 안에 납부하여야 한다. 부득이한 사유로 정해진 기간 안에 세금을 납부할 수 없을 경우에는 세무소의 승인을 받아 세금납부기간을 연장할 수 있다.

국제관광특구에서 세금과 관련하여 북한과 다른 나라 사이에 맺은 협정이 있을 경우에는 그에 따른다(금강산국제관광특구 세금규정 제11조).

참고로, 북한에서는 한국과의 협정 및 합의서 등을 체결함에 있어서 이를 나라와 나라 사이의 협약 및 합의서를 체결한 것으로 보지 아니하고, 민족 내부의 거래로 보아 협정과 합의서를 체결한다. 즉, 금강산국제관광특구 세금규정 제11조 등의 법조문에서는 일반적으로 다른 나라 사이에 협정을 언급하고 있는 바, 민족 내부의 거래로 보는 한국과의 협정과 합의서는 다른 나라와 맺은 협정의 요건을 만족하지 못하는 것으로 판단된다.

이에, 개인소득세와 관련하여 남북한 합의에 따른 개인소득세 면세는 현재 상황으로는 불가능 한 것으로 판단된다.

3. 기업소득세

국제관광특구에서 세무사업에 대한 지도는 국제관광특구지도기관이 한다.

1) 과세대상 소득

기업은 국제관광특구에서 경영활동을 하여 얻은 소득과 기타 소득에 대하여 기업소득세를 납부하여야 한다.

경영활동을 통하여 얻은 소득에는 관광봉사소득, 생산물판매소득, 건설물인도소득, 운임 및 요금소득 등이 있으며, 기타 소득에는 이자소득, 배당소득, 고정자산 임대소득, 재산 판매소득, 지적소유권과 기술비결의 제공에 의한 소득, 경영봉사소득, 증여소득 등이 있다.

2) 기업소득세의 세율 및 납부세액의 계산

국제관광특구에서 기업소득세의 세율은 결산이윤의 14%로 한다. 하부구조 건설부문의기업소득세 세율은 결산이윤의 10%로 한다.

기업소득세는 해마다 1월 1일부터 12월 31일까지의 총수입금에서 원료 및 자재비, 연료 및 동력비, 노동력비, 감가상각비, 물자구입경비, 기업관리비, 보험료, 판매비 등을 포함한 원가를 덜어 이윤을 확정하고 이윤에서 거래세 또는 영업세와 기타 지출을 공제한 결산이윤에 정한 세율을 적용하여 계산한다.

3) 기업소득세의 신고납부 방법

기업은 기업소득세를 분기가 끝난 다음달 15일 안으로 예정 납부하고 회계연도가 끝난 다음 3개월 안으로 확정납부 하여야 한다.

기업소득세를 확정납부 하려는 기업은 연간 회계결산서와 기업소득세납부신고서를 세무소에 제출하고 확인을 받은 다음 기업소득세를 해당 은행에 납부하여야 한다. 이 경우 과납액은 반환받고 미납액은 추가납부한다.

기업은 해산될 경우 해산이 선포된 날부터 20일 안으로 국제관광특구세무소에 세금납부담보를 세우며 결산이 끝난 날부터 15일 안으로 기업소득세를 납부하여야 한다.

기업이 통합, 분리될 경우에는 통합 또는 분리가 선포된 날부터 20일 안으로 기업소득세를 납부하여야 한다.

4) 기업소득세의 감면

기업소득세를 면제하거나 감면하는 경우는 다음과 같다.

① 다른 나라 정부, 국제금융기구가 차관을 주었거나 다른 나라 은행이 국제관광특구은행 또는 기업에 유리한 조건으로 대부를 주었을 경우 그 이자소득에 대하여서는 기업소득세를 면제한다.

② 이윤을 재투자하여 5년 이상 운영하는 기업에 대하여서는 재투자분에 해당한 기업소득세의 50%를 덜어준다.

③ 총투자액이 1,000만 유로 이상이 되는 투자기업에 대하여서는 기업소득세를 3년간 면제하며 그 다음 2년간은 50% 감면한다.

④ 총투자액이 2,000만 유로 이상이 되는 철도, 도로, 비행장, 항만 같은 하부구조건설부문의 투자기업에 대하여서는 기업소득세를 4년간 면제하며 그 다음 3년간은 50% 감면한다.

기업소득세를 감면 받으려는 기업은 세무소에 기업소득세 감면신청서와 경영기간, 재투자액을 증명하는 확인문건을 제출하여야 한다. 기업소득세 감면신청서에는 기업의 명칭과 소재지, 업종, 총투자액, 거래은행, 돈자리번호 등을 기재한다.

감면 조건에서 규정한 기간 전에 철수, 해산하거나 재투자한 자본을 거두어들인 기업에 대하여서는 이미 감면하여 주었던 기업소득세를 회수한다.

5) 지사 및 사무소 등의 소득에 대한 과세

국제관광특구에서 기타 소득을 얻은 지사, 사무소는 소득이 생긴 날부터 15일 안으로 소득세를 납부하여야 한다. 이때, 지사 및 사무소가 얻은 기타 소득에는 소득액의 10%의 세율을 적용한다.

4. 개인소득세

국제관광특구에서 소득을 얻은 개인은 개인소득세를 납부하여야 한다.

1) 과세대상 소득

개인소득세의 과세대상에는 노동보수에 의한 소득, 이자소득, 배당소득, 고정재산임대소득, 재산판매소득, 지적소유권과 기술비결의 제공에 의한 소득, 증여소득, 경영봉사소득 등이 속한다.

2) 개인소득세의 세율 및 납부세액의 계산

개인소득세의 계산은 다음과 같이 한다.

① 노동보수에 대한 개인소득세는 월 노동보수액에 정해진 세율을 적용한다.

② 배당소득, 재산판매소득, 지적소유권과 기술비결의 제공에 의한 소득, 경영과 관련한 봉사제공에 의한 소득, 증여소득에 대한 개인소득세는 해당 소득액에 정해진 세율을 적용한다.

③ 이자소득에 대한 개인소득세는 은행에 예금하고 얻은 소득액에 정해진 세율을 적용한다.

④ 고정자산 임대소득에 대한 개인소득세는 임대료에서 노동보수, 포장비, 수수료 등으로 20%를 공제한 나머지 금액에 정해진 세율을 적용한다.

이때, 적용할 개인소득세의 세율은 다음과 같다.

① 노동보수에 대한 세율은 월 노동보수액이 300유로 이상일 경우에 소득액의 5%~30%로 한다.

② 이자소득, 배당소득, 고정자산 임대소득, 지적소유권과 기술비결의 제공에 의한 소득, 경영봉사소득에 대한 세율은 소득액의 20%로 한다.

③ 증여소득에 대한 세율은 소득액이 5,000유로 이상일 경우 소득액의 2%~15%로 한다.

④ 자산판매 소득[117]에 대한 세율은 소득액의 25%로 한다.

상기 내용 중에서 노동보수와 증여소득에 대한 소득구간별 세율이 명확히 표현되지 않아, 그 적용과 운용에 있어서 사전 계획이 불가능한 상황이다. 뿐만 아니라, 증여재산의 평가에 있어서 평가기준이 구체적으로 명시되어 있지 않아서 실무적으로 적용에 있어서 많은 어려움이 있을 것으로 예상된다.

또한, 자산판매소득에 대하여 원가를 차감한, 처분이익에 세율을 적용하여야 할 것으로 생각되나, 세법상의 규정으로는 취득한 소득에 세율을 적용하는 것으로 확인된다. 이러한 세법 규정을 갖게 된 이유로는 개인소득세의 과세에 있어서 취득원가를 확인하고, 이에 대하여 감가상각비를 인정할 것인지, 아니면 전액을 원가로 인정하여 차감할 것인지 대하여 실무상 어려움이 있어서, 취득한 금액 자체를 과세표준으로 삼고 있다고 판단된다.

117) 소득(所得) : 이익으로 되는 수입. 조선말사전, 북한 과학원출판사, 1961
수입(收入) : (돈이나 물건 따위를) 거두어 들임. 거두어들인 금전이나 물질적 가치, 예) 수입과 지출, 북한 과학원출판사, 1961

3) 개인소득세의 신고납부 방법

개인소득세의 납부기간과 납부방법은 다음과 같다.

① 노동보수에 대한 개인소득세는 소득을 얻은 다음달 10일 안으로 노동보수를 지불하는 단위가 원천징수(공제납부)하거나 수익[118]인이 신고・납부한다.

② 재산판매소득, 증여소득에 대한 개인소득세는 소득을 얻은 날부터 30일 안으로 수익인이 신고・납부한다.

③ 이자소득, 배당소득, 고정자산 임대소득, 지적소유권과 기술비결의 제공에 의한 소득, 경영봉사소득에 대한 개인소득세는 소득을 얻은 다음달 10일 안으로 소득을 지불하는 기업이 원천징수(공제납부)하거나 수익인이 신고・납부한다.

4) 개인소득세의 면제

북한 금융기관으로부터 받은 저축성예금 이자소득과 국제관광특구에 설립된 은행에 비거주자들이 예금한 돈에 대한 이자소득에는 개인소득세를 부과하지 않는다.

5. 재산세

1) 재산세 과세대상

국제관광특구에서 건물, 선박, 비행기를 소유하고 있는 개인은 세무소에 재산등록을 하고 재산세를 납부하여야 한다.

건물에는 살림집, 별장, 부속건물이 속하며 선박, 비행기에는 자가용 배, 자가용 비행기 등이 속한다.

북한에서의 일부 법률 서적에 '현재 북한에서는 외국인들의 기업활동을 장려하기 위하여 외국인이 북한 내에 가지고 있으면서 경영활동에 이용되지 않는 건물과 선박, 비행기에 대하여서만 재산세를 과세하고 있다.'는 내용이 있으나, 이는 각종 법령 및 시행규칙 등에서는 확인되지 않는 내용이다. 추후, 남북경제협력 재개시 및 개성공업지구 업무의 개시 이전에 명확히 확인할 부분이다.

---

118) 수익(收益) : 이익을 거두어들임. 조선말사전, 북한 과학원출판사, 1961

2) 과세대상 자산의 등록과 취소

국제관광특구에서 자산의 등록과 등록취소는 다음과 같이 한다.

① 자산은 국제관광특구에서 소유한 날부터 20일 안에 평가한 값으로 등록한다.

② 자산의 소유자와 가격이 달라졌을 경우에는 20일 안으로 변경등록을 한다.

③ 자산은 해마다 1월 1일 현재로 평가하여 2월 안으로 재등록한다.

④ 자산을 폐기하였을 경우에는 20일 안으로 등록 취소수속을 한다.

3) 재산세의 세율 및 납부세액의 계산

재산세의 세율은 건물인 경우는 1%, 선박과 비행기인 경우는 1.4%로 한다.

재산세는 세무소에 등록된 값에 정한 세율을 적용하여 계산한다.

4) 재산세의 납부와 면제

재산세는 분기마다 계산하여 해당 분기가 끝난 다음달 20일 안으로 납부하여야 한다.

새로 건설한 건물을 소유하였을 경우에는 세무소에 등록한 날부터 2년간 재산세를 면제한다.

6. 상속세

1) 상속세 과세대상

국제관광특구에 있는 재산을 상속받은 자는 상속세를 납부하여야 한다(금강산국제관광특구 세금규정 제33조).

상속재산에는 부동산, 화폐자산, 현물자산, 유가증권, 지적소유권, 보험청구권 등의 재산과 재산권이 속한다.

상기 내용 중 특이한 점은 외국투자기업 및 외국인세금법 제35조, 외국투자기업 및 외국인세금법 시행규정 제54조에서는 ① 북한 내에 있는 재산을 상속받은 외국인과 ② 북한 내에 거주하고 있는 외국인이 북한 밖에 있는 재산을 상속받았을 경우에는 상속세를 납부하여야 한다고 규정되어 있는데 반해, 금강산국제관광특구의 상속세 규정은 개성공업지구 세금규정의 상속세 관련 규정과 마찬가지로 해당 지구(금강산국제관광특구) 내에 있는 재산을 상속받는 자를 상속세 납세자로 규정하고 있다는 점에서, 해당 지구(금강산국제관광특구) 거주자의 해외자산에 대한 상속세 납세의무를 부과하고 있지 않음을 알 수 있다.

2) 상속자산의 평가

상속재산의 가격은 재산을 상속받을 당시의 가격으로 평가한다.

상기 규정에서 확인되는 바와 같이 상속자산의 평가에 대한 규정이 거의 없다고 할 수 있으며, 시가라는 개념은 상당히 모호한 개념으로 평가자가 선택한 평가방법에 따라 많은 차이가 발생할 수 있다.

따라서, 구체적인 규정이 있어야 할 것이며, 최소한도로 개성공업지구 세금규정의 상속세 부분을 준용한다는 내용 수준의 규정이라도 명문화되어야 실무에서 업무처리가 가능할 것이다.

3) 상속세의 세율 및 납부세액의 계산

상속세의 세율은 6%~30%로 한다.

상속세는 상속받은 자산액에서 피상속인의 채무, 상속인이 부담한 장례비용, 상속기간에 상속재산을 보존 관리하는데 소요되는 비용, 재산상속과 관련한 공증료를 공제한 나머지 금액에 정해진 세율을 적용하여 계산한다.

4) 상속세의 납부

상속세는 상속받은 날부터 3개월 안으로 상속인이 납부하여야 한다. 이 경우 상속재산액, 공제액 등을 밝힌 상속세 납부신고서와 공증기관의 공증을 받은 상속세 공제신청서를 세무소에 제출하여 확인을 받아야 한다.

재산을 상속받은 자가 2명 이상일 경우에는 상속인 별로 자기 몫에 해당한 상속세를 납부하여야 한다.

상속세가 3만 유로 이상일 경우에는 세무소의 승인을 받아 그것을 3년간 분할하여 납부할 수 있다.

7. 거래세

1) 거래세 과세대상

생산부문과 건설부문의 기업은 거래세를 납부하여야 한다. 거래세의 과세대상에는 생산물 판매 수입금과 건설공사 인도 수입금 등이 속한다(금강산국제관광특구 세금규정 제39조).

상기 내용에서 확인되는 바와 같이 금강산국제관광특구에서의 거래서 과세대상은 생산부문과 건설부문의 매출이 과세대상이 된다.

그러나, 개성공업지구 세금규정 제60조에서 거래세는 재화를 생산한 업체가 생산물을 판매하여 얻은 수입금에 부과하는 세금으로 생산부문의 기업은 거래세를 납부하여야 한다고 규정하고 있으며, 개성공업지구 세금규정 시행세칙 제100조에서는 건설업은 거래세 과세대상 업종이 아니라 영업세 과세대상 업종임을 명확히 규정하고 있다.

따라서, 건설업의 매출에 대한 과세가 개성공업지구에서는 영업세로, 금강산국제관광특구에서는 거래세로 이루어지고 있음을 알 수 있다.

2) 거래세의 세율 및 납부세액의 계산

거래세의 세율은 생산물판매액 또는 건설공사인도수입액의 1%~15%로 한다. 정해진 기호품에 대한 거래세의 세율은 생산물판매액의 16%~50%로 한다.

거래세는 생산물판매액 또는 건설공사인도수입액에 정해진 세율을 적용하여 계산한다. 기업이 생산업과 봉사업을 함께 할 경우에는 거래세와 영업세를 따로 계산한다.

3) 거래세의 납부

거래세는 생산물판매수입금 또는 건설공사인도수입금이 이루어질 때마다 해당 수입이 이루어진 날부터 20일 안에 납부하여야 한다.

수출상품에 대하여서는 거래세를 면제한다. 그러나 수출을 제한하는 상품에 대하여서는 거래세를 부과한다.

참고로 개성공업지구의 거래세는 분기별 신고・납부가 원칙이며, 매 분기종료 후 20일까지가 거래세의 신고・납부 기한으로 규정되어 있다(개성공업지구 세금규정 제64조, 개성공업지구 세금규정 시행세칙 제94조).

8. 영업세

1) 영업세 과세대상

봉사부문의 기업은 영업세를 납부하여야 한다.

영업세는 교통운수, 통신, 상업, 금융, 보험, 관광, 광고, 여관, 급양, 오락, 위생편의 등은 봉사부문의 봉사수입금에 부과한다.

2) 영업세의 세율 및 납부세액의 계산

영업세의 세율은 해당 수입금의 2%~10%로 한다.

영업세는 업종별수입금에 정해진 세율을 적용하여 계산한다.

여러 업종의 영업을 할 경우에는 업종별로 계산한다.

3) 영업세의 납부

기업은 영업세를 분기마다 계산하여 다음달 10일 안으로 납부하여야 한다.

전기, 가스, 난방같은 에네르기 생산 및 공급부문과 상하수도, 용수, 도로, 철도, 비행장같은 하부구조 부문에 투자하여 운영하는 기업에 대하여서는 영업세를 면제하거나 감면할 수 있다.

참고로 개성공업지구의 영업세는 분기별 신고・납부가 원칙이며, 매 분기종료 후 20일 까지가 영업세의 신고・납부 기한으로 규정되어 있다(개성공업지구 세금규정 제70조, 개성공업지구 세금규정 시행세칙 제102조).

9. 지방세

기업과 개인은 지방세를 납부하여야 한다. 지방세에는 도시경영세, 자동차 이용세가 속한다.

1) 도시경영세 과세대상

도시경영세는 기업의 월노임 총액, 개인의 노동보수, 이자소득, 배당소득, 재산판매소득 같은 월수입 총액에 부과한다.

도시경영세는 기업의 월로임 총액 또는 개인의 월수입 총액에 1%의 세율을 적용하여 계산한다.

기업은 도시경영세를 달마다 계산하여 다음달 10일 안으로 납부하여야 한다.

개인의 도시경영세는 달마다 계산하여 소득을 얻은 다음달 10일 안으로 소득을 지불하는 기업이 원천징수(공제납부)하거나 수익인이 신고·납부하여야 한다.

2) 자동차 이용세 과세대상

자동차 이용세 과세대상에는 기업 또는 개인의 승용차, 버스, 화물자동차, 자동자, 전차와 특수차가 속한다. 특수차에는 기중기차, 유조차, 지게차, 시멘트 운반차, 굴착기, 불도저, 냉동차 등이 속한다.

금강산 국제관광특구에서 자동차를 새로 구입한 자는 자동차를 소유한 날부터 30일 안으로 관리위원회에 자동차 등록신청서를 내고 등록하여야 한다.

자동차 등록신청서에는 자동차 소유자의 이름, 거주지 또는 체류지, 자동차번호, 종류, 좌석수, 적재중량, 취득일 등을 밝힌다.

관리위원회는 자동차를 등록하였을 경우 자동차 등록증을 신청자에게 발급해주고 그 사본을 세무소에 보내주어야 한다.

자동차 이용세의 액수는 1대당 연간 100유로~200유로로 한다. 자동차 이용세는 종류별 자동차대수에 정해진 세금액을 적용하여 계산한다.

새로 구입하였거나 양도한 자동차, 폐기한 자동차, 세무소의 승인 하에 이용하지 않는 자동차에 대한 당해 연도 자동차 이용세는 이용일수에 종류별 자동차의 일당 세액을 적용하여 계산한다.

자동차 이용세는 해마다 2월 안으로 자동차 이용자가 납부(선납)하여야 한다. 국제관광특구에서 자동차를 새로 구입한자는 자동차를 등록한 날부터 30일 안으로 당해 연도에 해당한 자동차 이용세를 납부하여야 한다.

자동차를 양도하거나 폐기한 자는 해당 확인서와 함께 이름, 주소, 자동차명, 양도 또는 폐기날짜, 납부한 자동차이용세, 반환 받을 자동차이용세 등을 기재한 자동차이용세 반환신청서를 세무소에 내야 한다.

세무소는 신청내용을 10일 안으로 검토하고 자동차를 양도 또는 폐기한 날부터 12월 31일까지의 자동차이용세를 돌려주어야 한다.

자동차를 일정한 기간 이용하지 않으려는 기업과 개인은 세무소에 신청서를 내고 승인을 받아 이용하지 않는 기간의 자동차이용세를 면제받을 수 있다.

10. 제제 및 신소

1) 연체료

기업 또는 개인이 세금납부를 정해진 기간에 하지 않을 경우 납부기일이 지난 날부터 납부하지 않은 세금에 대하여 매일 0.3%에 해당하는 연체료를 물린다.

2) 벌 금

기업 또는 개인에게 벌금을 부과하는 경우는 다음과 같다.

① 정당한 이유 없이 세무등록, 재산등록, 자동차등록을 정해진 기간 안에 하지 않았거나 세금납부신고서, 연간 회계결산서 같은 세무문건을 제때에 제출하지 않았을 경우에는 100유로~1,500유로까지의 벌금을 물린다.

② 세금을 적게 공제하였거나 공제한 세금을 납부하지 않았을 경우에는 납부하지 않은 세액의 2배까지의 벌금을 물린다.

③ 고의적으로 세금을 납부하지 않았거나 적게 납부한 경우에는 납부하지 않은 세액의 3배까지의 벌금을 물린다.

3) 신소와 그 처리

세금부과 및 납부와 관련하여 의견이 있는 기업과 개인은 국제관광특구지도기관과 세무소에 신소할 수 있다. 신소를 접수한 기관은 그것을 30일 안으로 처리하여야 한다.

제5절 금강산국제관광특구 부동산규정

이 규정은 금강산국제관광특구(이 아래부터 '국제관광특구'라고 한다)에서 토지이용권, 건물소유권을 취득하거나 양도, 저당하는 기업과 개인에게 적용한다.

국제관광특구에서 기업과 개인은 토지이용권이나 건물소유권을 가질 수 있다.

국제관광특구에서 부동산관리에 대한 감독통제는 중앙금강산국제관광특구지도기관과 금강산국제관광특구관리위원회(이 아래부터 '국제관광특구관리위원회'라고 한다)가 한다.

1. 용어의 정의

이 규정에서 용어는 다음과 같다.

① 부동산이란 토지와 건물, 시설물 같은 움직일 수 없는 재산이다.

② 기업이란 국제관광특구에서 경제활동을 하는 다른 나라 기업, 남측 기업 및 해외동포기업이다. 기업에는 지사, 대리점, 출장소도 속한다.

③ 개인이란 국제관광특구에서 경제활동을 하거나 생활하는 외국인, 남측 및 해외동포이다.

④ 토지이용권이란 토지 임대차계약에 따라 정해진 기간 안에 토지를 이용할 수 있는 권리이다.

⑤ 건물소유권이란 건물을 점유, 이용, 처분할 수 있는 권리이다.

⑥ 토지 임대기간이란 토지 임대차계약에 따라 토지이용권을 행사할 수 있는 기간이다.

⑦ 부동산 양도란 토지이용권이나 건물소유권을 매매, 교환, 증여, 재임대, 상속의 형태로 제3자에게 넘기는 행위이다.

⑧ 부동산 매매란 토지이용권이나 건물소유권을 제3자에게 유상으로 넘기는 행위이다.

⑨ 부동산 교환이란 부동산을 서로 맞바꾸고 차이나는 금액을 청산하는 행위이다.

⑩ 부동산 재임대란 토지이용권자나 건물소유권자가 부동산을 제3자에게 일정한 기간 빌려주는 행위이다.

⑪ 부동산 증여란 토지이용권이나 건물소유권을 제3자에게 무상으로 넘기는 행위이다.

⑫ 부동산 상속이란 토지이용권이자, 또는 건물소유자가 사망하였을 경우 그 권리가 상속자에게 넘어가는 행위이다.

⑬ 부동산 저당이란 토지이용권 또는 건물소유권을 제3자에게 채무의 담보로 제공하는(세우는) 행위이다.

2. 부동산의 취득

1) 토지 임대차계약의 체결

토지를 임차하려는 기업과 개인은 국제관광특구관리위원회와 토지임대차계약을 맺어야 한다. 토지임대차계약에는 토지의 이용면적과 용도, 임대기간, 총투자액과 건설기간, 토지 임대료 등의 필요한 사항을 밝힌다.

토지임차자는 토지임대차계약에서 정한데 맞게 토지를 이용하여야 한다. 토지를 계약과 다르게 이용하려 할 경우에는 국제관광특구관리위원회의 승인을 받아야 한다.

2) 토지이용증의 발급 및 토지이용권의 취득일

국제관광특구관리위원회는 토지임차자가 토지임대료를 지불한 날부터 15일 안으로 토지이용증을 발급한다. 토지이용증에는 토지임차자의 명칭, 토지의 위치, 이용면적과 용도, 토지임대기간 등을 밝힌다.

토지이용권 취득일은 토지임차자가 토지이용증을 발급받은 날로 한다.

3) 토지임대기간 및 연장

토지임대기간은 최고 50년 내에서 국제관광특구관리위원회와 토지임차자가 합의하여 정한다. 토지임대기간의 계산은 토지임차자가 토지이용증을 받은 날부터 한다.

토지임차자는 토지임대기간이 끝난 다음에도 토지를 계속 이용하려 할 경우 토지임대기간이 끝나기 6개월 전에 국제관광특구관리위원회에 토지임대기간 연장신청을 하여야 한다.

4) 토지이용증의 반환

토지임대기간의 끝나면 토지이용권은 자동적으로 상실된다. 토지임차자는 토지임대기간이 끝난 날부터 15일 안으로 국제관광특구관리위원회에 토지이용증을 반환하여야 한다.

5) 토지의 원상 복구

토지이용증을 반환한 토지임차자는 국제관광특구관리위원회의 요구에 따라 6개월 내로 토지를 원상복구(정리)하여야 한다.

토지 위에 있는 건물과 그 밖의 시설물을 국제관광특구관리위원회에 무상으로 이관할 경우에는 토지를 원상복구(정리)하지 않을 수 있다.

6) 건물의 소유

건물은 새로 건설하거나 이미 있던 것을 양도받는 방법으로 소유할 수 있다.

건물을 새로 건설한 자는 준공검사를 받은 날부터 15일 안으로 국제관광특구관리위원회에 건물소유권등록신청서를 내야 한다. 이 경우 준공검사증, 토지이용증을 첨부하여야 한다.

국제관광특구관리위원회는 건물소유권등록신청서를 받은 날부터 10일 안으로 검토하고 건물소유권등록증을 발급하여야 한다.

3. 부동산의 양도 및 저당

금강산 국제관광특구에서 토지이용권 소유자, 건물 소유자는 그 권리의 전부 또는 일부를 이용 기간 내에서 제3자에게 양도, 저당할 수 있다.

국제관광특구에서 부동산의 양도, 저당관계자는 공정성, 투명성, 신용의 원칙을 지켜야 한다. 사기, 투기같은 방법으로 공공의 이익을 해치는 행위를 할 수 없다.

1) 토지의 매매, 교환, 증여, 재임대, 저당을 위한 전제조건

토지임차자가 토지임대료를 납부하지 않았거나 계약에 지적된 투자 몫을 투자하지 않았을 경우에는 제3자에게 토지를 매매, 교환, 증여, 재임대, 저당할 수 없다.

2) 양도, 저당 계약체결 및 등록

부동산을 양도하거나 저당하려는 경우에는 부동산의 양도계약 또는 저당계약을 맺어야 한다. 부동산의 양수자와 저당권자는 해당 계약을 체결할 날부터 15일 안으로 국제관광특구관리위원회에 등록하여야 한다.

양도자, 저당자가 사기, 협잡의 방법으로 부동산을 양도, 저당하였을 경우 양수자와 저당권자는 양도, 저당을 취소할 수 있다.

저당자는 저당계약 기간 안에 저당권자와 합의없이 저당한 토지이용권이나 건물소유권을 제3자에게 재저당할 수 없다.

그러나, 개성공업지구에서는 재저당(덧저당)의 요건으로 저당권자의 합의를 규정하고 있지 않다. 즉, 개성공업지구에서는 저당권자의 합의 없이 저당자(소유권자)가 재저당 하는 것이 가능하다. 재저당(덧저당)을 한 경우 저당권 관련 채권의 순위는 저당등록의 순위에 따른다(개성공업지구 부동산규정 제46조).

3) 저당물의 이용 및 관리

저당권자는 저당물을 그대로 이용할 수 있다. 이 경우 저당물의 가치가 떨어지지 않도록 잘 관리하여야 한다(금강산국제관광특구 부동산규정 제20조).

상기 규정은 잘못된 규정이다. 저당자가 소유주로서 저당물을 지속해서 사용을 하는 것이며, 저당권자는 채무에 대한 담보로써 채무자(저당자)의 부동산이나 동산에 대한 권리를 맡아 두는 것뿐이기 때문이다. 따라서, 아래와 같이 수정되어야 한다.

저당자는 저당물을 그대로 이용할 수 있다. 이 경우 저당물의 가치가 떨어지지 않도록 잘 관리하여야 한다.

4) 저당자의 권리

저당자는 저당물의 가치가 떨어졌을 경우 저당권자에게 그것을 보상할 것을 요구할 수 있다(금강산국제관광특구 부동산규정 제21조).

상기 규정 역시 잘못된 규정이다. 저당권자는 채무에 대한 담보로써 채무자(저당자)의 부동산이나 동산에 대한 권리를 맡아 두어야 하므로, 저당물의 가치가 떨어지게 되면 담보력이 떨어지기 때문에, 저당권자는 저당물의 가치하락에 대하여 추가 담보를 요청할 수 있다. 따라서, 아래와 같이 수정되어야 한다.

저당권자는 저당물의 가치가 떨어졌을 경우 저당자에게 그것을 보상할 것을 요구할 수 있다.

5) 저당권의 소멸

저당권이 소멸되는 경우는 다음과 같다.

① 저당자가 채무를 상환하였을 경우

② 저당자가 저당권자와 합의하여 채무를 다른 재산으로 상환하였을 경우

③ 저당권자가 저당권을 스스로 포기하였을 경우

6) 저당물의 처분 및 분배

저당권자는 저당기간 내에 저당자가 채무상환을 하지 못할 경우 국제관광특구관리위원회에 저당물을 처분해줄 것을 신청할 수 있다.

국제관광특구관리위원회는 저당권자의 신청에 따라 저당물을 처분하였을 경우 저당권자에게 해당한 채무 몫을 상환하고 나머지는 저당자에게 돌려주어야 한다.

7) 부동산의 상속

토지이용권자 또는 건물소유권자가 사망하였을 경우 그에 대한 권리는 상속자에게 넘어간다. 상속자판정, 상속재산 분배비율 등은 사망당시 피상속자가 속한 나라 또는 지역의 법에 따라 정한다.

부동산을 상속받았거나 그것을 제3자에게 양도, 저당하려는 경우에는 국제관광특구관리위원회에 등록하여야 한다.

8) 부동산의 등록수수료

부동산을 등록하려는 자는 국제관광특구관리위원회에 수수료를 내야 한다. 수수료를 정하는 사업은 국제관광특구관리위원회가 한다.

4. 부동산 임대료와 사용료

1) 토지임대료

토지임차자는 임대차계약을 맺은 날부터 90일 안으로 국제관광특구관리위원회에 토지임대료를 물어야 한다.

개발한 토지를 임대할 경우에는 토지개발비를 토지임대료에 포함시킨다. 토지개발비에는 토지정리와 도로건설 및 상하수도, 전기, 통신, 난방시설건설에 지출된 비용이 속한다.

2) 건물임대료

건물의 임차자는 건물소유자에게 건물임대료를 물어야 한다. 건물임대료를 건물의 임차자와 소유권자가 합의하여 정한다.

3) 토지사용료

기업과 개인은 해마다 국제관광특구관리위원회에 토지사용료를 물어야 한다.

국제관광특구관리위원회는 장려부문과 투자규모, 경제적 효과성에 따라 토지사용료를 10년까지 낮추어주거나 면제하여 줄 수 있다.

토지사용료는 토지이용권을 취득한 날부터 계산한다.

토지사용료를 지불할 기간이 1년이 못되는 경우에는 1개월분의 사용료에 해당한 달수를 곱하는 방법으로 계산한다.

5. 제 재

1) 연체료

토지임대료를 물지 않을 경우에는 해당한 연체료를 물린다.

토지임차자가 토지임대료를 물지 않았거나 계약에 지적된 투자 몫을 투자하지 않았을 경우에는 토지이용권을 취소할 수 있다.

2) 벌 금

다음의 경우에는 벌금을 물린다.

① 천연자원과 매장물을 비법적으로 채취하였을 경우

② 토지의 용도를 제멋대로 변경하였거나 정해진 토지면적을 초과하여 이용하였을 경우

③ 토지이용증이 없이 토지를 이용 또는 양도, 저당하였을 경우

3) 분쟁해결

부동산의 취득과 양도, 저당과 관련하여 발생한 의견상이는 협의의 방법으로 해결한다. 협의의 방법으로 해결할 수 없을 경우에는 중재 또는 북한의 재판절차로 해결한다.

제3장 기타 경제개발구

제1절 라선경제무역지대법

1. 라선경제무역지대법 기본개념

라선경제무역지대는 경제분야에서 특혜정책이 실시되는 북한의 특수경제지대이다.

경제무역지대에 첨단기술산업, 국제물류업, 장비제조업, 1차 가공공업, 경공업, 봉사업, 현대농업을 기본으로 하는 산업구들을 계획적으로 건설하도록 한다.

경제무역지대에는 세계 여러 나라의 법인이나 개인, 경제조직이 투자할 수 있다. 북한 영역 밖에 거주하고 있는 조선동포도 이 법에 따라 경제무역지대에 투자할 수 있다 (라선경제무역지대법 제4조).

투자가는 경제무역지대에 회사, 지사, 사무소 등을 설립하고 경제활동을 자유롭게 할 수 있다.

북한은 토지이용, 노동력채용, 세금납부, 시장진출 같은 분야에서 투자가에게 특혜적인 경제활동 조건을 보장하도록 한다.

북한은 경제무역지대에서 하부구조 건설부문과 첨단과학 기술부문, 국제시장에서 경쟁력이 높은 상품을 생산하는 부문의 투자를 특별히 장려한다.

북한의 안전과 주민들의 건강, 건전한 사회도덕 생활에 저해를 줄 수 있는 대상, 환경보호와 동식물의 생장에 해를 줄수 있는 대상, 경제기술적으로 뒤떨어진 대상의 투자는 금지 또는 제한한다.

경제무역지대에서 투자가의 재산과 합법적인 소득, 그에게 부여된 권리는 법적으로 보호된다. 북한은 투자가의 재산을 국유화하거나 거두어들이지 않는다.

사회공공의 이익과 관련하여 부득이하게 투자가의 재산을 거두어 들이거나 일시 이용하려 할 경우에는 사전에 통지하고 해당한 법적절차를 거치며 차별없이 그 가치를 제때에 충분하고 효과있게 보상하여 주도록 한다.

경제무역지대에서 산업구와 정해진 지역의 관리운영은 중앙특수경제지대지도기관과 라선시인민위원회의 지도와 방조 하에 관리위원회가 맡아한다.

이 법에서 정한 경우를 제외하고 다른 기관은 관리위원회의 사업에 관여할 수 없다.

경제무역지대에서 공민의 신변안전과 인권은 법에 따라 보호된다.

법에 근거하지 않고는 구속, 체포하지 않으며 거주장소를 수색하지 않는다. 신변안전 및 형사사건과 관련하여 북한과 해당 나라 사이에 체결된 조약이 있을 경우에는 그에 따른다.

경제무역지대의 개발과 관리, 기업운영 같은 경제활동에는 이 법과 이 법 시행을 위한 규정, 세칙, 준칙을 적용한다.

경제무역지대의 법규가 북한과 다른 나라 사이에 체결된 협정, 양해문, 합의서 같은 조약의 내용과 다를 경우에는 조약을 우선 적용하며, 경제무역지대 밖에 적용하는 일반 법규의 내용과 다를 경우에는 경제무역지대 법규를 우선 적용한다.

2. 경제무역지대의 개발

1) 개발원칙

경제무역지대의 개발원칙은 다음과 같다.

① 경제무역지대와 그 주변의 자연 지리적 조건, 자원, 생산요소의 비교우세 보장

② 토지, 자원의 절약과 합리적인 이용

③ 경제무역지대와 그 주변의 생태환경 보호

④ 생산과 봉사의 국제적인 경쟁력 제고

⑤ 무역, 투자 같은 경제활동의 편의보장

⑥ 사회공공의 이익보장

⑦ 지속적이고 균형적인 경제발전의 보장

2) 개발계획과 그 변경

경제무역지대의 개발은 승인된 개발계획에 따라 한다. 개발계획에는 개발 총 계획, 지구 개발계획, 세부계획 등이 속한다.

개발계획의 변경승인은 해당 개발계획을 승인한 기관이 한다.

3) 경제무역지대의 개발방식

경제무역지대는 일정한 면적의 토지를 기업이 종합적으로 개발하고 경영하는 방식, 기업에게 하부구조 및 공공시설의 건설과 관리, 경영권을 특별히 허가해주어 개발하는 방식, 개발당사자들 사이에 합의한 방식 같은 여러가지 방식으로 개발할 수 있다.

개발기업은 하부구조 및 공공시설건설을 다른 기업을 인입하여 할 수도 있다.

4) 개발기업에 대한 승인

경제무역지대의 개발기업에 대한 승인은 중앙특수경제지대지도기관이 관리위원회 또는 라선시인민위원회를 통하여 개발기업에게 개발사업권승인증서를 발급하는 방법으로 한다.

개발기업의 위임, 개발사업권승인증서의 발급신청은 관리위원회 또는 라선시인민위원회가 한다.

5) 토지종합개발 경영과 관련한 토지임대차계약

토지종합개발경영방식으로 개발하는 경우 개발기업은 국토관리기관과 토지임대차계약을 맺어야 한다. 토지임대차계약에서는 임대기간, 면적, 구획, 용도, 임대료의 지불기간과 지불방식, 그 밖의 필요한 사항을 정한다.

국토관리기관은 토지임대료를 지불한 개발기업에게 토지이용증을 발급해주어야 한다.

경제무역지대에서 토지임대기간은 해당 기업에게 토지이용증을 발급한 날부터 50년까지로 한다. 경제무역지대 안의 기업은 토지임대기간이 끝난 다음 계약을 다시 맺고 임대 받은 토지를 계속 이용할 수 있다.

경제무역지대에서 기업은 규정에 따라 토지이용권, 건물소유권을 취득할 수 있다. 이 경우 해당 기관은 토지이용증 또는 건물소유권 등록증을 발급하여 준다.

6) 토지이용권과 건물의 양도와 임대가격

개발기업은 개발계획과 하부구조건설이 진척되는데 따라 개발한 토지와 건물을 양도, 임대할 권리를 가진다. 이 경우 양도, 임대가격은 개발기업이 정한다.

7) 토지이용권, 건물소유권의 변경과 그 등록

경제무역지대에서 기업은 유효기간 안에 토지이용권과 건물소유권을 매매, 교환, 증여, 상속의 방법으로 양도하거나 임대, 저당할 수 있다. 이 경우 토지이용권, 건물소유권의 변경 등록을 하고 토지이용증 또는 건물소유권 등록증을 다시 발급받아야 한다.

8) 건물, 부착물의 철거와 이설

철거, 이설을 맡은 기관, 기업소는 개발공사에 지장이 없도록 개발지역 안의 공공건물과 살림집, 부착물 등을 철거, 이설하고 주민을 이주시켜야 한다.

개발기업은 개발구역 안의 건물과 부착물의 철거, 이설사업이 끝나는 차제로 개발공사에 착수하여야 한다.

9) 농업토지, 산림토지, 수역토지의 개발이용

경제무역지대에서 투자가는 도급생산 방식으로 농업토지, 산림토지, 수역토지를 개발 이용할 수 있다. 이 경우 해당 기관과 계약을 맺어야 한다.

3. 경제무역지대의 관리

1) 경제무역지대의 관리원칙

경제무역지대의 관리원칙은 다음과 같다.

① 법규의 엄격한 준수와 집행

② 관리위원회와 기업의 독자성 보장

③ 무역과 투자활동에 대한 특혜제공

④ 경제발전의 객관적 법칙과 시장원리의 준수

⑤ 국제관례의 참고

2) 관리위원회의 설립, 지위 및 구성

경제무역지대의 관리운영을 위하여 관리위원회를 설치한다. 관리위원회는 산업구와 정해진 지역의 관리운영을 맡아하는 현지관리기관이다.

관리위원회는 위원장, 부위원장, 서기장과 필요한 성원들로 구성한다. 관리위원회에는 경제무역지대의 개발과 관리에 필요한 부서를 둔다.

관리위원회의 책임자는 위원장이다. 위원장은 관리위원회를 대표하며 관리위원회의 사업을 주관한다.

관리위원회는 필요에 따라 사무소 등을 둘 수 있다. 사무소는 관리위원회가 위임한 권한의 범위 안에서 사업을 한다.

관리위원회는 해마다 사업계획과 산업구와 정해진 지역의 통계자료를 중앙특수경제지대지도기관과 라선시인민위원회에 내야 한다.

3) 관리위원회의 사업내용

관리위원회는 자기의 관할범위에서 다음과 같은 사업을 한다.

① 경제무역지대의 개발과 관리에 필요한 준칙작성

② 투자환경의 조성과 투자유치

③ 기업의 창설승인과 등록, 영업허가

④ 투자 장려, 제한, 금지목록의 공포

⑤ 대상건설허가와 준공검사

⑥ 대상설계문건의 보관

⑦ 독자적인 재정관리체계의 수립

⑧ 토지이용권, 건물소유권의 등록

⑨ 위임받은 재산의 관리

⑩ 기업의 경영활동협조

⑪ 하부구조 및 공공시설의 건설, 경영에 대한 감독 및 협조

⑫ 관할지역의 환경보호와 소방대책

⑬ 인원, 운수수단의 출입과 물자의 반출입에 대한 협조

⑭ 관리위원회의 규약작성

⑮ 이 밖에 경제무역지대의 개발, 관리와 관련하여 중앙특수경제지대지도기관과 라선시인민위원회가 위임하는 사업

4) 관리위원회의 예산 집행

관리위원회는 예산을 편성하고 집행한다. 이 경우 예산작성 및 집행 실적(정형)과 관련한 문건을 중앙특수경제지대지도기관과 라선시인민위원회에 제출해야 한다.

중앙특수경제지대지도기관과 라선시인민위원회는 관리위원회의 사업을 적극 도와주어야 한다.

경제무역지대에서는 지대의 개발과 관리운영, 기업경영에서 제기되는 문제를 협의, 조정하기 위한 자문위원회를 운영할 수 있다. 자문위원회는 라선시인민위원회와 관리위원회의 해당 성원, 주요기업의 대표들로 구성한다.

5) 라선시인민위원회의 사업내용

라선시인민위원회는 경제무역지대의 개발, 관리와 관련하여 다음과 같은 사업을 한다.

① 경제무역지대법과 규정의 시행세칙 작성

② 경제무역지대의 개발과 기업활동에 필요한 노동력보장

③ 이 밖에 경제무역지대의 개발, 관리와 관련하여 중앙특수경제지대지도기관이 위임한 사업

6) 중앙특수경제지대지도기관의 사업내용

중앙특수경제지대지도기관은 다음과 같은 사업을 한다.

① 경제무역지대의 발전전략 작성

② 경제무역지대의 개발, 건설과 관련한 북한 내 기관들과의 사업연계

③ 다른 나라 정부들과의 협조 및 연계

④ 기업창설심의기준의 승인

⑤ 경제무역지대에 투자할 북한 기업의 선정

⑥ 경제무역지대생산품의 지대 밖 북한 내 판매협조

7) 원산지관리

경제무역지대에서 원산지관리사업은 원산지관리기관이 한다. 원산지관리기관은 상품의 원산지관리사업을 경제무역지대법규와 국제관례에 맞게 하여야 한다.

4. 기업창설 및 경제무역활동

1) 기업창설

투자가는 산업구에 기업을 창설하려 할 경우 관리위원회에, 산업구 밖에 기업을 창설하려 할 경우 라선시인민위원회에 기업창설신청문건을 제출하여야야 한다.

관리위원회 또는 라선시인민위원회는 기업창설신청문건을 받은 날부터 10일 안으로 승인하거나 부결하고 그 결과를 신청자에게 알려주어야 한다.

기업창설승인을 받은 기업은 정해진 기일안에 기업등록, 세관등록, 세무등록을 하여야 한다. 등록된 기업은 북한 법인으로 된다.

경제무역지대에 지사, 사무소를 설립하려 할 경우에는 정해진데 따라 라선시인민위원회 또는 관리위원회의 승인을 받고 해당한 등록수속을 하여야 한다.

기업은 승인받은 업종범위 안에서 경영활동을 하여야 한다. 업종을 늘이거나 변경하려 할 경우에는 승인을 다시 받아야 한다.

2) 기업의 관리

경제무역지대에서 기업은 경영 및 관리질서와 생산계획, 판매계획, 재정계획을 세울 권리, 노동력채용, 노임기준과 지불형식, 생산물의 가격, 이윤의 분배방안을 독자적으로 결정할 권리를 가진다.

기업의 경영활동에 대한 비법적인 간섭은 할 수 없으며 법규에 정해지지 않은 비용을 징수하거나 의무를 지울 수 없다.

기업은 계약을 중시하고 신용을 지키며 계약을 성실하게 이행하여야 한다. 당사자들은 계약의 체결과 이행에서 평등과 호혜의 원칙을 준수하여야 한다.

경제무역지대에서 기업들 사이의 거래되는 상품과 봉사가격, 경제무역지대 안의 기업과 지대밖의 북한 기관, 기업소, 단체 사이에 거래되는 상품가격은 국제시장가격에 준하여 당사자들이 협의하여 정한다.

식량, 기초식품 같은 중요 대중필수품의 가격과 공공 봉사요금은 라선시인민위원회가 정한다. 이 경우 기업에 생긴 손해에 대한 재정적 보상을 한다.

3) 기업의 거래

기업은 계약을 맺고 경제무역지대 밖의 북한 영역에서 경영활동에 필요한 원료, 자재, 물자를 구입하거나 생산한 제품을 판매할 수 있다. 북한의 기관, 기업소, 단체에 원료, 자재, 부분품의 가공을 위탁할 수도 있다(라선경제무역지대법 제43조).

경제무역지대 밖의 북한 기관, 기업소, 단체는 계약을 맺고 지대 안의 기업이 생산하였거나 판매하는 상품을 구입할 수 있다(라선경제무역지대법 제48조).

경제무역지대에서 기업은 가공무역, 중계무역, 보상무역 같은 여러가지 형식의 무역활동을 할 수 있다(라선경제무역지대법 제45조).

4) 특별허가 경영

경제무역지대에서는 하부구조 시설과 공공시설에 대하여 특별허가 대상으로 경영하게 할 수 있다. 특별허가 경영권을 가진 기업이 그것을 다른 기업에게 양도하거나 나누어 주려 할 경우에는 계약을 맺고 해당 기관의 승인을 받아야 한다.

경제무역지대의 기업은 생산에 필요한 원료, 연료보장을 위하여 해당 기관의 승인을 받아 지대의 자연부원[119]을 개발할 수 있다. 경제무역지대밖의 자연부원 개발은 중앙특수경제지대지도기관을 통하여 한다.

5) 노동 및 회계

기업은 북한의 노동력을 우선적으로 채용하여야 한다. 필요에 따라 다른 나라 노동력을 채용하려 할 경우에는 라선시인민위원회 또는 관리위원회에 통지하여야 한다.

경제무역지대의 기업에서 일하는 종업원의 월노임최저기준은 라선시인민위원회가 관리위원회와 협의하여 정한다.

경제무역지대에서 기업은 회계계산과 결산에 국제적으로 통용되는 회계기준을 적용

119) 자연부원(資源富源) : 자연계에 있는, 사회의 경제적 부를 생산할 수 있는 원천. 부존자원. 조선말사전, 북한 과학원출판사, 1961

할 수 있다.

5. 통관 및 관세

경제무역지대에서는 특혜관세 제도를 실시한다.

1) 관세의 면제대상

관세를 면제하는 대상은 다음과 같다.

① 경제무역지대의 개발에 필요한 물자

② 기업의 생산과 경영에 필요한 수입물자와 생산한 수출상품

③ 가공무역, 중계무역, 보상무역을 목적으로 경제무역지대에 들여오는 물자

④ 투자가에게 필요한 사무용품과 생활용품

⑤ 통과하는 다른 나라의 화물

⑥ 다른 나라 정부, 기관, 기업, 단체 또는 국제기구가 기증하는 물자

⑦ 이 밖에 따로 정한 물자

2) 관세면제대상 재화에 관세를 부과하는 경우

무관세상점의 상품을 제외하고, 관세면제대상으로 들여온 물자를 경제무역지대 안에서 판매할 경우에는 관세를 부과한다.

기업이 경제무역지대에서 생산한 상품을 수출하지 않고 지대 또는 지대밖의 북한의 기관, 기업소, 단체에 판매할 경우에는 그 상품 생산에 쓰인 수입원료, 자재와 부분품에 대하여 관세를 부과할 수 있다.

3) 물자의 반출입신고

경제무역지대에서 관세면제대상에 속하는 물자의 반출입은 신고제로 한다. 관세면제대상에 속하는 물자를 반출입하려 할 경우에는 반출입신고서를 정확히 작성하여 해당 세관에 내야 한다.

기업은 관세납부문건, 세관검사문건, 상품 송장 같은 문건을 5년 동안 보관하여야 한다.

6. 통화 및 금융

경제무역지대에서 유통화페와 결제화페는 조선원 또는 정해진 화페로 한다. 조선원에 대한 외화의 환산은 지대외화관리기관이 규정한 환율에 따른다.

외국인 투자기업과 외국인은 규정에 따라 경제무역지대에서 유가증권을 거래할 수 있다.

1) 은행의 설립 및 돈자리

경제무역지대에서 투자가는 규정에 따라 은행 또는 은행 지점을 내오고 은행업무를 할 수 있다.

기업은 경제무역지대에 설립된 북한 은행이나 외국투자은행에 돈자리를 두어야 한다.

북한 영역 밖의 다른 나라 은행에 돈자리를 두려 할 경우에는 지대외화관리기관 또는 관리위원회의 승인을 받아야 한다.

경제무역지대에서 기업은 북한 은행이나 외국의 금융기관으로부터 경제무역활동에 필요한 자금을 대부받을 수 있다.

대부받은 조선원과 외화로 교환한 조선원은 중앙은행이 지정한 은행에 예금하고 써야 한다.

2) 보 험

경제무역지대에서 투자가는 보험회사를, 다른 나라의 보험회사는 지사, 사무소를 설립·운영할 수 있다.

경제무역지대에서 기업과 개인은 북한 영역 안에 있는 보험회사의 보험에 들며 의무보험은 정해진 보험회사의 보험에 들어야 한다.

7. 장려 및 특혜

1) 수출입의 장려

경제무역지대의 기업 또는 다른 나라 개인업자는 지대 안이나 지대 밖의 기업과 계약을 맺고 상품, 봉사, 기술거래를 할 수 있으며 수출입 대리업무도 할 수 있다(라선경제무역지대법 제66조).

하나 주목할 점은 상기 규정에 따르면 라선경제무역지대에 설립한 기업이 수출입 대리업무를 할 수 있다고 규정 되어 있다. 그러나 개성공업지구 뿐만 아니라 일반지역에서도 어느 외국인 투자기업도 수출입업무 및 수출입 대리업무(무역대행 업무)를 직접 수행할 수 없다.[120] 라선경제무역지대법 제66조에서의 수출입 대리업무가 가능하다고 함은, 외국인 투자기업이 생산한 재화를 북한의 기관, 기업소, 단체와 계약을 통하여 북한 이외의 해외로 수출(대리 수출)을 위탁하여 진행할 수 있다는 의미로 판단된다. 추후, 남북경제협력 재개시 및 라선경제무역지대 업무의 개시 이전에 명확히 확인할 부분이다.

2) 소득의 송금, 투자재산의 반출

경제무역지대에서는 합법적인 이윤과 이자, 이익배당금, 임대료, 봉사료, 재산판매수입금 같은 소득을 제한없이 북한 영역 밖으로 송금할 수 있다.

투자가는 경제무역지대에 들여왔던 재산과 지대에서 합법적으로 취득한 재산을 제한없이 경제무역지대 밖으로 내갈 수 있다.

3) 기업소득세율 및 기업소득세의 감면

경제무역지대에서 기업소득세율은 결산이윤의 14%로 한다. 특별히 장려하는 부문의 기업소득세율은 결산이윤의 10%로 한다.

경제무역지대에서 10년 이상 운영하는 정해진 기업에 대하여서는 기업소득세를 면제하거나 감면하여 준다. 기업소득세를 면제 또는 감면하는 기간, 감세율과 감면기간의 계산시점은 해당 규정에서 정한다.

경제무역지대에서 이윤을 재투자하여 등록자본을 늘이거나 새로운 기업을 창설하여 5년 이상 운영할 경우에는 재투자분에 해당한 기업소득세액의 50%를 돌려준다.

하부구조건설부문에 재투자 할 경우에는 납부한 재투자분에 해당한 기업소득세액의 전부를 돌려준다.

---

120) 개성공업지구 기업창설 운영규정 제20조(북한의 기관, 기업소, 단체와의 연계) 기업은 중앙공업지구지도기관을 통하여 북한의 기관, 기업소, 단체와 계약을 맺고 경영활동에 필요한 물자를 구입하거나 생산한 제품을 판매할 수 있으며 원료, 자재, 부분품을 위탁 가공할 수 있다.

4) 토지이용 및 개발기업에 대한 특혜

경제무역지대에서 기업용 토지는 실지수요에 따라 먼저 제공되며 토지의 사용분야와 용도에 따라 임대기간, 임대료, 납부방법에서 서로 다른 특혜를 준다.

하부구조시설과 공공시설, 특별장려부문에 투자하는 기업에 대하여서는 토지위치의 선택에서 우선권을 주며 정해진 기간에 해당한 토지사용료를 면제하여 줄 수 있다.

개발기업은 관광업, 호텔업 같은 대상의 경영권취득에서 우선권을 가진다. 개발기업의 재산과 하부구조시설, 공공시설 운영에는 세금을 부과하지 않는다.

5) 물자의 반출입 및 인원의 출입과 체류

경제무역지대에는 물자를 자유롭게 반입할 수 있으며 그것을 보관, 가공, 조립, 선별, 포장하여 다른 나라로 반출할 수 있다. 그러나 반출입을 금지하는 물자는 들여오거나 내갈 수 없다.

통행검사, 세관, 검역기관과 해당 기관은 경제무역지대의 개발과 기업활동에 지장이 없도록 인원, 운수수단의 출입과 물자의 반출입을 신속하고 편리하게 보장하여야 한다.

다른 나라 선박과 선원은 경제무역지대의 라진항, 선봉항, 웅상항에 국제적으로 통용되는 자유무역항출입질서에 따라 나들수 있다.

외국인은 경제무역지대에 출입, 체류, 거주할 수 있으며 여권 또는 그것을 대신하는 출입증명서를 가지고 정해진 통로로 경제무역지대에 사증없이 출입할 수 있다.

북한의 다른 지역에서 경제무역지대에 출입하는 질서는 따로 정한다.

6) 기 타

경제무역지대에서 기업과 개인의 지적재산권은 법적보호를 받는다. 라선시인민위원회는 지적재산권의 등록, 이용, 보호와 관련한 사업체계를 세워야 한다.

경제무역지대에서는 규정에 따라 은행, 보험, 회계, 법률, 계량 같은 경영과 관련한 봉사를 할 수 있다.

경제무역지대에서는 바다기슭의 솔밭과 백사장, 섬 같은 독특한 자연풍치, 민속문화 같은 유리한 관광자원을 개발하여 국제관광을 널리 조직하도록 한다. 투자가는 규정에 따라 경제무역지대에서 관광업을 할 수 있다.

경제무역지대에서는 우편, 전화, 팩스 같은 통신수단을 자유롭게 이용할 수 있다. 거주자, 체류자에게는 교육, 문화, 의료, 체육분야의 편리를 제공한다.

8. 신소 및 분쟁해결

경제무역지대에서 기업 또는 개인은 관리위원회, 라선시인민위원회, 중앙특수경제지대지도기관과 해당 기관에 신소할 수 있다. 신소를 받은 기관은 30일 안에 이해 처리하고 그 결과를 신소자에게 알려주어야 한다.

관리위원회 또는 해당 기관은 분쟁당사자들의 요구에 따라 조정에 의하여 분쟁을 조정할 수 있다. 이 경우 분쟁당사자들의 의사에 기초하여 조정안을 작성하여야 한다. 조정안은 분쟁당사자들이 서명(수표)하여야 효력을 가진다.

분쟁당사자들은 합의에 따라 경제무역지대에 설립된 북한 또는 다른 나라 국제중재기관에 중재를 제기할 수 있다. 중재는 해당 국제중재위원회의 중재규칙에 따른다.

분쟁당사자들은 경제무역지대의 관할재판소에 소송을 제기할 수 있다. 경제무역지대에서의 행정소송절차는 따로 정한다.

제2절 황금평, 위화도 경제지대법

1. 황금평, 위화도 경제지대법 기본개념

황금평, 위화도 경제지대는 경제분야에서 특혜정책이 실시되는 북한의 특수경제지대이다.

황금평 지구는 정보산업, 경공업, 농업, 상업, 관광업을 기본으로 개발하며 위화도 지구는 위화도개발계획에 따라 개발한다. 경제지대의 개발은 지구별, 단계별로 한다.

경제지대에는 세계 여러 나라의 법인이나 개인, 경제조직이 투자할 수 있다. 북한 영역밖에 거주하고 있는 조선동포도 이 법에 따라 경제지대에 투자할 수 있다(황금평, 위화도 경제지대법 제4조).

투자가는 경제지대에서 회사, 지사, 사무소 등을 설립하고 기업활동을 자유롭게 할 수 있다.

북한은 토지이용, 노동력 채용, 세금납부, 시장진출 같은 분야에서 투자가에게 특혜적인 경제활동조건을 보장하도록 한다.

북한은 경제지대에서 하부구조 건설부문과 첨단과학기술부문, 국제시장에서 경쟁력이 높은 상품을 생산하는 부문의 투자를 특별히 장려한다.

북한의 안전과 주민들의 건강, 건전한 사회도덕 생활, 환경보호에 저해를 주거나 경제기술적으로 뒤떨어진 대상의 투자와 영업활동은 금지 또는 제한한다.

경제지대에서 투자가의 재산과 합법적인 소득, 그에게 부여된 권리는 법에 따라 보호된다. 북한은 투자가의 재산을 국유화하거나 거두어들이지 않는다.

사회공공의 이익과 관련하여 부득이하게 투자가의 재산을 거두어 들이거나 일시 이용하려 할 경우에는 사전에 그에게 통지하고 해당한 법적절차를 거치며 차별없이 그 가치를 제때에 충분하고 효과있게 보상하여 주도록 한다.

경제지대의 관리운영은 중앙특수경제지대지도기관과 평안북도 인민위원회의 지도와 방조 하에 관리위원회가 맡아한다.

이 법에서 규정한 경우를 제외하고 다른 기관은 관리위원회의 사업에 관여할 수 없다.

경제지대에서 공민의 신변안전과 인권은 법에 따라 보호된다.

법에 근거하지 않고는 구속, 체포하지 않으며 거주장소를 수색하지 않는다. 신변안전 및 형사사건과 관련하여 북한과 해당 나라 사이에 체결된 조약이 있을 경우에는 그에 따른다.

경제지대의 개발과 관리, 기업운영 같은 경제활동에는 이 법과 이 법 시행을 위한 규정, 세칙, 준칙을 적용한다.

경제지대의 법규가 북한과 다른 나라 사이에 체결된 협정, 양해문, 합의서 같은 조약의 내용과 다를 경우에는 조약을 우선 적용하며 경제지대 밖에 적용하는 법규의 내용과 다를 경우에는 경제지대 법규를 우선 적용한다.

2. 경제지대의 개발

1) 개발원칙

경제지대의 개발원칙은 다음과 같다.

① 경제지대와 그 주변의 자연 지리적 조건과 자원, 생산요소의 비교우세 보장

② 토지, 자원의 절약과 합리적 이용

③ 경제지대와 그 주변의 생태환경 보호

④ 생산과 봉사의 국제경쟁력 제고

⑤ 무역, 투자 같은 경제활동의 편의보장

⑥ 사회공공의 이익보장

⑦ 지속적이고 균형적인 경제발전의 보장

2) 개발계획과 그 변경

경제지대의 개발은 승인된 개발계획에 따라 한다.

개발계획의 변경승인은 해당 개발계획을 승인한 기관이 한다.

3) 경제지대의 개발방식

경제지대에서 황금평지구는 개발기업이 전체 면적의 토지를 임대받아 종합적으로 개발하고 경영하는 방식으로 개발한다.

위화도지구는 개발당사자들 사이에 합의한 방식으로 개발한다.

경제지대의 하부구조 및 공공시설건설은 개발기업이 하며 그에 대한 특별허가경영권을 가진다.

개발기업은 하부구조 및 공공시설을 다른 기업을 인입하여 건설할 수 있다.

4) 개발기업에 대한 승인

개발기업에 대한 승인은 중앙특수경제지대지도기관이 관리위원회를 통하여 개발기업에게 개발사업권 승인증서를 발급하는 방법으로 한다.

개발기업의 위임, 개발사업권 승인증서의 발급신청은 관리위원회가 한다.

5) 개발사업과 관련한 토지임대차계약

개발사업권 승인증서를 받은 개발기업은 국토관리기관과 토지임대차계약을 맺어야 한다. 토지임대차계약에서는 임대기간, 면적과 구획, 용도, 임대료의 지불기간과 지불방법, 그 밖의 필요한 사항을 정한다.

국토관리기관은 토지임대료를 지불한 개발기업에게 토지이용증을 발급하여 준다.

경제지대에서 토지임대기간은 해당 기업에게 토지이용증을 발급한 날부터 50년까지로 한다. 지대 안의 기업은 토지임대기간이 끝난 다음 계약을 다시 맺고 임대 받은 토지를 계속 이용할 수 있다.

6) 토지이용권과 건물의 양도와 임대가격

개발기업은 개발계획과 하부구조건설이 진척되는데 따라 개발한 토지와 건물을 양도, 임대할 권리를 가진다. 이 경우 양도, 임대가격은 개발기업이 정한다.

7) 토지이용권, 건물소유권의 변경과 그 등록

경제지대에서 기업은 유효기간 안에 토지이용권과 건물소유권을 매매, 교환, 증여, 상속의 방법으로 양도하거나 임대, 저당할 수 있다. 이 경우 토지이용권, 건물소유권의 변경등록을 하고 토지이용증 또는 건물소유권 등록증을 다시 발급받아야 한다.

8) 건물, 부착물의 철거와 이설

철거, 이설을 맡은 기관, 기업소는 개발공사에 지장이 없도록 개발지역 안의 공공건물과 살림집, 부착물 같은 것을 철거, 이설하고 주민을 이주시켜야 한다.

개발기업은 개발구역 안의 건물과 부착물의 철거, 이설사업이 끝나는 차제로 개발공사에 착수하여야 한다.

3. 경제지대의 관리

1) 경제지대의 관리원칙

경제지대의 관리원칙은 다음과 같다.

① 법규의 엄격한 준수와 집행

② 관리위원회와 기업의 독자성 보장

③ 무역과 투자활동에 대한 특혜제공

④ 경제발전의 객관적 법칙과 시장원리의 준수

⑤ 국제관례의 참고

2) 관리위원회의 설립, 지위, 구성 및 업무

경제지대의 관리 운영을 위하여 지대에 관리위원회를 설립한다. 관리위원회는 경제지대의 개발과 관리 운영을 맡아하는 현지 관리기관이다.

관리위원회는 위원장, 부위원장, 서기장과 필요한 성원들로 구성한다. 관리위원회에는 경제지대의 개발과 관리에 필요한 부서를 둔다.

관리위원회의 책임자는 위원장이다. 위원장은 관리위원회를 대표하며 관리위원회의 사업을 주관한다.

관리위원회는 해마다 사업계획과 경제지대의 통계자료를 중앙특수경제 지대지도기관과 평안북도인민위원회에 내야 한다.

3) 관리위원회의 사업내용

관리위원회는 다음과 같은 사업을 한다.

① 경제지대의 개발과 관리에 필요한 준칙 작성

② 투자환경의 조성과 투자유치
③ 기업의 창설승인과 등록, 영업허가
④ 투자장려, 제한, 금지목록의 공포
⑤ 대상건설허가와 준공검사
⑥ 대상건설 설계문건의 보관
⑦ 경제지대의 독자적인 재정관리 체계수립
⑧ 토지이용권, 건물소유권의 등록
⑨ 위임받은 재산의 관리
⑩ 기업의 경영활동협조
⑪ 하부구조 및 공공시설의 건설, 경영에 대한 감독 및 협조
⑫ 경제지대의 환경보호와 소방대책
⑬ 인원, 운수수단의 출입과 물자의 반출입에 대한 협조
⑭ 관리위원회의 규약 작성
⑮ 이 밖에 경제지대의 개발, 관리와 관련하여 중앙특수경제지대지도 기관과 평안북도인민위원회가 위임하는 사업

4) 관리위원회의 예산 집행

관리위원회는 예산을 편성하고 집행한다. 이 경우 예산편성 및 집행 실적(정형)과 관련한 문건을 중앙특수경제지대지도기관과 평안북도 인민위원회에 제출해야 한다.

관리위원회는 기업의 대표들이 참가하는 기업책임자회의를 소집할 수 있다. 기업책임자회의에서는 경제지대의 개발과 관리, 기업운영과 관련하여 제기되는 중요문제를 토의한다.

5) 평안북도 인민위원회의 사업내용

평안북도 인민위원회는 경제지대와 관련하여 다음과 같은 사업을 한다.

① 경제지대법과 규정의 시행세칙 작성
② 경제지대의 개발과 관리, 기업운영에 필요한 노동력 보장
③ 이 밖에 경제지대의 개발, 관리와 관련하여 중앙특수경제지대지도 기관이 위임한 사업

6) 중앙특수경제지대지도기관의 사업내용

중앙특수경제지대지도기관은 다음과 같은 사업을 한다.

① 경제지대의 발전전략 작성

② 경제지대의 개발, 건설과 관련한 북한 내 기관들과의 사업연계

③ 다른 나라 정부들과의 협조 및 연계

④ 기업창설심의기준의 승인

⑤ 경제지대에 투자할 북한 기업의 선정

⑥ 경제지대 생산품의 지대 밖 북한 내 판매협조

7) 원산지 관리

경제지대에서 원산지 관리사업은 원산지 관리기관이 한다. 원산지 관리기관은 상품의 원산지 관리사업을 경제지대법규와 국제관례에 맞게 하여야 한다.

8) 광고사업과 야외광고물의 설치승인

경제지대에서는 규정에 따라 광고업과 광고를 할 수 있다. 야외에 광고물을 설치하려 할 경우에는 관리위원회의 승인을 받는다.

9) 건설기준과 기술규범

경제지대에서의 건설설계와 시공에는 선진적인 다른 나라의 설계기준, 시공기술기준, 기술규범을 적용할 수 있다.

10) 심의, 승인절차의 간소화

경제지대에서는 통일적이며 집중적인 처리방법으로 경제활동과 관련한 각종 심의, 승인절차를 간소화하도록 한다.

4. 기업창설 및 경제무역활동

1) 기업창설

투자가는 경제지대에 직접투자나 간접투자 같은 여러가지 방식으로 투자할 수 있다.

경제지대에 기업을 창설하려는 투자가는 관리위원회에 기업창설 신청문건을 제출하여야 한다.

관리위원회는 기업창설신청문건을 받은 날부터 10일 안으로 승인하거나 부결하고 그 결과를 신청자에게 알려주어야 한다.

기업창설승인을 받은 기업은 정해진 기일 안에 기업등록, 세관등록, 세무등록을 하여야 한다. 관리위원회에 등록된 기업은 북한 법인으로 된다.

경제지대에 지사, 사무소 등을 설치하려 할 경우에는 관리위원회의 승인을 받고 등록을 하여야 한다.

지사, 사무소는 관리위원회에 등록한 날부터 정해진 기일 안에 세무등록, 세관등록을 하여야 한다.

기업은 승인받은 업종범위 안에서 경영활동을 하여야 한다. 업종을 늘이거나 변경하려 할 경우에는 관리위원회의 승인을 받아야 한다.

2) 기업의 관리

경제지대에서 기업은 규약에 따라 경영 및 관리질서와 생산계획, 판매계획, 재정계획을 세울 권리, 노동력 채용, 노임기준과 지불형식, 생산물의 가격, 이윤의 분배방안을 독자적으로 결정할 권리를 가진다.

기업의 경영활동에 대한 비법적인 간섭은 할 수 없으며 법규에 정해지지 않은 비용을 징수하거나 의무를 지울 수 없다.

기업은 계약을 중시하고 신용을 지키며 계약을 성실하게 이행하여야 한다. 당사자들은 계약의 체결과 이행에서 평등과 호혜의 원칙을 준수하여야 한다.

경제지대에서 기업들 사이에 거래되는 상품과 봉사가격, 경제지대 안의 기업과 지대밖의 북한 기관, 기업소, 단체 사이에 거래되는 상품의 가격은 국제시장가격에 준하여 당사자들이 협의하여 정한다.

식량, 기초식품 같은 중요 대중필수품의 가격과 공공 봉사요금은 평안북도 인민위원회가 정한다. 이 경우 기업에 생긴 손해에 대한 재정적 보상을 한다.

3) 기업의 거래

기업은 계약을 맺고 경제지대 밖의 북한 영역에서 경영활동에 필요한 원료, 자재, 물자를 구입하거나 생산한 제품을 판매할 수 있다. 북한의 기관, 기업소, 단체에 원료, 자재, 부분품의 가공을 위탁할 수도 있다. 경제지대 밖의 북한 기관, 기업소, 단체는 계약을 맺고 경제지대의 기업이 생산하였거나 판매하는 상품을 구입할 수 있다.

4) 특별허가 경영

경제지대에서는 하부구조 시설과 공공시설에 대하여 특별허가 대상으로 경영하게 할 수 있다. 특별허가 경영권을 가진 기업이 그것을 다른 기업에게 양도하거나 나누어 주려 할 경우에는 계약을 맺고 관리위원회의 승인을 받아야 한다.

관리위원회는 특별허가대상의 경영자에게 특혜를 주어 그가 합리적인 이윤을 얻도록 한다.

5) 노동 및 회계

기업은 북한의 노동력을 우선적으로 채용하여야 한다. 필요에 따라 다른 나라 노동력을 채용하려 할 경우에는 관리위원회에 통지하여야 한다.

경제지대의 기업에서 일하는 종업원의 월노임최저기준은 평안북도 인민위원회가 관리위원회와 협의하여 정한다.

경제지대에서는 기업의 회계계산과 결산을 국제적으로 통용되는 회계기준을 적용하여 하도록 한다.

5. 통관 및 관세

경제지대에서는 특혜관세제도를 실시한다.

1) 관세의 면제대상

가공무역, 중계무역, 보상무역을 목적으로 경제지대에 들여오는 물자, 기업의 생산과 경영에 필요한 물자와 생산한 수출상품, 투자가에게 필요한 사무용품과 생활용품, 경제지대건설에 필요한 물자, 그 밖에 정해진 물자에는 관세를 부과하지 않는다.

2) 물자의 반출입신고

경제지대에서 물자의 반출입은 신고제로 한다. 물자를 반출입하려는 기업 또는 개인은 반출입신고서를 정확히 작성하여 반출입 지점의 세관에 내야 한다.

6. 통화 및 금융

경제지대에서는 정해진 화폐를 유통시킨다. 유통화폐와 결제화폐는 조선원 또는 정해진 화폐로 한다. 경제지대에서 외화교환, 환율과 관련한 절차는 규정으로 정한다.

외국인 투자기업과 외국인은 규정에 따라 경제지대에서 유가증권을 거래할 수 있다.

1) 은행의 설립 및 돈자리

경제지대에 은행 또는 은행 지점을 설립하는 절차는 규정으로 정한다. 기업은 경제지대에 설립된 북한 은행이나 외국투자은행에 돈자리를 두어야 한다. 북한 영역 밖의 다른 나라 은행에 돈자리를 두려 할 경우에는 관리위원회의 승인을 받아야 한다.

2) 보 험

경제지대에서 투자가는 보험회사를, 다른 나라의 보험회사는 지사, 사무소를 설립 운영할 수 있다.

경제지대에서 기업과 개인은 북한 영역 안에 있는 보험회사의 보험에 들며 의무보험은 정해진 보험회사의 보험에 들어야 한다.

7. 장려 및 특혜

1) 수출입의 장려

기업은 경제지대 안이나 지대 밖의 기업과 계약을 맺고 상품거래, 기술무역, 봉사무역을 할 수 있으며 수출입 대리업무도 할 수 있다(황금평, 위화도경제지대법 제61조).

하나 주목할 점은 상기 규정에 따르면 황금평, 위화도 경제지대에 설립한 기업이 수출입 대리업무를 할 수 있다고 규정되어 있다. 그러나 개성공업지구 뿐만 아니라 일반지역에서도 어느 외국인 투자기업도 수출입업무 및 수출입 대리업무(무역대행 업무)를 직접 수행할 수 없다.[121] 황금평, 위화도경제지대법 제61조에서의 수출입 대리업무가 가능하다고 함은, 외국인 투자기업이 생산한 재화를 북한의 기관, 기업소, 단체와 계약을 통하여 북한 이외의 해외로 수출(대리 수출)을 위탁하여 진행할 수 있다는 의미로 판단된다. 추후, 남북경제협력 재개시 및 황금평, 위화도 경제지대 업무의 개시 이전에 명확히 확인할 부분이다.

2) 소득의 송금, 투자재산의 반출

경제지대에서는 외화를 자유롭게 반출입 할 수 있으며 합법적인 이윤과 기타 소득을 제한없이 경제지대 밖으로 송금할 수 있다.

투자가는 경제지대에 들여왔던 재산과 지대에서 합법적으로 취득한 재산을 제한없이 경제지대 밖으로 내갈 수 있다.

3) 기업소득세율 및 기업소득세의 감면

경제지대에서 기업은 정해진 세금을 납부하여야 한다. 기업소득세율은 결산이윤의 14%로, 특별히 장려하는 부문의 기업소득 세율은 결산이윤의 10%로 한다.

경제지대에서 10년 이상 운영하는 정해진 기업에 대하여서는 기업소득세를 면제하거나 감면하여 준다. 기업소득세를 면제 또는 감면하는 기간, 감세율과 감면기간의 계산시점은 해당 규정에서 정한다.

경제지대에서 이윤을 재투자하여 등록자본을 늘이거나 새로운 기업을 창설하여 5년 이상 운영할 경우에는 재투자분에 해당한 기업소득세액의 50%를 돌려준다.

하부구조건설부문에 재투자할 경우에는 납부한 재투자분에 해당한 기업소득세액의 전부를 돌려준다.

---

121) 개성공업지구 기업창설 운영규정 제20조(북한의 기관, 기업소, 단체와의 연계) 기업은 중앙공업지구지도기관을 통하여 북한의 기관, 기업소, 단체와 계약을 맺고 경영활동에 필요한 물자를 구입하거나 생산한 제품을 판매할 수 있으며 원료, 자재, 부분품을 위탁 가공할 수 있다.

4) 토지이용 및 개발기업에 대한 특혜

경제지대에서 기업용 토지는 실지수요에 따라 먼저 제공되며 토지의 사용분야와 용도에 따라 임대기간, 임대료, 납부방법에서 서로 다른 특혜를 준다.

하부구조시설과 공공시설, 특별장려부문에 투자하는 기업에 대하여서는 토지위치의 선택에서 우선권을 주며 정해진 기간에 해당한 토지사용료를 면제하여 줄 수 있다.

개발기업은 관광업, 호텔업 같은 대상의 경영권취득에서 우선권을 가진다. 개발기업의 재산과 하부구조시설, 공공시설 운영에는 세금을 부과하지 않는다.

5) 물자의 반출입 및 인원의 출입과 체류

통행검사, 세관, 검역기관과 해당 기관은 경제지대의 개발, 기업활동에 지장이 없도록 인원, 운수수단의 출입과 물자의 반출입을 신속하고 편리하게 보장하여야 한다.

경제지대로 출입하는 외국인과 운수수단은 여권 또는 그를 대신하는 출입증명서를 가지고 지정된 통로로 사증없이 출입할 수 있다.

북한의 다른 지역에서 경제지대로 출입하는 질서, 경제지대에서 북한의 다른 지역으로 출입하는 질서는 따로 정한다.

6) 기 타

경제지대에서 지적재산권은 법적보호를 받는다. 관리위원회는 경제지대에서 지적재산권의 등록, 이용, 보호와 관련한 사업체계를 세워야 한다.

경제지대에서는 규정에 따라 은행, 보험, 회계, 법률, 계량 같은 경영과 관련한 봉사를 할 수 있다.

경제지대에서는 자연풍치, 민속문화 같은 관광자원을 개발하여 국제관광을 발전시키도록 한다. 투자가는 규정에 따라 경제지대에서 관광업을 할 수 있다.

경제지대에서는 우편, 전화, 팩스 같은 통신수단을 자유롭게 이용할 수 있다.

경제지대에서는 거주자, 체류자에게 교육, 문화, 의료, 체육 같은 분야의 편리를 보장한다.

8. 신소 및 분쟁해결

기업 또는 개인은 관리위원회, 평안북도 인민위원회, 중앙특수경제 지대지도기관과 해당 기관에 신소할 수 있다. 신소를 받은 기관은 30일 안에 이해처리 하고 그 결과를 신소자에게 알려주어야 한다.

관리위원회 또는 해당 기관은 분쟁당사자들의 요구에 따라 분쟁을 조정할 수 있다. 이 경우 분쟁당사자들의 의사에 기초하여 조정안을 작성하여야 한다. 조정안은 분쟁당사자들이 서명(수표)하여야 효력을 가진다.

분쟁당사자들은 합의에 따라 경제지대에 설립된 북한 또는 다른 나라 국제중재기관에 중재를 제기할 수 있다. 중재는 해당 국제중재위원회의 중재규칙에 따른다.

분쟁당사자들은 경제지대의 관할재판소 또는 경제지대에 설치된 재판소에 소송을 제기할 수 있다. 경제지대에서의 행정소송절차는 따로 정한다.

제3절 경제개발구법

1. 경제개발구법의 기본개념

경제개발구법[122]은 라선경제무역지대와 황금평, 위화도경제지대, 개성공업지구와 금강산국제관광특구를 제외한 경제개발구의 창설과 개발, 관리, 기업운영같은 경제활동에 필요한 제도와 질서를 규정한 법률이다.

경제개발구라 함은 북한이 특별히 정한 법규에 따라 경제활동에 특혜가 보장되는 특수경제지대이다.

경제개발구에는 공업개발구, 농업개발구, 관광개발구, 수출가공구, 첨단기술개발구 같은 경제 및 과학기술분야의 개발구들이 속한다.

북한은 경제개발구를 관리소속에 따라 지방급 경제개발구와 중앙급 경제개발구로 구분하여 관리한다.

다른 나라의 법인, 개인과 경제조직, 해외동포는 경제개발구에 투자할 수 있으며 기업, 지사, 사무소 등을 설립하고 경제활동을 자유롭게 할 수 있다.

북한은 투자가에게 토지이용, 노동력 채용, 세금납부 같은 분야에서 특혜적인 경제활동조건을 보장하도록 한다.

북한은 경제개발구에서 하부구조건설부문과 첨단과학기술부문, 국제시장에서 경쟁력이 높은 상품을 생산하는 부문의 투자를 특별히 장려한다.

북한의 안전과 주민들의 건강, 건전한 사회도덕 생활, 환경보호에 저해를 주거나 경제기술적으로 뒤떨어진 대상의 투자와 경제활동은 금지 또는 제한한다.

경제개발구에서 투자가에게 부여된 권리, 투자재산과 합법적인 소득은 법적보호를 받는다.

북한은 투자가의 재산을 국유화하거나 거두어들이지 않으며 사회공공의 이익과 관련하여 부득이하게 투자가의 재산을 거두어 들이거나 일시 이용하려 할 경우에는 사전에 통지하며 그 가치를 제때에 충분히 보상하도록 한다.

122) 2013년 5월 29일

경제개발구에서 개인의 신변안전은 북한의 법에 따라 보호된다.

법에 근거하지 않고는 구속, 체포하지 않으며 거주장소를 수색하지 않는다. 신변안전과 관련하여 북한과 해당 나라 사이에 체결된 조약이 있을 경우에는 그에 따른다.

2. 경제개발구의 창설

북한에서 경제개발구의 창설과 관련한 실무사업은 중앙특수경제지대지도기관이 통일적으로 맡아 한다. 북한은 경제개발구의 창설과 관련하여 대내외적으로 제기되는 문제들을 중앙특수경제지대지도기관에 집중시켜 처리하도록 한다.

경제개발구의 창설은 국가의 경제발전 전략에 따라 한다.

경제개발구의 지역선정 원칙은 다음과 같다.

① 대외경제협력과 교류에 유리한 지역

② 북한의 경제 및 과학기술발전에 이바지할 수 있는 지역

③ 주민지역과 일정하게 떨어진 지역

④ 북한이 정한 보호구역을 침해하지 않는 지역

기관, 기업소, 단체는 다른 나라 투자가로부터 경제개발구의 창설, 개발과 관련한 문제를 제기 받았을 경우 중앙특수경제지대지도기관에 제기된 내용을 문건으로 넘겨주어야 한다. 중앙특수경제지대지도기관은 제기 받은 문건을 구체적으로 검토, 확인하고 처리하여야 한다.

다른 나라 투자가는 경제개발구에 투자하려 할 경우 자기 나라 정부의 사전승인을 받으며 그 정형을 북한의 해당 기관에 문건으로 통지하여야 한다. 자기 나라의 법에 따라 정부승인을 받을 필요가 없을 경우에는 승인통지를 하지 않는다.

지방급 경제개발구의 창설신청문건은 해당 도(직할시) 인민위원회가 중앙특수경제지대지도기관에 낸다. 이 경우 도(직할시)안의 해당 기관들과 합의한 문건을 함께 낸다.

중앙급 경제개발구의 창설신청문건은 정해진 절차에 따라 해당 기관이 작성하여 중앙특수경제지대지도기관에 낸다. 이 경우 기관들과 합의한 문건을 함께 낸다.

중앙특수경제지대지도기관은 경제개발구의 창설심의문건을 비상설국가심의위원회에 제기하기 전에 관련 중앙기관들과 충분히 합의하여야 한다.

경제개발구의 창설승인은 비상설국가심의위원회가 한다. 중앙특수경제지대지도기

관은 창설심의문건을 비상설국가심의위원회에 제기할 경우 관련 중앙기관들과 합의한 문건을 함께 제출하여야 한다.

경제개발구를 내오는 국가의 결정을 공포하는 사업은 최고인민회의 상임위원회가 한다.

3. 경제개발구의 개발

1) 개발원칙

경제개발구의 개발원칙은 다음과 같다.

① 계획에 따라 단계별로 개발하는 원칙

② 투자유치를 다각화하는 원칙

③ 경제개발구와 그 주변의 자연 생태환경을 보호하는 원칙

④ 토지와 자원을 합리적으로 이용하는 원칙

⑤ 생산과 봉사의 국제경쟁력을 높이는 원칙

⑥ 경제활동의 편의와 사회공공의 이익을 다같이 보장하는 원칙

⑦ 해당 경제개발구의 지속적이고 균형적인 발전을 보장하는 원칙

2) 경제개발구 개발계획과 그 변경

경제개발구의 개발총계획과 세부계획은 지역국토건설총계획에 기초하여 해당 기관 또는 개발 기업이 작성한다. 개발총계획의 승인은 내각이 하며 세부계획의 승인은 중앙특수경제지대지도기관이 한다.

개발계획의 변경승인은 해당 계획을 승인한 기관이 한다.

3) 경제개발구 개발방식

경제개발구의 개발방식은 해당 경제개발구의 특성과 개발 조건에 맞으며 북한의 경제발전에 이바지할 수 있는 합리적인 방식으로 정할 수 있다.

경제개발구의 하부구조와 공공시설건설은 개발기업이 한다.

개발기업은 정해진 바에 따라 하부구조, 공공시설건설을 다른 기업을 인입하여 할 수 있다.

4) 개발당사자와 개발기업에 대한 승인

다른 나라 투자가는 승인을 받아 경제개발구를 단독 또는 공동으로 개발할 수 있다. 북한의 기관, 기업소도 승인을 받아 경제개발구를 개발할 수 있다.

개발기업에 대한 승인은 중앙특수경제지대지도기관이 한다. 중앙특수경제지대지도기관은 개발기업을 등록하고 개발사업권승인증서를 발급하여야 한다.

5) 개발사업과 관련한 토지임대차계약

개발기업은 토지를 임대하려는 경우 해당 국토관리기관과 토지임대차계약을 맺어야 한다. 토지임대차계약에서는 임대기간, 면적과 구획, 용도, 임대료의 지불기간과 지불방법, 그 밖의 필요한 사항을 정한다.

국토관리기관은 토지임대료를 지불한 개발기업에게 토지이용증을 발급하여야 한다.

경제개발구의 토지임대기간은 최고 50년까지로 하며 토지임대기간은 해당 기업에 토지이용증을 발급한 날부터 계산한다. 토지임대기간이 끝난 기업은 필요에 따라 계약을 다시 맺고 임대 받았던 토지를 계속 이용할 수 있다.

6) 토지이용권, 건물소유권의 변경과 그 등록

기업은 토지이용권과 건물소유권을 매매, 증여, 상속하거나 저당할 수 있다.

기업은 토지이용권 또는 건물소유권을 취득하였을 경우 관리기관에 등록하고 해당 증서를 발급하여야 한다. 토지이용권, 건물소유권이 변경되었을 경우에는 변경등록을 하고 해당 증서를 다시 발급받아야 한다.

7) 토지이용권과 건물의 재임대

기업은 토지이용권과 건물소유권을 재임대 할 수 있다. 개발한 토지의 이용권과 건물의 재임대 가격은 개발기업이 정한다.

8) 토지이용권의 출자

기관, 기업소, 단체는 다른 나라 투자가와 함께 개발기업을 설립하는 경우 정해진데 따라 토지이용권을 출자할 수 있다.

9) 건물, 부착물의 철거와 이설

경제개발구에서 개발구역 안에 있는 건물과 부착물의 철거, 이설과 주민이주에 드는 비용은 개발기업이 부담한다.

4. 경제개발구의 관리

1) 경제개발구의 관리원칙

① 법규의 엄격한 준수와 집행
② 기업의 독자성 보장
③ 경제활동에 대한 특혜제공
④ 국제관례의 참고

2) 경제개발구의 관리기관의 설립, 지위 및 구성

경제개발구의 관리는 중앙특수경제지대지도기관과 해당 도(직할시)인민위원회의 지도방조 하에 경제개발구관리기관이 한다.

관리기관은 해당 경제개발구의 실정에 맞게 관리위원회, 관리사무소 같은 명칭으로 조직할 수 있다.

관리기관은 해당 경제개발구의 실정과 실리에 맞게 필요한 성원들로 구성하며 책임자는 관리위원회 위원장 또는 관리사무소 소장이다.

책임자는 관리기관을 대표하며 관리기관 사업을 주관한다.

3) 중앙특수경제지대지도기관의 사업내용

중앙특수경제지대지도기관은 다음과 같은 사업을 한다.

① 경제개발구와 관련한 북한의 발전전략 방안 작성
② 경제개발구와 관련한 다른 나라 정부들과의 협조 및 투자유치
③ 경제개발구와 관련한 위원회, 성 · 중앙기관들과의 사업연계
④ 관리기관의 사업방조
⑤ 경제개발구 기업창설 심의기준의 검토승인

⑥ 경제개발구의 세무관리

⑦ 이 밖에 북한이 위임한 사업

4) 경제개발구의 관리기관의 사업내용

관리기관은 다음과 같은 사업을 한다.

① 경제개발구의 개발, 관리에 필요한 준칙작성

② 투자환경의 조성과 투자유치

③ 기업의 창설승인과 등록, 영업허가

④ 대상건설허가와 준공검사

⑤ 대상건설 설계문건의 보관

⑥ 토지이용권, 건물소유권의 등록

⑦ 기업의 경영활동협조

⑧ 하부구조와 공공시설의 건설, 경영에 대한 감독 및 협조

⑨ 환경보호와 소방대책

⑩ 관리기관의 규약작성

⑪ 이 밖에 중앙특수경제지대지도기관과 도(직할시)인민위원회가 위임하는 사업

5) 관리기관의 예산편성과 집행

관리기관은 자체예산을 편성하고 집행하여야 한다. 이 경우 정해진 데 따라 예산편성 및 집행 정형과 관련한 문건을 해당 인민위원회 또는 중앙특수경제지대지도기관에 낸다.

6) 도(직할시)인민위원회의 사업내용

도(직할시)인민위원회는 자기 소속의 경제개발구와 관련하여 다음과 같은 사업을 한다.

① 관리기관의 조직

② 경제개발구 법규의 시행세칙 같은 경제개발구사업과 관련한 국가관리 문건의 작성 및 시달

③ 관리기관의 사업방조

④ 경제개발구의 관리와 기업에 필요한 노동력 보장

⑤ 이 밖에 북한이 위임한 사업

7) 심의, 승인절차의 간소화

중앙특수경제지대지도기관과 해당 도(직할시)인민위원회, 관리기관은 기업창설과 관련한 신청, 심의, 승인, 등록같은 수속절차를 간소화하여야 한다.

5. 기업창설 및 경제무역활동

1) 기업의 창설신청

경제개발구에 기업을 창설하려는 투자가는 관리기관에 기업창설 신청문건을 내야 한다. 관리기관은 기업창설 신청문건을 받은 날부터 10일 안으로 기업창설을 승인하거나 부결하며 그 결과를 신청자에게 알려주어야 한다.

기업창설 승인을 받은 기업은 정해진 기일 안에 창설등록, 주소등록, 세관등록, 세무등록을 하여야 한다.

기업은 관리기관에 창설등록을 한 날부터 북한 법인으로 된다. 그러나 다른 나라 기업의 지사, 사무소는 북한 법인으로 되지 않는다.

2) 기업의 관리

경제개발구에서는 기업들 사이에 거래되는 상품가격, 봉사가격, 경제개발구 안의 기업과 개발구 밖의 북한 기관, 기업소, 단체 사이에 거래되는 상품가격은 국제시장가격에 따라 당사자들이 협의하여 정한다.

3) 노동 및 회계

경제개발구의 기업은 북한의 노동력을 우선적으로 채용하여야 한다. 이 경우 해당 노동행정 기관에 노동력 채용신청 문건을 제출하고 노동력을 보장받아야 한다.

필요에 따라 다른 나라 노동력을 채용하려 할 경우에는 관리기관과 합의하여야 한다.

경제개발구 종업원의 월노임 최저기준은 중앙특수경제지대지도기관이 정한다. 이 경우 관리기관 또는 해당 도(직할시)인민위원회와 협의한다.

경제개발구에서 기업의 회계계산과 결산은 경제개발구에 적용하는 재정회계관련 법규에 준하여 한다.

재정회계관련법규에서 정하지 않은 사항은 국제적으로 인정되는 회계관습에 따른다.

6. 통관 및 관세

경제개발구에서는 특혜관세제도를 실시한다.

1) 관세의 면제대상

경제개발구 건설용 물자와 가공무역, 중계무역, 보상무역을 목적으로 들여오는 물자, 기업의 생산 또는 경영용 물자와 생산한 수출상품, 투자가가 쓸 생활용품 그 밖에 북한이 정한 물자에는 관세를 부과하지 않는다.

2) 물자의 반출입신고

경제개발구에서 물자의 반출입은 신고제로 한다. 물자를 반출입하려 할 경우에는 물자반출입신고서를 작성하여 해당 세관에 제출한다.

7. 통화 및 금융

경제개발구에서 유통화폐와 결제화폐는 조선원 또는 정해진 화폐로 한다.

경제개발구에서 외국인 투자기업과 외국인은 정해진데 따라 유가증권을 거래할 수 있다.

8. 장려 및 특혜

1) 소득의 송금, 투자재산의 반출

경제개발구에서는 외화를 자유롭게 반출입 할 수 있으며 합법적인 이윤과 기타 소득을 제한없이 경제개발구 밖으로 송금할 수 있다.

경제개발구에 들여왔던 재산과 합법적으로 취득한 재산은 경제개발구 밖으로 내갈 수 있다.

2) 기업소득세율 및 기업소득세의 감면

경제개발구에서 기업소득세율은 결산이윤의 14%로, 장려하는 부문의 기업소득세율은 결산이윤의 10%로 한다.

경제개발구에서 10년 이상 운영하는 기업에 대하여서는 기업소득세를 덜어주거나 면제하여 준다. 기업소득세의 감면기간, 감세율과 감면기간의 계산시점은 규정으로 정한다.

투자가가 이윤을 재투자하여 등록자본을 늘이거나 새로운 기업을 창설하여 5년 이상 운영할 경우에는 재투자분에 해당한 기업소득세액의 50%를 돌려준다.

하부구조건설부문에 재투자할 경우에는 납부한 재투자분에 해당한 기업소득세액의 전부를 돌려준다.

3) 토지이용 및 개발기업에 대한 특혜

경제개발구에서 기업용 토지는 실지수요에 따라 먼저 제공되며 토지의 사용분야와 용도에 따라 임대기간, 임대료, 납부방법에서 서로 다른 특혜를 준다.

하부구조시설과 공공시설, 장려부문에 투자하는 기업에 대하여서는 토지위지의 선택에서 우선권을 주며 정해진 기간에 해당한 토지사용료를 면제하여 줄 수 있다.

경제개발구에서 개발기업은 관광업, 호텔업 같은 대상의 경영권 취득에서 우선권을 가진다. 개발기업의 재산과 하부구조시설, 공공시설운영에는 세금을 부과하지 않는다.

4) 물자의 반출입 및 인원의 출입과 체류

통행검사, 세관, 검역기관과 해당 기관은 경제개발구의 개발과 관리, 투자가의 경제활동에 지장이 없도록 인원, 운수수단의 출입과 물자의 반출입을 보장하여야 한다.

5) 기 타

경제개발구에서 지적소유권은 법적보호를 받는다. 지적소유권의 등록, 이용, 보호와 관련한 질서를 해당 법규에 따른다.

경제개발구에서는 해당 지역의 자연풍치와 환경, 특성에 맞는 관광자원을 개발하여 국제관광을 발전시키도록 한다. 투자가는 정해진데 따라 관광업을 할 수 있다.

경제개발구에서는 우편, 전화, 팩스 같은 통신수단 이용에서 편의를 제공한다.

9. 신소 및 분쟁해결

경제개발구에서 개인 또는 기업은 관리기관, 중앙특수경제지대 지도기관, 해당 기관에 신소할 수 있다. 신소를 받은 기관은 30일 안에 이해처리 하고 그 결과를 신소자에게 알려주어야 한다.

경제개발구에서 당사자들은 조정의 방법으로 분쟁을 해결할 수 있다.

조정안은 분쟁당사자들의 의사에 기초하여 작성하며 분쟁당사자들이 서명(수표)하여야 효력을 가진다.

분쟁당사자들은 중재합의에 따라 북한 또는 다른 나라 국제중재기관에 중재를 제기하여 분쟁을 해결할 수 있다. 중재절차는 해당 국제중재위원회의 중재규칙에 따른다.

분쟁당사자들은 해당 경제개발구를 관할하는 도(직할시)재판소 또는 최고재판소에 소송을 제기하여 분쟁을 해결할 수 있다.

Ⅳ

대북거래 관련 한국 규정

제 1 장

남북 경제협력 4대 합의서

제1절 남북 사이의 투자보장에 관한 합의서

남과 북은 2000년 6월 15일에 발표된 역사적인 남북공동선언에 따라 경제교류와 협력이 나라와 나라 사이가 아닌 민족 내부의 거래임을 확인하고 상대방 투자자의 투자자산을 보장하고 투자에 유리한 조건을 마련하기 위하여 아래와 같이 합의하였다.

제1조 정 의

투자자란 일방의 지역에 투자하는 상대방의 법인 또는 개인을 의미하며 여기에는 다음과 같은 것이 속한다.

① 일방의 법령에 따라 설립되고 경제활동을 진행하는 회사, 협회, 단체같은 법인

② 일방에 적을 두고 있는 자연인

수익금이란 이윤, 이자, 재산양도소득, 배당금, 저작권 또는 기술사용료, 수수료 등과 같이 투자의 결과로 생기는 금액을 의미한다.

자유태환성통화란 국제거래를 위한 지급수단으로 널리 사용되며 주요 국제외환시장에서 널리 거래되는 통화를 의미한다.

제2조 허가 및 보호

남과 북은 자기 지역 안에서 상대방 투자자의 투자에 유리한 조건을 조성하고 각자의 법령에 따라 투자를 허가한다.

남과 북은 자기 지역 안에서 법령에 따라 상대방 투자자의 투자자산을 보호한다.

남과 북은 법령이 정한 바에 따라 투자를 승인한 경우 투자승인을 거친 계약과 정관

에 의한 상대방 투자자의 자유로운 경영활동을 보장한다.

제3조 대 우

남과 북은 자기 지역 안에서 상대방 투자자와 그의 투자자산, 수익금, 기업활동에 대하여 다른 나라 투자자에게 주는 것과 같거나 더 유리한 대우를 준다.

남과 북은 관세동맹, 경제동맹, 공동시장과 관련한 협정, 지역 및 준지역적 협정, 2중과세 방지협정에 따라 다른 나라 투자자에게 제공하는 대우나 특전, 특혜를 상대방 투자자에게 줄 의무는 지니지 않는다.

제4조 수용 및 보상

1) 수용의 제한

남과 북은 자기 지역 안에 있는 상대방 투자자의 투자자산을 국유화 또는 수용하거나 재산권을 제한하지 않으며 그와 같은 효과를 가지는 조치(이하 "수용"이라고 한다)를 취하지 않는다. 그러나 공공의 목적으로부터 자기측 투자자나 다른 나라 투자자와 차별하지 않는 조건에서 합법적 절차에 따라 상대방 투자자의 투자자산에 대하여 이러한 조치를 취할 수 있다. 이 경우 신속하고 충분하며 효과적인 보상을 해준다.

2) 보 상

남과 북은 수용조치를 취한 날부터 지급일까지의 일반 상업이자율에 기초하여 계산된 이자를 포함한 보상금을 보상받을 자에게 지체없이 지불한다. 보상금의 크기는 수용과 관련한 결정이 공포되기 직전 투자자산의 국제시장가치와 같다.

3) 차별금지

남과 북은 무력충돌 등 비정상적인 사태로 상대방 투자자의 재산이 손실을 입게 되는 경우 그 손실에 대하여 원상회복 또는 보상함에 있어서 자기측 투자자나 다른 나라 투자자에 대한 것보다 불리하지 않게 대우한다.

제5조 송 금

남과 북은 상대방 투자자의 투자와 관련되는 다음과 같은 자금이 자유태환성통화로 자기 지역 안이나 밖으로 자유롭고 지체 없이 이전되는 것을 보장한다.

① 초기 투자자금과 투자기업의 유지, 확대에 필요한 추가자금
② 이윤, 이자, 배당금을 비롯한 투자의 결과로 생긴 소득
③ 대부상환금과 그 이자
④ 투자자산의 양도나 청산을 통한 소득
⑤ 투자와 관련하여 일방지역의 기업에 채용된 상대방인원들이 받은 임금과 기타 합법적 소득
⑥ 제4조 수용 및 제7조 분쟁해결에 따른 보상금 및 분쟁해결에 따르는 보상금
⑦ 대위의 규정에 따라 어느 일방 또는 그가 지정한 기관에 지급되는 자금
⑧ 이 밖에 투자와 관련된 자금

송금시의 환율은 투자가 이루어진 일방의 외환시장에서 당일에 적용되는 시세에 따른다.

송금은 투자가 이루어진 지역에 있는 일방의 당국이 정한 절차에 따른다. 이 경우 상기 규정에 명시된 권리를 침해하지 않는다.

제6조 대 위

일방 혹은 그가 지정한 기관이 투자와 관련하여 자기측 투자자에게 제공한 비상업적 위험에 대한 재정적 담보에 따라 해당한 보상을 한 경우 상대방은 일방 혹은 그가 지정한 기관이 투자자의 손해배상청구권을 포함한 권리를 넘겨받아 행사하며 그 권리의 범위 내에서 세금납부 의무를 비롯한 투자와 관련된 의무를 진다는 것을 인정한다.

제7조 분쟁해결

이 합의서에 의해 부여된 권리의 침해로 상대방 투자자와 일방 사이에 발생되는 분쟁은 당사자 사이에 협의의 방법으로 해결한다. 분쟁이 협의의 방법으로 해결되지 않을 경우에는 투자자는 남과 북의 합의에 의하여 구성되는 남북상사중재위원회에 제기하여 해결한다. 남과 북의 당국은 투자자가 분쟁을 중재의 방법으로 해결하는 것에 대하여 동의한다.

남북 당국 사이에 합의서의 해석 및 적용과 관련하여 생기는 분쟁은 남북장관급회담 또는 그가 정하는 기관에서 협의・해결한다.

제8조 다른 법, 협정 및 계약과의 관계

투자와 관련하여 이 합의서보다 더 유리한 대우를 규정한 조항이 포함되어 있는 일방의 법령이나 남과 북이 당사자로 되는 국제협정 또는 일방과 투자자 사이에 맺은 계약은 그 법령, 협정 및 계약에서 유리하게 규정된 조항에 한하여 이 합의서보다 우위에 놓인다.

제9조 정보제공

남과 북은 투자와 관련하여 제정 또는 수정・보충되는 법령을 상호 제공한다. 남과 북은 투자자료와 관련하여 일방의 요청이 있을 경우 그것을 지체 없이 제공한다.

제10조 적용범위

합의서는 효력발생 이전 혹은 이후에 쌍방의 투자자들이 상대방 지역에 한 모든 투자에 적용한다. 그러나 합의서의 발효 이전에 생긴 분쟁에는 적용하지 아니한다.

제11조 수정 및 보충

남과 북은 필요한 경우 협의하여 합의서의 조항을 수정・보충할 수 있다. 수정・보충되는 조항은 제12조 제1항과 같은 절차를 거쳐 효력을 발생한다.

제12조 효력발생 및 폐기

합의서는 남과 북이 서명하고 각기 발효에 필요한 절차를 거쳐 그 문본을 교환한 날로부터 효력을 발생한다.

합의서는 일방이 상대방에게 폐기의사를 서면으로 통지하지 않는 한 계속 효력을 가진다. 폐기통지는 통지한 날부터 6개월 후에 효력을 발생한다.

합의서의 효력기간 안에 투자된 자산은 이 합의서의 효력이 없어진 날부터 10년간 제1조부터 제8조에 규정된 보호와 대우를 받는다.

제2절 남북 사이의 소득에 대한 이중과세방지 합의서

남과 북은 2000년 6월 15일에 발표된 역사적인 남북공동선언에 따라 진행되는 경제교류와 협력이 나라와 나라 사이가 아닌 민족내부의 거래임을 확인하고 소득에 대한 이중과세를 방지하기 위하여 다음과 같이 합의한다.

제1조 정 의

개인이란 세금납부의무를 지닌 개별적인 사람을 의미한다.

법인이란 기업 및 회사, 과세목적상 법인과 같이 취급되는 단체를 의미한다.

기업이란 법인자격을 가진 실체 또는 개인이 영위하는 사업체를 의미한다.

고정사업장이란 기업의 사업활동이 전반적 또는 부분적으로 영위되는 고정된 장소를 의미한다.

고정시설이란 개인이 독립적으로 인적용역을 제공하는 고정된 장소를 의미한다.

수송이란 남과 북 사이에 운영되는 자동차, 열차, 배, 비행기 등에 의한 수송을 의미한다. 일방 지역 안에서만 운영되는 자동차, 열차, 배 또는 비행기에 의한 수송은 제외한다.

권한 있는 당국이란 남측에서는 재정경제부장관 또는 그의 권한을 위임받은 자를, 북측에서는 재정성 또는 그의 전권대표를 의미한다.

이 합의서에서 정의하지 않은 용어는 일방의 세금관계법령이 규정한 대로 그 의미를 해석한다.

제2조 적용대상

이 합의서는 일방 또는 쌍방의 거주자인 개인과 법인에게 적용한다.

제3조 세금의 종류

이 합의서에 따라 적용되는 세금의 종류는 다음과 같다.

① 남측에서는 소득세, 법인세 및 소득할 주민세

② 북측에서는 기업소득세, 개인소득세, 소득에 대한 지방세

세금의 종류에는 합의서가 체결된 후 본질적으로 같은 세금들로써 현행 세금들에 추가하여 부과되거나 그에 대체하여 부과되는 것들도 포함한다. 쌍방은 세금의 종류가 달라진 경우 그에 대하여 상호 통보한다.

제4조 거주자 판정

거주자에는 주소, 거소, 관리장소, 등록지, 본점 및 주사무소의 소재지를 기준으로 세금납부 의무를 지닌 개인과 법인을 의미한다. 그러나 개인 또는 법인이 일방에 있는 원천을 이용하여 얻은 소득에 대하여만 세금납부의무를 지니는 경우에는 거주자로 인정하지 않는다.

쌍방의 거주자로 되어 있는 개인을 일방의 거주자로 인정하는 기준은 다음과 같다.

① 개인이 일방에 항시적으로 생활하는 주거를 가지고 있을 경우 그는 일방의 거주자로 인정한다. 그러나 그가 항시적으로 생활하는 주거를 쌍방에 가지고 있으면 그는 경제적 이해관계가 더 많은 일방의 거주자로 인정한다.

② 개인이 항시적으로 생활하는 주거를 쌍방에 가지고 있지 않고 경제적 이해관계가 더 많은 일방을 확정할 수 없을 경우 그는 일상적으로 체류하는 일방의 거주자로 인정한다.

법인이 쌍방의 거주자로 되는 경우 그는 실질적인 관리장소가 있는 일방의 거주자로 인정한다.

개인과 법인의 거주자 판정과 관련하여 의문이 제기되는 경우 쌍방의 권한있는 당국은 상호 협의하여 해결한다.

제5조 고정사업장 판정

고정사업장은 관리장소, 지점, 사무소, 공장, 작업장, 판매소, 농장과 탄광, 광산, 채석장, 유전을 비롯한 천연자원 채취장소를 포함한다. 6개월 이상 진행하는 건축장소 또는 건설, 설치 또는 조립공사와 그와 연관된 설계 및 감리활동을 수행하는 장소도 고정사업장으로 인정한다.

기업소유의 재화 또는 상품의 구입, 보관, 전시, 인도인수, 임가공과 광고, 정보수집 같은 보조적 및 예비적 성격의 활동에 이용되는 장소는 고정사업장으로 인정하지 않는다.

대리인이 일방에서 상대방의 기업을 위하여 활동하면서 그 기업의 이름으로 계약을 체결할 권한을 일상적으로 행사하는 경우 그 기업은 일방에 고정사업장을 가지고 있는 것으로 인정한다. 그러나 대리인이 제2항에 규정된 활동을 수행하는 경우에는 고정사업장을 가지고 있는 것으로 인정하지 않는다.

일방의 기업이 상대방에 있는 중개인 또는 위탁판매인을 통하여 영업활동을 한다고 하여 그 기업이 상대방에 고정사업장을 가지고 있는 것으로 인정하지 않는다. 그러나 중개인 또는 위탁판매인이 전적으로 그 기업을 위하여 활동하는 경우 그 기업은 상대방에 고정사업장을 가지고 있는 것으로 인정한다.

일방의 기업과 상대방의 기업이 지배관계에 있다는 이유만으로는 그 어느 기업도 다른 기업의 고정사업장으로 되지 않는다.

제6조 부동산소득

농업 또는 임업에서 얻은 소득을 포함하여 일방의 거주자가 상대방에 있는 부동산으로부터 얻은 소득에 대한 세금은 상대방에서 부과할 수 있다.

부동산에 부속된 재산, 토지 및 산림이용권, 부동산의 사용수익권, 천연자원 채취권, 농업과 임업에 이용하는 가축과 설비는 부동산으로 인정한다. 그러나 배와 비행기는 부동산으로 보지 않는다. 이 합의서에서 규정하지 않은 부동산 항목은 그것이 소재하고 있는 일방의 법령에 따라 규정한다.

제1항은 부동산을 직접 이용하거나 임대 또는 기타 형태로 이용하여 얻은 소득에 적용한다.

제1항과 제3항은 기업소유의 부동산으로부터 얻은 소득과 독립적 인적용역을 수행하기 위하여 이용되는 부동산으로부터 얻은 소득에도 적용한다.

제7조 기업이윤

일방의 기업이 상대방에 있는 고정사업장에서 사업활동을 하여 얻은 이윤에 대한 세금은 상대방에서 부과할 수 있다. 이 경우 상대방에 있는 고정사업장에 귀속되는 이윤에 대하여서만 세금을 부과한다.

상대방에 있는 고정사업장이 자기가 속한 일방의 기업과 같거나 유사한 조건에서 같은 업종의 활동을 하며 독자적으로 경영활동을 하는 분리된 기업이라면 일방의 기업이 고정사업장을 통하여 얻을 수 있는 이윤은 고정사업장에 귀속된다.

고정사업장이 얻은 이윤의 계산은 총수입에서 경영비와 일반관리비를 포함한 고정사업장 운영에 지출된 비용을 공제하여 계산한다.

고정사업장이 자기가 속한 기업이 제공한 지적소유권 및 자문용역제공의 대가로 주는 사용료, 수수료, 사례금 또는 이와 유사한 지불금은 고정사업장의 이윤계산에서 공제하지 않는다.

고정사업장이 자기가 속한 기업을 위하여 물품을 구입하면서 얻은 이윤이 영리를 목적으로 하지 않는 경우에는 고정사업장의 이윤계산에 포함시키지 않는다.

고정사업장에 귀속되는 이윤계산은 충분한 변경이유가 없는 한 매년 같은 방법으로 한다.

기업이윤에 대하여 다른 조항들에서 규정한 경우에는 그에 따른다.

제8조 수송소득

일방의 기업이 남북 사이에 운영하는 자동차, 열차, 배, 비행기 같은 수송수단을 이용하여 얻은 이윤에 대한 세금은 일방에서 부과할 수 있다.

일방의 기업이 남북 사이에 운영하는 자동차, 열차, 배, 비행기 같은 수송수단을 이용하여 상대방에서 얻은 이윤에 대한 세금은 상대방에서도 법에 따라 부과한다. 이 경우 부과되는 세금은 50%를 감면한다.

수송소득에는 컨테이너를 포함한 수송수단의 이용 또는 임대로 얻은 소득도 포함한다.

제1항과 제2항은 공동경영, 공동출자, 국제적인 경영체에 참가하여 얻은 이윤에도 적용한다.

제9조 특수관계기업 이윤

다음의 특수한 조건으로 상업적 및 재정적 관계가 다른 독립적인 기업들 사이의 관계와 다르게 이루어지는 기업들 가운데서 어느 한 기업에 생기는 이윤에 대한 세금은 그러한 조건들이 생기지 않을 경우에 생기는 이윤을 고려하여 부과할 수 있다.

① 일방의 기업이 상대방의 기업에 출자하거나 경영관리에 직접 또는 간접적으로 참가하는 경우

② 쌍방의 기업이 공동으로 일방 또는 상대방에 있는 다른 기업에 출자하거나 경영관리에 직접 또는 간접적으로 참가하는 경우

상대방의 기업이 상대방에서 세금을 납부한 이윤을 일방기업의 이윤에 포함시켜 세

금을 납부하게 되는 경우 일방은 이 두 기업의 관계가 서로 독립적인 기업들 사이의 관계와 같으면 그 이윤에 부과되는 세금으로 조정할 수 있다. 이 경우 합의서의 다른 조항들을 고려하여 필요에 따라 쌍방의 권한 있는 당국들이 협의한다.

제10조 배당금

일방의 거주자인 법인이 상대방의 거주자에게 분배하는 배당금에 대한 세금은 상대방에서 부과할 수 있다.

배당금이 발생하는 일방에서도 법에 따라 세금을 부과할 수 있다. 이 경우 배당금을 받을 자가 수익적 소유자인 경우 세금은 배당금 총액의 10%를 초과하지 않는다. 이 조항은 배당금을 지불하기 전에 납부한 이윤에 대한 세금에는 적용하지 않는다.

배당금에는 주식 또는 채권청구가 아닌 이윤분배 권리로부터 발생되는 소득, 일방의 법령에 따라 그와 동일하게 세금이 부과되는 기타 권리로부터 발생하는 소득과 합영, 합작을 비롯한 공동기업에 참가하는 개인 또는 법인에게 분배하는 소득이 포함된다.

일방의 거주자인 배당금의 수익적 소유자가 배당금이 발생되는 상대방에 있는 고정사업장 또는 고정시설을 이용하여 사업활동을 하거나 독립적인 인적용역을 제공하면서 고정사업장 또는 고정시설과 실질적으로 관련되어 받은 배당금에 대한 세금의 부과는 이 조항을 적용하지 않고 제7조 또는 제14조를 적용한다.

일방의 거주자인 법인이 상대방의 거주자에게 분배하지 않거나 상대방에 있는 고정사업장 또는 고정시설과 실질적으로 관련되지 않는 이윤을 얻은 경우 그것이 상대방에서 발생되었다 하더라도 분배하지 않은 이윤과 배당금에 대하여는 세금을 부과하지 않는다.

제11조 이자소득

일방에서 발생하여 상대방의 거주자에게 지불되는 이자에 대한 세금은 상대방에서 부과할 수 있다.

이자가 발생하는 일방에서도 법에 따라 그 이자에 대하여 세금을 부과할 수 있다. 이 경우 이자를 받을 자가 수익적 소유자이면 세금은 이자총액의 10%를 초과하지 않는다.

이자에는 국채, 공채, 사채를 비롯한 채권으로부터 얻은 소득이 포함된다. 국채, 공채 또는 사채에 덧붙는 금액, 장려금과 같은 소득도 이자에 포함된다.

일방의 거주자인 이자의 수익적 소유자가 그것이 발생되는 상대방에서 고정사업장 또는 고정시설을 통하여 사업활동을 하거나 독립적인 인적용역을 제공하면서 고정사업장 또는 고정시설과 실질적으로 관련하여 받은 이자에 대한 세금의 부과는 이 조항을 적용하지 않고 제7조 또는 제14조를 적용한다.

이자 지불자가 일방의 거주자이면 이자는 일방에서 발생된 것으로 인정한다. 그러나 이자 지불의무를 지니고 그것을 지불하는 고정사업장 또는 고정시설을 가지고 있는 경우 이자 지불자의 거주지에는 관계없이 고정사업장 또는 고정시설이 있는 지역에서 이자가 발생된 것으로 인정한다.

이자 지불자와 수익적 소유자 사이 또는 그들과 다른 개인 또는 법인 사이에 특수관계로 생긴 이자가 그러한 관계가 없이 이루어진 이자보다 더 많은 경우 초과액에 대한 세금의 부과는 이 조항을 적용하지 않고 다른 조항과 일방의 법에 의한다.

일방에서 발생하여 상대방의 중앙 및 지방행정기관 또는 중앙은행에 지급하는 이자에 대한 세금은 일방에서 면제한다.

제12조 사용료

일방에서 발생하여 상대방의 거주자에게 지불되는 사용료에 대한 세금은 상대방에서 부과할 수 있다.

사용료가 발생하는 일방에서도 법에 따라 그 사용료에 대하여 세금을 부과할 수 있다. 이 경우 사용료를 받을 자가 수익적 소유자이면 세금은 사용료 총액의 10%를 초과할 수 없다.

사용료에는 영화필름, 라디오 및 텔레비젼 방송용 테이프를 비롯한 과학, 문학, 예술분야의 저작권과 특허, 상표, 도안, 발명, 설계도면, 비밀 공식 및 공정의 이용 또는 그 이용권, 산업, 상업, 과학분야의 설비 사용 또는 그 사용권이나 경험에 관한 정보의 제공으로 받은 대가가 포함된다.

일방의 거주자인 사용료의 수익적 소유자가 그것이 발생하는 상대방에서 고정사업장 또는 고정시설을 통하여 사업활동을 하거나 독립적인 인적용역을 제공하면서 고정사업장 또는 고정시설과 실질적으로 관련하여 받은 사용료에 대한 세금의 부과는 이 조항을 적용하지 않고 제7조 또는 제14조를 적용한다.

사용료 지불자가 일방의 거주자이면 사용료는 일방에서 발생된 것으로 인정한다. 그러나 지불자가 사용료를 지불할 의무를 지니고 그것을 지불하는 고정사업장 또는 고정시설을 가지고 있는 경우 지불자의 거주지에는 관계없이 고정사업장 또는 고정시설이 있는 지역에서 사용료가 발생된 것으로 인정한다.

사용료 지불자와 수익적 소유자 사이 또는 그들과 다른 개인 또는 법인 사이에 이루어지는 특수관계로 생기는 사용료가 그러한 관계가 없이 이루어진 사용료보다 더 많은 경우 초과액에 대한 세금의 부과는 이 조항을 적용하지 않고 다른 조항과 일방의 법령에 의한다.

제13조 재산 양도소득

일방의 거주자가 상대방에 있는 부동산을 양도하여 얻은 소득에 대한 세금은 상대방에서 부과할 수 있다.

일방의 거주자가 상대방에 있는 주로 부동산으로 구성된 법인의 주식 및 출자지분을 비롯한 권리를 양도하여 얻은 소득에 대한 세금은 상대방에서 부과할 수 있다.

일방의 기업이 상대방에 있는 고정사업장 또는 고정시설을 양도하거나 그곳에 있는 재산의 일부를 양도하여 얻은 소득에 대한 세금은 상대방에서 부과할 수 있다.

일방의 거주자가 남북 사이에 운영하는 자동차, 열차, 배, 비행기와 그것에 이용되는 재산을 양도하여 얻는 소득에 대한 세금은 일방에서만 부과한다.

앞 항들에서 언급하지 않은 재산을 양도하여 얻은 소득에 대한 세금은 양도자가 거주한 일방에서만 부과한다.

제14조 독립적 인적용역

일방의 거주자가 상대방에 고정시설을 가지고 있거나 그곳에 12개월 중 한 번 또는 여러 번에 걸쳐 183일 이상 체류하면서 독립적 인적용역과 이와 유사한 활동을 하여 얻은 소득에 대한 세금은 상대방에서 부과할 수 있다.

독립적 인적용역에는 과학, 교육, 문화, 예술분야의 전문가와 의사, 변호사, 기술사, 건축가, 회계사들의 독립적인 활동이 포함된다.

제15조 종속적 인적용역

일방의 거주자가 상대방에서 고용의 대가로 받은 급여 및 이와 유사한 보수에 대한 세금은 상대방에서 부과할 수 있다.

일방의 거주자가 상대방에서 고용과 관련하여 지급받은 보수에 대한 세금은 다음의 경우[123] 일방에서만 부과한다.

① 수취인이 12개월 중 한 번 또는 여러 번에 걸쳐 상대방에 183일 이하 체류하는 경우

② 보수가 상대방에 거주하지 않는 고용주나 그를 대신하여 지불되는 경우

⑧ 보수가 상대방에 가지고 있는 고정사업장 또는 고정시설에 의하여 지불되지 않는 경우

제1항과 제2항에 관계없이 일방의 기업이 남북 사이에 운영하는 자동차, 열차, 배, 비행기에 의한 수송에 종사하여 얻은 보수에 대한 세금은 그 일방에서만 부과한다.[124]

일방의 거주자가 상대방에서 일방의 당국을 위하여 수행하는 용역과 관련하여 지급받은 급료, 임금 및 기타 유사한 보수에 대한 세금은 일방에서만 부과한다.

제16조 이사의 보수

일방의 거주자가 상대방의 거주자로 되어 있는 회사의 이사회 구성원의 자격으로 받은 보수와 기타 지불금에 대한 세금은 상대방에서 부과할 수 있다.

제17조 예술인과 체육인의 소득

일방의 거주자인 예술인 또는 체육인이 상대방에서 수행한 활동으로 얻은 소득에 대한 세금은 제14조, 제15조에 관계없이 상대방에서 부과할 수 있다.

예술인 또는 체육인이 얻은 소득이 제3자에게 귀속되는 경우 그 소득에 대한 세금은 제7조, 제14조, 제15조에 관계없이 그들의 활동이 수행되는 지역에서 부과할 수 있다.

예술인 또는 체육인의 활동이 쌍방 당국의 합의 또는 승인에 따라 수행된 경우에는 그들의 활동이 수행되는 지역에서 세금을 면제한다.

---

123) 문구 상의 규정만으로 검토할 때, 동 규정은 세가지 중에서 하나에만 해당하면, 일방에서만 부과하는 조건으로 해석된다. 그러나, ①항의 183일 미만의 조건만 만족하고, ②항과 ③항을 만족시키지 못하는 경우(즉, 현지법인이 보수(급여)를 지급한다면), 지급자에게 원천징수 의무가 있으므로, 일방에서만 과세한다는 논리는 성립하지 아니한다. 한중조세협약 제15조의 경우, 모두(and) 만족하여야 한다는 명확한 표현이 되어 있다. 저자의 판단으로는 입법착오라고 판단된다.

124) 남북교류협력에 관한 법률에 의한 북한지역을 항행하는 선박에 승선하는 승무원이 당해 선박에서 근로를 제공하고 받는 보수 중, 소득세법 시행령 제16조 제1항의 규정에 의하여 비과세하는 급여는 당해 승무원이 북한지역을 항행하는 기간의 근로에 대하여 지급받는 급여에 한하여 적용하는 것임.

제18조 연 금

일방의 거주자가 과거의 고용과 관련하여 받은 연금과 기타 보수에 대한 세금은 일방에서만 부과한다.

제19조 학생과 실습생의 보조금

상대방의 거주자였던 학생 및 실습생이 일방에 체류하면서 생활보장, 교육, 실습을 위해 받는 보조금 또는 장학금, 일방의 밖으로부터 보내온 금액에 대한 세금은 일방에서 면제한다.

제20조 교원과 연구원의 소득

상대방의 거주자였던 개인이 학술연구기관, 대학, 기타 공인된 교육기관의 초청으로 일방에 체류하면서 학술연구용역, 교수용역을 수행하여 받은 보수에 대한 세금은 그가 도착한 날부터 2년간 일방에서 면제한다.

학술연구 및 교수용역이 공적이익이 아니라 사적이익을 위한 것이라면 제1항을 적용하지 않는다.

제21조 기타소득

앞 조항들에서 규정하지 않은 소득을 일방의 거주자가 얻은 경우 그에 대한 세금은 소득이 발생된 지역에 관계없이 일방에서만 부과한다.

일방의 거주자인 수익적 소유자가 상대방에서 고정사업장 또는 고정시설을 통하여 사업활동을 하거나 독립적 인적용역을 제공하면서 얻은 소득이 그 고정사업장 또는 고정시설과 실질적으로 관련되는 경우에는 제1항을 적용하지 않고 제7조 또는 제14조에 의해 세금을 부과한다.

제22조 이중과세 방지방법

일방은 자기 지역의 거주자가 상대방에서 얻은 소득에 대하여 세금을 납부하였거나 납부하여야 할 경우 일방에서는 그 소득에 대한 세금을 면제한다. 그러나 이자, 배당금, 사용료에 대하여는 상대방에서 납부하였거나 납부하여야 할 세액만큼 일방의 세액에서 공제할 수 있다.[125)]

---

125) 이자, 배당금, 사용료에 대해서는 세액공제방식으로 이중과세를 방지하는 것이며, 그 외의 소득에 대해서는 소득면제방식으로 이중과세를 방지하는 것임(서일-53, 2006.1.17.).

일방은 자기 지역의 거주자가 상대방에서 얻은 소득에 대한 세금을 법이나 기타 조치에 따라 감면 또는 면제받았을 경우 세금을 전부 납부한 것으로 인정한다.[126)]

제23조 차별금지

일방은 같은 조건에 있는 상대방의 거주자에게 자기 지역의 거주자보다 불리한 세금을 부과하지 않는다.

일방은 고정사업장을 가지고 있는 상대방 기업에게 그와 동일한 사업활동을 하는 자기의 기업보다 불리한 세금을 부과하지 않는다. 이 조항은 일방이 자기의 거주자처럼 상대방의 거주자에게도 세금을 공제, 감면, 면제하여 줄 의무를 지니는 것으로 해석하지 않는다.

일방의 기업이 자기 지역의 거주자에게 지급하는 이자, 사용료와 이와 유사한 지급금을 그 기업의 이윤계산에서 공제하면 상대방 거주자에게 지불하는 경우에도 같은 조건으로 공제한다. 그러나 제9조 제1항, 제11조 제6항, 제12조 제6항의 규정이 적용되는 경우에는 제외한다.

재산의 전부 또는 일부가 상대방의 한 명 또는 그 이상의 거주자에 의하여 직접 또는 간접으로 소유 또는 지배되는 경우 일방의 기업은 그와 유사한 일방의 다른 기업보다 더 불리한 과세대상으로 되지 않는다.

이 조는 제3조에 규정된 세금들에만 해당된다.

제24조 합의절차

개인 또는 법인은 합의서와 어긋나게 세금을 부과하거나 부과할 것으로 예견되는 경우 거주한 지역의 권한 있는 당국에 의견을 제기할 수 있다. 의견의 제기는 해당 사실을 알게 된 때로부터 3년 안으로 하여야 한다.

의견을 제기받은 권한 있는 당국은 제기된 문제를 자체적으로 해결할 수 없을 경우 상대방의 권한 있는 당국과 합의하여 해결한다.

합의서의 해석과 적용, 이중과세방지와 관련하여 제기되는 문제는 쌍방의 권한 있는 당국 또는 남북장관급회담과 그가 정한 기구가 협의하여 해결한다.

---

126) 세액공제방식이 적용되는 이자, 배당, 사용료에 대해서만 적용되는 것임(서일-53, 2006.1.17.).

第25조 정보교환

쌍방의 권한 있는 당국은 이 합의서의 이행과 관련되는 세금관계 법령을 비롯한 기타 정보들을 상호 제공한다.

입수한 정보는 이 합의서에 따라 세금을 부과하거나 징수하며 분쟁을 해결하는 목적에만 이용한다.

일방은 법률적 및 행정적 조치와 공공질서에 배치되는 정보를 상대방에 요구하지 않는다.

第26조 수정 · 보충

필요한 경우 쌍방은 합의에 의하여 합의서를 수정 · 보충할 수 있다. 수정 · 보충되는 조항은 제27조와 같은 절차를 거쳐 발효된다.

第27조 효력발생

합의서는 남과 북이 서명하고 각기 발효에 필요한 절차를 거쳐 그 문본을 교환한 날로부터 효력을 발생한다.

합의서는 다음과 같이 적용한다.

① 원천징수 되는 세금에 관하여는, 이 합의서가 발효되는 연도의 다음해 1일 1일 이후에 발생되는 소득의 금액

② 기타의 세금에 관하여는 이 합의서가 발효되는 연도의 다음해 1월 1일 이후에 개시하는 과세년도부터

第28조 유효기간

합의서는 일방이 폐기를 제기하지 않는 한 효력을 가진다. 합의서를 폐기하려는 일방은 합의서가 효력을 발생한 때로부터 5년이 지난 다음 임의의 해의 6개월 전에 효력을 중지한다는 것을 상대방에 통지할 수 있다.

합의서가 폐기되면 다음의 사항들은 효력이 중지된다.

① 원천징수 되는 세금에 관하여는, 합의서의 종료 통고가 있는 해의 다음해 1월 1일 이후에 발생되는 소득의 금액

② 기타의 세금에 관하여는, 합의서의 종료 통고가 있는 해의 다음해 1월 1일 이후에 개시하는 과세연도부터

제3절 남북 사이의 청산결제에 관한 합의서

남과 북은 2000년 6월 15일에 발표된 역사적인 남북공동선언에 따라 진행되는 경제교류와 협력이 나라와 나라 사이가 아닌 민족내부의 거래임을 확인하고 경제거래에 대한 청산결제 체계를 세우기 위하여 다음과 같이 합의한다.

제1조 청산결제의 대상

청산결제는 남과 북이 합의하여 정하는 거래상품의 대금과 이에 동반되는 용역거래대금에 대하여 적용한다.

제2조 거래상품과 한도

남과 북은 청산결제 방식으로 거래할 상품과 그 한도를 당해 연도의 상품거래 시작 전까지 합의하여 정한다. 필요한 경우 남과 북은 정해진 상품의 한도를 합의하여 변경시킬 수 있다.

청산결제 방식으로 거래할 상품은 남과 북을 원산지로 하는 것에 한한다.

제3조 은행 선정과 청산계정 개설

남과 북은 청산결제 은행을 각각 선정하고 이 은행에 상대측 은행의 이름으로 청산계정을 개설한다.

제4조 신용한도

남과 북은 쌍방의 합의에 따라 청산계정의 신용한도를 설정하고 운영한다.

제5조 결제통화

청산결제 통화는 미달러화로 한다. 필요에 따라 남과 북이 합의하여 다른 화폐로도 할 수 있다.

제6조 청산기간

청산결제 기간은 매해 1월 1일부터 12월 31일까지로 한다. 청산계정의 차액잔고는 해당 결제기간 다음해 3월 31일까지 청산한다.

제7조 결제절차와 방법

합의서 이행을 위한 결제절차와 방법은 남과 북이 선정한 청산 결제은행들이 합의하여 정한다.

제8조 일반결제

청산결제 방식으로 진행하지 않는 대금결제와 자본의 이동은 국제관례에 따른 일반결제방식으로 쌍방이 각각 지정하는 은행을 통하여 한다.

제9조 해석 및 적용상의 문제해결

남과 북은 합의서의 해석 및 적용과 관련하여 발생하는 문제를 남북장관급회담 또는 그가 하는 기구에서 협의하여 해결한다.

제10조 효력발생 및 수정·보충

합의서는 남과 북이 서명하고 각기 발효에 필요한 절차를 거쳐 그 문본을 교환한 날로부터 효력을 발생한다.

쌍방의 합의에 따라 합의서의 조항을 수정・보충할 수 있다. 수정・보충되는 조항의 효력은 제1항과 같은 절차를 거쳐 발생한다.

남과 북은 합의서 서명일로부터 6개월 이내에 청산결제 방식으로 거래할 상품과 한도, 청산계정의 신용한도를 합의하여 정하고 각기 자기측 청산결제 은행을 선정하여 이를 상대 측에 통보한다.

제4절 남북 사이의 상사분쟁해결절차에 관한 합의서

남과 북은 2000년 6월 15일에 발표된 역사적인 남북공동선언에 따라 진행되는 경제교류와 협력이 나라와 나라 사이가 아닌 민족내부의 거래임을 확인하고 경제교류・협력과정에서 생기는 상사분쟁을 공정하고 신속하게 해결하기 위하여 다음과 같이 합의한다.

제1조 분쟁해결의 원칙

남북 사이의 경제교류・협력과정에서 생기는 상사분쟁은 당사자 사이에 협의의 방법으로 해결한다. 협의의 방법으로 해결되지 않는 분쟁은 중재의 방법으로 해결하는 것을 원칙으로 한다.

제2조 중재위원회의 구성

남과 북은 경제교류・협력과정에서 생기는 상사분쟁을 해결하기 위하여 각각 위원장 1명, 위원 4명으로 남북상사중재위원회(이하 "중재위원회"라 한다)를 구성한다.

제3조 중재위원회의 기능

중재위원회는 다음과 같은 기능을 수행한다.

① 남과 북의 당사자 사이 또는 일방의 당사자와 상대방의 당국 사이에 경제교류・협력과정에서 생기는 상사분쟁의 중재 또는 조정 및 그와 관련한 사무 처리

② '남북 사이의 투자보장에 관한 합의서' 제7조 제1항에 규정된 분쟁으로서 당사자가 중재위원회에 제기한 분쟁의 중재 또는 조정 및 그와 관련한 사무 처리

③ 중재규정과 그 관련규정의 제정 및 수정・보충

④ 제5조 제1항에 의한 중재인의 선정

⑤ 제10조 제3항에 의한 중재인의 선정

⑥ 이 밖에 쌍방의 합의에 의해 부여되는 기능

제4조 중재위원회의 의사결정 형식

중재위원회의 의사결정은 쌍방의 합의에 의한다.

제5조 중재인명부의 작성과 교환

중재위원회에서 쌍방은 각각 30명의 중재인을 선정하여 중재인명부를 작성하고 그것을 상호 교환한다.

쌍방 중재위원회 위원장은 자기 측의 중재인 가운데서 변동이 있을 경우 그에 대하여 상대방에게 통지한다.

중재위원회 위원장 또는 위원도 필요에 따라 제1항에 규정된 중재인으로 선정될 수 있다.

제6조 중재인의 자격

중재인은 법률 및 국제무역투자실무에 정통한 자이어야 한다.

제7조 중재인의 활동 보장

남과 북은 선정된 중재인이 자기에게 부과되는 직무를 공정하게 수행할 수 있도록 보장한다.

제8조 중재위원회의 분쟁사건 관할

중재위원회는 다음과 같은 분쟁사건을 관할한다.

① 남북 사이의 경제교류・협력과정에서 생긴 상사분쟁 가운데서 당사자가 중재위원회에 제기하여 해결할 것을 서면으로 합의한 분쟁사건 중재합의는 어느 당사자도 일방적으로 철회할 수 없다.

② 남북 사이의 투자보장에 관한 합의서 제7조 제1항에 규정된 분쟁사건

제9조 중재신청

중재를 신청하려는 자는 자기측 중재위원회 위원장에게 중재신청서를 제출하여야 한다. 분쟁 당사자가 중재신청서를 제출한 날을 중재사건이 접수된 날로 한다. 쌍방의 중재위원회 위원장은 중재와 관련한 사무를 처리할 자기측 기관을 지정한다.

중재신청을 접수한 중재위원회 위원장은 그 날부터 10일 이내에 상대방의 중재위원회 위원장에게 통지하여야 한다.

일방의 중재위원회 위원장은 자기측 당사자가 피신청자로 되는 경우 중재신청 제기 통지를 받은 날부터 10일 이내에 피신청자에게 통지하여야 한다.

제10조 중재판정부의 구성

중재판정부는 당사자 사이의 합의에 따라 선정되는 중재인 3명으로 구성한다.

당사자는 정해진 기간 안에 중재인의 선정에 대하여 합의를 하지 못할 경우 중재인명부에서 각각 1명의 중재인을 선정하며 선정된 2명의 중재인이 협의하여 중재인명부에서 의장중재인 1명을 선정한다.

중재신청이 접수된 날부터 50일 이내에 중재인을 선정하지 못한 경우에는 일방 분쟁당사자의 요청에 따라 일방의 중재위원회 위원장이, 의장중재인을 선정하지 못한 경우에는 쌍방의 중재위원회 위원장이 협의하여 중재인명부에서 선정한다. 이 경우 순번추첨의 방법으로도 할 수 있다. 중재인 선정은 그 요청을 받은 날부터 30일 이내에 종료하여야 한다.

제3항에 따라 의장중재인을 선정하지 못한 경우 일방의 중재위원회 위원장은 국제투자 분쟁해결센터에 의장중재인의 선정을 의뢰할 수 있다.

제11조 중재장소의 결정

중재장소는 당사자들이 협의하여 정한다. 그러나 중재판정부가 구성된 날부터 10일 이내에 중재장소를 정하지 못한 경우에는 중재판정부가 정한다.

제12조 중재판정의 준거법

중재판정부는 당사자들이 합의한 법령에 따라 중재판정을 한다. 당사자가 합의한 법령이 없을 경우에는 남 또는 북의 관련법령, 국제법의 일반원칙, 국제무역거래 관습에 따라 중재판정을 한다.

제13조 중재판정의 방법

중재판정은 중재판정부에서 중재인 과반수의 찬성에 의한다. 중재판정문에는 중재심리에서 확인된 사실과 증거, 사건해결과 관련한 주문, 준거법, 작성일자 등을 기재하며, 중재인이 서명・날인한다.

제14조 중재기간

중재판정은 중재신청이 접수된 날부터 6개월 이내에 하여야 한다. 필요한 경우 중재판정부는 당사자들과 협의하여 그 기간을 3개월까지 연장할 수 있다.

제15조 중재판정의 비공개

당사자들의 동의가 없이는 중재판정을 공개하지 아니한다.

제16조 중재판정의 이행, 승인 및 집행

당사자는 중재판정에 따르는 의무를 이행하여야 한다.

당사자가 중재판정에 따르는 의무를 이행하지 아니하거나 불성실하게 이행할 경우 상대방 당사자는 관할 지역의 재판기관에 그 집행을 신청할 수 있다.

남과 북은 특별한 사정이 없는 한 중재판정을 구속력이 있는 것으로 승인하고, 해당 지역 재판기관의 확정판결과 동일하게 집행하도록 한다. 특별한 사정은 중재위원회가 정한다.

제17조 조 정

중재신청이 접수된 후 당사자 쌍방으로부터 조정의 요청이 있을 경우 중재위원회는 중재절차를 중지하고 조정절차를 개시한다.

당사자는 합의에 의해 조정인 1명 또는 3명을 선정하며 조정절차와 방법은 조정인이 정한다.

당사자가 합의한 조정의 결과는 중재판정의 방식으로 처리하며 중재판정과 같은 효력을 가진다.

조정인이 선정된 날부터 30일 이내에 조정이 성립되지 아니하는 경우 조정절차는 종결되며 중재절차가 다시 진행된다. 당사자들의 합의에 의하여 조정기간을 연장할 수 있다.

제18조 협의 및 수정·보충

남과 북은 합의서의 해석 및 적용과 관련하여 생기는 문제를 남북장관급회담 또는 그가 정하는 기관에서 협의하여 해결한다.

남과 북은 필요한 경우 협의하여 합의서의 조항을 수정· 보충할 수 있다. 수정·보충되는 조항의 효력은 제19조 제1항과 같은 절차를 거쳐 발생한다.

제19조 효력발생 및 폐기

합의서는 남과 북이 서명하고 각기 발효에 필요한 절차를 거쳐 그 문본을 교환한 날부터 효력을 발생한다.

합의서는 일방이 상대방에게 폐기의사를 서면으로 통지하지 않는 한 계속 효력을 가진다. 폐기통지는 통지한 날부터 6개월 후에 효력을 발생한다.

합의서의 효력기간 내에 접수한 중재신청에 대해서는 이 합의서의 효력이 상실된 후에도 제1조부터 제17조까지의 조항에 따라 처리한다.

남과 북은 합의서 서명일로부터 6개월 이내에 중재위원회의 구성과 운영에 필요한 사항을 협의하여 정한다.

제2장

한국 세법상 대북거래의 처리

제1절 대북거래에 있어서의 한국 세법 적용

1. 남북교류협력에 관한 법률(이하 '남북교류협력법') 등의 우선 적용

남한과 북한 간의 거래는 국가 간의 거래가 아닌 민족내부의 거래로 본다(남북교류협력법 제12조).

한국과 북한 사이에 반입 및 반출되는 재화와 용역의 공급 등의 거래에 대하여는 남북교류협력법과 남북 사이의 소득에 대한 이중과세방지 합의서 및 각종 합의서[127]를 우선 적용(남북교류협력법 제3조)하며, 이 규정을 제외하고는 북한과의 거래에 대하여는 대외무역법 등 무역에 관한 법률을 준용하여야 하며, 동 거래와 관련한 조세의 부과, 징수, 감면 및 환급 등에 대하여는 아래와 같은 세법을 적용한다.

남북교류협력에 관한 법률 제26조에서 규정하고 있는 법률은 아래와 같다.

① 외국환거래법

② 외국인투자 촉진법

③ 한국수출입은행법

④ 무역보험법

⑤ 대외경제협력기금법

⑥ 법인세법

⑦ 소득세법

127) 남북 사이의 상사분쟁 해결절차에 대한 합의서, 남북 사이의 청산결제에 관한 합의서, 남북 사이의 투자보장에 관한 합의서

⑧ 조세특례제한법

⑨ 수출용원재료에 대한 관세 등 환급에 관한 특례법

⑩ 그 밖에 대통령령으로 정하는 법률

상기 ⑩ 그 밖에 대통령령으로 정하는 법률은 남북교류협력에 관한 법률 시행령 제41조에서 규정하고 있으며, 시행령에서 규정하고 있는 관련 법률은 아래와 같다.

① 관세법. 다만, 물품 등의 반입 · 반출에 따른 관세의 부과 · 징수 · 감면 및 환급 등에 관한 규정은 준용하지 아니한다.

② 국세기본법

③ 국세징수법

④ 부가가치세법

⑤ 개별소비세법

⑥ 주세법

⑦ 교육세법

⑧ 식물방역법

⑨ 가축전염병예방법

2. 북한 거래의 한국 세법 적용

1) 법인세와 소득세

한국과 북한 사이의 투자, 물품의 반출 · 반입, 기타 경제에 관한 협력사업 및 이에 수반되는 거래로 인하여 발생되는 소득에 대한 조세의 부과 · 징수 · 감면 및 환급 등에 관하여는 일반적으로 한국의 세법(법인세법, 소득세법 및 조세특례제한법)을 준용하나, 다음과 같은 조세특례가 인정된다.

남북교류협력법 시행령 제44조에서 규정하고 있는 특례 내용은 아래와 같다.

① 반출과 반입의 법인세법 및 소득세법 적용 : 북한에 물품 등을 반출하는 것은 수출 또는 외화획득사업으로 보며, 북한으로부터 물품 등이 반입되는 것은 수입으로 보지 아니한다(남북교류협력법 시행령 제44조).

② 소득세법 상 상호주의 특례적용 : 북한에서 소득이 있는 남한주민의 소득에 대하

여 소득세 부과의 특례를 인정하는 경우에는 남한에서 소득이 있는 북한주민의 소득에 대하여 그와 동등한 특례를 인정할 수 있다.

③ 남북교류 또는 협력으로 발생하는 소득에 대한 과세에 대하여 한국정부와 북한의 당국 간의 합의가 있는 때에는 소득세법의 전부 또는 일부를 준용하지 아니할 수 있다.

참고로 개인소득(근로소득)의 면세와 관련하여 이중과세방지 합의서에서 외국소득면제제도(Exemption method)를 아래와 같이 규정하고 있다.

일방은 자기 지역의 거주자가 상대방에서 얻은 소득에 대하여 세금을 납부하였거나 납부하여야 할 경우 일방에서는 그 소득에 대한 세금을 면제한다. 그러나 이자, 배당금, 사용료에 대하여는 상대방에서 납부하였거나 납부하여야 할 세액만큼 일방의 세액에서 공제할 수 있다(남북사이의 소득에 대한 이중과세방지 합의서 제22조).

2018년의 한국조세재정연구원의 자료에 따르면 OECD 국가 중 이중과세 조정제도로 외국납부세액공제 제도(Tax credit method)를 채택한 국가는 한국을 포함한 5개국(멕시코, 아일랜드, 이스라엘, 칠레)뿐이며, 대부분의 국가(24개)들은 외국소득면제제도(Exemption method)를 채택하고 있으나, 한국의 세법(법인세법 및 소득세법)에는 외국소득면제제도(Exemption method)가 규정되어 있지 않다.

외국소득면제제도는 해외원천소득을 과세대상 소득에서 제외한다는 점에서 외국납부세액공제 제도보다 훨씬 강력하고 실용적인 이중과세 조정제도라고 할 수 있다. 그리고, 이중과세방지 합의서에서 최초로 외국소득면제제도(Exemption method)를 도입하였는 바, 향후 한국의 개별 세법규정에도 동 외국소득면제제도의 도입을 명문화할 필요가 있다고 판단된다.

소득세법 중에서 남북교류협력법과 관련한 특례 내용은 아래와 같다.

남북교류협력에 관한 법률에 따른 북한지역(이하 이 조에서 "국외 등"이라 한다)에서 근로를 제공(원양어업 선박 또는 국외 등을 항행하는 선박이나 항공기에서 근로를 제공하는 것을 포함한다)하고 받는 보수 중 월 100만원[원양어업 선박, 국외 등을 항행하는 선박 또는 국외 등의 건설현장 등에서 근로(설계 및 감리 업무를 포함한다)를 제공하고 받는 보수의 경우에는 월 300만원] 이내의 금액은 비과세 한다(소득세법 제12조).

2) 개별소비세, 주세, 교통에너지환경세, 지방세 및 부가가치세

① 재화와 용역의 수출

북한으로 물품 등(해당 선박 또는 항공기에서 판매되는 물품은 제외한다)을 반출하는 것은 수출로 보아 지방세법, 부가가치세법, 개별소비세법, 주세법 및 교통·에너지·환경세법을 준용한다(남북교류협력법 시행령 제42조 제3항).

물품 등의 반출은 수출용 원재료에 대한 관세 등 환급에 관한 특례법 제2조에 따른 수출 등으로 본다. 다만, 반출되는 물품 등이 북한에서 제조·가공 등의 공정을 거쳐 남한으로 다시 반입되는 경우에는 그러하지 아니하다(남북교류협력법 시행령 제41조 제4항).

북한으로 제공하는 용역 및 전자적 형태의 무체물은 용역의 수출로 간주하여, 지방세법 및 부가가치세법만 준용한다(남북교류협력법 시행령 제42조 제3항).

선박·항공기의 북한 항행용역은 이를 각각 국외제공용역 또는 외국항행용역으로 보아 지방세법 및 부가가치세법을 준용한다. 다만, 해당 선박 또는 항공기에서 운행요금 외에 별도로 대가를 받고 제공되는 용역에 대하여는 그러하지 아니하다(남북교류협력법 시행령 제42조 제4항).

② 재화와 용역의 수입

북한으로부터 반입되는 물품 등은 부가가치세법에 따른 재화 또는 용역의 수입으로 보아 부가가치세법을 준용한다. 이 경우 물품 등(용역은 제외한다)에 대해서는 세관장이 관세 징수의 예에 따라 부가가치세를 징수하며 용역에 대해서는 부가가치세법 제52조 대리납부 규정을 준용한다(남북교류협력법 시행령 제42조 제1항).

북한으로부터 반입되는 물품이 개별소비세, 주세 및 교통·에너지·환경세의 과세대상인 경우 출입장소로부터 해당 물품이 반출되는 때를 수입한 것으로 보아 개별소비세법, 주세법 또는 교통·에너지·환경세법을 준용한다(남북교류협력법 시행령 제42조 제2항).

3) 관 세

물품 등의 반출이나 반입과 관련한 조세의 부과·징수·감면 및 환급 등에 관련하여 부가가치세법 및 관세법 등의 법률을 준용한다. 그러나, 원산지가 북한인 물품 등을 반입할 때에는 관세법에 따른 과세 규정과 다른 법률에 따른 수입부과금(輸入賦課金)에 관한 규정은 준용하지 아니한다. 즉, 북한으로부터 수입하는 재화에 대하여는 관세 등을 과세하지 아니한다(남북교류협력법 제26조 제2항).

관세법을 준용할 때 남한과 북한을 왕래하는 선박 또는 항공기는 관세법 제2조에 따른 "외국무역선" 또는 "외국무역기"로 본다. 다만, 선박 또는 항공기에서 판매할 목적으로 외국물품을 적재하는 경우에는 그러하지 아니하다(남북교류협력법 시행령 제41조 제5항).

출입장소를 통하여 북한에서 남한으로 들어오는 사람의 휴대품·별송품으로서 관계 행정기관의 장이 정하여 고시하는 물품 등에 대해서는 관세, 부가가치세, 개별소비세, 주세 및 교통·에너지·환경세를 부과하지 아니한다.

북한에서 남한을 방문하는 사람에 대하여는 외국인 관광객에 준하여 부가가치세법 및 개별소비세법의 감면규정을 준용한다.

제2절 한국의 이중과세 방지제도

1. 한국 세법의 이중과세 방지제도 개요

한국의 세법에서는 이중과세의 방지 및 해소를 위하여 외국납부세액공제 방법과 손금산입(필요경비 인정)을 규정하고 있었으나, 2020년 말 세법의 개정을 통하여 기본적으로 외국납부세액공제 방법만이 실무상 적용 가능한 방법으로 정리되었다. 2020년도 말의 외국납부세액공제와 관련한 주된 변경내용으로는 ① 외국납부세액의 이월공제기한이 5년에서 10년으로 연장되며 ② 외국납부세액의 손금산입방식이 삭제되고 ③ 외국납부세액 이월액이 공제기간 종료 후 다음 과세연도에 손금산입된다.

또한, 외국소득면제제도(Exemption method)는 한국 단독의 세법이 아닌 '남북 사이의 소득에 대한 이중과세방지 합의서' 제22조에만 규정되어 있다.

한국 세법의 외국납부세액공제 방법으로는 ① 직접 외국납부세액공제, ② 간접 외국납부세액공제, ③ 간주(의제) 외국납부세액공제 및 ④ 외국 Hybrid사업체를 통한 외국투자시의 외국납부세액공제(소득세법 제57조 제4항) 방법이 있다. 상기 외국 Hybrid 사업체를 통한 외국투자시의 외국납부세액공제 방법은 아랍 등의 중동 지역에서 주로 발생하는 것으로 북한 세법에서는 발생하기 힘든 것으로 판단되어 추가적인 설명을 생략한다.

외국납부세액공제 방법에 대한 내용을 표로 정리하면 아래와 같다.

구분	직접외국납부세액공제	간접외국납부세액공제	간주(의제)외국납부세액공제
공제대상	외국납부세액	배당금에 해당하는 외국자회사의 소득에 부과된 세액	외국정부가 감면해준 외국자회사 세액
적용세법	법인세 개인소득세 (종합소득, 퇴직소득) 양도소득세 상속·증여세	법인세 - - -	법인세 개인소득세 (종합소득, 퇴직소득) - -

구분	직접외국납부세액공제	간접외국납부세액공제	간주(의제)외국납부 세액공제
법률근거	법인세법 제57조 소득세법 제57조 (양도)소득세법 제118조 제6항 상속세법 및 증여세법 제29조	법인세법 제57조 -	법인세법 제57조 소득세법 제57조 조세조약[128)
세액 공제 기간 만료시	손금산입	손금산입	해당사항 없음

법인세를 추계 결정하는 경우에는 외국납부세액공제 혹은 외국납부세액 손금산입을 적용하지 않는다. 다만, 천재지변 등의 사유로 장부 기타 증빙서류가 멸실되어 추계하는 경우에는 예외로 한다.

거주자의 외국납부세액과 관련하여, 거주자의 종합소득금액 또는 퇴직소득금액에 국외원천소득이 합산되어 있는 경우에 외국에서 외국소득세를 납부하였거나 납부할 것이 있을 때, 거주자는 외국납부세액의 세액공제 제도를 적용할 수 있다.

추가하여 설명하면, 거주자로써 종합소득과 퇴직소득이 있는 경우에 직접 외국납부세액의 세액공제와 간주 외국납부세액의 세액공제가 가능하며, 외국납부세액 미사용이월액에 대하여 공제기간 종료후 다음연도에 직접 외국납부세액은 손금(필요경비) 산입이 가능하다. 즉, 거주자의 경우에는 간접 외국납부세액은 세액공제 제도의 적용이 불가능하다.

또한, 거주자로서 양도소득에 국외원천 양도소득이 포함되어 있는 경우에는 직접 외국납부세액에 한하여 세액공제 제도의 적용이 가능하다.

2. 직접 외국납부세액공제

내국법인의 각 사업연도의 과세표준 또는 거주자의 종합소득금액, 퇴직소득금액 및 양도소득금액에 국외원천소득이 포함되어 있는 경우 그 국외원천소득에 대하여 외국에서 외국법인세액(소득세액)을 납부하였거나 납부할 것이 있는 경우에는 세액공제방법을 적용할 수 있다(법인세법 제57조 제1항, 소득세법 제57조 제1항, 소득세법 제118조 제6항).

128) 합의서, 남북 사이의 청산결제에 관한 합의서

1) 외국납부세액

외국법인세액(외국납부세액)이란 외국정부에 납부하였거나 납부할 아래의 세액(가산세 및 가산금은 제외한다)을 말한다(법인세법 제94조 제1항, 소득세법 시행령 제117조 제1항 유사).

① 초과이윤세 및 기타 법인의 소득 등을 과세표준으로 하여 과세된 세액

② 법인의 소득 등을 과세표준으로 하여 과세된 세의 부가세액

③ 법인의 소득 등을 과세표준으로 하여 과세된 세와 동일한 세목에 해당하는 것으로서 소득 외의 수익금액 기타 이에 준하는 것을 과세표준으로 하여 과세된 세액

다만, 외국법인이 납부한 세액이라 하더라도 국제조세조정에 관한 법률 제10조 제1항에 따라 내국법인의 소득이 감액 조정된 금액 중 국외특수관계인에게 반환되지 아니하고 내국법인에게 유보되는 금액에 대하여 외국정부가 과세한 금액과 해당 세액이 조세조약에 따른 비과세·면제·제한세율에 관한 규정에 따라 계산한 세액을 초과하는 경우에는 그 초과하는 세액은 제외한다(법인세법 제94조 제1항).

2) 외국납부세액 공제 한도금액

외국납부세액 공제는 외국에서 실제 납부한 세액을 공제한도금액 내에서 해당 사업연도의 산출세액에서 공제하는 것을 의미한다. 즉, 실제 외국에서 부담한 세액과 세법에서 규정한 공제 한도액 중 작은 금액을 해당 연도 산출세액에서 공제한다. 이때, 공제한도의 계산은 직접 외국납부세액, 간접 외국납부세액 및 간주 외국납부세액 모두 포함하여 계산한 금액을 의미한다. 공제한도의 계산은 아래와 같다.

$$\text{해당 사업연도 법인세(소득세) 산출세액} \times \frac{\text{국외원천소득}}{\text{해당 사업연도 과세표준}}$$

① 해당 사업연도의 법인세(소득세) 산출세액

해당 사업연도의 법인세(소득세) 산출세액을 의미하며, 법인세(소득세) 산출세액 중 법인세법 제55조 제2항에 따른 토지 등 양도소득에 대한 법인세액 및 조세특례제한법 제100조 제32항에 따른 투자·상생협력 촉진을 위한 과세특례를 적용하여 계산한 법인세[129]액을 제외한 금액을 의미한다.

② 국외원천소득

국외원천소득은 국외에서 발생한 소득으로서 내국법인의 각 사업연도 소득의 과세표준 계산에 관한 규정을 준용해 산출한 금액으로 한다. 이 경우 외국납부세액의 세액공제방법이 적용되는 경우의 국외원천소득은 해당 사업연도의 과세표준을 계산할 때 손금에 산입된 금액(국외원천소득이 발생한 국가에서 과세할 때 손금에 산입된 금액은 제외한다)으로서 국외원천소득에 대응하는 직접 또는 간접으로 대응하는 아래의 금액이 있는 경우에는 이를 차감한 금액으로 한다(법인세법 시행령 제94조 제2항, 소득세법 시행령 제117조 유사).

- **직접비용** : 해당 국외원천소득에 직접적으로 관련되어 대응되는 비용. 이 경우 해당 국외원천소득과 그 밖의 소득에 공통적으로 관련된 비용은 제외한다.
- **배분비용** : 해당 국외원천소득과 그 밖의 소득에 공통적으로 관련된 비용 중 기획재정부령으로 정하는 배분방법에 따라 계산한 국외원천소득 관련 비용

상기 간접비용의 배분은 아래의 방법에 따라 처리한다(법인세법 시행규칙 제76조 제6항).

- 국외원천소득과 기타의 사업의 공통익금은 국외원천소득과 기타의 사업의 수입금액 또는 매출액에 비례하여 안분계산
- 국외원천소득과 기타의 사업의 업종이 동일한 경우의 공통손금은 국외원천소득과 기타의 사업의 수입금액 또는 매출액에 비례하여 안분계산
- 국외원천소득과 기타의 사업의 업종이 다른 경우의 공통손금은 국외원천소득과 기타의 사업의 개별손금액[130]에 비례하여 안분계산
- 공통되는 익금은 과세표준이 되는 것에 한하며, 공통되는 손금은 익금에 대응하는 것에 한한다.

또한 국외원천소득을 계산함에 있어 조세특례제한법이나 그 밖의 법률에 따라 세액감면 또는 면제를 적용 받는 경우에는 세액감면 또는 면제 대상 국외원천소득에 세액감면 또는 면제비율을 곱한 금액을 제외하여 계산한다.

실무상 국외원천소득이라 함은 한국의 법인세법 규정에 따라 계산한 국외원천소득

129) 미환류 소득에 대한 법인세액이라고도 한다.
130) 이 경우 개별손금액이라 함은 매출원가와 판매관리비 및 영업외비용 등 모든 개별손금의 합계액을 말한다(서이 46012-1280, 1998.5.16.).

에 대한 과세표준을 의미한다고 할 수 있다.

③ 국내에서 발생한 국외원천소득 관련 손금을 고려한 국외원천소득금액

외국납부세액의 세액공제방법이 적용되는 경우의 국외원천소득은 해당 사업연도의 과세표준을 계산할 때 손금에 산입된 금액(국외원천소득이 발생한 국가에서 과세할 때 손금에 산입된 금액은 제외한다)으로서 국외원천소득에 대응하는 다음 각 호의 비용(이하 이 조에서 "국외원천소득 대응 비용"이라 한다)을 뺀 금액으로 하되, 내국법인이 연구개발 관련 비용 등 기획재정부령으로 정하는 비용에 대해 기획재정부령으로 정하는 계산방법을 선택하여 적용하는 경우에는 그에 따라 계산한 금액을 국외원천소득 대응 비용으로 한다(법인세법 시행령 제94조 제2항).

3) 국별한도 방법 및 일괄한도 방법

외국납부세액 공제한도금액을 계산할 때 국외사업장이 2 이상의 국가에 있는 경우에는 국가별로 구분하여 이를 계산한다(법인세법 제94조 제7항).

2014년 12월 31일 이전에는 외국납부세액 공제한도를 계산할 때 국별한도 방법과 일괄한도 방법 중 납세자 입장에서 유리한 방법을 선택하여 적용할 수 있었으나, 2015년 1월 1일 이후 개시하는 사업연도부터는 일괄한도 제도를 폐지하고 국별한도만 적용 가능하도록 개정하였다.

4) 이월공제

외국정부에 납부하였거나 납부할 외국법인세액이 해당 사업연도의 공제한도금액을 초과하는 경우 그 초과하는 금액은 해당 사업연도의 다음 사업연도 개시일부터 10년 이내에 끝나는 각 사업연도로 이월하여 그 이월된 사업연도의 공제한도금액 내에서 공제받을 수 있다(법인세법 제57조 제2항, 소득세법 제57조 제2항).

공제기간 내 미공제 외국납부세액 이월액은 공제기간 종료 다음 과세연도에 손금산입한다.

공제한도금액을 초과하는 외국법인세액 중 국외원천소득 대응 비용과 관련된 외국법인세액(국내에서 발생한 국외원천소득 관련 손금을 고려한 국외원천소득금액을 기준으로 산정한 외국납부세액과 이를 고려하지 않은 외국납부세액과의 차액)에 대해서는 이월공제를 적용하지 아니한다(법인세법 시행령 제94조 제15항).

거주자의 퇴직소득세, 양도소득세 및 상속·증여세의 경우에는 이월공제 제도를 적용하지 않는다.

예제 1

다음은 중국과 미국, 북한에 사업장을 두고 있는 ㈜자유의 국내 및 국외의 자료이다. 이에 근거하여 ㈜자유의 당해 사업연도 외국납부세액 공제금액을 계산하시오.

1. 각국의 원천소득 및 외국법인세액 명세

구 분	한국 본사	중국	미국	북한	합계
수입금액	40,000,000	10,000,000	6,000,000	5,000,000	61,000,000
비 용(손금)	32,000,000	3,000,000	-	-	35,000,000
각 사업연도 소득금액	10,000,000	7,000,000	-	5,000,000	28,000,000
세율		30%	-	10%	22%
외국납부세액/산출세액	-	2,100,000	-	500,000	6,160,000

2. 한국 본사의 손금에서 발생한 비용 중 중국 사업장 관련 비용 5,000,000원, 북한 사업장 관련 비용 2,000,000원이 있음.
3. 미국 원천소득 600만원은 미국법인에서 받아야 할 지급보증수수료를 세무조정으로 익금산입한 금액임.
4. 한국의 법인세율은 22%를 적용함.

해답

외국납부세액 공제세액(국별한도방법) : 940,000원

국가	국별소득 ①	조정 ②	원천소득별 과세표준 (③=①+②)	공제한도 ④	외국납부세액 ⑤	공제액 Min(④, ⑤)
중국	7,000,000	△5,000,000	2,000,000	440,000	2,100,000	440,000
미국	6,000,000	-	6,000,000	-	-	-
북한	5,000,000	△2,000,000	3,000,000	660,000	500,000	500,000
국내	10,000,000	7,000,000	17,000,000	-	-	-
합계	28,000,000	-	28,000,000	-	2,600,000	940,000

공제한도액의 계산

① 중국 : $6,160,000 \times \frac{2,000,000}{28,000,000} = 440,000$

② 북한 : $6,160,000 \times \frac{3,000,000}{28,000,000} = 660,000$

예제 2

다음은 미국과 북한에 지사를 두고 있는 ㈜대한의 11기 자료이다. 이에 근거하여 ㈜대한의 당해 사업연도 외국납부세액 공제금액을 계산하시오.

1. 각국의 원천소득 및 외국법인세액 명세

구 분	한국 본사	미국	북한	합계
국내/국외 원천소득금액	500,000,000	200,000,000	50,000,000	750,000,000
외국납부세액(*)	-	14,000,000	11,000,000	25,000,000

(*) 외국납부세액은 소득금액 계산시 손금불산입 처리하였음.

2. 제9기에 발생한 세무상 이월결손금 150,000,000원이 있으며, 동 이월결손금의 발생원천(국내 혹은 국외)의 확인이 불분명하다. 비과세소득 및 소득공제액은 없음.
3. 한국의 법인세율은 2억원 이하는 10%를, 2억원 초과분은 20%를 적용함.

해 답

1. 과세표준 : 750,000,000 − 150,000,000 = 600,000,000
2. 법인세 산출세액 : 200,000,000 × 10% + 400,000,000 × 20% = 100,000,000
3. 외국납부세액공제액(국별한도제 적용): 20,666,667
4. 이월공제액 : 11,000,000 − 6,666,667 = 4,333,333(북한)

구분	소득금액	이월결손금	과세표준	공제한도액 ①	외국납부 법인세 ②	세액공제액 Min(①,②)
한국	500,000,000	100,000,000	400,000,000	-	-	-
미국	200,000,000	40,000,000	160,000,000	26,666,667	14,000,000	14,000,000
북한	50,000,000	10,000,000	40,000,000	6,666,667	11,000,000	6,666,667
합 계	750,000,000	△150,000,000	600,000,000	-	-	20,666,667

① 미국 : $100,000,000 \times \frac{160,000,000}{600,000,000} = 26,666,667$

② 북한 : $100,000,000 \times \frac{40,000,000}{600,000,000} = 6,666,667$

예제 3

㈜영광의 미국, 북한, 홍콩 사업장 실적은 다음과 같다. 외국납부세액 공제금액을 계산하시오.

1. 각국의 원천소득 및 외국법인세액 명세

구 분	한국 본사	미국	북한	홍콩	합계
국내/국외 원천소득금액	300,000,000	80,000,000	50,000,000	△30,000,000	400,000,000
외국납부세액(*)	–	15,000,000	4,000,000	–	19,000,000

(*) 외국납부세액은 소득금액 계산시 손금불산입 처리하였음.

2. ㈜영광의 공제가능한 이월결손금이 100,000,000원이 있으며, 동 금액은 국내에서 발생한 90,000,000원, 미국에서 발생한 10,000,000원으로 구성되어 있음.
3. 한국의 법인세율은 2억원 이하는 10%를, 2억원 초과분은 20%를 적용함.

해답

1. 과세표준 : 400,000,000 − 100,000,000 = 300,000,000
2. 법인세 산출세액 : 200,000,000 × 10% + 100,000,000 × 20% = 40,000,000
3. 외국납부세액공제액(국별한도제 적용) : 12,589,148
4. 이월공제액 : 15,000,000 − 8,589,148 = 6,410,852(미국)

구분	소득금액	결손금배분	이월결손금	과세표준	공제한도①	외국납부 법인세②	세액공제액 Min(①,②)
한국	300,000,000	20,930,233	90,000,000	189,069,767	–	–	–
미국	80,000,000	5,581,395	10,000,000	64,418,605	8,589,148	15,000,000	8,589,148
북한	50,000,000	3,488,372	–	46,511,628	6,201,550	4,000,000	4,000,000
홍콩	△30,000,000	30,000,000	–	–	–	–	–
합 계	400,000,000	–	100,000,000	300,000,000		19,000,000	12,589,148

1) 당기 발생 결손금 배분

① 한국 : $30,000,000 \times \frac{300,000,000}{430,000,000} = 20,930,233$

② 미국 : $30,000,000 \times \frac{80,000,000}{430,000,000} = 5,581,395$

③ 북한 : $30,000,000 \times \frac{50,000,000}{430,000,000} = 3,488,372$

2) 공제한도

① 미국 : $40,000,000 \times \frac{64,418,605}{300,000,000} = 8,589,148$

① 북한 : $40,000,000 \times \frac{46,511,628}{300,000,000} = 6,201,550$

예제 4

㈜한강기업의 당해 사업연도 한국본사와 외국자회사의 손익내역은 다음과 같다. 외국납부세액 공제금액과 이월세액공제 대상 금액을 계산하시오.

1. 한국 본사와 외국자회사 손익 명세

구 분	한국 본사	외국자회사	합계
소 득	100,000,000	50,000,000	150,000,000
손 금	95,000,000 (이중, 외국자회사부분 15,000,000)	25,000,000	120,000,000
과세표준 (국외원천 소득금액)	5,000,000	25,000,000	30,000,000
외국납부세액/산출세액	-	6,250,000	6,000,000

2. 한국의 법인세율은 20%를 적용함.

해답

1) 당해연도 외국납부세액 공제액의 계산

공제한도 : $6{,}000{,}000 \times \frac{(50{,}000{,}000 - 25{,}000{,}000)}{30{,}000{,}000} = 5{,}000{,}000$

공제액: = Min(납부세액, 한도액) = Min(6,250,000, 5,000,000) = 5,000,000

2) 이월세액공제 대상 금액의 계산

① 이월대상 외국법인세 : 1,250,000원
= 당해연도 외국납부법인세 - 외국납부세액공제액 = 6,250,000 - 5,000,000

② 국외원천소득 대응 비용이 고려된 공제한도의 계산액 : 2,000,000원

공제한도 : $6{,}000{,}000 \times \frac{(50{,}000{,}000 - 25{,}000{,}000 - 15{,}000{,}000)}{30{,}000{,}000} = 2{,}000{,}000$

공제액 : = Min(납부세액, 한도액) = Min(6,250,000, 2,000,000) = 2,000,000

③ 국외원천소득 대응 비용과 관련된 외국법인세액(차액 : 이월공제 배제액) : 3,000,000원
= 5,000,000 - 2,000,000 = 3,000,000

④ 이월공제 대상 외국납부세액 : (음수이므로 이월공제 대상 외국납부세액 없음)
= 1,250,000 - 3,000,000 = △1,750,000

5) 외국납부세액공제의 경정청구

아래 경우에는 외국정부의 국외원천소득에 대한 법인세 결정통지를 받은 날부터 3개월 이내에 외국납부세액공제세액계산서 등에 증빙서류를 첨부하여 제출할 수 있으며, 이에 따라 외국납부세액 공제금액을 재계산할 수 있다. 이 경우 환급세액이 발생하

면 국세환급금(국세기본법 제51조)으로 보아 그 후 사업연도에 납부할 법인세 등에 충당하거나 환급할 수 있다.

① 내국법인 또는 거주자가 외국정부의 국외원천소득에 대한 법인세 또는 개인소득세의 결정·통지의 지연, 과세기간의 상이 등의 사유로 외국납부세액공제세액 계산서를 제출할 수 없는 경우

② 외국정부가 국외원천소득에 대하여 결정한 법인세액 또는 개인소득세 등을 경정함으로써 외국납부세액에 변동이 생긴 경우

6) 세액공제 시기와 환율적용

① 세액공제 시기

외국납부세액은 해당 국외원천소득이 과세표준에 산입되어 있는 사업연도의 산출세액에서 공제하거나 필요경비로 산입한다. 이 경우 외국납부 세액공제 혹은 손금산입을 적용 받으려는 내국법인은 과세표준 신고와 함께 외국납부세액공제세액계산서를 납세지 관할 세무서장에게 제출하여야 한다(법인세법 시행령 제94조 제3항).

② 적용환율

외국납부세액의 원화환산은 아래와 같이 요약된다(법인세법 시행규칙 제94조 제3항).

<table>
<tr><th colspan="2">구 분</th><th>적용환율</th></tr>
<tr><td colspan="2">외국법인세를 납부한 때</td><td>외국법인세를 납부한 때의 기준환율 또는 재정환율</td></tr>
<tr><td rowspan="2">외국법인세를 분납 또는 납기 미도래한 경우</td><td>해당 사업연도 중에 확정된 외국법인세가 분납 또는 체납으로 인하여 미납된 경우</td><td>그 사업연도 종료일 현재의 기준환율 또는 재정환율</td></tr>
<tr><td>사업연도 종료일 이후에 확정된 외국법인세를 납부하는 경우 미납된 분납세액</td><td>확정일 이후 최초로 납부하는 날의 기준환율 또는 재정환율</td></tr>
</table>

<table>
<tr><th colspan="2">구 분</th><th>적용환율</th></tr>
<tr><td rowspan="2">공제받은 외국납부세액을 외국에서 환급받은 경우</td><td>국내에서 공제받은 외국납부세액을 외국에서 환급받아 국내에서 추가로 세액을 납부하는 경우</td><td>외국납부세액 공제시에 적용한 환율을 그대로 적용</td></tr>
<tr><td>국내에서 공제받은 외국납부세액을 외국에서 환급받은 세액의 납부일이 분명하지 아니한 경우</td><td>해당 사업연도 동안 해당 국가에 납부한 외국납부세액의 환산한 원화 합계액을 해당 과세기간 동안 해당 국가에 납부한 외국납부세액의 합계액으로 나누어 가중평균 계산한 환율에 따른다.</td></tr>
</table>

3. 간접 외국납부세액공제

1) 간접 외국납부세액공제 개요

내국법인의 해외진출 방법에 있어서 지점 형식 또는 법인 형식의 진출이 가능하다. 그러나, 지점형식의 진출의 경우, 현지 외국 지점에서 발생한 법인세는 100% 외국납부세액(기납부세액)으로 공제가 가능하나, 법인 형식의 진출인 경우 현지법인이 모회사인 내국법인으로 송금한 배당금만이 모회사에서 수익으로 인식되며, 배당 전에 현지법인이 부담한 법인세는 법적인 실체가 상이하므로 모회사에서는 외국납부세액으로 인정이 불가능하다. 따라서, 해외진출 방법에 따른 상이한 조세부담 문제를 해소하고자 법인 형식의 진출, 즉 외국자회사에서 부담한 법인세를 모회사인 내국법인이 납부한 법인세액으로 보아 내국법인의 납부세액에서 공제하는 제도가 간접 외국납부세액공제 제도이다.

따라서, 내국법인의 각 사업연도의 소득금액에 외국자회사로부터 받은 수입배당금액(이익의 배당이나 잉여금등의 분배액)이 포함되어 있는 경우 그 외국자회사의 소득에 대하여 부과된 외국법인세액 중 그 수입배당금액에 대응하는 금액은 외국납부세액공제 또는 손금산입 되는 외국법인세액으로 본다(법인세법 제57조 제4항).

개인(거주자)에게는 간접 외국납부세액공제를 적용하지 않는다. 다만, 국제조세조정에 관한 법률 제17조에서 규정하고 있는 특정외국법인(조세피난처)의 유보소득에 대하여 배당간주 과세가 이루어진 경우, 특정외국법인이 부담한 법인세도 간접 외국납부세액공제 대상에 해당한다.

2) 간접 외국납부세액 공제요건

간접 외국납부세액 공제대상이 되는 외국자회사란 내국법인이 의결권 있는 발행주식총수 또는 출자총액의 25% 이상(해외자원개발사업을 하는 외국법인의 경우에는 5%를 말한다)을 출자하고 있는 외국법인으로서 외국자회사의 배당확정일 현재 6개월 이상 계속하여 보유하고 있는 법인을 말한다(법인세법 제57조 제5항, 법인세법 시행령 제94조).

3) 간접 외국납부세액 공제액

간접 외국납부세액은 아래의 계산식에 따라 계산한 금액을 말한다(법인세법 시행령 제94조).

$$\text{외국자회사의 해당 사업연도 법인세} \times \frac{\text{수입배당금액}}{\text{외국자회사 소득금액} - \text{외국자회사 법인세}}$$

2011년 이전에는 조세조약이 체결되지 않은 국가로부터 수령한 배당에 대하여는 외국납부세액 공제액의 50%만을 적용하였으나, 이후 간접 외국납부세액 공제를 적용함에 있어, 한국과 외국의 조세조약 체결 여부는 고려할 요건이 아닌 것으로 법 개정이 이루어진 바 있다.

또한, 외국자회사의 해당 사업연도 법인세액의 계산에 있어서 아래의 세액은 외국손회사 및 지점의 법인세액의 50%를 추가하여 합산한다.

① 외국자회사가 외국납부세액으로 공제받았거나 공제받을 금액

- 외국자회사가 외국손회사로부터 지급받는 수입배당금액에 대하여 외국손회사의 소재지국 법률에 따라 외국손회사의 소재지국에 납부한 세액
- 외국자회사가 제3국의 지점 등에 귀속되는 소득에 대하여 그 제3국에 납부한 세액

② 해당 수입배당금액이나 제3국(본점이나 주사무소 또는 사업의 실질적 관리장소 등을 둔 국가 외의 국가를 말한다) 지점 등 귀속소득에 대하여 외국자회사의 소재지국에서 국외소득 비과세·면제를 적용 받았거나 적용받을 금액

상기 외국손회사의 외국납부세액 또는 비과세 면제세액 50% 추가 합산의 규정의 대상이 되는 외국손회사의 요건은 앞에서 설명된 일반 해외자회사의 요건과 동일하다. 즉, 한국 본사의 입장에서 간접 외국납부세액 공제대상이 되는 외국손회사란 내국법인이 의결권 있는 발행주식총수 또는 출자총액의 25% 이상(해외자원개발사업을 하는 외국법인의 경우에는 5%를 말한다)을 간접 출자하고 있는 외국법인으로서 외국손회사의 배당확정일 현재 6개월 이상 계속하여 보유하고 있는 법인을 의미하는 것으로, 이 경우 주식의 간접소유비율은 내국법인의 외국자회사에 대한 주식소유비율에 그 외국자회사의 외국손회사에 대한 주식소유비율을 곱하여 계산한다.

4) 외국자회사의 잉여금 처분(배당)의 순서

수입배당금액(외국자회사가 외국손회사로부터 지급받는 수입배당금액을 포함한다)은 이익이나 잉여금의 발생순서에 따라 먼저 발생된 금액부터 배당되거나 분배된 것으로 본다(법인세법 시행령 제94조).

5) 간접 외국납부세액 공제의 세무처리

세액공제 대상이 되는 외국법인세액 상당액은 세액 공제받는 사업연도에 익금산입한다(법인세법 제15조 제2항). 공제시기, 적용환율, 이월공제 등에 대하여는 직접 외국납부세액공제와 동일하다.

예제 5

㈜장보고의 2×21년도 한국본사와 외국자회사의 손익상황은 다음과 같다. 이에 근거하여 외국납부세액공제액을 계산하시오.

1. ㈜장보고는 외국자회사(청해진 유한회사)의 설립시부터 자본금을 투자하여 2×21 사업연도 말 현재 60%의 지분을 소유하고 있음.
2. 2×21 사업연도에 ㈜장보고는 청해진 유한회사로부터 배당금 54,000,000원을 받았으며, 이는 배당관련 법인세 원천징수세액 6,000,000원이 차감된 후의 금액이다. 이를 제외한 ㈜장보고의 2×21 사업연도의 각 사업연도 소득금액은 240,000,000원이며, 이월결손금, 비과세소득, 소득공제액은 없다.
3. 청해진 유한회사로부터 수령한 상기 배당금은 청해진 유한회사의 2×20 사업연도의 이익처분에 따른 것이었으며 청해진 유한회사의 2×20 사업연도의 과세표준은 200,000,000원이며, 법인세 50,000,000을 납부하였다. ㈜장보고는 외국납부세액의 세액공제방법을 채택하고 있다.
4. 한국의 법인세율은 2억원 이하는 10%를, 2억원 초과분은 20%를 적용함.

해 답

1) 외국법인세액 : ① + ② = 26,000,000
① 직접 납부 외국법인세액 : 6,000,000
② 간접 납부 외국법인세액 : 20,000,000

간접 납부 외국법인세액 : $50,000,000 \times \frac{60,000,000}{200,000,000 - 50,000,000} = 20,000,000$

간접 외국납부법인세액은 각 사업연도 소득금액 계산시 익금산입 대상이다.

2) ㈜장보고의 과세표준 : 320,000,000원
= 240,000,000 + (54,000,000 + 6,000,000) + 20,000,000 = 320,000,000

3) 법인세 산출세액 : 44,000,000원
= 200,000,000 × 10% + 120,000,000 × 20% = 44,000,000

4) 외국납부세액공제 세액공제금액 : MIN(①, ②) = 11,000,000
① 외국납부세액 : 26,000,000
② 공제한도액 : 11,000,000

공게한도액 : $44,000,000 \times \frac{80,000,000}{320,000,000} = 11,000,000$

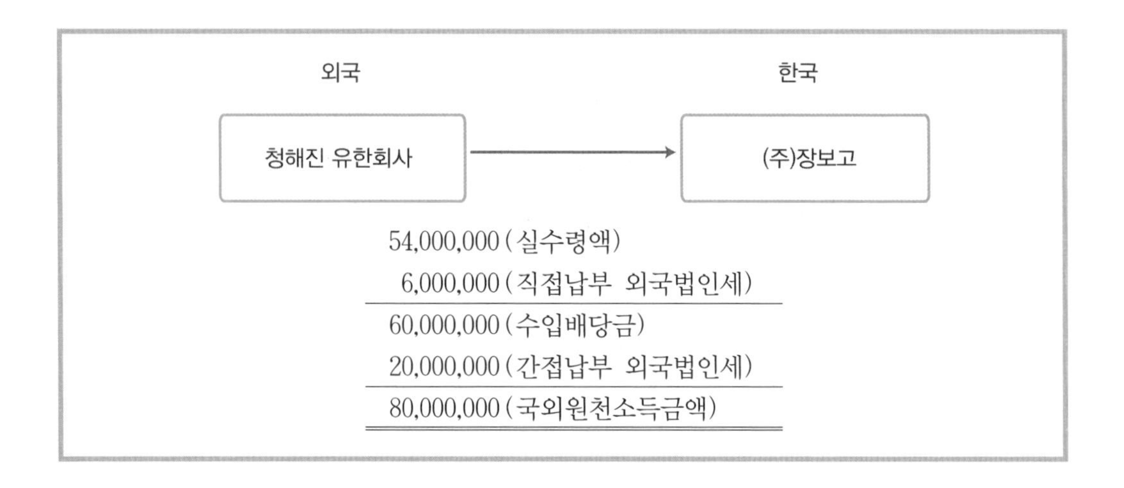

4. 간주(의제) 외국납부세액공제

1) 간주 외국납부세액 공제개요

국외원천소득이 있는 내국법인 또는 거주자가 조세조약의 상대국에서 해당 국외원천소득에 대하여 법인세 또는 소득세를 감면받은 경우, 감면받은 세액 상당액은 그 조세조약으로 정하는 범위 내에서 세액공제 또는 손금산입의 대상이 되는 외국납부세액으로 본다(법인세법 제57조 제3항, 소득세법 제57조 제3항).

동 간주 외국납부세액 공제제도(Sparing Foreign Tax Credit, Deemed Foreign Tax Credit)의 취지는 개발도상국이 자기나라의 경제발전을 위하여 해당 국가의 정부에서 한국기업의 국외사업장(해외법인 등)에 일종의 인센티브 제공을 목적으로 법인세를 면제 또는 감면한 경우, 그 개발도상국의 법인세 감면효과가 한국의 법인세 과세에서도 유지되도록 하기 위함에 있다.

남북 사이의 소득에 대한 이중과세방지 합의서 제22조 제2항에 간주 외국납부세액 공제 제도가 규정되어 있다.

2) 간주 외국납부세액 공제요건

간주 외국납부세액 공제제도는 소득에 대한 감면 또는 세액에 대한 감면 등을 허용하는 국가와 조세조약이 체결되어 있고, 조세조약 상에 간주 외국납부세액 공제 조항이 규정되어 있는 경우에만 간주 외국납부세액 공제를 적용할 수 있다.

3) 간주 외국납부세액 공제액

간주 외국납부세액 공제 대상금액의 계산은 감면이 없었더라면 납부하여야 할 금액이며, 납부하여야 할 날을 기준으로 원화로 환산하는 금액을 말한다(국세제원-247, 2010. 5. 17.).

따라서, 한국의 세법규정에 따라 익금산입 하는 간주익금 항목에 대하여는 간주 외국납부세액 공제제도를 적용할 수 없다. 예를 들면, 내국법인의 해외 현지법인이 이익잉여금을 자본 전입함에 따라 한국 내국법인이 각 사업연도 소득에 의제배당으로 익금산입하는 경우, 동 의제배당과 관련하여는 간접 외국납부세액 공제를 적용하지 아니한다.

4) 간주 외국납부세액 공제의 세무처리

간주 외국납부세액은 실질적으로 외국에서 조세를 납부한 것이 아니므로 별도의 회계처리 또는 별도의 익금산입 등의 세무조정이 필요없다. 즉, 간주 외국납부세액을 세액공제 받는 경우 계산된 간주 외국납부세을 익금산입 하지 아니하고, 직접 및 간접 외국납부세액과 합산하여, 외국납부세액 공제 한도액을 계산하여 세액공제를 적용한다.

5. 외국납부세액의 손금산입

1) 외국납부세액의 손금산입 개요

일반적으로 손금산입 방법보다는 세액공제를 선택하는 것이 해당 법인의 세부담 측면에서 유리하다. 그러나, 2020년 말 세법개정을 통하여 외국납부세액의 손금산입 방식이 기본적으로 폐지되었으며, 다만 외국납부세액 공제기간 10년이 종료된 후, 다음 과세기간에 손금산입하는 방법으로 처리할 수 있다.

2) 손금산입 시기, 환율적용 및 이월공제

손금산입된 외국납부세액은 통상적인 법인세 과세표준 계산방법에 의해 처리된다. 즉 해당 사업연도 각 사업연도 소득금액에 반영되어 계산되며 이월결손금, 비과세과세득 및 소득공제가 차감되어 과세표준으로 산정된다. 단, 과세표준이 결손이 발생하는 경우, 동 이월결손금은 향후 15년 간 각 사업연도 소득금액에서 공제한다.

손금산입 시기, 환율의 적용방법은 직접 외국납부세액 공제의 경우와 동일하다.

개성공업지구 세무회계 재무제표 양식

1. 대차대조표

대차대조표

제×기 200×년 12월 31일 현재
제×기 200×년 12월 31일 현새

주식회사 ××× (단위: USD)

계 시	제×(당)기		제×(전)기	
재 산				
Ⅰ. 류 동 재 산				
(1) 시좌재산				
1. 현금 및 현금 등 가물		×××		×××
2. 단기금융상품		×××		×××
3. 유가증권		×××		×××
4. 판매채권	×××		×××	
대손충당금	×××	×××	×××	×××
5. 단기대부금	×××		×××	
대손충당금	×××	×××	×××	×××
6. 미수금		×××		×××
7. 미수수입		×××		×××
8. 전불금		×××		×××
9. 전불비용		×××		×××
10. 기타 시좌재산		×××		×××
(2) 물자재산				
1. 상품		×××		×××
2. 제품		×××		×××
3. 반제품		×××		×××
4. 미성품		×××		×××
5. 원자재		×××		×××
6. 저장품		×××		×××
7. 기타물자재산		×××		×××
Ⅱ. 고 정 재 산				
(1) 투자재산				
1. 장기금융상품		×××		×××
2. 투자유가증권		×××		×××
3. 장기대부금		×××		×××
4. 장기적판매채권	×××		×××	
대손충당금	×××	×××	×××	×××

계 시	제×(당)기		제×(전)기	
채 무				
Ⅰ. 류동채무				
1. 구입채무		×××		×××
2. 단기차입금		×××		×××
3. 미불금		×××		×××
4. 전수금		×××		×××
5. 예수금		×××		×××
6. 미불비용		×××		×××
7. 미불세금		×××		×××
8. 류동성장기채무		×××		×××
9. 전수수입		×××		×××
10. 단기채무충당금		×××		×××
11. 기타류동채무		×××		×××
Ⅱ. 고 정 채 무				
1. 사채	×××		×××	
사채발행차금	×××	×××	×××	×××
2. 장기차입금		×××		×××
3. 장기구입채무		×××		×××
4. 퇴직보조금지불충당금		×××		×××
5. 장기채무충당금		×××		×××
6. 기타고정채무		×××		×××
채 무 총 계		×××		×××
자 본				
Ⅰ. 자 본 금				
1. 보통주자본금		×××		×××
Ⅱ. 자 본 잉 여 금				
1. 주식발행초과금		×××		×××

계 시	제×(당)기		제×(전)기	
5. 투자부동산		×××		×××
6. 보증금		×××		×××
7. 기타투자재산		×××		×××
(2) 유형고정재산				
1. 건물	×××		×××	
감가상각루계액	×××	×××	×××	×××
2. 구축물	×××		×××	
감가상각루계액	×××	×××	×××	×××
3. 기계장치	×××		×××	
감가상각루계액	×××	×××	×××	×××
4. 차량운반수단	×××		×××	
감가상각루계액	×××	×××	×××	×××
5. 기타유형고정재산	×××		×××	
감가상각루계액	×××	×××	×××	×××
6. 건설중재산		×××		×××
(3) 무형고정재산				
1. 토지리용권		×××		×××
2. 영업권		×××		×××
3. 공업소유권		×××		×××
4. 임차권		×××		×××
5. 연구개발비		×××		×××
6. 기타무형고정재산		×××		×××
재 산 총 계		×××		×××

계 시	제×(당)기		제×(전)기	
2. 합병편차리익		×××		×××
3. 기타자본잉여금		×××		×××
Ⅲ. 리 익 잉 여 금				
1. 예비기금		×××		×××
2. 자체기금		×××		×××
3. 미처분리익잉여금		×××		×××
(당기순리익(순손실):				
(미처리손실금)				
제×기 USD ×××				
제×기 USD ×××				
Ⅳ. 자 본 조 정				
1. 자기주식		×××		×××
2. 투자유가증권평가리익(손실)		×××		×××
3. 해외영업환산리익(손실)		×××		×××
자 본 총 계		×××		×××
채무와 자본총계		×××		×××

2. 손익계산서

손익계산서

제×기 200×년 1월 1일부터 200×년 12월 31일까지
제×기 200×년 1월 1일부터 200×년 12월 31일까지

주식회사 ××× (단위: USD)

계 시	제×(당)기		제×(전)기	
Ⅰ. 판 매 수 입		×××		×××
1. 상품판매수입	×××		×××	
2. 제품판매수입	×××		×××	
3. 임가공수입	×××		×××	
4. 기타수입	×××		×××	
Ⅱ. 판 매 원 가		×××		×××
(1) 상품판매원가	×××		×××	
1. 기초상품재고액	×××		×××	
2. 상품구입액	×××		×××	
계	×××		×××	
3. 기말상품재고액	×××		×××	
(2) 제품판매원가	×××		×××	
1. 기초제품재고액	×××		×××	
2. 제품제조원가	×××		×××	
계	×××		×××	
3. 기말제품재고액	×××		×××	
(3) 임가공원가	×××		×××	
(4) 기타원가	×××		×××	
Ⅲ. 판 매 리 익(손 실)		×××		×××
Ⅳ. 판 매 비 와 관 리 비		×××		×××
1. 로력비	×××		×××	
2. 퇴직보조금	×××		×××	
3. 문화후생비	×××		×××	
4. 임차료	×××		×××	
....	×××		×××	
Ⅴ. 영 업 리 익(손 실)		×××		×××
Ⅵ. 기 타 업 무 수 입		×××		×××
1. 리자수입	×××		×××	
2. 배당금수입	×××		×××	
3. 임대료	×××		×××	
4. 유가증권처분리익	×××		×××	
....	×××		×××	
Ⅶ. 기 타 업 무 비 용		×××		×××

계 시	제×(당)기		제×(전)기	
1. 리자비용	×××		×××	
2. 기타대손상각비	×××		×××	
3. 유가증권처분손실	×××		×××	
4. 유가증권평가손실	×××		×××	
....	×××		×××	
Ⅷ. 경 상 리 익 (손 실)		×××		×××
Ⅸ. 우 연 리 익		×××		×××
1. 기타업무수입	×××		×××	
2. 재산증여리익	×××		×××	
....				
Ⅹ. 우 연 손 실		×××		×××
1. 기타업무비용	×××		×××	
2. 재해손실	×××		×××	
....				
XI . 기 업 소 득 세 덜 기 전 리 익(손실)		×××		×××
XII .기 업 소 득 세		×××		×××
XIII . 당 기 순 리 익(손 실)		×××		×××
1주당 경상리익(손실)				
제×기 : USD ××, 제×기: USD ××				
1주당 당기순리익(손실)				
제×기 : USD ××, 제×기: USD ××				

3. 리익처분계산서

리익처분계산서

제×기 200×년 1월 1일부터 200×년 12월 31일까지 처분예정일 : 200×년 ×월 ×일	제×기 200×년 1월 1일부터 200×년 12월 31일까지 처분확정일 : 200×년 ×월 ×일

주식회사 ×× (단위: USD)

계 시	제×(당)기		제×(전)기	
Ⅰ. 미처분리익잉여금		×××		×××
1. 전년도 조월리익잉여금(조월손실금)	×××		×××	
2. 회계처리기준의 변경으로 인한 루적효과	×××		×××	
3. 당기순리익	×××		×××	
Ⅱ. 자체기금 같은 것의 인입액		×××		×××
1. 자체기금인입액	×××		×××	
2. ××기금인입액	×××		×××	
합 계		×××		×××
Ⅲ. 리익잉여금처분액		×××		×××
1. 예비기금	×××		×××	
2. 주식할인발행차금상각	×××		×××	
3. 자기주식처분손실잔고금액	×××		×××	
4. 배당금	×××		×××	
(주당배당금액 ××, 액면배당률 ×%)				
5. ××자체기금	×××		×××	
Ⅳ. 다음년도 조월리익잉여금		×××		×××

4. 손실처리계산서

손실처리계산서

제×기 200×년 1월 1일부터 200×년 12월 31일까지 처리예정일 : 200×년 ×월 ×일	제×기 200×년 1월 1일부터 200×년 12월 31일까지 처리확정일 : 200×년 ×월 ×일

주식회사 ××× (단위: USD)

계 시	제×(당)기		제×(전)기	
Ⅰ. 미처리손실금		×××		×××
1. 전년도 조월손실금	×××		×××	
2. 회계처리기준의 변경으로 인한 루적효과	×××		×××	
3. 당기순손실	×××		×××	
Ⅱ. 손실처리액		×××		×××
1. 자체기금인입액	×××		×××	
2. ×× 기금인입액	×××		×××	
....	×××		×××	
Ⅲ. 다음년도 조월손실금		×××		×××

5. 현금류동표(직접법)

현금류동표(직접법)

제×기 200×년 1월 1일부터 200×년 12월 31일까지
제×기 200×년 1월 1일부터 200×년 12월 31일까지

주식회사 ××× (단위: USD)

계 시	제×(당)기		제×(전)기	
Ⅰ. 영업활동에 따르는 현금류동		×××		×××
1. 판매 등 수익활동으로부터의 류입액	×××		×××	
2. 판매원가 및 종업원에 대한 류출액	×××		×××	
3. 리자수입 류입액	×××		×××	
4. 배당금수입 류입액	×××		×××	
5. 리자비용 류출액	×××		×××	
6. 미불기업소득세 류출액	×××		×××	
…………………………	×××		×××	
Ⅱ. 투자활동에 따르는 현금류동		×××		×××
(1) 투자활동에 따르는 현금류입액	×××		×××	
1. 단기대부금의 회수	×××		×××	
2. 단기금융상품의 처분	×××		×××	
3. 유가증권의 처분	×××		×××	
4. 투자유가증권의 처분	×××		×××	
5. 장기대부금의 회수	×××		×××	
…………………………	×××		×××	
(2) 투자활동에 따르는 현금의 류출액	×××		×××	
1. 현금의 단기대부	×××		×××	
2. 단기금융상품의 취득	×××		×××	
3. 유가증권의 취득	×××		×××	
4. 투자유가증권의 취득	×××		×××	
5. 장기대부금의 대여	×××		×××	
…………………………	×××		×××	
Ⅲ. 재정활동에 따르는 현금류동		×××		×××
(1) 재정활동에 따르는 현금의 류입액	×××		×××	
1. 단기차입금의 차입	×××		×××	
2. 장기차입금의 차입	×××		×××	
3. 사채의 발행	×××		×××	
…………………………	×××		×××	
(2) 재정활동에 따르는 현금의 류출액	×××		×××	
1. 단기차입금의 상환	×××		×××	
2. 사채의 상환	×××		×××	
3. 배당금의 지불	×××		×××	
…………………………	×××		×××	
Ⅳ. 현금의 증가(감소) (Ⅰ+Ⅱ+Ⅲ)		×××		×××
Ⅴ. 기초현금		×××		×××
Ⅵ. 기말현금		×××		×××

6. 현금류동표(간접법)

현금류동표(간접법)

제×기 200×년 1월 1일부터 200×년 12월 31일까지
제×기 200×년 1월 1일부터 200×년 12월 31일까지

주식회사 ××× (단위: USD)

계 시	제×(당)기		제×(전)기	
Ⅰ. 영업활동에 따르는 현금류동		×××		×××
(1) 당기순리익(손실)	×××		×××	
(2) 현금의 류출이 없는 비용 등의 가산	×××		×××	
1. 감가상각비	×××		×××	
2. 퇴직보조금	×××		×××	
3. 유가증권처분손실	×××		×××	
....	×××		×××	
(3) 현금의 류입이 없는 수입 등의 차감	×××		×××	
사채상환이익	×××		×××	
....	×××		×××	
(4) 영업활동과 관련하여 발생한 류동재산 및 류동채무의 변동	×××		×××	
1. 물자재산의 감소(증가)	×××		×××	
2. 판매채권의 감소(증가)	×××		×××	
3. 구입채무의 증가(감소)	×××		×××	
4. 미불기업소득세의 증가(감소)	×××		×××	
....	×××		×××	
Ⅱ. 투자활동에 따르는 현금류동		×××		×××
(1) 투자활동에 따르는 현금류입액	×××		×××	
1. 단기대부금의 회수	×××		×××	
2. 단기금융상품의 처분	×××		×××	
3. 유가증권의 처분	×××		×××	
4. 투자유가증권의 처분	×××		×××	
5. 장기대부금의 회수	×××		×××	
....	×××		×××	
(2) 투자활동에 따르는 현금의 류출액	×××		×××	
1. 현금의 단기대부	×××		×××	
2. 단기금융상품의 취득	×××		×××	
3. 유가증권의 취득	×××		×××	
4. 투자유가증권의 취득	×××		×××	
5. 장기대부금의 대여	×××		×××	
....	×××		×××	
Ⅲ. 재정활동에 따르는 현금류동		×××		×××

계 시	제×(당)기		제×(전)기	
(1) 재정활동에 따르는 현금의 류입액	×××		×××	
1. 단기차입금의 차입	×××		×××	
2. 장기차입금의 차입	×××		×××	
3. 사채의 발행	×××		×××	
…………………	×××		×××	
(2) 재정활동에 따르는 현금의 류출액	×××		×××	
1. 단기차입금의 상환	×××		×××	
2. 사채의 상환	×××		×××	
3. 배당금의 지불	×××		×××	
…………………	×××		×××	
Ⅳ. 현금의 증가(감소) (Ⅰ+Ⅱ+Ⅲ)		×××		×××
Ⅴ. 기초현금		×××		×××
Ⅵ. 기말현금		×××		×××

| 저 | 자 | 소 | 개 |

▣ 김 대 훈

- 한국공인회계사/세무사, 미국 공인회계사, CISA(미국 전산감사인)
- 중국 공인회계사시험 부분합격(3과목/6과목)
- 현, 중국) KCBC 회계사사무소 대표
- 현, 홍콩) HK KCBC CPA (회계법인) 한국부 팀장
- 현, 한국) 태성회계법인
- 현, 북경 학원로 교회 집사
- 전, KPMG 산동 · 삼정회계법인
- 전, 대한민국 해군 경리장교

- 서강대학교 경영학 학사
- 연세대학교 경영학 석사(회계학 전공)
- 북경대학교 경영학 석사(MBA)
- 북경대학교 법학 석사(회사법 전공)
- 북경대학교 법학 박사 수료(회사법 전공)

- E-mail: bullkdh@kcbc.com.hk, bullkdh7@naver.com
- Phone: 86) 199 1029 5412, 070-7458-1234

최신판 **북한의 상법과 세법**

2021년 2월 5일 초판 인쇄
2021년 2월 10일 초판 발행

저 자 김 대 훈
발 행 인 이 희 태
발 행 처 **삼일인포마인**

서울특별시 용산구 한강대로 273 용산빌딩 4층
등록번호 : 1995. 6. 26 제3－633호
전 화 : (02) 3489－3100
F A X : (02) 3489－3141
I S B N : 978－89－5942－915－8 93320

♣ 파본은 교환하여 드립니다.

정가 55,000원